BILLY MILLIGAN

L'homme aux 24 personnalités

DANIEL KEYES

Billy Milligan

L'homme aux 24 personnalités

Traduit de l'américain
par Jean-Pierre Carasso

BALLAND

Titre original : The minds of Billy Milligan.

Publié pour la première fois aux éditions :
Random House, New York.

A toutes les victimes des bourreaux d'enfant et plus particulièrement à celles qui gardent le secret...

PRÉFACE

William Stanley Milligan est le premier prévenu de l'histoire judiciaire des Etats-Unis à avoir bénéficié d'un acquittement dans une affaire criminelle parce qu'il a été jugé irresponsable de ses actes du fait qu'il possédait une personnalité multiple. Dans le livre qu'on va lire, je me propose de raconter en toute objectivité la vie de cet homme de vingt-six ans.

D'autres cas de personnalité multiple ont été décrits, tant dans la littérature psychiatrique que dans des ouvrages destinés au grand public, mais leur anonymat a toujours été préservé par l'utilisation de noms fictifs. Billy Milligan, au contraire, devint un personnage public dès la date de son arrestation et de son inculpation et il a été au centre d'une controverse passionnée. Son portrait a été publié en première page des journaux et sur la couverture de nombreuses revues. Le résultat des examens psychiatriques auxquels il fut soumis a défrayé la chronique. Il est en outre le premier patient atteint d'une telle affection à avoir été hospitalisé et, par conséquent, fait l'objet d'observations et de soins attentifs, vingt-quatre heures sur vingt-quatre, dans un établissement spécialisé. Quatre psychiatres et une psychologue ont témoigné sous serment, devant un tribunal, de l'authenticité du mal dont il est atteint.

Quand je l'ai rencontré pour la première fois, il avait vingt-trois ans et venait d'être placé par l'autorité judiciaire au Centre de santé mentale d'Athens (Ohio). Il me demanda si j'étais prêt à raconter son histoire. Je lui répondis que ma décision dépendrait d'une considération fort simple : y avait-il oui ou non des aspects de son aventure que les médias n'avaient pas encore fait connaître au public ? Il m'assura que les véritables secrets de ses « habitants » comme il les appelait, n'avaient jamais été révélés à quiconque, pas même à ses avocats ou aux psychiatres qui l'avaient examiné. Mais il désirait désormais les faire connaître au monde. Je demeurais sceptique mais cette affaire m'intéressait.

Plusieurs jours après cette rencontre, ma curiosité fut encore attisée par la conclusion d'un article de *Newsweek* intitulé *Les Dix visages de Billy :*

« Quelques questions demeurent toutefois : comment Milligan a-t-il appris les talents dignes de Houdin qui sont ceux de Tommy (l'une de ses personnalités) et en font un as de l'évasion ? Que signifient les conversations qu'il eut avec ses victimes et au cours desquelles il se vanta d'être un « guérillero » et un « tueur » ? Les médecins estiment que Milligan pourrait posséder d'autres personnalités encore non détectées — et que certaines d'entre elles pourraient s'être rendues coupables de crimes dont l'auteur n'a pas été découvert. »

Quand je le revis en tête à tête dans sa chambre, pendant les heures de visite de l'établissement psychiatrique, ce fut pour découvrir que Billy était bien différent du jeune homme posé et déterminé que j'avais rencontré la première fois. Il s'exprimait avec hésitation, ses genoux étaient agités d'un tremblement nerveux. Sa mémoire était mauvaise et des pans entiers de son passé étaient oblitérés par l'amnésie. Il arrivait à débiter quelques généralités concernant les périodes de son passé dont il avait conservé un vague souvenir — mais encore sa voix se mettait-elle à trembler dès qu'il évoquait un souvenir pénible — et se montrait parfaitement incapable d'entrer dans les détails. J'étais sur le point d'abandonner.

Et voilà qu'un beau jour se produisit quelque chose de surprenant. Billy Milligan « fusionna » pour la première fois. De cette fusion naquit un individu nouveau, une espèce d'amalgame de toutes ses personnalités. Le Milligan « fusionné » possédait un souvenir clair et précis — pratiquement ce qu'il est convenu d'appeler la mémoire absolue — de l'histoire de chacune de ses personnalités depuis la création — il connaissait toutes leurs pensées, tous leurs actes, l'ensemble de leurs relations et de leurs aventures tragi-comiques.

Si je précise ce fait dès le début, c'est pour permettre au lecteur de comprendre comment j'ai été en mesure de rapporter les événements du passé de Milligan, ses sentiments les plus intimes et jusqu'aux conversations que sa personnalité multiple lui a permis d'avoir avec lui-même. La totalité de ce que je raconte dans ce livre m'a été fournie par Milligan lui-même quand il avait fusionné, par certaines de ses personnalités et par soixante-deux autres personnes qui l'ont connu et croisé à diverses époques de sa vie. Je me suis servi des souvenirs de Milligan pour reconstituer les scènes et les dialogues. Pour les séances de thérapie, je n'ai eu qu'à me fonder sur les enregistrements vidéo. Bref, je n'ai rien inventé.

Quand j'entrepris de rédiger mon livre, je ne tardai pas à me heurter à une question difficile, celle de la chronologie. Car Milligan, depuis l'enfance, avait fréquemment « perdu le temps » et, de ce fait, n'a jamais accordé beaucoup d'attention aux pendules et aux calendriers. Bien souvent, ignorant la date du jour, voire le mois, il avait vite pris l'habitude de cacher ce détail gênant à son entourage. Fort heureusement, j'ai finalement été en mesure de recréer la séquence chronologique des événements de sa vie en me fondant sur des factures, des reçus, des contrats d'assurance, des livrets scolaires, des certificats d'employeurs et sur les nombreux autres documents mis à ma disposition par sa mère, sa sœur, ses employeurs, ses avocats et ses médecins. Milligan datait rarement sa correspondance mais son amie ayant conservé les centaines de lettres qu'il lui adressa pendant les deux années que dura son emprisonnement j'ai été en mesure de les dater grâce aux cachets de la poste.

En accord avec Milligan, je me suis imposé deux règles fondamentales qui ont présidé à l'ensemble de notre travail :

Nous avons décidé de donner les noms exacts de la totalité des acteurs, des lieux et des institutions à trois exceptions près, trois groupes de personnes dont il convenait de respecter l'anonymat en recourant, pour les désigner, à des pseudonymes : les autres malades mentaux, les criminels avec lesquels il avait eu des relations et que la police n'a jamais démasqués et enfin les trois femmes qu'il a violées et dont deux ont accepté de s'entretenir avec moi.

En deuxième lieu, et afin d'éviter que Milligan ne coure le risque de s'incriminer lui-même en révélant des crimes commis par telle ou telle de ses personnalités et pour lesquels il pouvait être inculpé, j'ai décidé d'envelopper d'un certain « flou artistique » les scènes et les événements de ce genre. C'est la seule « licence poétique » que je me sois autorisée et l'ensemble des crimes pour lesquels Milligan a déjà été jugé sont au contraire rapportés en détail et avec des précisions à ce jour inédites.

La plupart de ceux qui ont connu Billy Milligan, et jusqu'à ses victimes, ont fini par se persuader de l'authenticité du mal dont il est atteint. Nombre d'entre eux ont gardé le souvenir précis du détail qui a emporté leur conviction, de telle parole ou de telle action dont ils ont conclu : « Non, cela, il ne serait pas capable de le simuler. » Mais il en est encore pour penser qu'il n'est qu'un escroc, un habile simulateur qui veut se faire passer pour irresponsable afin d'éviter un juste châtiment. J'ai cherché à rencontrer le plus possible des premiers et des seconds. Les uns et les autres m'ont exposé leurs réactions et la raison de ces réactions.

Moi le premier, je me suis longtemps montré sceptique. De jour en jour, je me sentais pencher d'un côté puis de l'autre, tiraillé entre des sentiments contradictoires. Mais au cours des deux ans où j'ai travaillé avec Milligan à la rédaction du livre qu'on va lire, les doutes que suscitaient en moi les actes ou les expériences incroyables qu'il me rapportait se sont toujours mués en certitude parce que mes investigations m'ont permis de vérifier leur authenticité.

La controverse est pourtant loin d'être éteinte, en tout cas dans la presse de l'Ohio. Le 2 janvier 1981, trois ans et deux mois après le dernier crime dont Milligan a été accusé, on pouvait encore lire, dans le *Dayton Daily News*, un article de Joe Fenley intitulé : *Simulateur ou victime ? Dans les deux cas, l'affaire Milligan a beaucoup à nous apprendre.*

William Stanley Milligan est un être tourmenté qui mène une existence tourmentée.

S'il n'est pas un simulateur qui a réussi à tromper la société pour échapper au juste châtiment de ses crimes, il est l'authentique victime d'une grave maladie psychique, la dissociation de la personnalité. Aucun des deux sorts n'est enviable...

Nous saurons un jour si Milligan a trompé son monde ou s'il n'est qu'une triste victime...

Ce jour est peut-être venu.

Athens, Ohio
3 janvier 1981.

Première partie

LE TEMPS DES EMBROUILLES

1.

Samedi 22 octobre 1977 : John Kleberg, responsable fédéral de la sécurité dans les universités de l'Ohio, vient de placer la faculté de médecine sous surveillance policière. Des véhicules de patrouille et des escouades de policiers armés quadrillent le campus, des tireurs d'élite sont postés sur les toits et les femmes ont reçu des conseils de prudence : qu'elles évitent de se promener seules et surtout, si elles s'apprêtent à prendre le volant et qu'un homme les observe, méfiance !

Pour la deuxième fois en huit jours, une femme vient d'être enlevée sous la menace d'une arme à feu entre sept heures et huit heures du matin sur le campus. Les deux victimes sont une étudiante en optométrie de vingt-cinq ans et une infirmière de vingt-quatre ans. Dans les deux cas le scénario a été identique : après avoir conduit sa victime hors de la ville pour la violer, le ravisseur lui a ordonné de toucher des chèques et lui a dérobé le contenu de son sac à main.

La police a fait publier un portrait robot dans la presse mais les centaines de coups de téléphone et dénonciations précises qui ont suivi cette publication n'ont abouti à rien. La police ne tient encore ni suspect ni piste sérieuse. La tension s'accroît dans l'université et le chef de la sécurité ne sait plus à quel saint se vouer. Les différents groupements d'intérêts universitaires et les organisations d'étudiants lui mènent la vie dure. Tous réclament l'arrestation de celui que les journalistes de la presse locale et les présentateurs des chaînes de télévision surnomment déjà « le sadique du campus ».

Kleberg a confié la responsabilité de la chasse à l'homme à son jeune inspecteur principal, Eliot Boxerbaum. Ce dernier, qui se considère comme un « gaucho », est étudiant à l'université d'Etat de l'Ohio quand il se met au service de la police, dès 1970, à la suite des émeutes estudiantines qui entraînèrent la fermeture provisoire du campus. Diplômé de l'université au cours de la même année, il se voit offrir un emploi dans la police universitaire à deux conditions : qu'il se fasse couper les cheveux et raser la moustache. Il accepte d'en passer par la première condition mais refuse catégoriquement la seconde et se fait engager quand même.

Les portraits robots et les dépositions des deux victimes ont déjà amené Kleberg et Boxerbaum à la conclusion que les deux agressions ont été commises par un seul et même individu : un Américain de race blanche, entre vingt-trois et vingt-sept ans, pesant 85 ou 90 kilos, aux cheveux noirs ou tirant sur le roux. Il était vêtu dans les deux cas d'un blouson de survêtement marron, d'un blue-jean et de tennis blancs.

D'après Carrie Dryer, la première victime, il portait des gants et tenait à la main un petit revolver. De temps à autre, ses yeux étaient agités de mouvements saccadés — symptôme qui lui donne à penser que son agresseur est atteint de nystagmus. Après lui avoir passé les menottes qu'il a fixées à l'intérieur de la portière, il l'a conduite dans un endroit isolé, à l'extérieur de la ville, où il a abusé d'elle. « Si vous portez plainte, a-t-il menacé ensuite, ne donnez pas mon signalement. Si je le trouve dans les journaux, j'enverrai quelqu'un pour vous faire la peau. » Et, comme pour prouver sa détermination, il s'est emparé du carnet d'adresses de sa victime et a noté plusieurs noms.

Donna West est petite et rondelette. Dans son souvenir, son agresseur portait un pistolet automatique et avait les mains tachées d'un produit gras, ni de la graisse ni du cambouis, dont elle ne parvient pas à déterminer la nature exacte. Il se dénommait Phil et ponctuait toutes ses phrases de jurons. Comme il portait des lunettes fumées, elle n'a pas vu ses yeux mais il a pris des noms dans son carnet d'adresses et l'a mise en garde : qu'elle s'avise de l'identifier au cours de l'enquête et sa « confrérie » se chargera d'elle ou des membres de sa famille. La victime suppose, et c'est aussi l'avis de la police, qu'il se vantait et qu'il n'appartient vraisemblablement ni à la mafia ni à une quelconque organisation terroriste.

Une seule grave divergence entre les deux témoignages pourrait troubler Kleberg et Boxerbaum : l'agresseur de Carrie Dryer portait une moustache imposante et soigneusement taillée. Celui de Donna West avait une barbe de trois jours mais pas de moustache.

« Il a dû la raser entre-temps », constate en souriant Boxerbaum.

Mercredi 26 octobre : au commissariat central de Colombus, l'inspecteur Nikki Miller, de la répression des agressions sexuelles, prend son poste à trois heures de l'après-midi. Elle vient de passer deux semaines de vacances à Las Vegas et son léger hâle sied à ravir à ses yeux noisette et à ses cheveux blond cendré. Avant de quitter son service, l'inspecteur Gramlich la met au courant du principal événement de la matinée : on a fait transporter à l'hôpital universitaire une jeune femme venue porter plainte pour viol. Puisque l'inspecteur Miller va prendre l'affaire en main, il lui en donne un exposé détaillé :

Polly Newton est étudiante. C'est une rousse de vingt et un ans. Il était huit heures du matin et elle venait de ranger la Corvette bleue de son fiancé derrière chez elle, non loin du campus, quand un homme l'a forcée à remonter dans la voiture et à conduire jusqu'à un endroit isolé, à la campagne, où il a abusé d'elle. Puis son agresseur lui a ordonné de regagner Colombus où il lui a fait toucher deux chèques. De retour au campus, il lui a suggéré d'en toucher un autre, de faire opposition et de garder l'argent pour elle.

Pendant son absence, Nikki Miller n'a pas entendu parler du « sadique du campus » et elle n'a pas encore vu les portraits robots. Une fois en possession de tous les éléments, elle écrit dans son rapport :

« Les faits sont les mêmes que pour les deux autres affaires d'enlèvement suivi de viol... ressortissant à la police universitaire de l'Etat d'Ohio, responsable de l'ordre public dans les limites de sa juridiction. »

Nikki Miller décide de se rendre sur-le-champ à l'hôpital en compagnie de son collègue, l'inspecteur Bessell, pour interroger Polly Newton.

Son agresseur, déclare la jeune victime, s'est vanté d'appartenir aux *Weathermen* mais aussi de posséder une autre identité, sous laquelle il serait homme d'affaires et se promènerait en Maserati. En quittant l'hôpital, Polly accepte de tenter de retrouver l'endroit où elle s'est rendue sous la contrainte, plus tôt dans la journée. Mais la nuit tombe et, comme elle ne parvient pas à reconnaître les lieux et s'égare, elle s'entend avec les inspecteurs Miller et Bessell pour reprendre les recherches le lendemain matin.

Les techniciens du laboratoire de police criminelle où ils la ramènent ont relevé entre-temps trois empreintes digitales partielles sur la voiture, dont le dessin est suffisamment net pour être comparé avec celles d'éventuels suspects.

La jeune fille va collaborer à l'établissement d'un portrait robot et examiner trois cents photographies de délinquants sexuels avant de s'interrompre, épuisée, au bout de sept heures passées en compagnie des policiers. Il est alors dix heures du soir.

Le lendemain matin à dix heures et quart, des inspecteurs viennent chercher Polly, qui les conduit sans peine jusqu'au lieu du crime. Des cartouches de 9 mm sont abandonnées au bord d'un petit étang. Son agresseur a lancé à l'eau des cannettes de bière pour tirer à la cible, explique la jeune fille à l'un des enquêteurs.

Au commissariat, ils retrouvent Nikki Miller qui vient de prendre son service. Elle installe Polly dans une petite pièce où elle la laisse en compagnie d'une nouvelle série de photographies.

Quelques minutes plus tard, Eliot Boxerbaum arrive à son tour avec Donna West, la jeune infirmière, pour lui soumettre les photos. Kleberg et lui ont décidé de dispenser l'étudiante en optométrie, Carrie Dryer, de l'identification sur photographie : si jamais la Cour refusait de s'en contenter et demandait d'autres preuves, Carrie serait confrontée directement avec les éventuels suspects.

Nikki Miller fait asseoir Donna West à une petite table, dans le corridor, et lui apporte trois casiers de photos.

— Mon Dieu ! s'exclame la jeune fille effarée, ce sont tous des délinquants sexuels ?

Boxerbaum et Miller attendent un peu à l'écart tandis qu'elle passe en revue les visages. L'un d'eux ne lui est pas inconnu. C'est un ancien camarade de classe qu'elle a rencontré dans la rue il n'y a pas si longtemps. Au dos de la photo, elle lit qu'il a été arrêté pour attentat à la pudeur.

— Ça alors, murmure la jeune fille. Qui s'en serait douté ?

Donna a déjà consulté la moitié du casier quand elle tombe brusquement en arrêt devant la photo d'un jeune homme à favoris, plutôt beau garçon, au regard éteint.

— C'est lui ! s'écrie-t-elle en se dressant d'un bond, manquant renverser sa chaise. C'est lui ! J'en suis certaine !

Après lui avoir demandé d'apposer sa signature au dos du cliché, Miller relève le numéro d'identification, se reporte au fichier et note : « William S. Milligan. » La photo n'est pas récente.

Elle glisse celle-ci aux trois quarts d'un casier que Polly Newton n'a pas encore eu entre les mains et va retrouver la jeune fille, en compagnie de Boxerbaum et des inspecteurs Brush et Bessell.

Nikki Miller a le sentiment que Polly se doute de quelque chose : on s'attend manifestement à ce qu'elle tire une photo parmi celles qu'on vient de lui apporter. Elle les examine avec soin, en prenant tout son temps. Miller sent la nervosité la gagner : si Polly choisit la même que Donna West, la police tient enfin le « sadique du campus ».

Polly étudie le visage de Milligan et passe outre. Miller est de plus en plus tendue. Mais la jeune fille revient en arrière et regarde de nouveau le jeune homme aux favoris.

— J'ai l'impression que c'est lui, dit-elle. Mais je peux me tromper...

Boxerbaum hésite encore à lancer un mandat d'arrêt contre Milligan. Donna West s'est montrée catégorique mais la photo remonte à trois ans. Il préfère attendre le résultat de la comparaison des empreintes. L'inspecteur Brush descend la fiche anthropométrique de Milligan au laboratoire situé au premier étage.

Nikki Miller aurait souhaité agir sans retard mais la faiblesse du témoignage de Polly Newton ne lui laisse pas le choix. Elle se résoud donc à prendre patience. L'empreinte de l'index droit relevé sur la vitre de la Corvette, côté passager, celle de l'annulaire droit et de la paume droite, se révèlent être celles de Milligan. Le doute n'est plus permis. Les preuves sont indéniables.

Pourtant, Boxerbaum et Kleberg hésitent encore : on n'arrête pas un suspect sans être absolument assuré de sa culpabilité. Les empreintes digitales seront donc soumises à une expertise supplémentaire.

Nikki Miller n'est pas du même avis. Elle estime que les premiers résultats devraient suffire à poursuivre Milligan pour enlèvement, vol à main armée et viol. Quand il sera entre les mains de la police, elle le présentera à Polly Newton pour une confrontation.

Boxerbaum fait part à son supérieur, Kleberg, de cette décision mais ce dernier insiste pour que la police attende la seconde expertise. L'opération ne devrait les retarder que d'une heure ou deux et il préfère ne pas courir de risque. A huit heures du soir, le jour même, l'expert confirme : les empreintes sont bien celles de Milligan.

Boxerbaum annonce :

— Je vais lancer un mandat pour enlèvement, le seul crime commis dans notre juridiction : le viol a été commis ailleurs.

Les renseignements fournis par le fichier sont les suivants : William Stanley Milligan, vingt-deux ans. En liberté conditionnelle depuis six mois après un séjour à la prison de Lebanon, dans l'Ohio. Sa dernière adresse officielle est le 933 Spring Street, Lancaster, Ohio.

Miller convoque un groupe d'intervention pour mettre au point un plan d'action. Les policiers devront d'abord découvrir combien de personnes habitent l'appartement. Par ailleurs, Milligan ayant affirmé à deux reprises appartenir à une organisation terroriste, ils doivent savoir qu'ils ont affaire à un individu armé et probablement dangereux.

L'inspecteur Craig propose un stratagème : il se fera passer pour un livreur de pizza. Il prétendra qu'une personne a passé commande en donnant cette adresse. Quand Milligan ouvrira, Craig tâchera de jeter un coup d'œil à l'intérieur de chez lui. Ce projet est approuvé à l'unanimité.

Mais depuis qu'il a eu connaissance de l'adresse de Milligan, Boxerbaum est perplexe. Pourquoi le délinquant se serait-il rendu à cent kilomètres de chez lui pour commettre un viol, à trois reprises en l'espace de quinze jours ? Décidément, quelque chose cloche. Au moment où le groupe d'intervention va se mettre en route, il téléphone par acquis de conscience au fichier central. Possèdent-ils des renseignements récents au sujet d'un certain William Milligan ? Il inscrit une adresse et raccroche.

— Il a déménagé ! annonce-t-il à ses collègues. Au 5673 Old Livingstone Avenue, à Reynoldsburg. C'est à dix minutes en voiture. Ça colle déjà mieux !

La nouvelle soulage apparemment tout le monde.

A neuf heures du soir, trois voitures transportant Boxerbaum, Kleberg, Miller, Bessell et leurs collègues affrontent, à trente kilomètres à l'heure sur l'autoroute, un brouillard à couper au couteau.

Une première voiture arrive sur les lieux. Le trajet, qui aurait dû prendre un quart d'heure tout au plus, a duré une heure. Il faut encore un quart d'heure pour découvrir l'adresse de Milligan, dans une rue toute en virages du lotissement de Channingway. En attendant les retardataires, les policiers interrogent les voisins et constatent que le pavillon de Milligan est éclairé.

En quelques instants, il est encerclé. Nikki Miller est postée sur la droite, à l'abri des regards et Bessell un peu plus loin. Trois inspecteurs ont pris place de l'autre côté. Boxerbaum et Kleberg couvrent l'arrière.

Craig ouvre le coffre de sa voiture pour saisir le carton de pizza sur lequel il inscrit au feutre noir : « Milligan — 5673, Old Livingstone. » Passant sa chemise par-dessus son blue-jean pour dissimuler son arme, il se dirige d'un pas désinvolte vers la porte du pavillon. Il sonne. Pas de réponse. Il appuie de nouveau sur la sonnette, la pizza dans une main, l'autre sur la hanche, prête à saisir le revolver. Il feint le plus profond ennui.

Boxerbaum, d'où il se tient, aperçoit un jeune homme assis dans un fauteuil devant un poste de télévision, dans un salon-salle à manger en forme de L. Près de la porte, un fauteuil rouge attire son regard. Le jeune homme est apparemment seul. Il se lève pour aller répondre.

Craig voit d'abord une silhouette se profiler à travers la vitre qui jouxte la porte. Puis celle-ci s'ouvre enfin, laissant apparaître un jeune homme au physique agréable.

— Votre pizza, Monsieur.

— J'ai pas commandé de pizza.

En jetant un coup d'œil par-dessus l'épaule de son vis-à-vis, Craig aperçoit Boxerbaum à travers la porte-fenêtre qui donne sur l'arrière du pavillon.

— C'est l'adresse qu'on m'a donnée. William Milligan, c'est vous ?

— Non.

— Quelqu'un a appelé d'ici. Qui êtes-vous ?

— C'est chez un ami, ici.

— Votre ami n'est pas là ?

— Pas pour le moment, dit-il d'un ton morne, sur un débit heurté.

— Où est-il ? La personne qui a passé la commande a donné le nom de Bill Milligan et cette adresse.

— J'en sais rien. Les voisins le connaissent. Demandez-leur. C'est peut-être eux qui ont commandé la pizza.

— Montrez-moi où ils habitent ?

Le jeune homme va frapper à la porte qui fait face à la sienne et attend quelques instants. Il frappe de nouveau. Toujours pas de réponse.

Craig lâche la boîte en carton et fait jaillir son revolver. Il braque le canon sur la nuque du suspect.

— Bouge pas ! Je sais que c'est toi, Milligan !

C'est à un jeune homme hébété que Craig passe les menottes.

— Qu'est-ce qu'il y a ? J'ai rien fait.

Craig appuie son arme entre les omoplates de Milligan et le tire par les cheveux.

— On rentre à l'intérieur !

Les autres policiers surgissent tous ensemble, l'arme au poing.

Nikki Miller a emporté la photo du fichier. Elle montre le grain de beauté que l'on remarque sur le cou.

— Le même grain de beauté. Le même visage. C'est lui !

Ils font asseoir Milligan dans le fauteuil rouge et Nikki Miller se rend compte qu'il regarde droit devant lui sans rien voir, comme en transe. L'inspecteur Dempsey se penche pour observer quelque chose sous le fauteuil.

— Son arme, dit-il en la faisant glisser à l'aide d'un crayon. 9 mm Magnum. Smith and Wesson.

Un autre policier fait basculer le fauteuil dans lequel Milligan regardait la télévision et s'apprête à ramasser un chargeur et un sac de plastique rempli de munitions quand Dempsey lui fait signe de s'abstenir.

— Attention. Nous avons un mandat d'amener. Pas un mandat de perquisition.

Puis, se tournant vers Milligan :

— Vous nous donnez l'autorisation de fouiller ?

Milligan, le regard fixe, ne répond pas.

Kleberg sait qu'il n'a pas besoin de mandat pour aller voir s'il y a quelqu'un d'autre dans l'appartement. Il entre dans la chambre à coucher. Le blouson de survêtement marron est jeté sur le lit défait. La pièce est dans un désordre épouvantable. Le sol est jonché de linge sale. Kleberg s'approche d'un placard grand ouvert : bien en évidence sur une étagère, les cartes de crédit de Donna West et Carrie Dryer sont soigneusement rangées. Même les pages arrachées à leurs carnets d'adresses sont là. Les lunettes fumées sont posées sur la table de toilette, à côté d'un portefeuille.

Il va prévenir Boxerbaum, qu'il retrouve dans une pièce minuscule, près de la cuisine, transformée en atelier d'artiste.

— Regarde, dit Boxerbaum en montrant un grand tableau.

C'est le portrait en pied d'une reine, ou d'une dame de la noblesse du XVIIIe siècle, vêtue d'une robe bleue à plastron de dentelle. Elle est assise près d'un piano et tient à la main une partition. Le tableau, d'une étonnante précision dans les détails, est signé Milligan.

— Magnifique ! commente Kleberg en jetant un coup d'œil aux toiles alignées le long du mur, parmi les pinceaux et les tubes de peinture.

Il se frappe brusquement le front.

— Les taches que Donna West a remarquées sur les mains de son agresseur ! C'était de la peinture !

Nikki Miller, qui a vu les tableaux, va retrouver le suspect, toujours assis à la même place.

— Vous êtes Milligan, n'est-ce pas ?

Il tourne vers elle un regard absent.

— Non, balbutie-t-il.

— Je viens de voir un joli tableau. C'est vous qui l'avez peint ?

Il acquiesce du chef.

— Il est signé « Milligan », fait-elle remarquer en souriant.

— Eliot Boxerbaum, de la police universitaire, annonce le jeune inspecteur en se plantant devant Milligan. Désirez-vous me dire quelque chose ?

Pas de réponse. Dans ses yeux, nulle trace des mouvements saccadés dont a parlé Carrie Dryer.

Soucieux d'agir dans les règles, Boxerbaum déclare alors formellement à William Milligan qu'il est en état d'arrestation, que tout ce qu'il dira pourra désormais être retenu contre lui et qu'il a la possibilité de contacter un avocat et de ne parler qu'en sa présence.

— Vous êtes accusé d'avoir enlevé des jeunes filles sur le campus, Bill, poursuit-il. Voulez-vous dire quelque chose à ce sujet ?

Milligan lève les yeux, l'air horrifié.

— Qu'est-ce qui se passe ? J'ai fait du mal à quelqu'un ?

— Vous les avez menacées de leur envoyer des complices. De qui s'agit-il ?

— J'espère que j'ai fait de mal à personne.

Puis il change brusquement d'expression :

— Attention à la boîte. Ça va sauter ! lance-t-il au policier qui va franchir le seuil de la chambre.

— Une bombe ? s'enquiert précipitamment Kleberg.

— Là... dans la...

— Voulez-vous me la montrer ? demande Boxerbaum.

Milligan se lève lentement pour gagner la chambre. Devant la porte, il s'arrête et indique du menton une boîte, posée au pied de la table de toilette. Kleberg reste aux côtés de Milligan tandis que Boxerbaum va voir de quoi il s'agit. Les autres policiers se sont attroupés derrière Milligan. Boxerbaum met un genou à terre près de l'objet suspect. Par le couvercle ouvert, il aperçoit des fils et quelque chose qui ressemble à un réveil.

En quittant la pièce, il s'adresse à l'inspecteur Dempsey :

— Avertissez le service de déminage. Kleberg et moi nous emmenons Milligan.

Kleberg prend le volant, aux côtés de l'inspecteur Rockwell. Boxerbaum a pris place à l'arrière avec Milligan, qui ne répond à aucune de ses questions. Gêné par les menottes qui lui retiennent les mains dans le dos, le buste penché en avant dans une attitude inconfortable, il marmonne des paroles décousues.

— Mon frère Stuart est mort... j'ai fait du mal à quelqu'un ?

— Connaissiez-vous les jeunes filles ? demande Boxerbaum. Connaissiez-vous l'infirmière ?

— Ma mère est infirmière, marmonne Milligan.

— Pourquoi êtes-vous allé chercher vos victimes sur le campus de l'université ?

— Les Allemands vont venir me prendre...

— Parlons de ce qui s'est passé, Bill. Ce sont les longs cheveux noirs de l'infirmière qui vous attiraient ?

— Vous êtes bizarre, dit Milligan en se tournant vers lui.

Mais son regard s'éteint aussitôt.

— Ma sœur va me détester quand elle saura, laisse-t-il tomber.

Boxerbaum, de guerre lasse, abandonne.

Au commissariat central, les policiers font monter leur prisonnier dans un bureau pour procéder aux formalités d'usage. Boxerbaum et Kleberg rejoignent Nikki Miller dans une autre pièce pour l'aider à remplir les mandats de perquisition.

A onze heures et demie, l'inspecteur Bessell rappelle à Milligan qu'il est en droit de refuser de parler en dehors de la présence d'un avocat puis il lui demande s'il est prêt à signer un papier par lequel il renonce à ce droit formel. Mais Milligan continue de regarder droit devant lui, les yeux dans le vague.

— Ecoutez, Bill, insiste Bessell. Vous avez violé trois femmes et nous voulons en savoir plus.

— J'ai fait ça ? s'inquiète Milligan. J'ai fait du mal à quelqu'un ? Si j'ai fait du mal à quelqu'un, je m'excuse.

Puis il demeure silencieux.

Bessell l'emmène alors à l'anthropométrie, pour la prise des photos et des empreintes digitales.

A leur entrée, une femme en uniforme lève la tête. Bessell saisit le poignet du prisonnier pour lui poser la main sur un tampon encreur. Se dégageant d'un bond comme si le contact des doigts du policier lui était insupportable, Milligan va se réfugier en tremblant près de la jeune femme.

— Quelque chose lui fait peur, constate-t-elle en regardant le visage livide de Milligan.

Elle s'adresse à lui d'une voix douce, comme si elle parlait à un petit enfant :

— Il faut que nous relevions vos empreintes. Vous comprenez ce que j'ai dit ?

— Je... je veux pas qu'il me touche.

— Bon, c'est moi qui vais les prendre alors. D'accord ?

Milligan acquiesce d'un signe de tête et la laisse faire. Une fois les opérations terminées, on le conduit dans une cellule.

Les mandats de perquisition sont prêts. Nikki Miller téléphone au juge West qui, devant l'urgence de l'affaire, lui conseille de venir le voir. A une heure vingt du matin, il appose sa signature au bas des mandats. Miller reprend aussitôt la route de Channingway, dans un brouillard plus dense encore que la première fois.

Elle téléphone en arrivant à la brigade qui doit se charger de la perquisition. A deux heures vingt, les policiers sont là et elle leur présente les mandats. Avant de quitter l'appartement, ils dressent la liste des objets saisis :

Table de toilette : 34 300 dollars en liquide, une paire de lunettes, une paire de menottes munies de leur clef, un portefeuille, une pièce d'identité au nom de William Milligan et une autre au nom de William Simms, un reçu de carte de crédit de Donna West.

Placard : cartes Master Charge de Donna West et Carrie Dryer, carte d'hôpital de Donna West, photographie de Polly Newton, pistolet automatique calibre .25 [Tanfoglio Giuseppe] A.R.M.I. (sic) avec cinq cartouches.

Pochette de dame : bout de papier de 12,5 cm sur 4,4 cm portant le nom et l'adresse de Polly Newton, page arrachée à son carnet d'adresses.

Table de chevet : couteau à cran d'arrêt, deux étuis de poudre.

Commode : facture de téléphone adressée à Milligan. Holster de marque Smith and Wesson.

Sous fauteuil rouge : Smith and Wesson 9 mm avec chargeur contenant six cartouches.

Sous fauteuil marron : chargeur de quinze cartouches et sac en plastique contenant quinze cartouches.

De retour au commissariat, Nikki Miller fait procéder à l'enregistrement des objets saisis avant de les expédier au greffe, non sans constater :

— Voilà qui emporterait la conviction du jury le plus incrédule !

Milligan est recroquevillé dans un coin de l'étroite cellule, en proie à de violents tremblements. Un son étranglé s'échappe de sa gorge et il perd connaissance. Au bout d'une minute, il rouvre les yeux et jette un regard étonné aux murs, à la tinette, à la couchette...

— Oh, non ! s'écrie-t-il. Encore !

Assis par terre, les yeux dans le vague, il demeure hébété quand soudain, apercevant des cafards qui tournent en rond au pied du mur, il change brusquement d'expression. Croisant les jambes, il se penche en avant et, le menton dans les mains, observe avec un sourire enfantin la ronde des blattes.

Les policiers qui viennent le chercher quelques heures plus tard pour effectuer son transfert le trouvent éveillé. Les prisonniers sont enchaînés deux par deux par des menottes. Milligan a pour compagnon d'infortune un grand Noir aux côtés duquel il gagne le fourgon cellulaire garé à l'arrière du commissariat, qui va les conduire à la prison du comté.

Au centre de Colombus se dresse, en plein cœur de la ville, une forteresse aux lignes futuristes. La base du bâtiment, sur deux étages, est formée d'un mur aveugle de béton en plan incliné. Au-dessus, l'immeuble ressemble à n'importe quel édifice administratif moderne. Dans la cour de la prison, s'élève la statue de Benjamin Franklin.

Le fourgon s'arrête dans une petite rue, devant une porte de tôle ondulée. Sous cet angle, la prison apparaît dominée par la tour du palais de justice.

La porte du garage s'ouvre en grinçant et s'abaisse automatiquement derrière le fourgon. Les prisonniers descendent un à un. Tous, sauf un : Milligan, qui s'est libéré des menottes, est resté à l'intérieur.

— Descends de là tout de suite ! hurle un flic. Qu'est-ce que tu crois, mon salaud ? J' vais t'aider, moi, à violer des bonnes femmes !

— C'est pas d' ma faute ! intervient le Noir auquel on avait enchaîné Milligan. J'ai rien fait. Il s'est détaché tout seul !

Les prisonniers passent la porte de la prison et arrivent devant une haute grille. A travers les barreaux du bâtiment intérieur, ils aperçoivent le poste de surveillance : des récepteurs de télévision, des terminaux d'ordinateur et des dizaines de policiers, hommes et femmes, en pantalons gris et chemises noires. Ils franchissent la grille.

Dans le hall, les policiers vont et viennent dans le crépitement des machines à écrire et des ordinateurs. A l'entrée, une femme tend aux nouveaux arrivants une enveloppe.

— Les objets de valeur ! annonce-t-elle. Bagues, montres, bijoux, portefeuilles !

Milligan vide ses poches. La jeune femme lui fait ôter sa veste et palpe la doublure avant de la tendre à un autre policier pour qu'il l'emporte au greffe.

Elle procède ensuite à la fouille au corps et passe au suivant. Puis les prisonniers sont enfermés dans une cellule où ils vont attendre de subir les formalités d'écrou.

Le Noir dont Milligan s'est détaché lui donne un coup de coude pour attirer son attention :

— Ah ! dis donc, t'en es un fameux, toi ! Pisque t'es capabe de virer les mincenottes, j'espère que tu vas tous nous tirer de là, voyons voir.

Milligan le regarde sans répondre.

— Si tu continues à déconner avec les flicards, poursuit-il, tu finiras tabassé à mort moi chte l' dis. Tu peux m' faire confiance c'est pas la première fois qu'on m' fout au placard. Et toi, t'as déjà plongé ?

Milligan acquiesce d'un signe de tête.

— Oui. C'est bien pour ça que ça ne me plaît pas. C'est bien pour ça que je cherche à m'en aller.

Quand le téléphone sonne dans le cabinet d'avocats avoisinant la prison, Gary Schweickart, un grand gaillard barbu de trente-trois ans, est en train d'allumer sa pipe. L'un de ses associés, Ron Redmond, est au bout du fil :

— Je reviens du tribunal. Le « sadique du campus » a été arrêté cette nuit, annonce Redmond. Nous sommes commis d'office. Il vient d'être transféré à Franklin et sa caution est fixée à 500 000 dollars. Il faudrait envoyer quelqu'un tout de suite pour le prendre en charge.

— Je n'ai personne sous la main pour l'instant, Ron. Je suis tout seul.

— La nouvelle a déjà filtré et les journalistes ne vont pas tarder à rappliquer là-bas. Les flics vont sûrement chercher à le faire parler.

Dans les affaires criminelles ordinaires, Gary Schweickart choisit un de ses associés au hasard pour l'envoyer à la prison. Mais la presse a fait du « sadique du campus » une célébrité et son arrestation revêt pour la police de Colombus une importance toute particulière. Elle vient de réussir ce qu'elle considère comme un gros coup et son prochain objectif va être d'obtenir du prisonnier une déclaration ou des aveux spectaculaires. C'est le moment pour les avocats de faire preuve de vigilance.

Schweickart décide donc de faire un saut lui-même à la prison, pour se présenter à son éventuel client et le convaincre de ne parler qu'en présence de son avocat.

A l'instant où il pénètre dans la prison et demande à parler au détenu, celui-ci s'avance justement entre deux policiers qui vont le remettre à un autre fonctionnaire de l'administration pénitentiaire pour procéder aux formalités d'écrou. Schweickart lui demande l'autorisation d'échanger quelques mots avec le prisonnier.

— Je ne me souviens pas avoir fait ce qu'ils disent, dit Milligan d'un ton plaintif. Je n'en ai pas la moindre idée. Ils sont arrivés et...

— Ecoutez, l'interrompt Schweickart, je suis venu seulement pour faire connaissance. Il n'est pas question de dire quoi que ce soit ici. On pourrait nous entendre. Je reviendrai dans un jour ou deux pour une conversation privée avec vous.

— Mais je ne me souviens de rien. Ils ont trouvé des choses chez moi et...

— Eh là ! Ne recommencez pas ! Les murs ont des oreilles. Et je vous conseille la prudence quand on va vous interroger. Les flics vont essayer toutes sortes de ruses pour tenter de vous faire parler mais ne dites surtout pas un mot. Même aux autres détenus. Vous risquez de tomber sur un mouchard. Si vous voulez un procès équitable, restez muet, vous pouvez me croire !

Pendant que Schweickart tente de le convaincre, Milligan secoue la tête en se frottant la joue. Il tente encore de revenir sur les faits puis il se tait brusquement et marmonne :

— Plaidez non coupable. Je crois que je suis peut-être fou.

— Nous verrons. Mais on ne peut pas en discuter maintenant.

— Je pourrais être défendu par une femme ?

— Il y en a une parmi mes associés. Je vais voir ce que je peux faire.

Schweickart suit des yeux Milligan qui s'éloigne avec le fonctionnaire qui va lui faire changer ses vêtements civils contre l'uniforme des détenus, une combinaison bleue.

La tâche ne va pas être aisée, songe l'avocat. Avec un type aussi nerveux, complètement terrorisé... il ne nie pas vraiment les crimes dont on l'accuse, tout ce qu'il sait dire et répéter sans cesse, c'est qu'il ne se souvient de rien. Cela n'arrive pas très fréquemment. Et il laisse entendre qu'il est peut-être fou ? Quelle aubaine pour les journalistes !

En quittant la prison, Schweickart achète un exemplaire du *Colombus Dispatch.* En manchette, sur la première page, on annonce :

LA POLICE ARRÊTE UN SUSPECT SUR LE CAMPUS

L'article rapporte que l'une des victimes, une étudiante de vingt-six ans dont l'agression remonte à deux semaines, a été convoquée par la police pour participer à une confrontation. Une photographie de Milligan illustre l'article.

De retour à son cabinet, Schweickart décroche son téléphone pour demander aux autres quotidiens de ne pas publier la photo de Milligan avant la confrontation pour ne pas en fausser l'issue. Mais pas un rédacteur en chef n'accepte d'accéder à sa demande. S'ils se procurent la photo en question ils la feront paraître, voilà tout. Schweickart se gratte le menton du tuyau de sa pipe en réfléchissant. Puis il compose le numéro de son domicile pour prévenir son épouse qu'il sera en retard pour le dîner.

— Eh ! lance une voix à la porte. Tu as l'air d'un ours qui s'est coincé la tête dans un pot de miel !

Il lève les yeux. Judy Stevenson le regarde, un sourire aux lèvres.

— Ah, ouais ! grogne-t-il, le combiné à la main, en lui rendant son sourire. Devine qui t'a désignée ?

Rejetant d'un geste de la main la mèche de cheveux qui retombe sur son visage, elle l'interroge du regard de ses yeux noisette.

Poussant vers elle le quotidien, il montre du doigt la manchette et la photo qui accompagne le compte rendu. Son rire éclate dans le petit bureau.

— La confrontation a lieu lundi matin. Milligan veut être défendu par une femme. Le « sadique du campus » est pour toi, Judy !

Le lundi 31 octobre à dix heures moins le quart, Judy Stevenson pénètre dans la pièce où doit avoir lieu la confrontation. La première chose qui la frappe lorsqu'on fait entrer Milligan, c'est l'expression traquée et désespérée qui se lit sur ses traits.

— C'est Gary Schweickart qui m'a envoyée, dit-elle. Je suis son associée et il m'a appris que vous souhaitiez être défendu par une femme. Nous assurerons votre défense en collaboration. Mais essayez de vous reprendre. Vous semblez sur le point de craquer.

Il lui tend une feuille de papier pliée.

— Le juge d'application des peines me l'a fait porter vendredi.

Judy lève la feuille devant ses yeux. Il s'agit d'une ordonnance de maintien en détention, par laquelle le juge demande qu'on le garde sous les verrous et l'informe qu'une procédure d'annulation de sa liberté conditionnelle a été introduite et que l'audience préliminaire aura lieu sous peu à la prison du Comté. Ainsi, comprend Judy, à cause des armes que la police à découvertes chez lui lors de son arrestation, sa liberté conditionnelle risque d'être révoquée et l'on va peut-être le renvoyer directement à Lebanon, près de Cincinnati, en attendant le procès.

— L'audience a lieu mercredi en huit. On va voir ce qu'on peut faire pour vous garder ici. J'aimerais mieux cela, pour que nous puissions nous rencontrer souvent.

— Je ne veux pas retourner à Lebanon.

— Allons, ne vous tracassez pas.

— Je ne me souviens pas d'avoir fait ce qu'ils disent.

— Nous en reparlerons plus tard. Pour l'instant, on va seulement vous demander de monter sur l'estrade et d'attendre. Vous en sentez-vous capable ?

— Sans doute.

— Dégagez vos cheveux de votre visage pour que l'on vous voie.

Dans la file de jeunes gens qui montent sur l'estrade, Milligan a le numéro deux.

Quatre personnes sont là pour participer à la confrontation. Donna West, l'infirmière qui a reconnu Milligan sur photographie, en a été dispensée. Cynthia Mendoza, l'une des employées de banque qui a touché un chèque, ne reconnaît pas Milligan et désigne le numéro trois. Une femme, victime, au mois d'août précédent, d'une agression sexuelle intervenue dans des circonstances très différentes désigne le numéro deux mais émet des réserves. Carrie Dryer, tout en déclarant que le numéro deux ne lui est pas tout à fait inconnu, a du mal à se prononcer fermement dans la mesure où il ne porte pas de moustache, ce qui rend la comparaison difficile. Polly Newton l'identifie sans la moindre trace d'hésitation.

Le 3 novembre, le parquet dresse un acte d'accusation portant sur trois enlèvements, deux vols à main armée et quatre viols. Chacun des crimes consignés est passible d'une peine de prison ferme pouvant aller de quatre à vingt-cinq ans.

Devant la vague d'indignation que la publicité donnée à l'affaire a soulevée au sein de la population, le procureur général George Smith décide de ne rien laisser au hasard. Il demande à ses deux premiers substituts de requérir personnellement et vigoureusement.

Terry Sherman a les cheveux noirs et bouclés et une moustache impressionnante. A trente-deux ans, il a la réputation d'être féroce avec les délinquants sexuels. Il se vante d'avoir toujours emporté la décision du jury dans les affaires de viol. Consultant le dossier pour la première fois, il éclate de rire.

— Il n'a aucune chance. Les mandats sont inattaquables. La défense va singulièrement manquer d'arguments !

Bernard Zalig Yavitch a trente-cinq ans. Il a fait ses études à la même faculté que Judy Stevenson et Gary Schweickart, avec deux ans d'avance sur eux, et il les connaît bien. Gary a même travaillé pour lui alors que Yavitch exerçait encore en tant qu'avocat de la défense, avant d'entrer au parquet. Yavitch partage en l'occurrence l'avis de Sherman : c'est une affaire en or pour les requérants.

— Et comment ! jubile Sherman, les empreintes, la confrontation, toutes les preuves sont de notre côté. Je t'assure, ils vont être drôlement à court !

Quelques jours plus tard, au téléphone, Sherman parle sans détours à Judy Stevenson :

— Je ne vois pas ce que vous allez pouvoir plaider dans l'affaire Milligan. On le tient et le parquet est décidé à demander la peine maximale. Vous n'avez aucun atout.

Mais Bernard Yavitch n'est pas aussi fermement convaincu. Il a été avocat de la défense et il sait ce qu'il ferait à la place de Judy Stevenson et Gary Schweickart :

— Ils peuvent encore plaider la folie, objecte-t-il.

Sherman accueille cette idée par un éclat de rire.

Le lendemain, William Milligan tente de se suicider en se cognant la tête contre le mur de sa cellule.

— Il ne va pas survivre assez longtemps pour assister au procès, fait remarquer Gary Schweickart à Judy quand il apprend la nouvelle.

— Je ne le crois pas en mesure d'y assister de toute manière, réplique la jeune femme. Nous devrions dire au juge que nous ne l'en croyons pas capable.

— Tu veux qu'on le fasse examiner par un psy ?

— Il le faut.

— Oh, là, là, je vois déjà les manchettes !

— Au diable les journaux ! Ce garçon a quelque chose qui cloche. Je ne sais pas très bien quoi mais tu as remarqué à quel point il change selon les moments. Et quand il dit qu'il ne se souvient pas des viols je ne peux pas m'empêcher de le croire. Il faudrait le faire examiner.

— Et qui paiera ?

— On a de l'argent.

— Ouais, des millions.

— Oh, arrête ! On a quand même de quoi payer un psychiatre !

— D'accord, parles-en au juge, grommelle Gary.

Le juge ayant accepté de repousser le procès pour que William

Milligan soit examiné par un psychologue, Gary Schweickart mobilise son attention sur l'audience préliminaire, annoncée par le juge d'application des peines pour le mercredi suivant à huit heures trente du matin.

— Ils vont me renvoyer à Lebanon, s'inquiète Milligan.

— Pas si nous y pouvons quelque chose.

— Ils ont trouvé des armes chez moi. Et cela faisait partie des conditions de ma mise en liberté : ne pas acheter, posséder, ni utiliser d'arme à feu.

— C'est possible, dit Gary. Mais pour assurer votre défense, il faut que nous puissions vous voir souvent, ici, à Colombus.

— Comment vous y prendrez-vous ?

— Faites-moi confiance.

Milligan sourit et Gary lit dans ses yeux une vivacité qu'il n'avait encore jamais vue. Il est détendu, à l'aise, plaisantant presque joyeusement. La personne qu'il a devant lui ressemble bien peu à la pelote de nerfs de leur première rencontre. Peut-être sera-t-il plus facile de le défendre qu'il ne l'a cru d'abord.

— C'est cela, décontractez-vous, l'encourage-t-il en le conduisant vers la salle d'audience. A l'intérieur, les membres de la commission d'application des peines sont déjà réunis. Ils se passent les copies d'un rapport du juge et d'un procès-verbal de l'inspecteur Dempsey témoignant avoir découvert chez Milligan lors de son arrestation un Smith and Wesson 9 mm et un pistolet semi-automatique calibre .25 dont le chargeur contenait cinq cartouches.

— Excusez-moi, Messieurs, intervient Schweickart en tiraillant sa barbe, a-t-on vérifié que ces armes étaient en état de fonctionner ? [1].

— Non, répond le président de la commission. Mais ce sont de vraies armes, munies de leur chargeur.

— Si l'on n'a pas vérifié qu'elles étaient en état de tirer, qu'est-ce qui en fait des armes au regard de la loi ?

— Elles seront testées la semaine prochaine.

— Vous ne pouvez pas prononcer la révocation de la conditionnelle avant d'avoir fait la preuve que ce ne sont pas des joujoux inoffensifs !

Contraint de se rendre à ces arguments, le président lève la séance

1. *Il s'agit évidemment d'une argutie juridique qui serait impossible au regard du droit et du code de procédure français (NdT).*

et le juge d'application des peines repoussera l'audience au 12 décembre 1977. Elle se tiendra au centre d'éducation surveillée de Lebanon. La présence de Milligan ne sera pas requise.

Quand Judy retourne voir Milligan pour lui parler des objets suspects saisis chez lui, il accueille ses questions avec une profonde tristesse :

— Vous me croyez coupable, n'est-ce pas ?

— Ce n'est pas mon opinion qui compte, Billy. Mais il va falloir expliquer pourquoi on a trouvé tout cela chez vous.

Elle voit son regard se brouiller et fixer le vide. Il se retire, rentre de nouveau en lui-même.

— Cela m'est égal, dit-il. Tout m'est égal.

Le lendemain, elle reçoit une lettre écrite de sa main, sur le papier quadrillé de la prison.

> « Chère Mademoiselle,
>
> Je vous écris cette lettre car je ne sais pas toujours exprimer ce que je ressens et que je voudrais par-dessus tout que vous compreniez.
>
> Je veux d'abord vous remercier pour ce que vous avez fait pour moi. Vous êtes gentille et serviable et vous avez fait le maximum.
>
> Oubliez-moi donc la conscience en paix. Dites à vos associés que je ne veux pas d'avocat. Je n'en aurai pas besoin.
>
> Puisque vous me croyez coupable vous aussi, c'est que je dois l'être et c'était tout ce qui m'intéressait : m'en assurer. Toute ma vie je n'ai réussi qu'à faire du mal et de la peine à ceux que j'aime. Et ce qui est terrible, c'est que je n'y peux rien. En m'enfermant en prison, on ne fait qu'aggraver les choses. Je m'en suis aperçu la première fois. Les psychiatres ne savent pas quoi faire car ils n'arrivent pas à déterminer ce qui ne va pas.
>
> Il est temps que cela s'arrête. J'abandonne. Tout m'est parfaitement égal. Me rendriez-vous un dernier service ? Dites à maman et à Kathy de ne plus venir. Je ne veux plus voir personne, il est inutile de leur faire perdre leur temps. Mais je les aime et je suis désolé. Vous êtes le meilleur avocat que je connaisse et je me souviendrai toujours de votre gentillesse. Au revoir.
>
> Billy »

Ce soir-là, un fonctionnaire de la prison appelle Schweickart à son domicile.

— Votre client a encore tenté de se suicider !

— Bon sang ! Mais comment ?

— Il va être poursuivi pour bris de matériel par-dessus le marché. Croyez-moi si vous voulez, il a cassé la tinette de sa cellule et s'est ouvert les veines avec un éclat de porcelaine.

— Merde alors !

— Attendez ! Je ne vous ai pas dit le plus incroyable. Votre client est vraiment un type pas ordinaire. La tinette, c'est à coups de poing qu'il l'a démolie !

Maître Schweickart et Maître Stevenson, sans tenir compte de la lettre de Milligan, vont retourner le voir tous les jours. Puisant dans les fonds de leur cabinet d'avocats, ils prennent rendez-vous avec un psychiatre, le docteur Willis Driscoll. Le 8 et le 13 janvier 1978, ce dernier fait subir à Milligan plusieurs séries de tests.

Milligan obtient un Q.I. de 68 mais Driscoll affirme qu'il aurait atteint un coefficient bien supérieur s'il n'avait pas été aussi mal en point. Il diagnostique une schizophrénie aiguë :

> Il souffre d'une grave perte d'identité et les limites de son moi sont par conséquent très mal définies. Il présente les symptômes typiques de la schizophrénie : incapable de distanciation, il a de grosses difficultés à différencier son moi de son environnement.
>
> ... Il entend des voix qui lui ordonnent de faire des choses et qui le harcèlent quand il n'obéit pas. Il croit que ce sont des êtres venus de l'enfer pour le tourmenter. Il parle aussi des « bons » qui envahissent son corps par intermittence pour combattre les « méchants ».
>
> ... Selon moi, M. Milligan n'est pas capable, pour le moment, d'établir avec la réalité une relation adéquate, qui lui permettrait de comprendre ce qui lui arrive. Je conseille vivement que cet homme soit hospitalisé dans les meilleurs délais afin de subir de nouveaux examens et un éventuel traitement.

La première résistance va venir du juge Flowers, auquel Maître Schweickart et Maître Stevenson présentent, le 19 janvier, le rapport du psychiatre prouvant que leur client est dans l'incapacité d'assumer sa propre défense. Le juge annonce en effet qu'il va rendre une ordonnance prescrivant un examen psychiatrique par un expert agréé du centre de santé mentale du Sud-Ouest. Or, Gary et Judy ne sont pas sans savoir que le centre du Sud-Ouest est le plus souvent du côté du parquet.

Pour prévenir de nouvelles tentatives de suicide, l'administration pénitentiaire fait transférer Milligan dans une cellule individuelle du quartier de l'infirmerie, où on lui passe la camisole de force. Quand Russ Hill, le médecin de la prison, fait sa tournée dans l'après-midi, il a du mal à en croire ses yeux. Il va chercher Willis, le gardien de service, et lui montre Milligan à travers les barreaux. Le brigadier écarquille les yeux : Milligan a réussi à se débarrasser de la camisole, l'a roulée en boule pour s'en faire un oreiller et dort à poings fermés.

2.

Le premier entretien avec l'expert du centre a été fixé au 31 janvier 1978. Ce jour-là, la mince et maternelle Dorothy Turner, psychologue, pose pour la première fois son regard timide, presque craintif, sur Milligan que le sergent Willis vient d'introduire dans le parloir.

Devant elle se tient un grand jeune homme au physique agréable. Vêtu d'une combinaison bleue, il porte une moustache fournie et de longs favoris. Mais dans ses yeux palpite une terreur enfantine. Il paraît surpris de la voir puis, en prenant place sur la chaise, il sourit, croise les bras.

— Je me présente : Dorothy Turner, du Centre de santé mentale du Sud-Ouest. J'ai quelques questions à vous poser. Quel est votre domicile habituel ?

Il jette un coup d'œil circulaire :

— Ben... ici.

— Votre numéro de Sécurité sociale ?

Sourcils froncés, il examine longuement la question en silence, tandis que son regard se fixe tour à tour sur le plancher, sur la peinture jaune des murs de parpaings, sur la boîte de conserve faisant office de cendrier, au milieu de la table. Il se ronge les ongles, examine les cuticules.

— Je suis ici pour votre bien. Il faut m'aider. Il faut que vous répondiez à mes questions, pour que je comprenne ce qui vous arrive. Alors, quel est votre numéro de Sécurité sociale ?

Il hausse les épaules :

— Chais pas.

Elle baisse les yeux sur son dossier et lit un numéro. Il secoue la tête :

— C'est pas mon numéro. Ça doit être celui de Billy.

Elle le fixe, interloquée :

— Ah, parce que vous n'êtes pas Billy ?

— Non. C'est pas moi.

Elle fronce les sourcils.

— Voyons, je ne comprends pas. Si vous n'êtes pas Billy, qui êtes-vous ?

— Je suis David.

— Ah bon. Et où est Billy ?

— Billy dort.

— Il dort où ?

Il montre sa poitrine.

— Là-dedans. Il dort.

Dorothy Turner soupire et contient son impatience. Elle hoche du chef avec compréhension :

— Il faut que je lui parle.

— Oh non ! Arthur voudra pas. Billy dort. Arthur le réveillera pas, parce que sinon, y se tuerait.

Elle considère le jeune homme un long moment, sans trop savoir comment poursuivre avec cet individu qui s'exprime d'une voix enfantine, une expression puérile sur le visage.

— Bon, reprenons. J'aimerais bien que vous m'expliquiez...

— Je ne peux pas. J'ai fait une bêtise. J'ai pas le droit de vous parler de ça.

— Pourquoi donc ?

— Je vais me faire attraper par les autres, lance-t-il d'une petite voix affolée.

— Alors, vous vous appelez David ?

Il acquiesce du menton.

— Qui sont les autres ?

— C'est défendu d'en parler.

Elle pianote doucement sur la table.

— Ecoute-moi, David. Tu dois me raconter, pour que je puisse te venir en aide.

— J'ai pas le droit. Ils seront très fâchés contre moi si je raconte et ils me laisseront plus aller sous le projecteur.

— Allons, il faudra bien que tu le racontes à quelqu'un. Tu as très peur, non ?

— Oui.

Ses yeux s'emplissent de larmes.

— Il faut que tu me fasses confiance, David, c'est important. Tu dois m'aider à comprendre ce qui t'arrive, pour que je puisse t'aider.

Il réfléchit un long moment, la mine tourmentée. Finalement, il hausse les épaules :

— Bon, je vais te dire, mais à une condition. Tu me jures de le répéter à personne. A personne dans le monde entier. Jamais, jamais, jamais.

— C'est entendu. Je te le promets.

— Tu gardes le secret jusqu'à ta mort ?

Elle hoche la tête.

— Dis « je le jure ».

— Je le jure.

— Comme ça, je peux te raconter. Mais je sais pas tout. Ya qu'Arthur qui sait tout. Comme tu dis, j'ai très peur. Pasqu'il arrive tout le temps des choses que je connais pas.

— Quel âge as-tu David ?

— Huit ans et demi. Presque neuf ans.

— Et pourquoi est-ce toi qui viens me parler ?

— Je savais même pas que j'allais venir sous le projecteur, d'abord. Quelqu'un a eu mal dans la prison et je suis venu m'en charger.

— Peux-tu m'expliquer ça ?

— Arthur dit que je suis le gardien de la douleur. Quand ils ont mal, c'est moi qui viens sous le projecteur, pour m'en charger.

— Ça doit être terrible.

Il hoche la tête, les yeux brillants de larmes :

— C'est vraiment pas marrant.

— « Le projecteur », c'est quoi, David ?

— C'est comme ça qu'Arthur l'appelle. Il nous a expliqué comment ça marche, quand un des habitants, y faut qu'il se montre. C'est un projecteur, un gros projecteur blanc. Tout le monde est autour. On regarde ou on dort dans son lit. Et celui qui vient sous le projecteur, il sort dans le monde. Arthur dit : « Celui qui est sous le projecteur prend la conscience. »

— Et les autres, qui est-ce ?

— Y en a beaucoup. Je les connais pas tous. J'en connais bien quelques-uns mais pas tous. Oh ! zut !

— Qu'est-ce qui se passe ?

— Je t'ai dit le nom d'Arthur. Alors là, c'est sûr, je vais me faire attraper pour t'avoir dit le secret.

— Mais non, David, je te promets que je ne le raconterai à personne.

Il se recroqueville sur sa chaise :

— Je peux plus rien te dire, j'ai peur.

— Très bien. Ça ira pour aujourd'hui. Mais je reviendrai demain pour que nous bavardions encore un peu.

Devant le portail de la prison, elle reste un instant immobile, resserrant plus étroitement les pans de son manteau, pour mieux résister au vent glacial. Elle s'était préparée à affronter un jeune délinquant qui simulait la folie pour échapper à la justice. Mais ça... jamais, elle ne l'aurait imaginé.

Lorsque Dorothy Turner pénètre dans le parloir le lendemain elle remarque aussitôt que Milligan arbore une expression sensiblement différente. Le regard fuyant, il prend place sur le siège, les genoux au menton. Il tripote ses chaussures. Elle lui demande comment il va.

Il ne répond pas tout de suite et examine la pièce, s'arrêtant par instants sur elle sans paraître la reconnaître. Puis il secoue la tête et s'écrie avec la voix et l'accent d'un gosse des quartiers populaires londoniens :

— En v'là un boucan. Vous gueulez trop. Tous ces bruits... J' sais vraiment pas c' qui m'arrive.

— Dis donc, David, tu as une drôle de voix. Et cet accent ?

Il la considère d'un œil malicieux :

— J' suis pas David, eh ! J' suis Christopher.

— Ah bon. Et David, où est-il ?

— Il a pas été sage.

— Que veux-tu dire ? Explique-moi.

— Eh ben, les aut' y zont été drôlement fumasses, qu'il aye tout raconté.

— Tu pourrais m'en dire davantage ?

— J' peux pas. J' veux pas m' faire attraper comme David.

— Allons, dis-moi, insiste-t-elle en fronçant le sourcil, pourquoi s'est-il fait attraper ?

— Parce qu'il a raconté.

— Raconté quoi ?

— Tu sais, quoi. Le secret.

— Ah, bon. Alors, tu me parleras bien de toi, Christopher ? Quel âge as-tu ?

— Treize ans.

— Et qu'est-ce que tu aimes faire, dans la vie ?

— J' me débrouille à la batterie, mais j' suis bien meilleur à l'harmonica.

— Et tu es de quel pays ?

— L'Angleterre, tiens !

— Tu as des frères et sœurs ?

— Ma p'tite sœur Christine. Elle a trois ans.

Tandis qu'il parle avec cet accent prononcé, elle scrute son visage. Ouvert, sérieux, serein, il est tellement différent de la personne avec laquelle elle s'est entretenue la veille. Milligan doit être un acteur extraordinairement doué.

Le 4 février, à sa troisième visite, Dorothy Turner remarque que le jeune homme qui arpente le parloir a encore changé d'allure. Il se laisse tomber sur la chaise dans une pose décontractée et la considère avec arrogance :

— Comment ça va, aujourd'hui ? s'enquiert-elle, presque craintivement.

Il hausse les épaules :

— Ça peut aller.

— Pouvez-vous me dire comment vont David et Christopher ?

Il se renfrogne :

— Oh ! mais dites donc, je vous connais même pas, moi.

— Bon... Je suis là pour vous venir en aide. Il faut que nous parlions un peu de ce qui vous arrive.

— Putain, j'ai pas la moindre idée de ce qui se passe.

— Vous ne vous souvenez pas d'avoir bavardé avec moi avant-hier ?

— Bon Dieu, non. Je vous ai jamais vue de ma vie.

— Pouvez-vous me donner votre nom ?

— Tommy.

— Tommy comment ?

— Tommy tout court.

— Et quel âge avez-vous ?

— Seize ans.

— Pouvez-vous me parler un peu de vous ?

— Je parle pas avec les gens que je connais pas. Foutez-moi la paix.

Un quart d'heure durant, elle tente de tirer quelque chose de lui, en vain. Au sortir de la prison, Dorothy Turner, déroutée, s'interroge sur « Christopher », sur la promesse qu'elle a faite à « David » de ne jamais révéler le secret. A présent, elle est partagée entre son désir de tenir parole et la conscience qu'il faudra bien parler de tout cela aux avocats de Milligan. Plus tard, elle appelle Judy Stevenson.

— Ecoutez, je ne peux pas vous dire grand-chose pour l'instant, mais vous devriez consulter les ouvrages du docteur Wilbur.

Le soir même, intriguée par le coup de fil de la psychologue, Judy Stevenson achète un livre du docteur Wilbur dans une édition de poche et se plonge dans la lecture. Quand elle découvre à quel type d'affection mentale cette psychiatre s'est consacrée, l'avocate se rejette en arrière dans son lit, les yeux au plafond :

« Qu'est-ce que c'est que cette histoire ? Une personnalité multiple ? C'est ça que Turner essaie de me faire comprendre ? » Elle revoit par la pensée Milligan grelottant de terreur pendant la confrontation, le même à d'autres moments, plein de jactance, habile manœuvrier, blagueur et perspicace. Elle a toujours attribué ces changements de comportement à son état dépressif. Puis elle se remémore les propos du brigadier Willis sur cet individu insaisissable qui réussit à se débarrasser d'une camisole de force, et les rapports de l'infirmier Russ Hill sur la force surhumaine de Milligan. Les paroles de son client résonnent encore dans son esprit : « Je ne me souviens pas avoir fait ce qu'ils disent. Je n'en ai pas la moindre idée. »

Elle songe un instant à réveiller son mari pour lui demander son avis mais elle sait d'avance ce qu'Al en dira, ce que n'importe qui dira si elle expose ses conclusions. En plus de trois ans de carrière, elle n'a jamais vu, de près ou de loin, de cas comparable. Elle n'en parlera pas non plus à Gary, pour l'instant. Il faut d'abord qu'elle se fasse une idée par elle-même.

Le lendemain, elle téléphone à Dorothy Turner :

— Ecoutez, au cours de nos entretiens, Milligan s'est conduit parfois de manière étrange, avec de brusques sautes d'humeur. C'est un instable. Mais de là à parler de personnalité multiple...

— Ça me tourmentait depuis plusieurs jours. J'avais promis de ne le raconter à personne et j'ai tenu parole. Je ne vous ai rien dit directement. Je vais essayer d'obtenir son accord pour vous mettre dans la confidence.

Judy ne perd pas de vue qu'elle a affaire à une psychologue du Centre du Sud-Ouest, c'est-à-dire à un expert désigné par le procureur :

— C'est vous qui décidez. Je me tiens à votre disposition.

Au quatrième entretien, Dorothy Turner retrouve le petit garçon qui, le premier jour, s'était présenté sous le nom de David.

— Je sais, j'ai promis de ne pas dire le secret. Mais il va falloir que j'en parle à Judy Stevenson.

— Non ! hurle-t-il en se levant d'un bond. Tu avais juré ! Mlle Judy, elle va me détester si tu le lui dis.

— Mais non, elle ne te détestera certainement pas, c'est ton avocat. Il faut qu'elle soit au courant pour pouvoir t'aider.

— C'était promis, juré. Si tu tiens pas parole, c'est que t'es une menteuse. Tu as pas le droit de lui dire. Je me suis fait attraper. Arthur et Ragen, ils m'en voulaient à mort d'avoir dit le secret...

— Ragen ? Qui est-ce ?

— Tu avais juré. Et quand on jure, c'est la chose la plus importante du monde entier.

— Voyons, David, sois raisonnable. Si je n'en parle pas à Judy, elle ne pourra pas t'aider. Tu risques de rester très longtemps en prison.

— Ça fait rien, je m'en moque. T'as promis.

— Mais...

Elle voit les yeux de son vis-à-vis se brouiller, et ses lèvres bouger comme s'il se parlait à lui-même. Brusquement, il se redresse sur sa chaise, joint les mains, la toise et laisse tomber avec la moue dédaigneuse, l'accent huppé d'un aristocrate britannique :

— Madame, vous n'avez pas le droit de revenir sur la promesse faite à ce garçon.

Elle s'agrippe à sa chaise en s'efforçant désespérément de masquer sa surprise :

— Je ne crois pas que nous ayons été présentés.

— Vous avez déjà entendu parler de moi.

— Vous êtes Arthur ?

Il acquiesce d'un bref signe de tête. Elle prend une profonde inspiration :

— Bon, écoutez, Arthur, il faut que j'explique aux avocats ce qui se passe. C'est essentiel.

— Non. Ils ne vous croiront pas.

— Nous verrons bien. Je vais simplement vous faire rencontrer Judy Stevenson...

— Non.

— Vous auriez une chance d'échapper à la prison.

Il se penche vers elle, méprisant :

— Voici ce que j'ai à vous dire, mademoiselle. Si quelque autre personne vous accompagnait, les habitants garderaient le silence et c'est de votre raison à vous, que l'on douterait.

Au bout de quinze minutes de négociations avec Arthur, elle remarque de nouveau que le regard de son patient se brouille. Il se rejette en arrière. Quand il lui adresse la parole, sa voix est différente, son expression amicale et insouciante.

— Ce n'est pas possible. Vous avez promis, et les promesses, c'est sacré.

— A qui ai-je l'honneur ? murmure-t-elle.

— Allen. C'est à moi que Judy et Gary ont eu affaire, la plupart du temps.

— Mais ils ne connaissent que Billy Milligan.

— On répond tous au nom de Billy pour que le secret ne transpire pas. En fait, Billy dort. Depuis longtemps. Alors, mademoiselle... ça vous dérange si je vous appelle Dorothy ? C'est le nom de la mère de Billy.

— Vous dites que c'est à vous que Judy et Gary ont parlé, presque toujours. Mais le reste du temps ?

— Eh bien, ils ne se sont aperçus de rien parce que Tommy parle comme moi. C'est à lui que vous avez eu affaire. C'est lui qu'on n'arrive pas à garder dans la camisole de force et qui se débarrasse toujours des menottes. On se ressemble beaucoup, sauf que c'est moi qui m'appuie la plupart des conversations. C'est un gars plutôt méchant et moqueur. Il ne s'entend pas avec les gens, alors que moi...

— Qui d'autre ont-ils vu ?

Il hausse les épaules :

— La première fois, quand on nous mettait sous écrou, c'est Danny que Gary a vu. Il ne comprend pas grand-chose. Il n'a que quatorze ans.

— Quel âge avez-vous ?

— Dix-huit ans.

Elle soupire, secoue la tête :

— Très bien... Allen, vous m'avez l'air d'un jeune homme intelligent. Vous comprenez qu'il faut me délivrer de ma promesse. Il faut expliquer à Judy et Gary ce qui se passe, pour qu'ils puissent vous défendre efficacement.

— Arthur et Ragen sont contre. Ils disent qu'on nous prendra pour des fous.

— Mais est-ce qu'il ne vaudrait pas mieux qu'on vous évite la prison ?

Il secoue la tête :

— Ça ne dépend pas de moi. On a toujours gardé le secret jusqu'à maintenant.

— Alors, ça dépend de qui ?

— Eh bien... de tout le monde, en fait. C'est Arthur qui commande mais le secret nous appartient à tous. David vous l'a révélé mais il ne faudrait vraiment pas que ça aille plus loin.

Elle tente de lui expliquer qu'il est de son devoir, en tant que psychologue, de mettre au courant les avocats de la défense. Mais Allen rétorque que rien ne garantit que ce sera utile et que la vie deviendra impossible en prison si l'on fait de la publicité autour de son nom.

David, qu'elle reconnaît sans mal à son maintien, surgit pour la supplier de tenir sa promesse.

Elle demande à parler à Arthur qui revient, le sourcil froncé :

— Vous vous obstinez.

Ils discutent un moment pied à pied et, pour finir, elle pressent qu'il va se laisser fléchir.

— Je n'aime pas dire non à une dame, soupire-t-il en se penchant vers elle. Si, à votre sens, c'est absolument nécessaire, et si les autres donnent leur accord, vous avez le mien. Mais vous devez convaincre tout le monde.

Pendant plusieurs heures, elle devra expliquer la situation à chaque personnalité. Chacune des apparitions successives continue de la surprendre. Le cinquième jour, elle se trouve en face de Tommy, qui se cure le nez :

— Alors, vous vous rendez bien compte qu'il faut que j'en parle à Judy.

— Je me contrefous de ce que vous faites ou pas. Lâchez-moi les baskets, c'est tout ce que je vous demande.

— Promettez-moi, demande Allen, de n'en parler à personne d'autre au monde qu'à Judy. Et vous lui ferez jurer la même chose.

— D'accord. Vous ne le regretterez pas.

Cet après-midi-là, Dorothy Turner se rend directement de la prison au cabinet des avocats. Elle explique à Judy Stevenson les conditions posées par Milligan.

— Vous voulez dire que je ne peux même pas en toucher un mot à Gary ?

— J'ai dû donner ma parole. J'ai de la chance qu'il accepte de vous mettre dans la confidence.

— Je suis sceptique.

Turner approuve de la tête :

— Parfait, exactement comme moi, au début. Mais je vous certifie que vous allez avoir un choc en retrouvant votre client.

Lorsque le brigadier Willis introduit Milligan dans le parloir, le comportement de son client frappe immédiatement Judy Stevenson : on dirait un adolescent introverti et timide. Le policier semble l'effrayer comme s'il ne le connaissait pas. Il se précipite pour s'asseoir à côté de Dorothy Turner. Tant que Willis est là, il ne parlera pas. Il ne cesse de se frotter les poignets.

— Veux-tu dire à Judy Stevenson qui tu es ? demande Turner.

Il se rejette en arrière sur la chaise et secoue la tête, les yeux fixés sur la porte, comme s'il voulait s'assurer que le brigadier est bien parti.

— Judy, dit finalement la psychologue, je vous présente Danny. Je commence à le connaître assez bien.

— Salut Danny.

— Tu vois ? murmure-t-il à l'adresse de la psychologue, elle me regarde comme un fou.

— Mais non, se récrie Judy. Je suis un peu perdue, c'est tout... Je n'ai pas l'habitude... Quel âge as-tu, Danny ?

Sans répondre, il se frotte les poignets comme si on venait de lui ôter les menottes.

— Danny a quatorze ans, intervient Dorothy Turner. C'est un excellent peintre.

— Qu'est-ce que tu peins ? Quelle sorte de peinture ? demande Judy Stevenson.

— Surtout des natures mortes.

— C'est toi aussi qui as peint ces paysages que la police a trouvés dans ton appartement ?

— Je peins pas les paysages. J'aime pas la terre.

— Pourquoi donc ?

— Je peux pas le dire. Si je parle, il me tuera.

— Qui ? Qui te tuera ?

Connaissant ses propres préventions, Judy est tout étonnée de se livrer à pareil interrogatoire. Décidée à ne pas se laisser abuser, elle est cependant très impressionnée par ce qu'elle prend pour un brillant numéro d'acteur.

Il ferme les yeux et les larmes roulent sur ses joues.

De plus en plus déconcertée, Judy le voit plonger en lui-même : les lèvres bougent, les yeux se brouillent, les pupilles oscillent par saccade. Puis il regarde autour de lui et sursaute comme s'il reconnaissait les deux femmes et l'endroit où il se trouve. Il se rejette en arrière sur son siège, croise les jambes et tire de sa chaussette droite une cigarette, sans sortir le paquet.

— Z'avez du feu ?

Judy lui allume sa cigarette. Il aspire longuement, souffle la fumée au plafond :

— Alors, quoi de neuf ?

— Pouvez-vous vous présenter à Judy Stevenson ?

— Je m'appelle Allen.

— On s'est déjà rencontrés ? demande Judy en essayant de réprimer le tremblement de sa voix.

— J'étais là certains moments, quand vous ou Gary vous êtes venus discuter de l'affaire.

— Mais la personne à laquelle nous avons parlé répondait toujours au nom de Billy Milligan.

Il hausse les épaules :

— C'est ce qu'on fait tous. Ça nous évite de perdre du temps en explications. Mais je n'ai jamais affirmé que j'étais Billy. C'est vous qui le prétendiez et j'ai pensé que ça ne donnerait rien de bon, si je vous disais le contraire.

— Je peux parler à Billy ? s'enquiert Judy.

— Ah non ! On le fait dormir. S'il se trouvait sous le projecteur, il se tuerait.

— Pourquoi ?

— Il est fou de terreur à l'idée d'avoir mal. Et il ne sait rien sur nous, tous les autres. Tout ce qu'il sait c'est qu'à certains moments, il perd le temps.

— Qu'est-ce que ça veut dire, « perdre le temps » ? interroge Judy.

— C'est la même chose pour nous tous. On est quelque part, en train de faire quelque chose. Puis on est ailleurs et on a la sensation du temps qui a passé, mais sans avoir idée de ce qui est arrivé pendant ce temps.

Judy secoue la tête :

— Ça doit être terrible.

— On ne s'y habitue jamais.

Quand le brigadier Willis revient pour le ramener dans sa cellule, Allen lève les yeux sur lui et sourit :

— Je vous présente le brigadier Willis, dit-il aux deux femmes, je l'aime bien.

— Vous comprenez pourquoi je vous ai appelée, dit Dorothy à Judy, sur le seuil de la prison.

Cette dernière soupire :

— Je suis venue convaincue que j'allais assister à une comédie. Et maintenant, je suis certaine que, tout à l'heure, j'ai parlé à deux personnes différentes. Je comprends pourquoi il me paraissait tellement changé, parfois. Je croyais qu'il était d'humeur instable... Il faut en parler à Gary.

— J'ai déjà eu beaucoup de mal à obtenir la permission de vous en parler. Je crains que Milligan refuse.

— Il le faut. C'est un secret trop lourd à porter toute seule. Judy Stevenson est ballottée entre la terreur, la colère et la stupéfaction. Cette histoire est invraisemblable. Mais quelque part au plus profond d'elle-même, elle sait qu'elle commence à y croire.

Le soir du même jour, Gary l'appelle chez elle : le bureau du shérif a téléphoné pour les avertir que Milligan a de nouveau tenté de se suicider en se jetant la tête la première contre le mur de sa cellule.

— Coïncidence bizarre, conclut l'avocat, je me suis aperçu en compulsant son dossier que c'est aujourd'hui son vingt-troisième anniversaire. Le 14 février, vous savez que c'est aussi la Saint-Valentin.

Le lendemain, Dorothy et Judy déclarent à Allen qu'il est essentiel de mettre Schweickart dans le secret.

— Il n'en est pas question.

— Il faudra bien en passer par là, insiste Judy. Si vous voulez éviter la prison, il faudra en parler à d'autres.

— Vous avez donné votre parole. On était bien d'accord là-dessus.

— Je sais. Mais c'est d'une importance vitale.

— Arthur refuse.

Dorothy intervient :

— Laissez-moi parler à Arthur.

En apparaissant, ce dernier les fixe d'un œil furibond :

— Tout ceci commence à devenir extrêmement ennuyeux. J'ai une infinité d'autres sujets de préoccupations et vos importunités m'excèdent.

— Il faut nous donner la permission d'en parler à Gary, répond Judy.

— Il n'en est pas question. Deux personnes sont déjà dans la confidence, deux personnes de trop.

— Il le faut, si nous voulons vous aider, insiste Dorothy.

— Je n'ai nul besoin de votre aide, madame. Tel est peut-être le cas de Danny et David, mais peu me chaut.

— Ça n'a aucune importance, pour vous, que Billy reste en vie ? s'écrie Judy que la morgue d'Arthur met hors d'elle.

— Certes, cela demeure un de mes objectifs. Mais pas à n'importe quel prix. On va nous décréter fous. Toute l'affaire va vous échapper. Nous gardons Billy en vie depuis qu'il a voulu sauter par la fenêtre de l'école.

— Qu'est-ce que ça veut dire ? demande Turner. Vous le gardez en vie comment ?

— Nous le faisons dormir depuis lors.

— Vous ne voyez pas l'importance que cela peut avoir pour vous ? dit Judy. Il peut en résulter soit la relaxe, soit la prison. Ne croyez-vous pas que vous aurez davantage de loisir pour méditer sur ces graves sujets de préoccupations si vous êtes en liberté ? Vous préférez peut-être retourner à Lebanon ?

Arthur croise les jambes, son regard va et vient de Judy à Dorothy.

— Je n'aime pas dire non à une dame. Je donnerai mon accord à la même condition que la première fois : obtenez celui de tous les autres.

Trois jours plus tard, Judy Stevenson a la permission de parler à Gary Schweickart.

Par un froid matin de février, elle quitte la prison et gagne à pied le cabinet d'avocats. Elle se sert une tasse de café et, rassemblant son courage, entre dans le capharnaüm de Gary et s'assied en face de lui.

— Bon. Ouvre grand tes oreilles. J'ai quelque chose à te raconter, à propos de Billy.

Quand elle a fini le compte rendu de ses entretiens avec Dorothy Turner et Milligan, elle s'aperçoit qu'il la regarde comme s'il doutait de sa raison.

— Je l'ai vu de mes propres yeux, insiste-t-elle. Je leur ai parlé.

Il se lève et arpente la pièce derrière son bureau. Judy ne perd rien des mouvements de l'avocat aux longs cheveux dépeignés, à la tenue bohème.

— Allons, se récrie-t-il. C'est impossible. Je sais qu'il a quelque chose qui ne tourne pas rond et je suis, moi aussi, son avocat. Mais ça marchera pas.

— Il faut que tu viennes voir par toi-même. Tu ne peux pas te rendre compte... Moi, je suis totalement convaincue.

— Très bien. Mais mets-toi bien dans la tête que je n'y crois pas, que le procureur n'y croira pas et le juge non plus. J'ai tout à fait confiance en toi, en ton jugement et en tes qualités professionnelles. Mais ce type est un simulateur. Je pense que tu t'es fait avoir.

Le lendemain, à trois heures, Gary et son associée passent la porte de la prison du Comté. L'avocat n'a prévu qu'une demi-heure d'entretien. Il a définitivement rejeté l'explication qu'on lui a proposée. Cette histoire est invraisemblable. Son scepticisme pourtant cède la place à la curiosité lorsqu'il voit s'opérer le changement de personnalité. Sous ses yeux, le David terrorisé s'efface devant le timide Danny qui se souvient d'avoir rencontré Gary ce jour terrible où on l'a pris pour l'enfermer.

— J'avais pas la moindre idée de ce qui s'était passé quand les policiers me sont tombés dessus.

— Pourquoi leur as-tu dit qu'il y avait une bombe ?

— J'ai pas dit ça.

— Tu as dit à l'inspecteur : « Ça va sauter. »

— C'est... c'est Tommy qui me dit toujours : « T'approche pas de mes trucs, ça risque de te péter au nez. »

— Pourquoi ? Qu'est-ce qu'il veut dire par là ?

— Tu n'as qu'à lui demander. C'est un expert en électronique, il est toujours en train de trafiquer des fils et des machins. C'est son truc à lui.

Schweickart tiraille sur sa barbe.

— Un as de l'évasion doublé d'un expert en électronique. Bon. On peut parler à Tommy ?

— Je sais pas. Tommy parle seulement aux gens à qui il a envie de parler.

— Tu peux faire venir Tommy ? demande Judy.

— C'est pas moi qui le fais. Il faut que ça arrive. Je crois que je peux toujours demander à Tommy s'il veut bien vous parler.

— Essaie, demande Schweickart en réprimant un sourire. Fais pour le mieux.

Le corps de Milligan paraît se refermer sur lui-même. Le visage pâlit, les yeux se brouillent comme si leur regard plongeait à l'intérieur de son esprit. Les lèvres bougent comme s'il se parlait à lui-même et l'intensité de sa concentration devient palpable dans la petite pièce. Le sourire de Schweickart se fige, il retient sa respiration. Les globes oculaires de Milligan sont pris de mouvements oscillatoires saccadés. Puis il examine ce qui l'entoure avec la mine de quelqu'un qui s'éveille d'un profond sommeil. Il tâte son genou droit comme pour en éprouver la solidité. Puis, se rejetant en arrière sur la chaise, il considère les deux avocats avec arrogance.

Gary soupire. Il est impressionné.

— Etes-vous Tommy ? demande-t-il.

— Ça te regarde ?

— Je suis votre avocat.

— J'ai pas d'avocat.

— Je suis là pour aider Judy Stevenson à sortir de prison ce corps dans lequel vous êtes, qui que vous soyiez.

— Foutaise. J'ai besoin de personne pour me sortir d'où je veux sortir. Aucune prison au monde ne peut me garder. Je peux me tirer quand je veux.

— Alors, vous êtes celui qui s'est débarrassé de la camisole de force. Vous êtes certainement Tommy.

— Ouais, c'est ça, marmonne-t-il, l'air ennuyé.

— Danny nous a parlé de cette boîte qui contenait un mécanisme électronique et que la police a trouvée dans l'appartement. Il a dit qu'elle était à vous.

— Il sait pas fermer sa gueule.

— Pourquoi avoir fabriqué une fausse bombe ?

— Merde alors, c'était pas une fausse bombe. C'est pas de ma faute si ces cons de flics étaient trop abrutis pour reconnaître une boîte noire !

— Qu'est-ce que c'est que ça ? Une boîte noire ?

— Comme je vous le dis. Une boîte pour baiser la compagnie du téléphone. J'étais en train de mettre au point un nouveau radiotéléphone pour la bagnole. J'avais enroulé du chatterton rouge autour des cylindres. Ces imbéciles de flics ont pris ça pour une bombe.

— Vous avez dit à Danny que ça risquait d'exploser.

— Bon Dieu, oui, je le dis toujours aux petits pour qu'ils tripotent pas mes trucs.

— Où avez-vous appris l'électronique ? demande Judy.

Il hausse les épaules :

— J'ai appris tout seul. Dans des bouquins. Aussi loin que je me rappelle, j'ai toujours voulu savoir comment les choses marchaient.

— Et vos talents pour l'évasion ?

— C'est Arthur qui m'a encouragé à me perfectionner là-dedans. On avait besoin de quelqu'un pour défaire les cordes quand l'un de nous a été attaché dans la grange. J'ai appris à maîtriser les muscles de mes mains et mes articulations. Et puis après, je me suis intéressé à tous les genres de serrure et de verrou.

Schweickart médite un moment.

— Les pistolets, ils étaient à vous, aussi ?

Tommy secoue la tête.

— Ragen est le seul de nous qui soit autorisé à utiliser des pistolets.

— Autorisé ? Par qui ?

— Eh ben, ça dépend où on est... Ecoutez, j'en ai marre de jouer l'informateur. C'est le boulot d'Arthur ou d'Allen. Faites-moi plaisir, demandez-leur à eux. Je me tire.

— Attendez...

Judy n'a pas été assez rapide. Les yeux de Milligan se brouillent, il change d'attitude. Joignant les doigts en forme de pyramide, il lève le menton. Judy reconnaît la moue hautaine : elle présente Arthur à Gary.

— Il faut pardonner à Tommy, dit l'Anglais, glacial. C'est un jeune homme passablement asocial. N'étaient ses dons exceptionnels pour l'électronique et la serrurerie, je pense que je l'aurais depuis longtemps mis au ban. Mais ses talents nous sont très utiles.

— Et quels sont vos talents à vous ?

Arthur balaie la question d'un geste dédaigneux.

— Oh, je ne suis qu'un dilettante. Je m'amuse avec un peu de médecine et de biologie.

— Gary a posé la question des pistolets à Tommy, intervient Judy. Vous n'ignorez pas que leur détention entraîne l'annulation de la liberté conditionnelle ?

Arthur le reconnaît, d'un signe de tête.

— De nous tous, seul Ragen, le gardien de la haine, notre spécialiste des armes, jouit du droit d'en posséder. Il s'en sert exclusivement pour assurer notre protection et notre survie. De même pour sa force prodigieuse : il l'utilise uniquement dans l'intérêt commun, jamais pour nuire à autrui.

— Il s'est servi de pistolets pour enlever et violer ces quatre femmes, remarque Gary.

— Jamais Ragen n'a violé quiconque. Nous avons eu une conversation sur cette affaire. Il a commencé à voler parce qu'il s'inquiétait au sujet des factures non payées. Il reconnaît les vols à main armée sur la personne des trois femmes, en octobre, mais il nie être mêlé en quoi que ce soit à ce qui est arrivé à cette femme au mois d'août. De même, il rejette avec la plus grande énergie l'idée de sa participation à un crime sexuel.

Gary se penche en avant, pour mieux scruter le visage d'Arthur. Il sait que son scepticisme doit transparaître :

— Il y a des preuves, pourtant...

— Au diable les preuves ! Si Ragen nie, il est inutile de le questionner davantage. Il ne ment pas. Ragen est un voleur, sûrement pas un maniaque sexuel.

— Vous dites que vous avez eu une conversation avec Ragen, s'enquiert Judy. Comment cela se passe-t-il ? Vous vous parlez à haute voix ou bien dans votre tête ? Ce sont des paroles ou des pensées ?

— Nous avons recours aux deux moyens. Parfois, il s'agit d'un dialogue intérieur qui, fort probablement, échappe à l'attention d'un observateur du dehors. A d'autres moments, plus généralement quand nous sommes seuls, nous dialoguons à voix haute. J'imagine que si quelqu'un nous voyait, il penserait que nous avons perdu la raison.

Gary sort son mouchoir pour s'éponger le front :

— A qui va-t-on faire avaler ça ?

Arthur sourit avec condescendance.

— Ainsi que je vous le disais, comme nous tous, Ragen ne ment jamais. Toute notre vie, on nous a accusés de mensonge. C'est devenu un point d'honneur parmi nous de ne jamais prononcer de contre-vérité. C'est pourquoi nous nous moquons bien de savoir qui nous croit ou pas.

— Mais vous ne dites pas toujours la vérité, observe Judy.

— Ce qui est un mensonge par omission, complète Gary.

— Allons, voyons, rétorque Arthur sans plus dissimuler son mépris. Vous êtes juristes, vous ne sauriez ignorer qu'un témoin n'est pas tenu de fournir des informations qu'on ne lui demande pas expressément. Vous conseilleriez sans hésiter à un client de ne répondre que par oui ou non, et de ne développer sa pensée que si cela va dans le sens de ses intérêts. Posez une question précise à l'un d'entre nous, vous aurez une réponse véridique ou pas de réponse du tout. Il est indubitable, par ailleurs, que la vérité est sujette à diverses interprétations. La langue anglaise est à cet égard passablement ambiguë.

Gary hoche la tête pensivement.

— J'enregistre. Mais je crois que nous nous égarons. A propos de ces pistolets...

— Ragen sait, mieux qu'aucun autre, ce qui s'est passé. Interrogez-le à propos de ces trois — et non quatre — crimes.

— Pas tout de suite, répond Gary. Pas encore.

— Je subodore chez vous une sorte de crainte.

Gary lui lance un regard noir :

— C'est l'effet recherché, non ? C'est bien pour nous faire peur que vous insistez tant sur le fait que Ragen est dangereux et méchant ?

— Je n'ai jamais dit qu'il était méchant.

— C'est l'impression que vous donnez.

— Vous avez ouvert la boîte de Pandore. Néanmoins, Ragen n'en sortira que si vous le désirez. Il me semble que vous, vous avez tout à gagner à le rencontrer.

— Est-ce que c'est ce qu'il désire, lui ?

— Voulez-vous le voir, oui ou non ? C'est la seule question.

Gary découvre qu'il appréhende la venue de Ragen.

Judy le consulte du regard :

— Je crois que nous devrions lui parler, dit-elle.

— Il ne vous fera aucun mal, assure Arthur avec un mince sourire. Il sait que vous êtes là pour aider Billy. Nous avons échangé nos impressions à ce sujet et nous avons conclu que, puisque le secret était levé, il fallait collaborer avec vous. Comme Mlle Stevenson nous l'a expliqué avec une belle force de conviction, c'est notre dernier espoir d'échapper à la prison.

— Très bien, soupire Gary. Je désire rencontrer Ragen.

Arthur porte sa chaise le plus loin possible, contre le mur du fond du petit parloir. Il se rassied et son regard se brouille, comme s'il plongeait en lui-même. Ses lèvres bougent, ses mains s'agrippent à son visage. Il serre les dents. Puis il change brusquement de position, passant de la posture guindée d'Arthur à celle d'un homme d'action aguerri qui se ramasse sur lui-même, prêt au combat.

— N'était pas bien. Pas bien rrrévéler secrrret.

Ils écoutent, stupéfaits, la rude voix de basse. C'est celle d'un être plein d'agressivité et de confiance en sa propre force. Le nouveau personnage est affublé d'un impressionnant accent slave.

— Je vais vous dirre...

Tous les muscles du visage sont contractés, les sourcils paraissent plus fournis, les yeux étincellent.

— ... même aprrès David dirre secret par errreurr, moi êtrre contre.

Cela ne ressemble pas à une imitation. Il prononce l'anglais comme s'il avait été élevé en Europe de l'Est et ne s'était jamais débarrassé de son accent.

— Pourquoi vous opposer à la révélation de la vérité ? demande Judith.

— Qui va crroire ? rétorque-t-il en serrant les poings. Ils vont tous dirre nous êtrre fous. Pas bon.

— Ça pourrait vous éviter la prison, fait remarquer Gary.

— Comment êtrre possible ? Je n'êtrre pas fou, M. Schweickart. Police a des prreuves, j'ai commis des vols. Je rreconnaîtrre vols à l'université. Trrois seulement. Mais les autrres choses ils disent, êtrre mensonges. Je n'être un sadique. Je vais au tribunal avouer vols. Mais si je vais en prrison, je tuer les enfants. Etrre euthanasie. Prrison n'êtrre endroit pour les petits.

— Mais si vous tuez les... les petits, ça ne veut pas dire que vous mourrez vous aussi ?

— Pas nécessaire. Nous être perrsonnes différentes.

Gary rejette en arrière sa mèche, d'un geste impatient.

— Voyons, quand Billy — ou qui que ce soit d'autre — se jette la tête la première contre le mur de sa cellule, est-ce qu'il n'abîme pas le crâne que je vois là ?

Ragen porte la main à son front.

— Etrre vrrai. Mais je n'avoir mal.

— Et qui donc a mal ? interroge Judy.

— David êtrre garrdien de la douleur. Etrre lui qui accepte toute la souffrrance.

Gary se lève d'un bond pour arpenter la pièce mais la vue de Ragen l'en dissuade. Il se rassied.

— C'est David qui a essayé de se briser le crâne ?

— Etrre Billy.

— Ah ! Je croyais que Billy dormait tout le temps

— Etrre vrai. Mais êtrre son anniversaire. Petite Christine faire pourr lui carte d'anniverrsaire et veut lui donner. Arthur permet à Billy rréveiller pour anniversaire et venirr sous projecteur. J'êtrre contre. J'êtrre prrotecteur. Etrre ma responsabilité. Possible Arthur plus intelligent que moi mais êtrre humain, se trromper comme tout le monde.

— Qu'est-ce qui s'est passé quand Billy s'est réveillé ?

— Il regarde autour de lui. Il voit êtrre en prison. Il pense il a fait du mal. Alorrs se jeter la tête contre le murr.

Judy fait une grimace de compassion.

— Vous savez, Billy n'êtrre au courant de rien. Il a — comment vous dites ? — il être amnésique. Quand il être à l'école, on lui vole tellement de temps qu'il monte sur le toit. Il veut sauter. Je l'enlève du prrojecteur pour l'empêcher. Depuis, il dort. Arthur et moi le faisons dorrmir pour le prrotéger.

— Ça s'est passé quand ?

— Juste après seizième anniversaire. Je me souviens il êtrre déprrimé parce que son père le fait travailler ce jour-là.

— Eh bien ! soupire Gary. Il dort depuis sept ans ?

— Il dorrt encore. Il êtrre réveillé seulement quelques minutes. Nous avons fait bêtise, vouloirr le mettrre sous le projecteur.

— Qui est-ce qui prend en charge les occupations quotidiennes ? interroge Gary. Qui travaille ? Qui parle avec les gens, depuis sept ans ? On ne nous a pas dit un mot d'un accent britannique ou russe.

— Pas russe, M. Schweickart, yougoslave.

— Excusez-moi.

— Ça va. Seulement, garder bien ça dans tête : yougoslave. Pour rrépondre à question : Allen et Tommy êtrre la plupart du temps sous le prrojecteur quand nous discuter avec les gens.

— Ils viennent et s'en vont à volonté ?

— Laisse-moi expliquer. Suivant circonstances, prrojecteur êtrre commandé par Arthur ou par moi. En prrison, je commande prrojecteur — je décide qui part, qui reste — parce que prison êtrre endroit dangereux. Comme prrotecteur, j'ai pleins pouvoirs. Dans situations sans dangers, quand logique et intelligence plus importantes, Arthur commande le prrojecteur.

Conscient d'avoir perdu tout détachement professionnel, de se passionner sans recul pour l'incroyable phénomène, Gary demande encore :

— Qui contrôle le projecteur en ce moment ?

Ragen hausse les épaules et montre l'endroit où il se trouve :

— On êtrre en prison.

La porte du parloir s'ouvre inopinément. Avec la vivacité d'un chat sauvage, Ragen bondit sur ses pieds, dans une posture défensive, les mains en avant comme un karatéka. Voyant qu'il s'agit seulement d'un avocat entré dans le parloir par erreur, il se rassied.

Persuadé qu'il allait démasquer un simulateur, Gary s'attendait à passer, suivant l'usage, un quart d'heure ou une demi-heure avec son client. Après cinq heures d'entretien, il est convaincu : Billy Milligan possède une personnalité multiple. Dans la nuit froide, il marche aux côtés de Judy. Des idées absurdes lui viennent à l'esprit : sauter dans le premier avion pour l'Angleterre ou la Yougoslavie et y chercher des traces de l'existence passée d'Arthur et de celle de Ragen. Non qu'il croie à des sottises comme la possession ou la réincarnation. Mais là, tandis qu'il s'enfonce dans la brume, il lui faut bien admettre que dans le parloir tout à l'heure, il a rencontré des individus différents.

Il se tourne vers Judy qui observe un silence stupéfait.

— Bon. Je dois reconnaître que je suis en état de choc, intellectuellement et émotionnellement. J'y crois. Et je pense être en mesure de convaincre ma femme que j'avais de bonnes raisons, une fois de plus, de ne pas être à l'heure pour le dîner. Mais comment convaincre le procureur et le juge ?

Le 21 février, une psychiatre attachée au même établissement que le docteur Turner, le docteur Stella Karolin, annonce aux avocats que le docteur Cornelia Wilbur, du Kentucky, a donné son accord pour venir examiner Milligan. Le docteur Wilbur a acquis un renom international en soignant Sybille, la femme aux seize personnalités.

En prévision de cette visite fixée au 10 mars, Dorothy et Judy s'emploient à obtenir d'Arthur, de Ragen et de tous les autres, l'autorisation de faire partager le secret à d'autres personnes. Il faut de nouveau des heures et des heures de discussion pour convaincre une à une chaque personnalité. Les noms de neuf d'entre elles sont à présent connus : Arthur, Allen, Tommy, Ragen, Danny, Christopher, sa sœur de trois ans, Christine, qu'ils n'ont pas encore rencontrée, de même que Billy, la personnalité première ou fondamentale, que les autres font dormir. Lorsque les deux femmes sont parvenues à leurs fins, elles prennent les contacts nécessaires pour qu'un groupe, dans lequel figurera le procureur, puisse assister à l'entretien entre Wilbur et Milligan.

Judy et Gary interrogent les proches de Milligan. Dorothy, la mère, Kathy, la sœur cadette, Jim, le frère aîné, n'ont pas été témoins des sévices auxquels Billy fait allusion mais la mère raconte ceux que lui a fait subir à elle Chalmer Milligan, le père. Professeurs, camarades de classe et connaissances décrivent le comportement étrange de Billy Milligan, ses tentatives de suicide et ses transes.

Judy et Gary sont persuadés de tenir des motifs de relaxe pour irresponsabilité mentale conformément au code pénal. Un autre obstacle se dresse devant eux : si le juge Flowers accepte les conclusions du Centre de santé mentale du Sud-Ouest, Billy Milligan devra être envoyé dans un hôpital psychiatrique pour y être examiné et soigné. Ils ne veulent pas qu'on l'envoie à l'hôpital d'Etat de Lima pour les fous criminels. Nombre de leurs clients précédents leur en ont parlé et ils savent que Billy n'y survivrait pas.

Judy téléphone à Gary pour l'avertir que le docteur Wilbur repousse la date de sa venue.

— Tu passes au bureau cet après-midi ? demande l'avocat.

— Ce n'était pas ce que j'avais prévu.

— Il faut résoudre ce problème : le Centre du Sud-Ouest affirme qu'il n'y a pas d'autre solution que Lima. Quelque chose me dit qu'il doit bien en exister une.

— Ecoute, avec ce thermostat déréglé, on gèle au bureau. Al est sorti, j'ai fait du feu dans la cheminée. Viens chez nous, on pourra en discuter devant un café irlandais.

Gary éclate de rire :

— C'est l'argument décisif. J'arrive.

Une demi-heure plus tard, ils sont tous deux installés auprès de l'âtre. Gary étreint la tasse fumante pour réchauffer ses doigts glacés.

— Tu sais, j'ai vraiment été sidéré quand Ragen est apparu. Le plus bizarre, c'est qu'il m'est sympathique.

— A moi aussi.

— Tu comprends, Arthur l'appelle le « gardien de la haine ». Je m'attendais à voir surgir un monstre cornu. Je le crois sans mal quand il dit ne pas être mêlé à l'agression du mois d'août. Et j'en suis à me demander s'il ne dit pas aussi la vérité quand il nie avoir violé les trois autres.

— Le premier point me semble indiscutable : on lui colle cette vieille histoire pour faire bon poids, mais elle est très différente. Quant au deuxième point, il faut bien reconnaître que les filles ont été certainement enlevées, volées et violées.

— Tout ce dont nous disposons, ce sont des bribes de crime dont il se souvient. Vraiment étrange, quand même, que Ragen reconnaisse la deuxième victime en disant que l'un des « habitants » l'a certainement déjà rencontrée avant.

— Et maintenant, nous apprenons que Tommy se souvient d'être allé sous le projecteur au moment où Milligan se trouvait dans le parking d'une buvette en compagnie d'une troisième victime. Il s'est imaginé que l'un des autres avait dragué la jeune femme et il lui a offert un hamburger.

— Dans sa déposition, Polly Newton confirme qu'ils se sont arrêtés devant une baraque à hamburgers. Elle a aussi parlé de son regard étrange et elle a raconté qu'il a interrompu l'acte sexuel au bout de deux minutes, qu'il s'est dit à lui-même : « Bill, qu'est-ce qui t'arrive ? Ressaisis-toi. » Et puis, ensuite, il aurait déclaré avoir besoin d'une douche froide pour se calmer.

— Mais le délire sur la Maserati et les *Weathermen ?*

— Un des « habitants » a voulu se faire mousser.

— Bon, alors reconnaissons que nous ne savons pas ce qui s'est passé, pas plus que les personnalités que nous connaissons.

— Ragen a reconnu les vols.

— Oui, mais il nie les viols. Tout cela est bizarre. Essayons de nous représenter ce qui s'est passé aux dires de Ragen : à trois reprises en quinze jours, Ragen boit de l'alcool et prend des amphétamines avant de courir au petit matin à travers la ville. Dix-huit kilomètres jusqu'au campus. Et puis, quand il a choisi une victime, il perd conscience...

— Tu veux dire qu'il quitte la scène, qu'il n'est plus sous le projecteur.

— Oui, confirme-t-il en tendant sa tasse pour la faire remplir. A chaque fois, il quitte la scène pour se retrouver ensuite à Colombus avec l'argent dans sa poche et la certitude d'avoir commis les agressions projetées. Mais il n'en garde aucun souvenir. Dans aucun des trois cas. Comme il dit, quelqu'un lui a volé du temps entre les deux moments.

— Donc, il manque des pièces au puzzle. Quelqu'un d'autre a jeté ces bouteilles à l'eau et leur a tiré dessus.

— Ça prouve que ce n'était pas Ragen. D'après sa victime, pendant quelques secondes, il n'a plus su se servir du pistolet. Il l'a tripoté jusqu'à ce qu'il trouve le cran de sûreté. Et puis il a tiré et raté les deux bouteilles, ce qui ne serait jamais arrivé à un expert comme Ragen.

— Mais Arthur dit qu'il est interdit aux autres de toucher aux armes de Ragen.

— Je nous vois en train d'expliquer ça au juge Flowers !

— Tu crois qu'il faut en parler ?

— Je ne sais pas. C'est risqué de tenter de prouver l'irresponsabilité pour cause de personnalité multiple, puisque officiellement, il s'agit d'une névrose et non d'une psychose. Les psy eux-mêmes disent que les gens à personnalité multiple ne sont pas fous.

— C'est vrai, mais pourquoi ne pas plaider l'irresponsabilité sans appeler ça de la folie ? Nous démontrerons la non-préméditation, comme dans ce cas de personnalité multiple en Californie.

— C'était pour un délit mineur. Dans un cas comme le nôtre, ça ne marchera pas. Pas pour un crime.

Elle pousse un soupir, fixe le feu sans répondre.

— Et puis, reprend Gary en tiraillant sur sa barbe, même si le juge Flowers se rend à nos arguments, il va l'envoyer à Lima. Billy a entendu parler de Lima quand il était en prison. Tu te souviens de ce que Ragen a dit, qu'il faudrait procéder à l'euthanasie des petits si on l'y envoyait ? Je crois qu'il le fera.

— Alors, il faut faire en sorte qu'on l'envoie ailleurs.

— Au Centre du Sud-Ouest, on m'a dit que Lima était le seul endroit susceptible de soigner un prévenu.

— Il faudra me passer sur le corps.

— Objection, votre honneur. Sur nos corps.

Ils trinquent et Judy remplit une nouvelle fois les tasses.

— Je n'arrive pas à croire qu'il n'y a pas d'autre solution.

— Alors, trouvons-en une.

— Tu as raison, trouvons-en une.

— Ce serait une grande première, fait-il remarquer en essuyant la crème sur sa moustache.

— Et alors ? C'est la première fois que la justice de l'Ohio se trouve confrontée à un Milligan.

Sur une étagère, elle prend un exemplaire maintes fois feuilleté du code criminel de l'Etat de l'Ohio. Ils se penchent tous deux sur le livre pour l'éplucher.

— Un autre café irlandais ? propose-t-elle.

Il secoue la tête :

— Non, pas de crème ni de whisky. Simplement noir et fort, s'il te plaît.

Deux heures plus tard, ils relisent à haute voix la section 2945-38 :

... si la Cour ou le jury ne le reconnaît pas sain d'esprit, il sera conséquemment confié par la Cour à un établissement de soins pour débiles ou malades mentaux situé dans les limites de sa juridiction. S'il plaît à la Cour, le détenu sera confié à l'hôpital d'Etat de Lima jusqu'à ce qu'il ait recouvré la raison et, lorsqu'il aura recouvré la raison, il sera déféré devant la Cour pour être jugé conformément à la loi.

— Voilà ce qu'il nous faut ! s'écrie Gary en se levant d'un bond : un hôpital dans les limites de la juridiction. Lima n'a pas l'exclusivité.

— On tient le bon bout.

— Dire qu'on nous affirmait qu'il n'y avait pas d'autre solution que Lima pour un internement préventif !

— Il suffira de trouver un autre hôpital psychiatrique dans le ressort de la Cour.

Gary se frappe le front :

— Bon Dieu, c'est incroyable. J'en connais un. J'y ai travaillé comme infirmier psychiatrique après mon service militaire. L'hôpital Harding.

— Il est dans les limites de la juridiction ?

— Certainement. A Worthington, dans l'Ohio. Et en plus, c'est un établissement vénérable, parmi les plus respectés du pays. Son conseil d'administration est aux mains de l'Eglise des Adventistes du septième jour. J'ai entendu quelqu'un du parquet dire : « Si le docteur George Harding déclarait un homme fou, j'y croirais. Ce n'est pas un de ces médecins qui voient l'accusé trente minutes en tout et pour tout sur la demande de la défense et qui vous déclarent qu'il est fou. »

— A ce point-là ?

Il lève la main droite :

— Je l'ai entendu, tu peux me croire. Il me semble même que c'était Terry Sherman. Tiens, au fait, Dorothy Turner m'a dit avoir souvent réalisé des tests pour cet établissement.

— Alors, il faut l'y envoyer.

Gary se rassied, découragé :

— On oublie un détail. C'est un hôpital privé, fort cher. Et Billy n'a pas d'argent.

— On ne va pas se laisser arrêter par ça.

— Moi, je veux bien. Mais comment ?

— Il faut leur donner envie de prendre Billy.

— Comment faire ?

Une demi-heure plus tard, Gary tape du pied sur le seuil d'une luxueuse demeure pour faire tomber la neige de ses souliers. Tout à coup, il se rend compte de l'image qu'il va offrir au docteur George Harding, le très conservateur petit-neveu du président Warren

G. Harding : celle d'un avocat barbu à l'allure excentrique. C'est Judy qui aurait dû venir. Elle aurait fait meilleure impression. Avant de sonner, il rectifie sa tenue, resserre son nœud de cravate.

Gary est frappé par la grande élégance du psychiatre, un homme de quarante-neuf ans au visage lisse, aux manières onctueuses.

— Entrez, je vous en prie.

Gary se débarrasse de son manteau et suit le docteur Harding au salon.

— Votre nom me disait quelque chose. Après votre appel, j'ai jeté un coup d'œil aux journaux. Vous êtes l'avocat de Milligan, le jeune homme qui a agressé quatre femmes sur le campus.

Gary secoue la tête :

— Trois. Ce qui s'est passé en août sur la place Nationwide est très différent du reste. Cette accusation va être probablement abandonnée. L'affaire est en train de prendre une tournure très inhabituelle et je souhaiterais connaître votre opinion.

D'un geste, Harding invite Gary à prendre place sur un divan moelleux tandis qu'il se réserve une chaise à dossier droit. Joignant les mains, il écoute avec une attention soutenue les explications de Gary. Après avoir exposé ce que Judy et lui ont découvert à propos de Milligan, l'avocat conclut en annonçant que l'entretien prévu aura lieu dimanche à la prison Franklin.

Harding hoche pensivement la tête et parle en choisissant soigneusement ses mots :

— J'ai beaucoup de respect aussi bien pour le docteur Karolin que pour Dorothy Turner.

Il médite un instant, les yeux au plafond :

— Turner travaille à temps partiel pour nous. Elle m'a déjà touché un mot de ce cas. Bon, puisque le docteur Wilbur doit venir...

Il fixe le sol un instant avant de poursuivre :

— ... je ne vois pas pourquoi je n'irais pas. Vous me dites que cet examen aura lieu dimanche ?

Gary, trop tendu pour parler, hoche la tête.

— Par ailleurs, je dois vous faire un aveu, M. Schweickart. Je suis très réservé sur la question des personnalités multiples. Le docteur Cornelia Wilbur a donné une conférence durant l'été 1975, dans notre hôpital. Je suis néanmoins resté sceptique sur la réalité de ce syndrome. Avec tout le respect que je dois au docteur Wilbur et aux autres psychiatres qui ont traité des cas semblables... En outre, dans l'affaire qui nous préoccupe, il n'est que trop évident que le patient pourrait feindre l'amnésie. Quoi qu'il en soit, puisque le docteur Karolin et Mlle Turner seront là... et que le docteur Wilbur fera le voyage...

Il se lève :

— Je ne prends aucun engagement, ni en mon nom personnel ni au nom de l'hôpital. Mais j'assisterai volontiers à cet entretien.

A peine rentré chez lui, Gary décroche le téléphone :

— Cher maître, annonce-t-il à Judy, j'ai le plaisir de vous aviser que ça marche, pour Harding.

Le samedi 11 mars, Judy se rend à la prison pour prévenir Milligan que le docteur Wilbur ne sera là que le lendemain.

— C'est hier que j'aurais dû vous le faire savoir, excusez-moi.

Il est pris d'un violent tremblement. A l'expression de ses traits, elle reconnaît Danny.

— Dis, Dorothy Turner, elle va pas revenir, hein ?

— Mais si, bien sûr. Qu'est-ce qui te fait croire ça ?

— Les gens, ils promettent toujours et puis ils oublient. Ne m'abandonne pas, s'il te plaît.

— Tu peux compter sur moi. Mais il faut que tu te prennes en main. Le docteur Wilbur sera là demain. Il y aura aussi Stella Karolin, Dorothy Turner, moi et... d'autres gens.

Il ouvre de grands yeux :

— D'autres gens ?

— Il y aura un autre médecin : le docteur George Harding, de l'hôpital Harding. Et le procureur, Bernie Yavitch.

— Des hommes ? gémit-il en tremblant au point de claquer des dents.

— C'est indispensable pour que nous puissions te défendre convenablement. Gary et moi, nous serons là aussi. Ne t'en fais pas... Tu sais, je crois qu'il vaudrait mieux que tu prennes un calmant, demain.

Il acquiesce.

Elle appelle un garde pour que son client soit replacé en cellule pendant qu'elle va voir un médecin. Quand ils reviennent, quelques minutes plus tard, Milligan est recroquevillé dans un coin de la pièce, le visage ensanglanté. Il s'est jeté la tête la première contre le mur.

Quand elle croise son regard vide, elle comprend que ce n'est plus Danny, mais le gardien de la douleur.

— David ?

Il hoche la tête :

— Ça fait mal, mademoiselle. Ça fait très mal. Je veux plus vivre.

Elle le relève, le prend dans ses bras.

— Il ne faut pas dire ça, David. Tu as encore beaucoup d'années à vivre. Beaucoup de gens s'intéressent à toi, on va faire le maximum pour t'aider.

— J'ai peur d'aller en prison.

— On ne t'enverra pas en prison. Nous allons nous battre pour ça.

— J'ai rien fait de mal.

— Je sais. Je te crois.

— Quand est-ce que Mlle Turner va venir me voir ?

— Je te l'ai dit...

Elle se rend compte que c'est à Danny qu'elle a parlé tout à l'heure, et qu'il faut expliquer à nouveau :

— Demain. Tu la verras demain. Elle viendra avec une autre psychiatre, le docteur Wilbur.

— Dis, tu leur diras pas le secret, hein ?

— Non David. Je suis sûr que nous n'aurons pas besoin de le dire au docteur Wilbur.

Le 12 mars, un dimanche lumineux et froid, Bernie Yavitch, en quittant sa voiture pour entrer dans la prison Franklin, est la proie d'une grande perplexité. C'est bien la première fois dans sa carrière de procureur qu'il va assister à un examen psychiatrique demandé par la défense. Il a eu entre les mains les rapports du Centre du Sud-Ouest et ceux de la police, il les a lus et relus mais il n'a pas la moindre idée de ce qui l'attend.

En tout cas, il n'arrive pas à comprendre comment des médecins éminents ont pu prendre au sérieux ces histoires de personnalité multiple. Que Cornelia Wilbur se déplace pour voir Milligan, voilà qui ne l'impressionne guère. Elle croit à ce syndrome, elle trouvera ce qu'elle vient chercher. C'est le docteur Harding qu'il sera curieux d'observer. Pour autant que Yavitch le sache, dans tout l'Etat de l'Ohio, il n'y a pas de psychiatre plus respecté. Il sait que personne ne mettra sa parole en doute. Au parquet, même au plus haut niveau, où l'on a peu sinon pas du tout confiance dans les rapports des experts psychiatriques, on fait une exception pour le docteur Harding.

Les autres participants étant arrivés, on réquisitionne la salle de réunion où se rassemblent les équipes du shérif au début et à la fin de leur journée. C'est une grande pièce meublée de chaises pliantes, d'un bureau et d'un tableau noir.

Yavitch serre la main du docteur Stella Karolin et de Sheila Porter, une assistante sociale du Centre du Sud-Ouest. On lui présente les docteurs Wilbur et Harding.

Puis la porte s'ouvre et le procureur voit pour la première fois Billy Milligan. Judy Stevenson le conduit par la main. Dorothy Turner marche devant lui, Gary derrière. En voyant le groupe de personnes dans la pièce, Milligan marque une hésitation.

Dorothy Turner les lui présente un à un et le fait asseoir à côté de Cornelia Wilbur.

— Docteur Wilbur, dit Dorothy à voix basse, je vous présente Danny.

— Bonjour. Je suis heureuse de te rencontrer. Comment te sens-tu ?

— Ça va, répond-il en s'agrippant à la main de Dorothy.

— Je sais que de voir tant d'inconnus à la fois doit t'inquiéter. Mais nous sommes là pour t'aider.

Tout le monde s'installe et Schweickart se penche vers Yavitch :

— Quand vous aurez vu, si vous n'y croyez toujours pas, je veux bien déchirer mon diplôme.

Tandis que Wilbur pose les premières questions à Milligan, le procureur se détend. Cette psychiatre a plutôt l'air d'une mère de famille, aux cheveux rouges, aux lèvres très maquillées. Danny lui parle d'Arthur, de Ragen et d'Allen. Elle se tourne vers Yavitch :

— Vous voyez ? Une attitude typique des personnalités multiples : il parle beaucoup plus volontiers de ce qui arrive aux autres que de ce qui lui arrive à lui-même.

Danny répond à une série de questions puis le docteur Wilbur s'adresse au docteur Harding :

— Voici un excellent exemple du stade dissociatif de la névrose hystérique.

Danny lance un regard interloqué à Judy :

— Elle est sortie du projecteur, dit-il.

Judy sourit :

— Non, Danny, murmure-t-elle. Ça ne se passe pas comme ça pour elle.

— Elle doit avoir beaucoup d' « habitants », insiste Danny. Elle me parle à moi comme une personne normale et puis tout d'un coup elle change, elle dit tous ces grands mots, comme Arthur.

— J'aurais aimé que le juge Flowers soit là, déclare le docteur Wilbur. Je sais ce qui se passe dans l'esprit de ce garçon. Je sais ce dont il a vraiment besoin.

Danny se tourne brusquement vers Dorothy Turner et lui lance un regard noir :

— Tu lui as raconté ! Tu avais promis que tu le raconterais à personne !

— Non, je ne lui ai rien dit. Le docteur Wilbur sait ce qui ne va pas chez toi parce qu'elle connaît d'autres gens comme toi.

D'une voix ferme et douce à la fois, Cornelia Wilbur invite Danny à se détendre. Elle pose la main sur le front du jeune homme, les diamants de ses bagues jettent des étincelles qui se reflètent dans les yeux de Milligan.

— Tout va bien, laisse-toi aller, Danny. Il ne t'arrivera rien. Détends-toi. Tout ce que tu as envie de faire ou dire sera très bien. Tout ce que tu désires.

— Je veux m'en aller. Je veux quitter la scène.

— Pour nous, tout ce que tu veux faire nous conviendra. Ecoute-moi. Quand tu t'en iras, je voudrais parler à Billy. Le Billy qui est né avec ce nom.

Il hausse les épaules :

— Je peux pas faire venir Billy. Il dort. Y a qu'Arthur et Ragen qui peuvent le réveiller.

— Eh bien, dis à Arthur et Ragen que j'ai besoin de parler à Billy. C'est très important.

Avec un étonnement croissant, Yavitch suit la scène devenue familière à ceux qui connaissent Milligan. Les yeux de Danny se brouillent, ses lèvres bougent, son corps se redresse. Il regarde autour de lui avec stupéfaction. Avant toute chose, il demande une cigarette.

Le docteur Wilbur lui en tend une. Judy Stevenson explique à l'oreille de Yavitch qu'Allen est le seul fumeur.

De nouveau, la psychiatre du Kentucky se présente et présente ceux qui n'ont jamais rencontré Allen. Yavitch s'émerveille du changement : il a devant lui un jeune homme décontracté, de contact facile, qui sourit et répond avec aisance et précision, bien différent du gosse timide de l'instant d'avant. Allen explique quels sont ses centres d'intérêt : il joue du piano et de la batterie. Il peint, surtout des portraits. Il a dix-huit ans, adore le base-ball, à la différence de Tommy qui déteste jouer.

— Très bien, dit Wilbur. J'aimerais parler à Arthur maintenant.

— Entendu. Juste une seconde...

Sous les yeux de Yavitch, Allen tire rapidement deux bouffées de cigarette avant de disparaître. Cela a semblé parfaitement spontané : deux bouffées avant de céder la place à quelqu'un qui ne fume pas.

Puis de nouveau, le regard se brouille, les paupières papillotent. Il les ouvre, se redresse très droit sur sa chaise, considère avec hauteur ceux qui l'entourent. Il réunit ses mains en forme de pyramide avant de se mettre à parler avec l'accent de l'aristocratie britannique.

Yavitch n'en croit pas ses oreilles. C'est bel et bien un nouveau personnage qu'on interroge à présent. Les yeux, les gestes, le maintien diffèrent profondément de ceux d'Allen. Le procureur a un ami britannique, comptable à Cleveland. Il ne peut que constater, à sa grande stupéfaction, que la ressemblance est frappante.

— Je ne crois pas avoir l'honneur de connaître ces personnes, observe Arthur.

On lui présente les participants à la réunion. Avec le sentiment de se couvrir de ridicule, Yavitch salue Arthur comme s'il venait d'entrer dans la pièce. Sur la demande de Wilbur, Arthur explique le rôle particulier de chaque personnalité, quand et comment on les autorise à paraître. Quand il a fini, le docteur Wilbur demande :

— Nous devons parler à Billy.

— Le réveiller présenterait de graves dangers. Vous n'êtes pas sans savoir que ce petit est suicidaire.

— Il faut que le docteur Harding le voie, c'est très important. L'issue du procès en dépend : relaxe et traitement ou emprisonnement.

Arthur considère un instant la question, une moue aux lèvres.

— Eh bien, à vrai dire, je ne suis pas en mesure de trancher. Comme nous sommes en prison, c'est-à-dire dans un environnement hostile, Ragen joue le rôle dirigeant. C'est lui qui décide en dernier lieu.

— Rappelez-nous quelles tâches particulières remplit Ragen.

— Protecteur et gardien de la haine.

— Fort bien. Dans ce cas, exige le docteur Wilbur, je dois lui parler.

— Puis-je vous suggérer...

— Nous n'avons pas beaucoup de temps. Beaucoup de gens très occupés vous ont consacré leur matinée du dimanche, dans l'espoir de vous aider. Il faut que Ragen nous donne son accord.

A nouveau, le visage blêmit, le regard devient fixe, comme dans les états de transe. Les lèvres bougent, comme s'il poursuivait une conversation intérieure. Puis il serre les dents avec un froncement de sourcil furieux.

— Impossible ! rugit la voix aux accents gutturaux.

— Vous dites ?

— Pas êtrre possible parrler avec Billy.

— Qui êtes-vous ?

— Ragen Vadascovinich. Qui sont ces perrsonnes ?

Le docteur Wilbur fait les présentations. Une fois encore, Yavitch est abasourdi par le changement de personnalité et l'accent très prononcé du nouveau venu. Il regrette de ne pas connaître quelques mots de serbe ou de croate pour voir si Ragen possède seulement un accent ou s'il parle effectivement une langue slave. Il aimerait que le docteur Wilbur s'en assure mais impossible de le signaler : on leur a demandé de ne rien ajouter aux quelques phrases de présentation.

— Comment savez-vous que je veux rencontrer Billy ? s'enquiert le docteur Wilbur.

Ragen manifeste un certain amusement :

— Arthur me demande mon opinion. J'êtrre contrre. Etrre mon drroit de prrotecteur, je décide qui vient sous prrojecteur. Pas possible Billy vienne.

— Pourquoi donc ?

— Vous êtes docteur, non ? Laisse-moi fairre. Impossible parce que si Billy se réveille, il tue lui.

— Comment pouvez-vous en être sûr ?

— Chaque fois Billy vient sous le prrojecteur, il croit il fairre quelque chose, il fairre du mal. Il veut tuer lui. J'êtrre rresponsable. Je dis non.

— De quoi êtes-vous responsable ?

— Protéger tous, surrtout les petits.

— Je vois. Et vous n'avez jamais échoué ? Les petits n'ont jamais souffert, grâce à vous ?

— Pas exactement vrrai. David charrge lui la douleur.

— Et vous laissez David se charger de la douleur ?

— Etrre son trravail.

— Un grand gaillard comme vous laisse un gosse se charger de toute la souffrance et toute la douleur ?

— Attention, docteurr, je n'êtrre pas le genrre à me fairre...

— Vous devriez avoir honte. En l'occurrence, je ne crois pas que vous ayez voix au chapitre. Je suis médecin, j'ai déjà traité des cas semblables. C'est à moi, à moi seule de décider si Billy peut apparaître... certainement pas à quelqu'un qui laisse un pauvre gosse sans défense souffrir à sa place.

Ragen remue sur sa chaise, l'air embarrassé et coupable. Il marmonne qu'elle ne comprend rien à la situation. Elle insiste d'une voix douce et persuasive.

— Trrès bien. Vous êtrre responsable. Mais tous les hommes quitter la salle. Billy a peurr des hommes parce que son pèrre lui fait du mal autrefois.

Gary, Bernie Yavitch et le docteur Harding se lèvent pour quitter la pièce mais Judy intervient :

— Ecoutez-moi, Ragen, il faut absolument que le docteur Harding reste pour voir Billy. Il faut lui faire confiance. Le docteur est très intéressé par l'aspect médical de votre affaire.

— Nous, on sort, dit Gary en désignant Yavitch et lui-même.

Ragen parcourt la pièce du regard, comme s'il évaluait la situation.

— Je perrmets.

Il montre du doigt une chaise dans un coin reculé de la grande pièce.

— Mais il s'asseoirrre là, pas bouger.

Mal à l'aise, George Harding risque un sourire et va s'asseoir dans le coin.

— Pas bouger ! insiste Ragen.

— Non, non, je ne bougerai pas.

Dans le couloir, Gary dit à Yavitch :

— Je n'ai jamais rencontré la personnalité fondamentale. Je me demande si elle va venir. Qu'est-ce que vous pensez de ce que vous venez de voir ?

— J'étais extrêmement sceptique, au départ. Maintenant, je ne sais plus où j'en suis. En tout cas, je ne crois pas qu'il simule.

Ceux qui sont restés à l'intérieur observent, fascinés, le visage de

Milligan qui pâlit. Ses lèvres bougent comme s'il parlait en dormant. Soudain, il écarquille les yeux :

— Oh ! Je croyais que j'étais mort.

Il sursaute, regarde autour de lui, voit tous ces gens dont le regard est fixé sur lui. A quatre pattes, il s'enfuit jusqu'au fond de la pièce, le plus loin possible des spectateurs et là, recroquevillé entre deux chaises, il éclate en sanglots.

— Qu'est-ce que j'ai encore fait ?

D'une voix douce et ferme, Cornelia Wilbur le rassure :

— Tu n'as rien fait de mal. Tu n'as pas de raison de t'inquiéter.

Tremblant de tous ses membres, il se plaque contre le mur, comme s'il voulait y disparaître. Une mèche devant les yeux, il jette des coups d'œil apeurés.

— Je sais bien que tu n'es pas au courant mais tous les gens qui sont ici veulent t'aider. Ecoute, je crois qu'il vaudrait mieux que tu reviennes t'asseoir pour que nous puissions bavarder.

Chacun, dans la pièce, a conscience que le docteur Wilbur domine la situation. Elle fait vibrer les cordes adéquates.

Il va s'asseoir. Son corps tremble, ses genoux s'entrechoquent.

— Je suis pas mort ?

— Tu es tout à fait en vie, Billy. Nous savons que tu as des problèmes et que tu as besoin d'être soutenu. Tu as besoin qu'on t'aide, n'est-ce pas ?

Il acquiesce d'un signe de tête, les yeux écarquillés.

— Dis-moi, pourquoi t'es-tu jeté la tête la première contre le mur, l'autre jour ?

— Je croyais que j'étais mort. Et puis je me suis réveillé en prison.

— Quelle est la dernière chose dont tu te souviennes ?

— J' suis monté sur le toit de l'école. Je voulais plus voir de docteurs. Le docteur Brown, au Centre de Lancaster, il ne savait pas me soigner. J'ai cru que je sautais ! Pourquoi je suis pas mort ? Qui êtes-vous, tous ? Pourquoi vous me regardez comme ça ?

— Nous sommes des médecins et des avocats. Nous sommes là pour t'aider.

— Des docteurs ? Si je vous parle, mon papa Chal me tuera.

— Pourquoi ?

— Il veut pas que je dise ce qu'il m'a fait.

Wilbur jette un regard interrogatif à Judy Stevenson qui explique :

— C'est son père adoptif. Sa mère a divorcé de Chalmer il y a six ans.

Billy lance des coups d'œil ahuris autour de lui :

— Divorcés ? Il y a six ans ?

Il touche son visage comme pour vérifier qu'il existe :

— C'est pas possible.

— Nous avons beaucoup de choses à nous dire, à ce sujet. Il nous manque beaucoup d'éléments, de pièces du puzzle.

Il paraît de plus en plus désemparé :

— Qu'est-ce que je fais ici ? Qu'est-ce qui se passe ?

Il se remet à sangloter en se balançant d'avant en arrière.

— Je sais que tu dois être fatigué. Tu peux retourner te reposer.

Les sanglots cessent aussitôt. Le visage prend une expression éveillée mais inquiète. Il touche les larmes qui coulent sur ses joues et fronce les sourcils :

— Qu'est-ce qui se passe ici ? C'était qui ? J'ai entendu quelqu'un pleurer mais je savais pas d'où ça venait. Merde alors, ce type allait se jeter la tête contre le mur. C'était qui ?

— Billy. Le Billy fondamental. Celui qu'on appelle aussi l'hôte ou le premier des habitants. Qui êtes-vous ?

— Je savais pas que Billy avait été autorisé à sortir sous le projo. Personne ne me l'a dit. Je suis Tommy.

Gary et Bernie sont invités à rentrer. On leur présente Tommy, qui répond à quelques questions, puis on le ramène en cellule. Yavitch secoue la tête en apprenant ce qui vient de se passer. Tout cela paraît tellement irréel, comme ces histoires de possession par des incubes ou des démons.

— Je ne comprends rien à tout ça, déclare-t-il aux deux avocats mais je dois reconnaître que je suis comme vous : ça ne m'a pas l'air d'être du cinéma.

Seul le docteur Harding reste sur la réserve. Il ne se prononce pas pour l'instant. Il réfléchira à ce qu'il a vu et entendu et il écrira dès le lendemain au juge Flowers pour lui communiquer son opinion.

L'infirmier Russ Hill qui a raccompagné Tommy dans sa cellule n'a pas la moindre idée de ce qui ne tourne pas rond chez Milligan. Tout ce qu'il sait, c'est que tout un tas de médecins et d'avocats se démènent à son sujet et que ce jeune gars d'humeur instable dessine bien. Quelques jours après la grande réunion, il passe devant sa cellule et le surprend penché sur une feuille. Russ Hill s'approche pour mieux voir : cette fois, il s'agit seulement d'un vague gribouillis enfantin avec quelques mots écrits en travers.

Un gardien qui survient éclate de rire :

— Pff ! Mon gosse de deux ans, y dessine mieux que ce fumier de sadique.

— Laissez-le tranquille, conseille Hill.

L'homme tient un verre d'eau à la main. Il en projette le contenu à travers les barreaux, éclaboussant le dessin.

— Pourquoi avez-vous fait ça ? se récrie Hill. Qu'est-ce qui vous prend ?

Le gardien s'éloigne des barreaux en voyant l'expression du visage de Milligan. La fureur éclate dans les yeux du détenu qui cherche un projectile. D'une brusque détente, il agrippe la cuvette des W-C, l'arrache du mur et la jette contre les barreaux, faisant voler en éclats la porcelaine.

Le gardien se rue sur la sonnerie d'alarme.

— Calmez-vous, Milligan, implore Hill.

— Il jette eau surr dessin Chrristine. Pas être bien, abîmer dessin enfants.

Six policiers accourent au pas de charge, mais c'est pour découvrir Milligan assis sur le sol, la mine ahurie.

— Faudra que tu rembourses, salopard ! hurle le garde. Tu as démoli la propriété de l'Etat.

Les mains derrière la tête, Tommy s'appuie contre le mur dans une pose insolente :

— La propriété de l'Etat, je l'emmerde.

Dans une lettre datée du 13 mars 1978, le docteur George Harding écrit au juge Flowers :

« A la suite de l'entretien auquel j'ai assisté, je suis convaincu que M. William Milligan n'est pas en mesure de participer à son procès en raison de son incapacité à collaborer avec les avocats chargés de le défendre. Dépourvu de la capacité d'intégrer ses émotions, il lui sera impossible de prêter serment, d'être confronté aux autres témoins et d'être, au-delà de sa simple présence physique, mentalement présent à l'audience. »

Il lui reste maintenant à prendre une autre décision : Schweickart et Yavitch lui ont demandé d'admettre Milligan à l'hôpital Harding pour examiner son cas et le soigner.

George Harding hésite. Il a été impressionné de voir le procureur Yavitch assister à cet entretien, ce qui constitue une procédure tout à fait inhabituelle. Schweickart et Yavitch ont affirmé au psychiatre qu'on ne lui demanderait pas de prendre parti au procès et que la défense comme l'accusation acceptaient d'avance ses conclusions. Comment résister lorsque des deux bords on le prie d'intervenir ?

Directeur médical de l'hôpital Harding, il présente au directeur administratif et à celui des services financiers la demande d'admission.

— Nous n'avons jamais reculé devant les difficultés, fait-il remarquer. L'hôpital Harding ne soigne pas les maladies bénignes.

Le médecin insiste beaucoup sur le double bénéfice que l'établissement tirerait de l'étude du cas Milligan : le personnel soignant trouverait là une occasion d'approfondir ses connaissances et contribuerait de manière notable au développement du savoir psychiatrique. Sensible à ces arguments, l'administration donne son accord pour que William Milligan soit placé dans l'hôpital en observation pour la durée de trois mois fixée par la cour.

Le 14 mars, Hill et un policier viennent chercher Milligan.

— On vous demande en bas. Mais le shérif veut qu'on vous passe la camisole pour descendre.

Milligan se laisse faire sans protester. On le conduit à l'ascenseur.

Au rez-de-chaussée, Gary et Judy trépignent d'impatience : ils ont de bonnes nouvelles pour leur client. Quand la porte de l'ascenseur s'ouvre, ils découvrent Russ Hill et son collègue qui contemple bouche bée Milligan. Le jeune homme se débarrasse de la camisole, il est presque entièrement libéré.

— C'est impossible ! s'exclame le policier.

— Je vous l'avais bien dit que vous me garderiez pas cinq minutes dans votre machin. Y a pas une prison ni un hôpital qui pourra me garder.

— Vous êtes Tommy ? demande Judy.

— Tu l'as dit, bouffi ! grogne-t-il.

— Venez par ici, lui dit Gary en le prenant par l'épaule et en lui montrant la salle de conférences. Nous avons à parler.

— Qu'est-ce que vous mijotez ? lance Tommy en s'écartant.

— On a de bonnes nouvelles pour vous, annonce Judy.

Gary explique :

— Le docteur George Harding veut bien vous admettre à l'hôpital Harding pour y subir une expertise mentale et y être soigné.

— Ça veut dire quoi, ça ?

— De deux choses l'une : ou bien, dans quelque temps, on vous déclare irresponsable et les poursuites seront abandonnées, ou bien vous êtes décrété responsable et on fixe une date pour le procès. Le parquet est d'accord et le juge Flowers a rendu une ordonnance par laquelle vous êtes confié aux bons soins de l'hôpital Harding, où vous serez envoyé la semaine prochaine. A une seule condition.

— Ah ! ricane Tommy, y a toujours des conditions.

Penché vers lui, Gary frappe de l'index sur la table.

— Le docteur Wilbur a déclaré au juge que les personnalités multiples tiennent toujours leurs promesses. Elle sait à quel point c'est important pour vous, de tenir vos promesses.

— Alors ?

— Le juge Flowers dit que si vous promettez de ne pas tenter de vous évader de l'hôpital Harding, votre mandat de dépôt sera levé, vous y serez transféré.

Tommy se croise les bras :

— Ah non ! merde alors, je marche pas.

— Il le faut ! Bon Dieu, on s'est crevé la paillasse pour vous éviter de vous retrouver à Lima et maintenant, vous vous payez un caprice ?

— Comptez pas sur moi. Les évasions, je suis là pour ça, après tout. On va pas m'interdire de me servir de mon talent.

Gary se passe la main dans les cheveux, avec tant de vigueur qu'on pourrait craindre qu'il se les arrache. Judy prend le bras de Tommy :

— Il faut promettre. Si vous ne le faites pas pour vous, faites-le pour les enfants. Pour les petits. Vous savez que la prison n'est pas un endroit pour eux. On prendra soin des gosses à l'hôpital.

Il décroise les bras, fixe la table. Judy devine qu'elle a touché la bonne corde. Elle a compris que les différentes personnalités chérissent les plus jeunes et s'en sentent responsables.

— Ça va, lâche-t-il à contrecœur. Vous avez ma parole.

Ce que Tommy ne dit pas, c'est que lorsqu'il a entendu dire qu'il allait être transféré à Lima, il s'est procuré, auprès d'un prisonnier employé à l'intendance, une lame de rasoir. Elle est toujours dissimulée sous la plante de son pied droit. Il ne voit pas pourquoi il en parlerait, puisqu'on ne lui a rien demandé. Il sait depuis longtemps que lorsqu'on est transféré d'un établissement à un autre, on doit toujours emporter une arme. Il ne pourra pas rompre sa promesse mais en tout cas, il pourra se défendre si quelqu'un essaie de le violer. Ou bien il donnera la lame à Billy pour se trancher la gorge.

Quatre jours avant la date fixée pour le transfert, le brigadier Willis vient voir Tommy dans sa cellule. Il veut que le détenu lui montre comment il a réussi à se débarrasser de la camisole.

Tommy considère d'un œil maussade le policier maigre et grisonnant :

— Moi, vous expliquer ? Pourquoi faire ?

— De toute façon, vous partez. Ça m'intéresse. On n'est jamais trop vieux pour s'instruire.

— Vous avez été sympa avec moi mais je donne pas mes secrets comme ça, à n'importe qui.

— Ecoutez mon vieux, vous ne vous rendez pas compte... Grâce à vous, on sauvera des vies.

Tommy, qui lui avait tourné le dos, pivote sur lui-même :

— Comment ça ?

— Vous, je sais bien que vous n'êtes pas fou. Mais ici, on nous amène souvent des vrais cinglés. On leur met la camisole pour les protéger contre eux-mêmes. Si vous me montrez comment vous vous y prenez, on pourra empêcher les autres d'en faire autant. Vous leur sauverez la vie.

Tommy hausse les épaules.

Mais le lendemain, il montre au brigadier comment il s'y est pris et comment fixer la camisole de manière qu'on ne s'en libère pas.

Le même jour, tard dans la soirée, Judy reçoit un coup de téléphone de Dorothy Turner.

— Il y en a encore une, dit la psychologue.

— Encore une quoi ?

— Une nouvelle personnalité qu'on ne connaissait pas. Une jeune fille de dix-neuf ans qui s'appelle Adalana.

— Mon Dieu, soupire Judy. Ça fait dix.

Dorothy raconte l'entretien qu'elle a eu avec Milligan. Elle l'a trouvé assis sur le sol. Il lui a parlé d'une voix douce de son besoin d'amour et de tendresse. Dorothy s'est assise à ses côtés. Elle l'a consolé, a séché ses larmes. Puis « Adalana » a parlé des poèmes qu'elle écrit en secret. Elle a expliqué en pleurant qu'elle n'a aucun pouvoir. Il lui faut s'emparer par surprise du projecteur. Pour l'instant, il n'y a qu'Arthur et Christine qui sont au courant de son existence.

Judy imagine la scène. Dorothy assise par terre, serrant Milligan dans ses bras.

— Pourquoi a-t-elle tant attendu pour apparaître au grand jour ?

— Adalana s'en veut de ce qui est arrivé aux gosses. C'est elle qui a volé le temps de Ragen au moment des viols.

— Quoi ?

— Elle explique qu'elle les a commis parce qu'elle avait un besoin désespéré de tendresse et d'amour.

— C'est Adalana qui a commis les...

— Adalana est lesbienne.

3.

Deux jours plus tôt que prévu, le 16 mars au matin, Milligan est transféré de la prison du comté à l'hôpital Harding. Le docteur George Harding a mis au courant une équipe de soignants mais, n'attendant pas si vite son nouveau patient, il s'est rendu à un congrès de psychiatrie à Chicago et n'est donc pas là pour l'accueillir.

Judy Stevenson et Dorothy Turner, qui ont suivi le fourgon cellulaire jusqu'à l'hôpital, expliquent la situation au docteur Shoemaker : jamais Danny ne supportera de retourner en prison, ne serait-ce qu'un jour ou deux. Le psychiatre accepte alors de prendre Milligan sous sa responsabilité jusqu'au retour du docteur Harding.

Judy et Dorothy accompagnent Danny au pavillon Wakefield, un service fermé aménagé pour recevoir quatorze patients, des cas difficiles et requérant une attention de tous les instants. La pièce dans laquelle on installe Milligan est réservée aux « soins spéciaux ». Un œilleton, percé dans la lourde porte de chêne, permet aux médecins d'observer leur patient vingt-quatre heures sur vingt-quatre.

Un infirmier psychiatrique apporte un plateau et les deux femmes restent avec Milligan pendant son repas.

Ils sont rejoints un peu plus tard par le docteur Shoemaker et trois infirmières. Dorothy Turner, qui juge bon de donner un aperçu au personnel hospitalier du syndrome que présente Milligan, suggère à Arthur et Danny de se montrer pour faire la connaissance des personnes qui vont travailler avec lui.

L'infirmière chargée de la coordination à l'intérieur du service, Adrienne McCann, est déjà au courant de son cas mais la surprise des autres est totale.

Donna Egar, mère de cinq filles, a bien du mal à démêler les sentiments qui l'agitent. Elle considère d'abord avec attention le petit garçon qui parle devant elle puis elle voit son regard se perdre dans le vide, ses lèvres remuer comme s'il poursuivait une conversation intérieure. Quand son regard s'anime de nouveau, son visage est empreint d'une hautaine sévérité et, quand il commence à s'exprimer avec un accent britannique, elle doit se retenir de pouffer. Elle a l'impression d'assister à un brillant numéro d'acteur, dont l'auteur n'a manifestement pas envie de retourner en prison ! Mais elle est curieuse de savoir qui est vraiment Billy Milligan, quel genre d'individu peut avoir commis les crimes dont on l'accuse.

Dorothy et Judy s'attachent à rassurer Arthur, à le convaincre qu'il n'a rien à craindre dans l'environnement où il se trouve. Dorothy lui annonce qu'elle reviendra dans quelques jours à l'hôpital. De leur côté, Judy et Gary l'assurent qu'ils viendront travailler avec lui de temps en temps sur l'affaire.

Tim Sheppard, infirmier qui a apporté le plateau-repas, vient observer Milligan tous les quarts d'heure par l'œilleton et note :

5 h 00 Assis sur le lit, les jambes croisées, calme.
5 h 15 Assis sur le lit, les jambes croisées, les yeux dans le vague.
5 h 32 Debout, regarde par la fenêtre.
5 h 45 On lui sert son dîner.
6 h 02 Assis au bord du lit, les yeux dans le vague.
6 h 07 On vient chercher son plateau, il a bien mangé.

A sept heures et quart, Milligan arpente la pièce.

A huit heures, l'infirmière Helen Yaeger entre dans la pièce et reste avec lui pendant quarante minutes, à l'issue desquelles elle écrit :

« 3.16.78. M. Milligan demeure sous observation constante. Il a évoqué ses multiples personnalités. Mon principal interlocuteur fut « Arthur », qui parle avec l'accent anglais. Il a déclaré que l'une des personnalités — dénommée Billy — est suicidaire et qu'on le fait dormir depuis l'âge de seize ans afin de protéger les autres du mal qu'il pourrait leur faire. Il mange bien, va à la selle normalement, assimile convenablement ses aliments. Agréable et coopératif. »

Après le départ de l'infirmière, Arthur informe les autres, par un dialogue intérieur, qu'ils sont en sécurité à l'hôpital Harding où l'on semble vouloir leur apporter aide et réconfort. Afin de collaborer efficacement, c'est-à-dire avec réflexion et logique, au traitement thérapeutique qu'on leur propose, c'est lui, Arthur, qui assumera désormais l'entière responsabilité des relations avec l'extérieur.

A deux heures vingt-cinq du matin, l'infirmière de service, Chris Cann, entend un bruit anormal dans la pièce où est enfermé Milligan et découvre celui-ci assis par terre.

Tommy, furieux d'être tombé du lit, entend des pas et voit un œil derrière la porte. Dès que les pas s'éloignent, il tire de sous son pied une lame de rasoir entourée de chatterton qu'il dissimule avec soin sous un montant du lit. Il saura où la trouver le moment venu.

A son retour de Chicago, le 19 mars, le docteur George Harding apprend avec un sursaut de contrariété que l'arrivée prématurée de son patient a bouleversé ses plans, qui comprenaient, entre autres, d'accueillir Milligan en personne. Avant de partir, il a en effet réuni, non sans mal, une équipe constituée de psychiatres et de psychologues auxquels il a fait un long exposé sur les personnalités multiples et la complexité du cas qui va leur être soumis. Après avoir écouté patiemment les plus sceptiques d'entre eux, il leur a demandé de bien vouloir l'aider à mener à bien l'expertise prescrite par la Cour. Dans cet objectif, a-t-il précisé, il leur faudra oublier leurs propres préjugés et, grâce à un travail commun, tenter de percevoir qui est vraiment William Stanley Milligan.

Le lendemain du retour du docteur Harding, le docteur Perry Ayres examine Milligan et note ses observations dans un rapport détaillé. Avant de répondre aux questions qu'on lui pose, remarque-t-il, Milligan remue quelques instants les lèvres en silence tandis que ses globes oculaires se déplacent vers la droite. C'est qu'il interroge les autres, dit le patient, et surtout Arthur, pour avoir la réponse.

— Mais il faut nous appeler seulement Billy, ajoute Milligan, pour qu'on nous prenne pas pour un fou. Je suis Danny. C'est Allen qui a rempli ce formulaire. Mais je dois pas en parler.

Le rapport du docteur Ayres se poursuit dans ces termes :

> Nous avons décidé ensemble de ne parler que de Billy, étant entendu que celui qui donnera tous les renseignements ayant trait à la santé, qui concernent aussi naturellement tous les autres, sera Danny. Si nous avons en fin de compte prononcé d'autres noms, c'est qu'il n'a pas

réussi à s'en tenir à notre accord. La seule maladie dont il se souvient est une hernie que Billy s'est fait soigner quand il avait neuf ans — David a toujours eu neuf ans et c'est donc lui qui a subi l'intervention. Allen a un champ de vision rétréci mais tous les autres ont une vision normale...

Note : j'ai commencé par lui décrire les examens que je comptais lui faire subir, en insistant sur la nécessité d'examiner la hernie et de procéder à un toucher rectal qui me permettrait de vérifier l'état de la prostate affectée par les troubles urinaires (pyorée). Il a paru très inquiet et s'est mis à remuer les lèvres et les yeux comme s'il conversait avec les autres. Puis il m'a annoncé poliment mais nerveusement : « Cela risque de perturber Billy et David car c'est par là que Chalmer les a violés quatre fois quand ils habitaient la ferme. Chalmer est notre beau-père. » Il a ajouté aussi que la mère dont il parle quand il raconte son histoire est celle de Billy. « Mais ce n'est pas ma mère — je ne connais pas ma mère. »

Rosalie Drake et Nick Cicco, de l'équipe du pavillon Wakefield, vont suivre Milligan de plus près, dans la mesure où ils vont le voir désormais tous les jours : à dix heures chaque matin et à trois heures chaque après-midi, sept à huit patients du pavillon Wakefield se retrouvent dans le cadre des activités de groupe.

Le 21 mars, Nick conduit Milligan de sa chambre — où il n'est plus enfermé que la nuit — à la pièce réservée aux activités communes. Nick est un jeune homme de vingt-sept ans, qui porte la barbe et, à l'oreille gauche, un anneau d'or et un éclat de jade. Il connaît l'hostilité de Milligan envers le sexe masculin à cause des sévices qu'il a subis dans son enfance. Le cas Milligan le laisse incrédule mais il éprouve une certaine curiosité au sujet des personnalités multiples.

Rosalie, jeune femme de trente ans, blonde aux yeux bleus, n'a encore jamais traité de tels cas. Après l'exposé du docteur Harding, elle s'est rendu compte que le personnel s'est rapidement divisé en deux camps : d'un côté, ceux qui croient à la réalité des troubles dont souffre Milligan et de l'autre, ceux qui le prennent pour un simulateur. Rosalie désire se faire une opinion objective mais elle sait que cela ne va pas être facile.

Milligan va s'asseoir tout au bout de la table, à l'écart des autres patients. Rosalie Drake lui explique que la veille, le petit groupe a décidé que chacun d'eux fabriquerait aujourd'hui un collage destiné à un être aimé, dans lequel il tâcherait de livrer un peu de lui-même.

— Je vois pas à qui je pourrais bien le donner, fait-il remarquer.

— Alors faites-le pour nous, dit Rosalie. Chacun d'entre nous va en fabriquer un. Nick et moi aussi.

De loin, Rosalie surveille Milligan qui saisit une feuille de papier à dessin et entreprend de découper des photos dans une revue. Elle a entendu parler des dons artistiques de son timide malade et elle attend non sans impatience le résultat. Il travaille en silence, avec une grande application et, dès qu'elle voit qu'il a terminé, elle s'approche de lui.

Au centre de la page, un enfant apeuré, en larmes, regarde au loin. Un nom : MORRISON, est inscrit en légende, sous la petite silhouette. Un homme aux traits durs et marqués par la colère le domine de toute sa taille et, en lettres rouges, on lit le mot DANGER. Dans le coin, à droite de la feuille, Milligan a collé un crâne.

Rosalie ne peut réprimer un frisson. L'intensité des sentiments et la simplicité avec laquelle ils sont exprimés sont extrêmement émouvantes. Le collage, poignant de vérité, évoque une douloureuse histoire. La jeune femme se rend compte que son opinion est faite. Elle a sous les yeux la preuve que Milligan n'est pas un sociopathe totalement incapable de sentiments. Les autres peuvent continuer à douter, elle sait que son patient n'est pas un simple simulateur. Nick Cicco partage son point de vue.

Le docteur George (que le personnel soignant et les malades appellent ainsi pour le distinguer de son père, le docteur George Harding senior) ayant entrepris de se pencher sur la littérature psychiatrique consacrée au sujet, découvre que la maladie généralement désignée sous le nom de personnalité multiple paraît de plus en plus fréquente. Il a plusieurs conversations téléphoniques à ce sujet avec des confrères qui, tous, lui disent en substance : « Nous sommes tout prêts à vous communiquer notre dérisoire savoir mais il s'agit hélas d'un domaine inexploré où il vous faudra naviguer sans carte. »

Le docteur George, qui se rend compte qu'il va devoir consacrer à ce cas beaucoup plus de temps et d'énergie qu'il ne l'avait imaginé, commence à se demander s'il n'a pas eu tort d'accepter de le prendre en charge.

Mais il sait ce que cela représente pour Milligan lui-même, dont le sort dépend de son expertise, et un pas en avant dans la compréhension du cerveau humain n'est jamais négligeable.

Avant d'être en mesure d'exprimer une opinion vis-à-vis de la justice, il lui faut avant tout connaître l'histoire de son patient — une entreprise qui, étant donnée l'amnésie générale dont souffre Milligan, risque de poser de sérieux problèmes.

Le mardi 23 mars, Gary Schweickart et Judy Stevenson vont rendre visite à leur client. Pendant une heure environ, ils l'interrogent sur les viols dont on l'accuse, comparant ses vagues souvenirs au récit qu'en ont fait les victimes. Ils tentent aussi de mettre au point plusieurs stratégies à adopter en fonction du rapport que le docteur Harding remettra à la Cour.

Les deux avocats s'accordent à trouver Milligan plus détendu, encore que fort mécontent : il se plaint d'être enfermé dans une chambre spéciale et de porter des vêtements de protection.

— Le docteur George raconte qu'on peut me traiter comme les autres mais personne ne me fait confiance ici. Les autres malades vont faire des excursions en autocar mais pas moi. On me garde ici. Et ça me fiche en rogne qu'on s'entête à m'appeler Billy.

Les deux avocats s'efforcent de le raisonner. Judy a l'impression d'avoir affaire à Allen mais elle ne lui pose pas la question, de peur qu'il juge insultant de ne pas avoir été reconnu.

— Vous devriez essayer d'y mettre du vôtre, lui conseille Gary. C'est la seule chance qui vous reste de ne pas retourner en prison.

En prenant congé de lui, Judy et Gary se confient mutuellement le soulagement qu'ils éprouvent à le savoir en sécurité et à ne plus se sentir quotidiennement responsables de son sort.

Un peu plus tard dans la journée se tient, au pavillon Wakefield, la première séance de psychothérapie : cinquante minutes fort éprouvantes pour le docteur Harding.

Assis face à la fenêtre, Milligan refuse obstinément de croiser son regard. Il semble n'avoir que de vagues souvenirs de son passé mais parle pourtant assez librement des sévices que son père adoptif lui a fait subir.

Le docteur Harding se rend compte qu'il ne prend sans doute pas assez d'initiatives avec Milligan. Le docteur Wilbur lui a recommandé de chercher à établir le plus vite possible le nombre de personnalités qui cohabitent en lui et leur identité : il faut encourager chacune d'elles à expliquer les raisons de son existence afin de leur permettre de revivre les circonstances particulières qui ont présidé à leur surgissement.

Puis il faut les présenter les unes aux autres, les amener à communiquer entre elles et à se venir mutuellement en aide, à partager leurs existences au lieu de vivre séparément. La tactique consisterait à les réunir puis, si possible, à aider Billy — la personnalité de base — à se souvenir de ce qui est arrivé aux autres. Après quoi, on pourrait enfin tenter la fusion. La tentation est grande, pour George Harding, d'appliquer la méthode du docteur Wilbur et de faire apparaître « les autres » comme il l'a vue faire à la prison. Mais il sait parfaitement que ce qui a marché avec elle ne marchera pas forcément avec lui, et qu'il doit prendre son temps pour inventer la manière dont il va aborder son patient.

Au fil des jours, Donna Egar s'aperçoit que ses relations avec Milligan prennent consistance. Il dort très peu, beaucoup moins que les autres malades et se réveille tôt. Elle est donc amenée à avoir avec lui de longues conversations. Il lui parle souvent des autres, ceux qui habitent avec lui son propre corps.

Un jour, il lui tend une feuille de papier manuscrite signée « Arthur ».

— Je ne connais personne de ce nom-là, dit-il, l'air affolé. Et je comprends pas ce qui est écrit.

Mais ceux qui le soignent commencent à se plaindre au docteur Harding : comment arriver à quoi que ce soit avec un malade qui ne cesse de répéter : « Ce n'est pas moi qui ai fait ça, c'est quelqu'un d'autre », quand ils l'ont vu agir de leurs propres yeux ? Il cherche à les manipuler, disent-ils, en allant les trouver les uns après les autres pour obtenir ce qu'il désire, et ce sont les autres patients qui en pâtissent. D'autre part, il sous-entend à tout moment que Ragen pourrait venir prendre les choses en main, ce qu'ils ne peuvent s'empêcher de considérer comme une menace voilée.

Devant ces difficultés, le docteur George va faire une proposition : il sera le seul habilité à s'entretenir avec les autres personnalités et seulement dans le cadre des séances de psychothérapie. Les autres membres du personnel devront donc s'abstenir de prononcer d'autres noms que celui de Billy, surtout devant les autres malades.

Helen Yaeger, qui avait parlé à Arthur le jour de l'arrivée de

Milligan à l'hôpital, inscrit, en date du 28 mars, un programme de travail grâce auquel :

> Au bout d'un mois, M. Milligan devrait cesser de nier avoir accompli certains actes.
>
> Attitudes à adopter par le personnel :
>
> 1. Quand il affirme ne pas savoir jouer du piano, lui répondre qu'on l'a vu ou entendu jouer — rester naturel.
> 2. Si on l'a vu prendre des notes et qu'il nie l'avoir fait, lui dire simplement qu'on l'a vu en train d'écrire.
> 3. Chaque fois que le patient parle de lui en faisant référence à une autre personnalité, lui rappeler que son nom est Billy.

Pour expliquer à Milligan qu'on ne l'appellera plus que par le nom de Billy en dehors des séances de psychothérapie, le docteur George lui fait remarquer que les autres malades risqueraient d'être perturbés s'il en allait autrement.

— Mais certains se font bien appeler Napoléon ou Jésus-Christ, objecte Allen.

— Ce n'est pas la même chose que de nous entendre, le personnel soignant et moi, vous appeler un jour Danny et un autre jour Arthur, Ragen ou Tommy ou Allen. Je propose que vis-à-vis du personnel et des autres malades, toutes vos personnalités répondent au nom de Billy.

— Ce ne sont pas des « personnalités », docteur, mais des gens.

— Quelle différence faites-vous entre les deux ?

— En les appelant des personnalités, vous faites comme si elles n'existaient pas réellement.

Le 8 avril, alors que Milligan se soumet depuis plusieurs jours aux séries de tests de Dorothy Turner, Donna Egar le trouve en train d'arpenter sa chambre de long en large, manifestement en colère. Comme elle lui demande ce qui ne va pas, il lui répond avec l'accent anglais :

— Personne ne comprend.

Puis elle le voit changer de visage, d'attitude, de démarche et d'élocution et elle reconnaît Danny. Frappée encore une fois par la vérité de chacune de ses personnalités, elle se demande comment elle pourrait douter encore. Contrairement à la plus grande part du personnel de l'hôpital, elle est totalement convaincue qu'il ne simule pas.

Quelques jours plus tard, quand il s'approche d'elle, l'air bouleversé, elle reconnaît encore Danny.

— Qu'est-ce que je fais là ? demande-t-il, l'air pathétique.

— Vous voulez dire là, dans cette chambre, ou à l'hôpital ?

— Ce sont les autres malades... il y en a qui m'ont demandé pourquoi j'étais à l'hôpital ?

— Dorothy Turner pourra peut-être vous l'expliquer, tout à l'heure, quand elle viendra pour les tests.

Ce soir-là, après avoir vu Dorothy Turner, il refuse d'adresser la parole à quiconque et, quittant la pièce où il a subi les tests, il se précipite jusque dans sa chambre. Là, il passe dans la salle de bains pour se laver le visage. Quelques instants après, il entend la porte de la chambre s'ouvrir et passe la tête par la porte. C'est Dorine, une jeune patiente, qui vient d'entrer. Ils ont souvent échangé des confidences tous les deux mais, de la part de Milligan, cela ne va pas plus loin.

— Qu'est-ce que tu viens faire ici ? demande-t-il.

— Je voulais te parler. Qu'est-ce qui ne va pas ce soir ?

— Tu sais bien que t'as pas le droit d'être là. C'est interdit.

— Mais tu as l'air d'aller si mal !

— J'ai découvert ce que quelqu'un a fait. C'est affreux. Je mérite pas de vivre.

Des pas approchent dans le couloir et on frappe à la porte. Dorine le rejoint d'un bond dans la salle de bains et referme la porte sur elle.

— Qu'est-ce qui te prend ? dit-il à voix basse. C'est malin. Comme si j'avais pas assez d'ennuis !

La jeune femme se met à pouffer.

— Billy et Dorine ! lance Helen Yaeger. Vous voulez bien sortir de là ?

Dans son compte rendu du 9 avril, Helen Yaeger raconte :

> M. Milligan a été surpris dans sa salle de bains en compagnie d'une jeune patiente — enfermés dans le noir. Aux questions qu'on lui a posées, a répondu qu'il avait besoin de lui parler seul à seule au sujet de quelque chose qu'il a fait. Ayant interrogé Mme Turner au cours de la séance de tests qui a eu lieu dans la soirée, il a appris qu'il a violé trois femmes. Très secoué, il annonce qu'il veut tuer Ragen et Adalana. Incident rapporté au docteur George. Placé sous protection spéciale le patient s'assied quelques instants plus tard au bord du lit, la ceinture de

son peignoir de bain à la main. Il répète en pleurant qu'il veut « les » tuer. Je vais lui parler un moment et il finit par lâcher la ceinture, qu'il s'était enroulée un peu avant autour du cou.

En étudiant les résultats des tests de Milligan, Dorothy Turner découvre que le quotient intellectuel varie sensiblement selon les personnalités :

Allen	105	130	120
Ragen	114	120	119
David	68	72	69
Danny	69	75	71
Tommy	81	96	87
Christopher	98	108	102

Christine est trop jeune pour subir les tests, Adalana refuse d'apparaître et Arthur de se prêter aux tests permettant de calculer le QI : il est au-dessus de ça !

Les réponses de Danny au test de Rorschach révèlent une agressivité mal dissimulée et un grand besoin d'aide extérieure pour atténuer des sentiments d'infériorité et d'inadéquation. Tommy possède plus de maturité et une plus grande capacité de mettre en acte ses sentiments. C'est dans son caractère que l'on trouve le plus grand nombre de traits schizoïdes et le moins d'attention pour autrui. Ragen est le plus susceptible de conduites violentes.

Arthur, quant à lui, est très nettement cérébral et intellectuel et semble en profiter pour défendre sa position dominante à l'égard des autres. Il semble aussi nourrir un véritable complexe de supériorité à l'égard du monde extérieur, qui ne serait jamais qu'une compensation de son mal-être et de sa fragilité face aux situations affectives implicantes. Les affects d'Allen sont apparemment les moins puissants.

Toutes les personnalités ont d'autre part quelques traits communs : une tendance féminine manifeste et un surmoi très puissant dont la domination n'est menacée que par la colère. En revanche, aucun des résultats des tests ne semble indiquer de traits psychotiques ni de dysfonctionnement de l'intellect et de l'idéation de nature schizophrénique.

Le 19 avril, Rosalie Drake et Nick Cicco font subir à leur petit groupe de patients de nouveaux tests appelés tests de confiance. Arthur autorise Danny à venir sous le projecteur pour la circonstance.

A l'aide des chaises, des tables, de placards et des banquettes, on a transformé la pièce réservée aux activités de groupe en véritable piste d'obstacles.

Nick, sachant la terreur que les hommes inspirent à Milligan, suggère à Rosalie de lui placer le bandeau sur les yeux et de lui prendre la main.

— Il faut vous forcer, Billy, dit Rosalie. Il faut que vous appreniez à faire suffisamment confiance aux gens pour être capable de vivre dans le monde extérieur.

Pour finir, il accepte de laisser placer le bandeau autour de sa tête.

— Et maintenant donnez-moi la main, dit-elle en l'entraînant. Nous allons contourner les obstacles et je vais vous empêcher de vous faire mal.

Elle sent, elle voit la terreur qui le saisit à avancer ainsi dans le noir sans savoir où on le mène. Rosalie le conduit, lentement d'abord, puis de plus en plus vite, évitant les chaises, passant sous les tables, les échelles disposées dans la pièce. Nick et Rosalie ne peuvent s'empêcher d'admirer les efforts qu'il déploie pour maîtriser sa panique.

— Je vous ai bien guidé, Billy ?

Danny acquiesce de la tête.

— Il faut que vous appreniez à faire confiance aux gens. Pas à tout le monde, naturellement, mais à quelques personnes.

Rosalie constate qu'en sa présence, il prend de plus en plus souvent le rôle de Danny, l'adolescent dont les dessins contiennent tant de représentations de la mort.

Le mardi suivant, on autorise pour la première fois Allen à se rendre dans le bâtiment voisin, en salle de dessin.

Don Jones, l'animateur, est très impressionné par le talent de Milligan mais il se rend compte que celui-ci est mal à l'aise, inquiet et nerveux de se trouver dans ce nouveau groupe. L'étrangeté de ses dessins serait donc un moyen pour Billy d'attirer l'attention et de rechercher l'approbation ?

Jones indique du doigt une pierre tombale sur laquelle sont gravés les mots : NE REPOSE PAS EN PAIX.

— Pouvez-vous nous en dire quelque chose, Billy ? Qu'avez-vous ressenti en dessinant cela ?

— C'est le vrai père de Billy, dit Allen. Il était comédien et animateur de spectacles à Miami, en Floride, avant de se suicider.

— Si vous nous expliquiez plutôt ce que vous ressentez ? Ce sont vos sentiments qui comptent pour nous, Billy.

Furieux de voir que l'on attribue tout son talent à Billy, Allen jette son crayon d'un geste rageur.

— Il faut que je retourne là-bas faire mon lit, dit-il en regardant la pendule.

Le lendemain, il va se plaindre à Helen Yaeger : le traitement qu'on lui impose ici ne lui convient absolument pas. Et quand celle-ci lui rétorque qu'il ne cesse d'y faire obstacle par ses interventions auprès des malades et du personnel il se récrie :

— Je ne suis pas responsable des actes de mes « habitants ».

— Nous ne pouvons pas avoir affaire aux autres habitants, seulement à Billy.

— Le docteur Harding n'utilise pas les méthodes conseillées par le docteur Wilburn ! Ses méthodes sont mauvaises !

Puis il réclame son dossier et, devant le refus que lui oppose Helen Yaeger, proteste qu'il pourrait contraindre l'hôpital à le lui présenter. Il est bien sûr, ajoute-t-il, que le personnel ne prend pas note de ses changements de comportement et qu'il sera donc incapable de prouver qu'il « perd le temps ».

Cet après-midi-là, après un entretien avec le docteur George, Tommy annonce au personnel soignant qu'il a renvoyé son médecin puis, un peu plus tard, Allen sort de la chambre pour déclarer qu'il le réintègre dans ses fonctions.

Après avoir obtenu le permis de visite, la mère de Milligan, Dorothy Moore, se rend à l'hôpital chaque semaine, le plus souvent accompagnée de sa fille Kathy. Les réactions de son fils à ces visites sont imprévisibles. Après son départ, il a parfois des accès de joie pendant lesquels il se montre expansif et volubile. Parfois, au contraire, il est abattu et découragé.

Joan Winslow, psychiatre, rapporte qu'elle a interrogé Dorothy après chacune de ses visites. Winslow la décrit comme une personne chaleureuse dont la générosité ne fait aucun doute mais dont le caractère timide et soumis a dû la retenir d'intervenir pour empêcher les sévices dont parle son fils. Dorothy lui a dit qu'elle avait souvent le sentiment qu'il y avait deux Billy — un garçon attentif et aimant et un autre qui ne se soucie guère d'autrui.

Nick Cicco, après la visite de Dorothy Moore du 18 avril, note dans le dossier que Milligan, bouleversé, est allé se réfugier dans la solitude de sa chambre, la tête cachée sous son oreiller.

Vers la fin du mois d'avril, alors que six semaines sur les douze qui leur ont été accordées sont déjà passées, le docteur George estime que les choses ne vont pas assez vite. Il faudrait trouver moyen d'ouvrir des voies par lesquelles les diverses personnalités accéderaient à la personnalité fondamentale et communiqueraient avec elle. Mais avant tout, il faudrait atteindre Billy, qu'il n'a plus jamais revu depuis le jour où le docteur Wilburn avait convaincu Ragen de le laisser sortir.

L'idée vient alors au docteur George de filmer et d'enregistrer les différentes personnalités et la personnalité fondamentale sur bandes vidéo et de les présenter ensuite les unes aux autres. Il fait part de ce projet à Allen en invoquant la nécessité d'établir une communication entre les diverses personnalités et entre celles-ci et Billy. Allen donne son accord.

A la suite de cette conversation, Allen exprime à Rosalie le plaisir que lui procure cette proposition. Il était réticent, dit-il, mais le docteur George l'a convaincu que cette expérience allait lui apprendre beaucoup sur lui-même.

La première séance est fixée au 1er mai. Dorothy Turner est présente car le docteur George sait que Milligan se sent à l'aise avec elle et il veut essayer de faire apparaître Adalana. Bien que s'étant opposé jusque-là à la mise au jour de nouveaux « habitants », il se rend compte qu'il a besoin de comprendre la signification de la composante féminine de la personnalité de Milligan.

A plusieurs reprises, il explique à son patient qu'une conversation avec Adalana pourrait être d'un grand secours. Divers « habitants » apparaissent brièvement tour à tour. Puis la tristesse se peint sur les traits de Milligan, qui se sont empreints d'une douceur féminine. Ses yeux oscillent par saccades. Il parle d'une voix étranglée, sur un ton plaintif.

— C'est dur de parler, dit Adalana.

La métamorphose est saisissante, et le docteur George a du mal à conserver son impassibilité. Il s'attendait, certes, à une transformation, mais rien d'aussi spectaculaire.

— Pourquoi ? demande-t-il.

— A cause des garçons, du tort que je leur ai fait.

— Qu'avez-vous fait ?

Dorothy Turner, qui a rencontré Adalana à la prison la veille du transfert, assiste en silence à leur dialogue.

— Ils ne savent pas ce que c'est que d'aimer, dit Adalana, ce que c'est que d'avoir besoin de tendresse. J'ai volé le temps. Ragen avait pris un mélange d'amphé et d'alcool et c'est moi qui en ai senti l'effet. Non, c'est trop dur de parler de tout ça...

— Je sais mais il le faut, dit le docteur George. Il faut nous aider à comprendre...

— C'est moi qui l'ai fait. Il est trop tard pour regretter, sans doute. J'ai gâché la vie des garçons... mais ils ne comprenaient pas...

— Ils ne comprenaient pas ?

— Ce que c'est que d'aimer, d'avoir besoin d'amour, de tendresse, de sentir que l'on compte pour quelqu'un. Je ne sais pas pourquoi j'ai fait ça.

— A ce moment-là, intervint Dorothy Turner, vous avez eu l'impression de compter pour quelqu'un ?

Après un instant d'hésitation, Adalana répond à voix basse :

— Pendant quelques instants, oui... j'ai volé le temps. Ce n'est pas Arthur qui m'a donné le projecteur. J'ai pris la place de Ragen...

Elle s'interrompt et jette autour d'elle un regard de détresse.

— Je n'aime pas repenser à tout ça. Je ne peux pas aller au tribunal. Je ne veux pas en parler à Ragen... je ne veux plus être mêlée à la vie des garçons. Je ne veux pas leur faire de tort... je me sens trop coupable... mais comment ai-je pu... comment ?

— Quand êtes-vous sortie pour la première fois dans la lumière du projecteur ? demande le docteur George.

— J'ai commencé à voler le temps l'été dernier. Et quand les garçons étaient à l'isolement, à Lebanon, j'ai volé le temps pour écrire des poèmes. J'aime beaucoup écrire des poèmes...

Elle se met à pleurer.

— Qu'est-ce qu'on va faire aux garçons ?

— Nous ne savons pas, dit le psychiatre avec douceur. Nous faisons tout ce que nous pouvons pour comprendre.

— Ne leur faites pas trop de mal, c'est tout ce que je vous demande, dit Adalana.

— A l'époque où ont eu lieu ces événements, en octobre dernier, saviez-vous ce qui se préparait ?

— Oui. Je sais tout. Même des choses qu'Arthur ne sait pas... Mais c'était plus fort que moi. J'étais sous l'effet de l'alcool et des amphétamines. Je ne sais pas pourquoi j'ai fait ça. Je me sentais si seule.

Elle renifle et demande un kleenex.

Le docteur George regarde attentivement son visage tandis qu'il l'interroge le plus doucement possible, de peur de la voir disparaître.

— Aviez-vous des amis que vous aviez du plaisir à retrouver ? Qui vous aidaient à vous sentir moins seule ?

— Je ne parle jamais à personne. Pas même aux garçons... Je parle avec Christine.

— Vous avez dit que vous étiez sortie de temps en temps sous le projecteur pendant l'été, et à Lebanon. Jamais auparavant ?

— Sous le projecteur, non, jamais. Mais j'étais là. Je suis là depuis longtemps.

— Quand Chalmer...

— Oui ! s'écrie-t-elle. Mais ne parlez pas de lui !

— Pouvez-vous entrer en relation avec la mère de Billy ?

— Non. Même avec les garçons, elle n'a jamais eu de relation !

— Et avec Kathy, la sœur de Billy ?

— Oui, je lui ai déjà parlé. Mais je ne pense pas qu'elle s'en soit doutée. On est allées faire des courses ensemble, une fois.

— Et James, le frère de Billy ?

— Non... d'ailleurs je ne l'aime pas.

Adalana s'essuie les yeux. Puis elle regarde la caméra en reniflant, l'air étonné, et n'ajoute plus un mot. Le docteur George comprend qu'elle a quitté la scène et il attend, en se demandant qui va apparaître à sa place.

— Si nous pouvions parler à Billy, dit-il d'un ton posé mais persuasif en voyant les yeux de son patient se brouiller, nous en tirerions un grand profit.

La frayeur se peint sur le visage du jeune homme. Billy sursaute et regarde autour de lui, éberlué, pour tenter de situer l'endroit où il se trouve. Le docteur George reconnaît l'expression qu'il a vue sur le visage de Milligan à la prison du Comté, le dimanche où le docteur Wilbur a fait surgir la personnalité fondamentale.

Il lui parle doucement, en espérant qu'il ne disparaîtra pas avant qu'il ait pu lui dire un mot. Les genoux de Billy, qui tremble violemment, s'entrechoquent. Il jette autour de lui des regards affolés.

— Savez-vous où vous êtes ? demande le docteur George.

— Non ?

Sa voix a l'intonation timide d'un élève qui répond un peu au hasard à un examinateur.

— Vous êtes dans un hôpital et je suis médecin.

— Il me tuera si je parle à un médecin !

— Qui cela ?

Billy regarde autour de lui et aperçoit la caméra vidéo.

— Qu'est-ce que c'est que ça ?

— C'est un système vidéo qui enregistre cette séance. Vous pourrez ainsi revoir ce qui se passe en ce moment.

Mais déjà, il n'est plus là.

— Ce truc lui a flanqué les jetons ! lance Tommy, hargneux.

— Je lui ai expliqué que c'était une vidéo et que...

— Il a sûrement rien compris à ce que vous lui avez raconté !

Quand, la séance terminée, Tommy regagne le pavillon Wakefield, le docteur George demeure un long moment dans la solitude de son bureau pour réfléchir. Il sait à présent ce qu'il va devoir déclarer devant la Cour. Si Milligan n'est pas « dément » au sens classique de psychotique (puisque la dissociation est considérée comme une névrose), la réalité a si peu de prise sur lui qu'il est incapable d'adapter son comportement aux lois de la vie en société et ne peut donc être jugé responsable des crimes qu'il a commis.

Il ne reste plus qu'à poursuivre le traitement et, d'une manière ou d'une autre, lui donner la force morale de supporter le procès.

Mais comment le guérir en six semaines quand il a fallu dix ans à la psychanalyste Cornelia Wilbur pour guérir Sybille ?

Le lendemain matin, Arthur décide qu'il est crucial d'apprendre à Ragen ce qu'il a découvert au sujet d'Adalana pendant la séance de la veille. Il arpente la chambre de long en large en dialoguant à voix haute :

— Le mystère des viols a été élucidé, dit-il. Je sais à présent qui en est l'auteur.

— Comment tu le savoirr ? s'étonne-t-il en prenant la voix de Ragen.

— J'ai appris du nouveau et je suis parvenu à une conclusion.

— Et qui êtrrre ?

— Dans la mesure où l'on vous a soupçonné d'avoir commis ces crimes, j'imagine que vous avez le droit d'être informé.

Le dialogue se poursuit ainsi, Milligan changeant de visage et de ton sur un rythme rapide, parlant parfois à voix haute, et parfois remuant les lèvres sans proférer de son.

— Avez-vous déjà, par le passé, entendu des voix féminines ? interroge Arthur.

— Oui. Entendrre Chrristine. Et... oui, autrres voix de femmes.

— Lorsque vous êtes allé commettre ces vols, à trois reprises au mois d'octobre, l'une d'entre elles était impliquée.

— Qu'est-ce que vous dirrre ?

— Il y a parmi nous une jeune femme que vous ne connaissez pas encore. Elle s'appelle Adalana.

— Jamais entendrre parler d'elle.

— C'est une charmante personne, très douce et gentille. C'est elle qui nous fait la cuisine et le ménage. C'est elle qui disposait les bouquets chez le fleuriste où Tommy a travaillé. Je ne m'étais jamais avisé que...

— Qu'est-ce qu'elle fairre là-dedans ? Prendrre l'argent ?

— Non, Ragen. C'est elle qui a commis les viols.

— Elle ? Violer filles ? Arthur ! Comment une fille violer autrre fille ?

— Ragen ! Ignoreriez-vous ce qu'est une lesbienne ?

— Bon, bon... mais comment une lesbienne s'y prendrre pour violer autrrre fille ?

— Vous y êtes ! Pourquoi croyez-vous que l'on vous a soupçonné ? Quand un « habitant » du sexe masculin se trouve sous le projecteur, il a la possibilité physique d'avoir des relations sexuelles, encore que nous sachions tous deux que j'ai imposé la règle du célibat. Adalana s'est servie de votre corps.

— Et tout ce temps, me reprrrocher viols que cette putain commettrrre ?

— Oui. Mais j'aimerais que vous ayez une conversation avec elle pour qu'elle vous explique.

— Etait donc ça, toute cette histoirrre de viol ? Je la tuer.

— Soyez raisonnable, Ragen.

— Rrraisonnable ?

— Adalana, j'aimerais que vous fassiez la connaissance de Ragen. Puisqu'il a pour mission de vous protéger, il a le droit de savoir ce qui s'est passé. Il faut que vous vous expliquiez avec lui.

Une voix douce et pure lui parvient, surgie des tréfonds de sa conscience, comme dans un rêve.

— Ragen, je suis désolée du tort que je vous...

— Désolée ! Ragen siffle en arpentant la pièce. Sale catin ! Pourrrquoi aller violer femmes ! Vous rendrrre compte dans quoi vous nous fourrer ?

Il fait brusquement volte-face, quittant le champ du projecteur et, dans la pièce, montent les sanglots d'une femme.

Helen Yaeger regarde par l'œilleton :

— Je peux vous venir en aide, Billy ?

— Allez au diable, madame ! lance Arthur. Fichez-nous la paix !

Elle s'exécute, blessée par l'injonction d'Arthur. Après son départ, Adalana va tenter de s'expliquer :

— Essayez de comprendre, Ragen. Je n'ai pas les mêmes désirs que vous tous.

— Pourrrquoi avoir relations sexuelles avec des femmes en tout cas ? Vous êtrrre une femme ?

— Vous, les hommes, vous ne comprenez pas. Les enfants au moins savent ce que c'est d'aimer. Ils savent ce que c'est que de prendre quelqu'un dans ses bras en disant : « Je t'aime, j'ai besoin de toi. »

— Si je puis me permettre, intervient Arthur, j'ai toujours pensé que l'amour physique est illogique et anachronique et si l'on tient compte des récents progrès de la science dans ce...

— Vous êtes complètement fou ! l'interrompt Adalana d'un ton suraigu. Tous les deux !

Puis sa voix se radoucit :

— Si cela pouvait vous arriver. Si vous saviez ce que c'est que d'être tendrement chéri, vous comprendriez.

— Bien écouter, catin ! grogne Ragen. Je me moquer complètement qui tu êtrre. Si tu parrrler encorre à quelqu'un ici, dans hôpital, tu mourrrir.

— Un instant, intervient de nouveau Arthur, ce n'est pas à vous à prendre ce genre de décision à Harding. C'est moi qui commande.

— Et vous, la laisser rrraconter ces connerrries à tout le monde ?

— En aucun cas. Je m'en charge. Mais ce n'est pas à vous de lui interdire de s'emparer du projecteur. Vous n'avez pas votre mot à dire. Vous avez déjà été suffisamment négligent en la laissant vous voler du temps. Vous avez manqué à tous vos devoirs et en avalant des amphétamines et de la vodka après avoir fumé de la marijuana, vous avez mis en danger la vie de Billy et de tous les autres. Certes, c'est Adalana qui a agi, mais le véritable responsable, c'est vous. C'est vous qui êtes censé les protéger ! En vous ôtant à vous-même tous vos moyens, ce n'est pas seulement vous que vous mettez en danger, mais tous les autres.

Ragen commence une phrase puis se ravise. D'un grand geste, il envoie dinguer la plante qui se trouve sur l'appui de la fenêtre.

— Cela étant dit, poursuit Arthur, je vous accorde qu'Adalana devra désormais regagner les rangs des « Indésirables ». Adalana, vous ne sortirez plus jamais sous le projecteur. Plus jamais vous ne prendrez du temps.

Adalana, le front appuyé au mur dans un coin de la pièce, pousse de petits gémissements et quitte le projecteur.

Au bout d'un long silence, David apparaît et s'essuie les yeux. Avisant la plante qui gît sur le sol parmi les débris du pot, il l'observe un moment, en se disant qu'elle est en train de mourir. Il souffre de voir les racines mises à nu au milieu de la terre répandue. C'est comme s'il se desséchait et fanait avec elle.

Helen Yaeger entre dans la chambre, porteuse d'un plateau.

— Vous êtes sûr que je ne peux pas vous aider ?

— Vous allez me mettre en prison parce que j'ai tué la plante ? dit-il d'une voix craintive.

Posant le plateau, elle passe un bras rassurant autour de ses épaules.

— Non, Billy. Personne ne va vous mettre en prison. Nous allons prendre soin de vous et vous irez de mieux en mieux.

Le lundi 8 mai le docteur George se rend au Congrès de l'association des psychiatres américains qui se tient à Atlanta. Le vendredi, il a eu une entrevue avec Milligan pour lui annoncer qu'en son absence, le docteur Marlene Kocan, psychanalyste, va entamer avec lui une psychothérapie intensive.

Parmi le personnel de l'hôpital Harding, Marlene Kocan fait partie de ceux que le diagnostic de personnalité multiple laissait incrédule, jusqu'au jour où, entrant à l'improviste dans une salle du pavillon Wakefield, elle trouve Donna Egar en train de bavarder avec Allen.

— Bonjour Marlene, lance Donna. Je me demandais ce que vous deveniez.

A ces mots, Allen fait volte-face :

— La petite amie de Tommy s'appelle Marlene ! s'écrie-t-il.

La spontanéité de la remarque, lancée sans le moindre temps de réflexion, emporte sa conviction : Milligan ne peut pas être un simulateur.

— C'est aussi mon prénom, dit-elle. La petite amie de Tommy, dites-vous ?

— Bah ! elle ne sait pas que c'est Tommy. Elle nous appelle tous Billy. Mais c'est Tommy qui lui a offert la bague de fiançailles. Elle n'est pas dans le secret.

— Elle va avoir une drôle de surprise, quand elle saura, laisse tomber pensivement Marlene Kocan.

Au Congrès d'Atlanta, le docteur Harding va mettre le docteur Cornelia Wilbur au courant des progrès de Milligan. Il lui fait part de la conviction profonde qu'il a acquise qu'il s'agit bel et bien d'un cas de personnalité multiple, et lui expose les difficultés auxquelles il se heurte dans le traitement. Milligan, dit-il, refuse à présent de reconnaître les autres noms en public :

— Au cours d'une séance de thérapie de groupe animée par le docteur Pugliese, il n'a pas voulu évoquer « ses » problèmes devant les autres patients sous prétexte que son médecin lui avait demandé de ne pas en parler ! Il a aussi cette manie de vouloir jouer les psychiatres amateurs. Bref, il s'est fait expulser du groupe du docteur Pugliese.

— Il faut que vous compreniez, explique le docteur Wilbur, ce que doivent éprouver les autres personnalités à ne pas se sentir reconnues. Elles ont l'habitude, bien sûr, de répondre toutes au nom d'origine, mais c'est la loi du secret. Quand celui-ci n'a plus cours et qu'elles savent qu'on connaît leur existence, elles risquent de se sentir rejetées.

Après avoir réfléchi un moment, le docteur George demande l'avis du docteur Wilbur sur la décision qu'il a prise de tenter d'achever le traitement de Milligan pendant le peu de temps qui lui reste.

— Vous devriez demander à la Cour un délai de deux mois supplémentaire, conseille-t-elle, et tenter de provoquer la fusion pour qu'il puisse participer à sa défense et assister au procès.

— L'Etat d'Ohio va envoyer un expert pour l'examiner. Me rendriez-vous le service d'être là le 26 mai quand il viendra ? Votre intervention nous serait très utile.

Wilbur donne son accord.

Le Congrès d'Atlanta doit durer jusqu'au vendredi mais le docteur George regagne l'hôpital dès le mercredi. Au cours de la réunion qu'il organise le lendemain au pavillon Wakefield, il annonce au personnel qu'en discutant du cas Milligan avec le docteur Wilbur, il s'est rendu compte que la méthode consistant à ignorer les autres personnalités était contre-indiquée :

— En refusant de tenir compte de l'existence des diverses personnalités, nous pensions les amener peu à peu à s'intégrer. Au lieu de quoi, nous avons seulement réussi à les inhiber. Il faut continuer à aiguiser, comme nous l'avons fait jusque-là, son sens des responsabilités, mais nous éviterons désormais de réprimer les diverses personnalités. S'il reste une chance d'aboutir à la fusion, précise-t-il, c'est en traitant chacune des personnalités en tant qu'individu distinct que nous y parviendrons.

Rosalie Drake se sent immensément soulagée. C'est ce qu'elle a fait depuis le début de toute manière, surtout quand elle avait affaire à Danny, et elle sent que cela va faciliter la vie de tout le monde.

Donna Egar a le sourire aux lèvres quand elle inscrit, en date du 12 mai 1978, le nouveau programme de travail :

« Afin de lui permettre d'exprimer plus librement des sentiments qu'il a du mal à manifester, M. Milligan pourra évoquer à son gré les diverses personnalités. La preuve d'une amélioration sera apportée par les discussions franches avec le personnel.

Attitudes à adopter par celui-ci :

A. Ne pas nier la réalité de la dissociation.

B. Amener le patient à exprimer les sentiments de la personnalité sous laquelle il se présente. »

Vers la mi-mai, Rosalie Drake et Nick Cicco organisent pour le groupe du pavillon Wakefield des activités de jardinage. C'est à cette occasion qu'ils vont s'apercevoir que Danny est terrorisé par le motoculteur. Ils tentent de l'habituer au petit engin en lui demandant de s'en approcher de plus en plus près mais quand Nick lui explique

que sa peur finira par disparaître au point qu'il pourra l'utiliser lui-même, il manque s'évanouir de terreur.

Quelques jours après cet incident, l'un des patients annonce qu'il refuse de participer au jardinage. Il s'agit, remarque Allen, d'un type qui s'oppose de temps en temps à Rosalie comme s'il se plaisait à la pousser à bout.

— C'est grotesque ! lance le patient, on voit bien que vous n'avez jamais touché une bêche de votre vie et vous voudriez nous apprendre à jardiner !

— Cela ne coûte rien d'essayer, rétorque Rosalie.

— Si vous êtes aussi douée pour le jardinage que pour la psychothérapie, on va pas aller loin ! ricane le patient.

Allen voit bien que Rosalie est au bord des larmes mais il n'intervient pas. Il laisse Danny travailler un moment avec Nick. Plus tard, dans sa chambre, quand Allen sort de nouveau sous le projecteur, il se sent brutalement tiré en arrière et jeté contre le mur. Or, seul Ragen est capable de faire une chose pareille et seulement quelques instants avant d'apparaître sous le projecteur.

— Bon sang, mais pourquoi ? murmure Allen.

— Ce matin, dans le jardin, toi pas bouger quand cette grrande gueule offenser une dame !

— Ce n'est pas mon rôle !

— Toi connaîtrrre rrrègle ! Jamais laisser fairrre mal aux femmes ou enfants sans bouger !

— Et toi, qu'est-ce qui t'empêchait d'intervenir ?

— Moi, pas êtrrre sous le prrrojecteur. Etait ton affairrrre ! Et toi tâcher t'en souvenirrr la prrrochaine fois ou moi brrriser ton crrrâne !

Le lendemain, quand le patient agressif provoque de nouveau Rosalie, Allen le saisit au collet :

— Fais gaffe à ta gueule ! menace-t-il en espérant que l'autre ne va pas chercher la bagarre.

Sinon, décide Allen, il cédera la place à Ragen, ça ne fait aucun pli.

A l'hôpital, Rosalie Drake se heurte à l'incrédulité et au mécontentement général. Il y a ceux qui continuent de prendre Milligan pour un simple simulateur, ceux qui se plaignent des manœuvres d'Allen qui revendique sans cesse des privilèges et monte les membres du personnel soignant les uns contre les autres, de l'arrogance d'Arthur et du comportement asocial de Tommy. Certains jugent que le docteur George consacre trop de temps et d'énergie au cas Milligan, d'autres font remarquer qu' « on s'inquiète plus du sort de ce sadique que de celui de ses victimes ». Et Rosalie surmonte sa colère pour expliquer que si l'on veut venir en aide aux gens qui souffrent de troubles mentaux, il faut d'abord renoncer à tout sentiment de vengeance.

Un matin, alors que Rosalie observe depuis un moment Billy Milligan, qui est assis sur les marches du pavillon Wakefield et remue les lèvres comme s'il se parlait à lui-même, elle le voit brusquement changer d'expression et d'attitude. Il lève les yeux, secoue la tête, se touche la joue, l'air surpris.

Il aperçoit alors un papillon qui volette à sa portée. Il tend les mains pour l'attraper et, les ouvrant légèrement pour regarder le papillon prisonnier il se lève d'un bond avec un petit cri et le lance en l'air comme pour l'aider à reprendre son vol. Mais l'insecte tombe par terre et ne bouge plus. L'angoisse se lit sur les traits du jeune homme.

Quand Rosalie s'approche de lui il se tourne brusquement vers elle, apeuré, des larmes ruisselant sur son visage. Elle a l'impression, sans savoir pourquoi, qu'il est différent de tous ceux qu'elle a rencontrés jusque-là.

— Il ne peut plus voler, dit-il en se baissant pour ramasser le papillon.

Rosalie lui sourit affectueusement, hésitant encore à l'appeler par son vrai nom. Puis elle ose murmurer :

— Bonjour Billy, cela fait très longtemps que j'avais envie de te connaître.

Il se rassied sur les marches, les bras serrés autour de ses genoux et elle s'assied à ses côtés, tandis qu'il contemple, impressionné, la pelouse, les arbres et le ciel devant lui.

Quelques jours plus tard, Arthur autorise Billy à revenir sous le projecteur pour modeler de l'argile. Sur les conseils de Nick, il entreprend de façonner une tête humaine. Il travaille pendant près d'une heure, formant d'abord une boule ronde, sur laquelle il ajoute des yeux et un nez.

— J'ai fait une tête ! annonce-t-il fièrement.

— Elle est très réussie, dit Nick. Qui est-ce ?

— Il faut que ce soit quelqu'un ?

— Non, mais je pensais que ça l'était peut-être.

Billy détourne les yeux et Allen prend sa place. Il regarde avec mépris l'œuvre de Billy — une vague boule d'argile avec des boulettes pour les yeux et le nez — et entreprend de la resculpter entièrement. Il en fait un buste d'Abraham Lincoln qui pourrait aussi représenter le docteur George et s'apprête à le montrer à Nick pour que celui-ci ne se méprenne pas sur ses talents.

Mais son instrument lui glisse soudain des mains et le blesse au bras. Il saigne.

Allen n'arrive pas à y croire. Il n'est pas maladroit à ce point-là ! Mais il se sent brusquement projeté contre le mur. Bon sang ! Encore Ragen !

— Qu'est-ce que j'ai encore fait ? murmure Allen.

La réponse résonne dans sa tête.

— Plus jamais toucher le trrravail de Billy !

— Mais je voulais seulement...

— Toi vouloirrr fairrre étalage talents d'arrrtiste ! Mais la psychothérrapie de Billy êtrrre plus imporrrtante !

Ce soir-là dans sa chambre, Allen se plaint à Arthur : il en a assez d'être sans cesse harcelé par Ragen :

— Puisque rien de ce que je fais ne lui convient, il n'a qu'à prendre ma place ! Lui ou quelqu'un d'autre !

— Vous êtes trop discutailleur ! fait remarquer Arthur. C'est à cause de vous que le docteur Pugliese nous a expulsés du groupe qu'il anime. Vous agacez tout le monde et grâce à vos manœuvres vous avez monté contre nous la plupart du personnel soignant.

— Eh bien remplacez-moi par quelqu'un d'autre, quelqu'un qui parle moins. Billy et les enfants ont besoin du traitement. Laissez-leur prendre la parole !

— J'ai le projet de donner plus souvent le projecteur à Billy désormais, dit Arthur. Quand il aura fait la connaissance du docteur George, il sera temps pour lui de faire notre connaissance à tous.

En retrouvant Milligan, le mercredi 24 mai, le docteur George est frappé par l'expression éperdue de son patient. Il paraît sur le point de s'enfuir ou de s'évanouir. Le médecin a l'intuition que le jeune homme qui se tient en face de lui, les yeux baissés, n'est relié que par un fil ténu à la réalité. Ils s'asseoient et demeurent un moment sans mot dire. Billy gigote sur sa chaise.

— Tu pourrais peut-être m'expliquer un petit peu, dit doucement le médecin, ce que ça te fait de venir me parler ce matin.

— Je n'en ai aucune idée, répond une voix plaintive.

— Tu ne sais pas que tu es ici pour avoir un entretien avec moi ? Quand es-tu sorti sous le projecteur ?

— Le projecteur ? répète Billy, éberlué.

— Quand as-tu compris que toi et moi allions avoir une conversation ?

— Quand ce type est venu me chercher.

— Que croyais-tu qu'il allait t'arriver ?

— Il m'a dit que j'allais voir un docteur. Je savais pas pourquoi.

Ses genoux s'entrechoquent.

La conversation progresse difficilement, coupée de lourds silences. Le docteur George s'efforce de trouver le contact avec celui qu'il a identifié comme le Billy original. Comme un pêcheur qui manie sa canne avec douceur pour ne pas rompre la ligne, il murmure :

— Comment te sens-tu ?

— Ben ça va quoi.

— Parle-moi de tes problèmes.

— Euh... Je sais pas... j'ai fait des trucs, je me rappelle pas quoi... Je vais me coucher et puis on me dit que j'ai fait des choses...

— Quelles choses ? Qu'a-t-on dit que tu avais fait ?

— Des choses pas bien... des crimes.

— C'était des choses que tu pensais à faire ? Ça nous arrive à tous de penser à faire des choses très différentes de ce qu'on fait d'habitude.

— Chaque fois que je me réveille, on me dit que j'ai fait quelque chose de mal. C'est tout ce que je sais.

— Et qu'est-ce que tu en penses ? Qu'est-ce que ça te fait quand on te dit ça ?

— J'ai envie de mourir... J'ai envie de faire du mal à personne. C'est pour ça que j'ai envie de mourir.

Il tremble tellement que le docteur George se hâte de changer de sujet.

— Tu m'as dit que tu avais dormi. Pendant combien de temps as-tu dormi, au juste ?

— Ben, j'avais pas l'impression qu'il y avait beaucoup de temps passé. Mais si. Je continue d'entendre des choses, des gens qui essaient de... de me parler.

— Qu'est-ce qu'ils essaient de te dire ?

— Je comprends pas très bien.

— Ce sont des murmures ? Des bouts de phrases ? Ou bien des paroles indistinctes ?

— C'est très bas... On dirait que ça vient d'ailleurs.

— D'une autre pièce ou d'un autre pays ?

— Ben, oui, comme d'un autre pays.

— Un pays particulier ?

Il cherche un long moment en silence puis :

— Y en a un, on dirait qu'il parle comme dans les films de James Bond. Et l'autre, on dirait un Russe. Ce sont les gens qui sont à l'intérieur de moi, comme la dame m'a dit ?

— Peut-être, souffle le docteur George d'une voix à peine audible.

Il surveille avec inquiétude le visage de Billy où la peur est apparue.

— Qu'est-ce qu'ils font là-dedans ? sanglote le jeune homme.

— Qu'est-ce qu'ils te disent ? Ça pourrait nous aider à comprendre. Ils te donnent des conseils, ils t'indiquent une conduite à suivre ?

— C'est toujours pareil : « Fais ce qu'il te dit. Fais ce qu'il te dit. »

— Qui, « il » ? Moi ?

— Je crois.

— Quand je ne suis pas avec toi, quand tu es seul, tu les entends encore parler ?

Billy soupire.

— On dirait qu'ils discutent de moi. Avec d'autres gens.

— Ils se conduisent comme s'ils avaient besoin de te protéger ?

— Je crois qu'ils m'envoient dormir.

— Quand t'envoient-ils dormir ?

— Quand je me fais trop de souci.

— C'est peut-être parce que tu ne peux pas supporter de te faire du souci ? C'est une des raisons pour lesquelles on dort : pour échapper à tous les soucis. Peut-être que si tu devenais assez fort, ils n'auraient pas tant besoin de te protéger ?

— Mais qui c'est, ils ? s'écrie-t-il, apeuré. Qui sont ces gens ? Pourquoi est-ce qu'ils ne me laissent pas réveillé ?

Le médecin comprend qu'il doit s'orienter dans une autre direction.

— Qu'est-ce que tu peux avoir de plus dur à supporter ?

— Que quelqu'un me fasse mal.

— C'est une idée qui te fait très peur ?

— Ça me fait dormir.

— Mais on te fait mal quand même. Même si tu ne le sais pas.

Billy pose les mains sur ses genoux qui s'entrechoquent.

— Mais si je vais dormir, j'ai pas mal.

— Qu'est-ce qui se passe alors ?

— Ben, j'en sais rien... Quand je me réveille, j'ai pas mal.

Après un long silence, il lève les yeux :

— Personne m'a dit pourquoi ces gens étaient là.

— Ceux qui t'ont parlé ?

— Oui.

— C'est peut-être à cause de ce que tu viens de dire. Quand tu ne sais pas comment te défendre contre un danger, une autre partie de toi est capable de trouver un moyen de te protéger, de t'éviter de souffrir.

— Une autre partie de moi ?

Le médecin sourit et hoche la tête. Il attend la suite. La voix de Billy tremble :

— Comment ça se fait que je connais pas l'autre partie ?

— Il y a sans doute une grande peur en toi qui t'empêche de faire ce qu'il faudrait pour te protéger. Tu vois, en quelque sorte, c'est trop effrayant pour que tu te protèges de ce qui te fait peur. Alors, tu dois t'endormir pour que cette autre partie de toi fasse ce qu'il faut.

Billy paraît méditer un moment sur cette information, comme s'il essayait de comprendre.

— Pourquoi je suis comme ça ?

— Quelque chose a dû te faire horriblement peur quand tu étais très jeune.

Après un long silence, Billy sanglote :

— Je veux pas y penser. Ça fait trop mal.

— C'est toi qui m'as demandé pourquoi tu devais t'endormir dans les situations où tu avais peur de souffrir.

Billy regarde autour de lui et, d'une voix étonnée :

— Pourquoi je suis là, dans cet hôpital ?

— Mlle Turner, le docteur Karolin, le docteur Wilbur ont pensé que si tu venais ici, tu n'aurais peut-être plus besoin de t'endormir. Peut-être réussirais-tu à apprendre à te débrouiller, en face des problèmes, des expériences effrayantes.

— Vous pourriez faire ça pour moi ?

— Nous pourrions certainement t'aider à y arriver. Tu veux bien qu'on essaie ?

Billy crie presque .

— Vous voulez dire que vous allez sortir tous ces gens de moi ?

Le médecin sait qu'il doit faire attention à ne pas trop promettre.

— Nous aimerions t'aider pour que tu n'aies plus besoin de t'endormir. Pour que ces parties de toi puissent faire de toi quelqu'un de fort et en bonne santé.

— Alors, je les entendrais plus ? Et ils pourront plus m'endormir ?

Le docteur George choisit soigneusement ses mots :

— Si tu deviens assez fort, on n'aura plus besoin de t'endormir.

— J'aurais jamais cru que quelqu'un pourrait m'aider. Je... je savais pas... Une fois, je me suis réveillé, j'ai regardé autour de moi... J'étais enfermé dans une pièce... au fond d'une boîte.

— Ça devait être très effrayant, dit le docteur George d'une voix qu'il s'efforce de rendre la plus apaisante possible. Ça a dû être horriblement effrayant.

— Il me mettait toujours dans une boîte, dit Billy d'une voix plus forte. Il sait que je suis là ?

— Qui donc ?

— Mon papa.

— Je n'ai pas eu affaire à lui. Je ne sais pas s'il est au courant.

— Je... je devrais pas dire ces choses. S'il sait qu'on a discuté... Il va... oh ! il va me tuer... et m'enterrer dans la grange.

Il se recroqueville en baissant les yeux. L'expression de souffrance de son visage est déchirante. Le docteur George comprend qu'il a perdu le contact.

La voix calme d'Allen s'élève alors :

— Billy dort. Arthur n'a même pas eu besoin de l'endormir. C'est lui qui est parti dormir parce qu'il commençait à se rappeler.

— C'est trop difficile de parler de ces choses, c'est ça ?

— De quoi parliez-vous ?

— De Chalmer.

— Ah bon ! ça devait... qu'est-ce que c'est ? A quoi sert cette caméra ? demande-t-il en apercevant le système vidéo.

— J'ai dit à Billy que je voulais faire des enregistrements vidéo. Je lui ai donné toutes les explications nécessaires et il a accepté. Qu'est-ce qui vous a fait apparaître ?

— Arthur m'a demandé de sortir sous le projecteur. Je suppose que vous avez effrayé Billy avec ces souvenirs. Il a dû se sentir piégé.

Le médecin s'apprête à raconter son entretien avec Billy mais il lui vient une idée.

— Dites-moi, me serait-il possible de discuter à la fois avec Arthur et avec vous ? Une réunion à trois sur ce qui s'est passé ?

— Je peux toujours demander à Arthur.

— Je voulais vous demander, et je voulais également connaître l'opinion d'Arthur là-dessus, si Billy ne serait pas devenu assez fort ? Peut-être a-t-il cessé d'être suicidaire. Il pourrait dans ce cas supporter davantage...

— Il n'est pas suicidaire, coupe une voix calme et aristocratique.

Le docteur George reconnaît l'accent britannique. Arthur a décidé d'apparaître pour lui parler. Il n'a pas vu Arthur depuis le dimanche matin où le docteur Wilbur l'avait amené à s'exprimer. En s'efforçant de rester impassible, le médecin répond sur le ton de la conversation :

— Mais on doit le considérer comme un enfant fragile ?

— Certes, acquiesce Arthur en joignant les doigts en forme de pyramide. Il est facilement effrayé. Son délire est très proche de la paranoïa.

Le docteur George fait remarquer qu'il n'avait pas l'intention d'évoquer aussi vite le rôle de Chalmer. C'est Billy qui en a manifesté le désir.

— Vous avez touché au passé, répond posément Arthur. Dès lors, il était inévitable que son beau-père fût la première image à surgir dans son esprit. Mais la peur habituelle a triomphé : il y avait largement de quoi le faire dormir, dans ce qu'on venait de lui dire. Je n'ai rien pu faire pour le maîtriser. Je l'avais réveillé avant son arrivée dans cette pièce...

— Avez-vous connaissance de tout ce qu'il dit quand il est réveillé ?

— En partie seulement, et pas toujours. Je ne suis pas constamment en mesure de rapporter ses pensées exactes. Mais lorsqu'il pense, je sens sa peur. De fait, pour une raison que j'ignore, il ne perçoit pas très clairement ce que je tente de lui dire. Il sait, semble-t-il, qu'il y a des moments où nous l'endormons et il dispose par ailleurs de la possibilité de s'endormir de lui-même.

Le docteur George et Arthur abordent le sujet du caractère et de l'histoire individuelle de certaines des personnalités. Mais Arthur vient à peine de commencer d'évoquer des souvenirs, qu'il se tait soudain et montre la porte d'un signe de tête :

— Il y a quelqu'un, explique-t-il avant de disparaître.

C'est Jeff Janata, un infirmier à qui l'on avait dit d'être là à midi et quart.

Arthur désigne Tommy pour retourner avec Jeff au pavillon Wakefield.

Le lendemain, à deux jours de la visite du docteur Wilbur, le docteur George note immédiatement que les genoux de son patient s'entrechoquent. Le Billy fondamental est revenu à la séance de psychothérapie. Il a entendu les noms d'Arthur et de Ragen et veut savoir qui ils sont.

Comment faire ? s'inquiète Harding. Son esprit est traversé par l'horrible vision de Billy se tuant après avoir appris la vérité. Le malade d'un de ses confrères de Baltimore s'est pendu dans sa cellule lorsqu'il a découvert qu'il était une personnalité multiple.

Le docteur George prend une profonde inspiration avant de se lancer :

— Cette voix, comme dans les films de James Bond, c'est Arthur. Arthur est un de tes noms.

Le tremblement des genoux s'arrête. Les yeux de Billy s'écarquillent.

— Une partie de toi est Arthur. Tu aimerais le rencontrer ?

Billy recommence à trembler et ses genoux s'entrechoquent si violemment qu'il les agrippe pour les arrêter.

— Non. Ça va me donner envie de dormir.

— Billy, je pense que si tu essaies de toutes tes forces, tu pourras rester réveillé quand Arthur viendra te parler. Tu ne t'endormiras pas. Tu entendras tout ce qu'il dira et tu t'en souviendras. De la même manière que les autres. Tu sortiras sous le projecteur, mais tu resteras conscient.

— C'est quoi, le projecteur ? Vous avez déjà dit ce mot la dernière fois mais vous me l'avez pas expliqué.

— C'est une image d'Arthur pour expliquer ce qui se passe quand l'un de ceux qui habitent en toi sortent dans la réalité pour prendre la direction de ton esprit. C'est comme un gros projecteur et celui qui se place dans sa lumière devient conscient. Il te suffit de fermer les yeux pour le voir.

Billy ferme les yeux. Harding retient sa respiration.

— Je le vois, j'y arrive! C'est comme si j'étais sur une scène sombre, avec juste un projecteur sur moi.

— Parfait. Maintenant, si tu te mets sur le côté, hors de la lumière, je suis sûr qu'Arthur va venir nous parler.

— Je suis hors de la lumière, dit Billy.

Ses genoux cessent de trembler.

— Arthur, Billy a besoin de vous parler. Désolé de vous déranger. Il faut que vous veniez, c'est important pour la psychothérapie de Billy. Il faut qu'il en sache plus long sur vous et les autres.

Les paumes du médecin sont moites. Lorsque les yeux de son patient s'ouvrent, la panique de Billy a cédé la place au regard hautain d'Arthur, le sourcil froncé du premier à la paupière lourde du deuxième. Et puis vient la voix déjà entendue la veille :

— William, ici, c'est Arthur qui te parle. Je veux que tu saches que tu es en sécurité dans cet établissement et que les gens qui y travaillent s'efforcent de te venir en aide.

L'expression de Billy change aussitôt. Les yeux écarquillés, il jette autour de lui des regards effarés.

— Pourquoi est-ce que je ne vous ai pas connu plus tôt ?

Puis Arthur apparaît de nouveau :

— J'estimais nécessaire de vous épargner cela, tant que vous n'étiez pas prêt. Vous avez manifesté des tendances suicidaires. Il valait mieux attendre le moment opportun pour vous mettre dans le secret.

Le docteur George écoute sans intervenir, stupéfait mais heureux. Pendant près de dix minutes, Arthur explique à Billy qui sont Ragen et les huit autres et comment le docteur George travaille à les unifier en une seule personnalité.

— Vous pouvez faire ça ? demande Arthur au médecin.

— Nous appelons cela une fusion. Nous devons procéder lentement. D'abord Allen et Tommy parce qu'ils ont beaucoup en commun. Puis Danny et David qui ont tous les deux bien besoin d'une prise en charge médicale. Après quoi, nous ferons apparaître tous les autres, un par un, jusqu'à ce que vous soyez unifié.

— Pourquoi est-ce que vous devez les fusionner avec moi ? On peut pas les envoyer balader ?

— Certains psychiatres ont essayé cette méthode dans des cas semblables. Apparemment, elle a échoué. Ce qui a le plus de chances de marcher, c'est que tu t'efforces de rassembler ces différentes parties de toi, d'abord en les faisant communiquer entre elles, ensuite en te rappelant ce que chacune d'entre elles a fait, en cessant d'être amnésique. C'est ce que nous appelons la co-conscience. Pour finir, tu travailleras à faire coexister ces différentes personnalités, à les fondre dans une seule. C'est la fusion.

— Quand est-ce que vous ferez ça ?

— Le docteur Wilbur vient te voir après-demain. On présentera ton cas et on en discutera avec l'ensemble de l'équipe qui s'occupe de toi. Nous montrerons les enregistrements vidéo pour aider quelques membres de l'équipe, qui n'ont pas l'expérience de ce type de troubles, à te comprendre mieux pour mieux te venir en aide.

Billy hoche la tête. Son regard se brouille, il reporte son attention en lui-même. Il hoche encore la tête à plusieurs reprises, puis jette un regard étonné sur le médecin.

— Qu'y a-t-il, Billy ?

— Arthur vous fait dire qu'il veut être consulté sur les participants à cette réunion.

Une agitation fébrile s'est emparée de l'hôpital Harding. Le docteur Wilbur y avait déjà exposé ses théories en 1955, mais il s'agissait d'une conférence banale. Cette fois-ci, l'établissement abrite un patient célèbre, le premier individu possédant une personnalité multiple, sur lequel une surveillance psychiatrique soit exercée vingt-quatre heures sur vingt-quatre. Une partie du personnel est encore sceptique mais chacun tient à être là pour entendre le docteur Wilbur parler de Billy Milligan.

Alors qu'on avait annoncé à l'équipe du pavillon Wilbur que dix ou quinze personnes seulement viendraient se joindre à elle, près d'une centaine de spectateurs se sont entassés dans le sous-sol du bâtiment administratif. Les médecins et les cadres ont amené leurs épouses. Les membres du personnel de services nullement concernés par le cas de Milligan s'entassent au fond de la salle, assis à même le sol ou appuyés contre le mur. La foule déborde jusque dans le hall.

Le docteur George présente les enregistrements vidéo des séances de psychothérapie qu'il a conduites, avec l'aide de Dorothy Turner. Arthur et Ragen, que personne n'avait vus hors du pavillon Wakefield remportent un grand succès de curiosité. Adalana, que seule Dorothy Turner avait rencontrée, déclenche quelques ricanements et soulève beaucoup d'étonnement. Mais lorsque le Billy original apparaît sur l'écran, un grand silence s'installe. Et quand il s'écrie : « Qui sont ces gens ? Pourquoi est-ce qu'ils ne me laissent pas réveillé ? » Rosalie Drake, comme beaucoup d'autres spectateurs, a du mal à retenir ses larmes.

Le docteur Wilbur introduit ensuite Billy dans la pièce, pour un bref entretien. Elle parle avec Arthur, Ragen, Danny et David. Ils répondent aux questions, mais Rosalie se rend compte qu'ils sont très mal à l'aise. Quand la séance est terminée, au bruissement des conversations autour d'elle, Rosalie déduit que le personnel éprouve une certaine gêne. Les infirmières Adrienne McCann et Laura Fisher se plaignent de ce qu'une fois de plus, on ait tout fait pour laisser croire à Milligan qu'il est quelqu'un de particulier, et regrettent qu'on lui ait fourni l'occasion de se mettre en avant. Rosalie, Nick Cicco et Donna Egar sont furieux qu'on l'ait donné en spectacle.

Après la visite du docteur Wilbur, on change une fois encore de méthode. Le docteur George se concentre sur la fusion des personnalités.

Le docteur Marlene Kocan conduit une série de séances au cours desquelles les personnalités retrouvent peu à peu des souvenirs de sévices et de torture. A travers eux, elles parviennent à revivre l'angoisse éprouvée vers l'âge de huit ans, moment de la dissociation principale.

Le docteur Kocan n'est pas d'accord avec la procédure de fusion. Elle n'ignore pas, dit-elle, que c'est celle qu'a suivie le docteur Wilbur avec Sybille et que, dans d'autres circonstances, elle aurait été justifiée. Mais a-t-on envisagé ce qu'il adviendra de Milligan si on l'envoie en prison après que Ragen se soit fondu en lui ? Dans un environnement hostile, il ne saura pas se défendre et risque d'être tué.

— Il a bien survécu en prison une fois, lui fait remarquer quelqu'un.

— Oui, mais Ragen était là pour le protéger. Si un homme brutal le viole — comme cela arrive souvent en prison, vous ne l'ignorez pas — il se suicidera sans doute.

Le Billy original est encouragé à discuter avec les autres habitants, à reconnaître leur existence et à mieux les connaître. Comme on le lui suggère constamment, Billy parvient à rester de plus en plus longtemps sous le projecteur. La fusion s'opère par étapes. Ceux qui se ressemblent ou qui ont des caractéristiques compatibles seront réunis par paires puis les paires fusionnées s'unifieront. Par une intense suggestion, elles seront fondues dans le Billy original.

Allen et Tommy se ressemblant beaucoup, ils seront les premiers à être fusionnés. Des heures de discussion et d'analyse avec le docteur George seront suivies, ainsi que le rapportera Allen, par davantage encore d'heures de discussion interne entre Arthur et Ragen. Sur les indications du docteur George, Allen et Tommy font tout leur possible pour fusionner mais se heurtent à une difficulté : Tommy éprouve des craintes qu'Allen ne partage pas. Par exemple, ce dernier adore le base-ball tandis que Tommy n'aime pas ce jeu parce qu'enfant, il avait été battu pour avoir mal joué. Sur les indications du docteur George, Allen et les autres habitants, avec le concours de Nick Cicco, aident Tommy à surmonter sa peur, en en parlant d'abord et ensuite en jouant. On continue de l'inciter à s'exprimer, y compris dans la peinture à l'huile.

Les plus jeunes, rapporte Allen, étaient incapables de saisir la notion de fusion jusqu'à ce qu'Arthur la leur fasse comprendre par une analogie. La poudre de coco, leur a expliqué Arthur, est constituée par de minuscules grains séparés. Si on y ajoute de l'eau, on a la boisson à la réglisse qu'ils connaissent. Mais si on chauffait le mélange, l'eau s'évaporerait et on obtiendrait une masse solide. On n'aurait rien de plus ni de moins que la poudre originale mais on l'aurait changée.

— Tout le monde a compris. Fusionner, c'est comme ajouter l'eau.

L'infirmière Nan Graves note le 5 juin : « M. Milligan m'a déclaré qu'il avait fusionné depuis une heure les personnalités de « Tommy » et d' « Allen » et que c'était une sensation « étrange ». »

Donna Egar rapporte que Milligan lui a raconté qu'il se faisait du souci parce qu'il ne voulait pas qu'à la suite de la fusion, il laisse mourir les autres ou que l'un de leurs talents s'affaiblisse. « Mais on fait tout ce qu'on peut », assure Allen.

Le lendemain, Gary Schweickart et Judy Stevenson lui apportent de bonnes nouvelles. La Cour a donné son accord pour une prolongation du séjour à l'hôpital Harding, ce qui lui donne trois mois supplémentaires pour achever sa fusion

Le 14 juin au soir, Tommy joue de la batterie, dans la salle de musique, en présence de Rosalie Drake. Cette dernière sait que seul Allen jusque-là avait utilisé cet instrument. Maintenant qu'il est fusionné, il est moins bon que ne l'était Allen.

— J'ai l'impression de voler le talent d'Allen, se dit-il.

— Tu es toujours Tommy ?

— Je suis un mélange des deux et pour l'instant je n'ai pas vraiment de nom. C'est embêtant.

— Tu réponds pourtant quand on t'appelle Billy.

— C'est ce que j'ai toujours fait, rétorque-t-il en faisant résonner un lent roulement.

— Tu vois une raison pour ne pas continuer ?

Il hausse les épaules :

— C'est sans doute plus simple pour tout le monde. D'ac.

Il cesse de frapper sur la caisse claire.

— Vous pouvez continuer de m'appeler Billy.

La fusion totale ne se fait pas en une seule fois. Parfois, pour un temps plus ou moins long, toutes les personnalités connues, à l'exception d'Arthur, Ragen et Billy, s'unifient. Pour éviter les erreurs, Arthur donne à la fusion un nouveau nom : « Kenny ». Mais personne ne s'y habitue et on continue de l'appeler Billy.

Un soir, un patient remet à Mlle Yaeger un billet qu'il a trouvé dans la corbeille à papier de Milligan et qui ressemble fort à la lettre d'adieu d'un suicidaire. On prend aussitôt des mesures de sécurité. La même infirmière rapporte que, dans les jours qui suivent, la fusion ne cesse de se faire et de se défaire mais qu'elle semble tenir de plus en plus longtemps. Le 14 juillet, il est fusionné presque toute la journée et paraît paisible.

Les jours passent, les fusions partielles continuent d'occuper la plus grande partie du temps. Mais parfois, pendant de courtes périodes, il sombre dans l'hébétude, incapable de maîtriser le projecteur.

Le 28 août, au cours d'une nouvelle visite, Judy et Gary annoncent à leur client que le rapport du docteur George doit être remis au juge dans trois semaines. Si le médecin déclare que Billy a fusionné et qu'il est capable de participer à son procès, il appartiendra au magistrat de fixer une date d'audience.

— Je crois que nous devrions nous mettre d'accord sur la stratégie de la défense, dit Arthur. Nous voulons être jugés. Ragen veut plaider coupable et accepte d'être puni pour les trois vols, mais il n'a nullement l'intention de reconnaître les viols.

— Mais, sur dix chefs d'accusation, il y en a quatre qui concernent les viols.

— Si l'on en croit Adalana, les trois femmes n'ont pas résisté. Aucune n'a été blessée. Chacune a eu la possibilité de s'enfuir. Et Adalana affirme qu'elle leur a rendu une partie de l'argent pour qu'elles tirent un petit bénéfice de l'affaire, quand les assurances les rembourseraient.

— Ce n'est pas ce qu'elles disent.

— Qui êtes-vous disposés à croire ? Elles ou moi ?

— Nous pourrions en discuter si une seule des femmes contredisait la version d'Adalana. Mais elles la contredisent toutes les trois et vous vous doutez bien qu'elles ignoraient chacune ce qu'avaient dit les autres et qu'elles n'ont aucun contact entre elles.

— Il est tout à fait vraisemblable qu'elles refusent de voir la vérité en face.

— Comment savoir ce qui s'est réellement passé ? Vous n'étiez pas là, Arthur.

— Mais Adalana si.

Pas plus Gary que Judy n'acceptent l'idée que les victimes se sont laissé faire sans résistance. Ils comprennent néanmoins qu'Arthur ne fait que rapporter le point de vue d'Adalana.

— Peut-on parler à Adalana ? s'enquiert Gary.

Arthur secoue la tête.

— Elle est bannie une fois pour toutes du projecteur en raison de sa conduite. Il n'y aura pas d'exception.

— Alors je crains que nous ne soyions contraints de continuer comme nous avons commencé. Nous plaiderons non coupable pour motif d'irresponsabilité mentale.

Arthur lui jette un regard glacial.

— Vous ne plaiderez certainement pas la folie en mon nom, laisse-t-il tomber avec une moue dégoûtée.

— C'est notre seul espoir, insiste Judy.

— Je ne suis pas fou. La discussion est close.

Le lendemain, Gary et Judy reçoivent un avis sur papier timbré leur retirant la défense de William Stanley Milligan qui désire désormais assumer seul sa propre défense.

— Il nous a encore virés, si je comprends bien ! s'exclame Gary. Qu'en penses-tu ?

— Quant à moi, je vais faire comme si je n'avais jamais reçu cette lettre-là, dit Judy en glissant l'avis au hasard dans un classeur.

— Grâce à notre merveilleux système de rangement, il va bien nous falloir six ou sept mois avant qu'elle nous tombe entre les mains, tu ne crois pas ?

Les jours suivants, plusieurs lettres similaires vont subir le même sort. Ne recevant pas de réponses, Arthur renonce pour finir à démettre ses avocats.

— Crois-tu que nous avons une chance en plaidant la démence ? s'inquiète Judy.

Gary allume sa pipe et tire une longue bouffée avant de répondre.

— Si Karolin, Turner, Kocan, Harding et Wilbur témoignent que Billy était dément au sens légal au moment des faits, je crois effectivement que nous avons une chance.

— Mais tu as été le premier à me faire remarquer que le diagnostic de personnalité multiple n'a jamais été considéré comme un motif d'irresponsabilité dans le cas d'un crime ?

— Eh bien, dit Gary en souriant dans sa barbe, disons que ce sera la première fois !

Le docteur George est désormais la proie d'un grave problème de conscience. Il ne fait plus de doute que Billy est très proche de la fusion et que celle-ci interviendra probablement avant le procès. De ce point de vue, il n'est pas pessimiste. Non, ce qui le préoccupe, au cours de ses nuits d'insomnie, quand il passe en revue dans sa tête les éléments du rapport qu'il va soumettre au juge Flowers, c'est un problème moral. Est-il juste d'excuser les crimes dont Milligan s'est rendu coupable en se servant du diagnostic de personnalité multiple ?

La notion d'irresponsabilité en matière pénale est une question grave. On risque de mal interpréter sa prise de position, de jeter le discrédit sur les autres patients présentant ce syndrome, sur le témoignage psychiatrique et la profession tout entière. Si le juge Flowers accepte de considérer ce trouble de la personnalité — classé jusque-là dans la catégorie des névroses — comme un motif d'irresponsabilité mentale, cette décision fera date dans l'histoire de la jurisprudence de l'Ohio et même probablement des Etats-Unis.

Le docteur George croit, en son âme et conscience, que Billy Milligan n'était pas maître de lui-même lors des trois journées fatidiques du mois d'octobre. En tant que psychiatre, il a pour mission d'explorer toujours plus avant les mystères du cerveau humain. En s'efforçant de comprendre le cas de Billy, il pourra peut-être rendre service à ceux de ses confrères qui se trouveront devant des cas similaires et à la société tout entière. Il téléphone à nombre de psychiatres en quête d'un avis, d'un conseil supplémentaire. Il organise une réunion générale de tout le personnel soignant puis, le 12 septembre 1978, prend sa plume pour rédiger un rapport de neuf pages à l'attention du juge Flowers, relatant l'histoire médicale, sociale et psychiatrique de Billy Milligan.

« Le patient déclare, écrit-il, que la mère et les enfants furent victimes de mauvais traitements et que M. Milligan lui infligea des sévices corporels et sexuels et pratiqua sur lui la sodomie. Selon les dires du patient, cela se produisit pendant un an alors qu'il avait entre huit et neuf ans, généralement dans une ferme, quand il était seul avec son beau-père. Il précise qu'il avait très peur que son beau-père le tue car il le menaçait de « l'enterrer dans la grange et de dire à sa mère qu'il s'était enfui ».

Dans son analyse, Harding signale que le suicide du père naturel de Milligan a privé ce dernier de la relation paternelle et lui a donné un « sentiment de pouvoir irrationnel allié à une culpabilité envahissante menant à l'anxiété, aux conflits intérieurs et à une vie imaginaire délirante. Particulièrement fragile, il était une victime facile pour le beau-père, Chalmer Milligan, qui exploitait l'énorme besoin d'affection du jeune Milligan pour satisfaire ses propres frustrations par des pratiques sadiques... »

Comme le jeune Milligan s'identifiait à sa mère, lorsque l'époux de celle-ci la battait, il « ressentait sa terreur et sa douleur comme s'il était à sa place... » Il en résultait également « une sorte d'anxiété de la séparation qui le plongeait dans un monde imaginaire instable présentant tous les caractères imprévisibles et incompréhensibles du rêve ». Cela, allié aux mauvais traitements et aux pratiques sexuelles du beau-père, provoqua des « dissociations » récurrentes...

Le docteur Harding conclut en ces termes :

« Le patient, ayant accompli la fusion de ses diverses personnalités, est, à mon avis, capable d'assister au procès... D'autre part, j'affirme, en mon âme et conscience, que le patient souffre de troubles mentaux et que ces troubles le rendaient irresponsable au moment où les crimes ont été commis, dans la seconde moitié du mois d'octobre 1977. »

Le 19 septembre, Judy Stevenson rédige un mémoire au nom de la défense, dans lequel elle plaide l'irresponsabilité mentale de son client.

A cette époque, le diagnostic de personnalité multiple pour le cas Milligan n'a pas été rendu public. Seuls, ceux qui le soignent, les procureurs et le juge sont au courant. La défense s'oppose à sa divulgation dans les médias, qui risquerait de compliquer le travail des psychiatres et de la justice.

Bernie Yavitch se range à cet avis, estimant contraire à la déontologie de sa profession de faire des révélations sur le suspect avant le jugement.

Pourtant le 27 septembre au matin, le *Colombus Citizen Journal* étale en première page :

LES PERSONNALITÉS « FUSIONNENT » POUR LE PROCÈS
10 PERSONNES « EXISTENT » EN LA PERSONNE DU SUSPECT

Quand on apprend la nouvelle, à l'hôpital Harding, le personnel soignant conseille à Billy de mettre les autres patients au courant avant qu'ils l'apprenent par quelqu'un d'autre. Il va donc les trouver pour leur expliquer qu'il est inculpé de ces crimes mais qu'il ne se souvient pas les avoir commis car il était « dissocié » à cette époque.

Une émission lui est consacrée le soir même au journal télévisé et Billy regagne sa chambre en larmes.

Quelques jours plus tard, il peint une belle jeune femme à l'expression torturée à qui il donne le nom d'Adalana.

Le 3 octobre, Gary Schweickart rend visite à Milligan. Il est venu en break afin de remporter certains tableaux de Billy. Judy est en vacances en Italie avec son mari, dit-il, et elle ne pourra pas assister à l'audience préliminaire, mais elle sera de retour pour le procès. Gary, tout en marchant à ses côtés, essaie de préparer Billy à l'idée qu'on va le transférer à la prison du comté en attendant l'audience préliminaire et de lui faire comprendre que le procès n'est pas encore gagné.

Le docteur George a la certitude que son patient a fusionné. Les autres personnalités n'apparaissent plus et Billy semble avoir intégré les traits caractéristiques de chacune d'elles. Au début, le psychiatre remarquait encore des manifestations bien séparées mais peu à peu, elles ont semblé se fondre les unes dans les autres, pour opérer une homogénéisation. Le personnel a remarqué la même évolution : tous les aspects des diverses personnalités sont désormais visibles chez un seul et même individu : Billy Milligan. Le docteur George a annoncé que le patient est prêt.

Le 4 octobre, deux jours avant le transfert de Billy à la prison, Harry Franken du *Citizen Journal,* publie un deuxième article sur Milligan. Une copie du rapport du docteur Harding lui est parvenue de source inconnue et il est allé voir Judy et Gary pour leur demander d'apporter des compléments d'information, en leur annonçant qu'il compte publier tout ce qu'il a appris. Gary et Judy informent le juge Flowers qui décide que le *Colombus Dispatch* publiera également un article. Et puisque l'affaire est ébruitée, les avocats acceptent de donner une interview au journaliste. Ils autorisent les photographes à prendre des clichés des tableaux de Milligan que Gary a rapportés de l'hôpital — Moïse s'apprêtant à briser la table des dix commandements, un musicien juif jouant du cor, un paysage et le portrait d'Adalana.

Les articles de presse vont terriblement éprouver Billy, qui se montre très déprimé au cours de la dernière séance du docteur Kocan. Il a très peur de l'attitude que vont adopter les autres prisonniers à son endroit maintenant qu'ils savent qu'il y a en lui une personnalité lesbienne.

— Si on me juge coupable et que l'on me renvoie à Lebanon, dit-il au docteur Kocan, je sais qu'il me faudra mourir.

— Alors Chalmer aura gagné.

— Qu'est-ce que je peux faire d'autre ? J'ai trop de haine enfermée en moi. Je ne peux pas le supporter.

Bien que partisan des méthodes non-directionnelles consistant à laisser le malade indiquer lui-même la voie à suivre, Marlene Kocan sent qu'il faut intervenir.

— Vous pourriez diriger la haine pour en faire un usage positif, suggère-t-elle. Vous avez été maltraité quand vous étiez petit. Vous pourriez vaincre tous vos affreux souvenirs en consacrant votre vie à lutter pour la disparition des bourreaux d'enfants. Si vous restez en vie, vous pouvez travailler pour une cause et gagner. Si vous mourez, c'est votre bourreau qui gagne et vous qui êtes perdant.

Un peu plus tard dans la journée, alors qu'il bavarde dans sa chambre avec Donna Egar, il se baisse pour tirer de sous son lit la lame de rasoir que Tommy a dissimulée là voilà près de sept mois.

— Tenez, dit-il en la lui tendant. Je n'en aurai pas besoin. Je veux vivre.

Elle le serre dans ses bras, des larmes plein les yeux.

— Je ne veux plus retourner dans le groupe, annonce-t-il à Rosalie. Il faut que je me prépare à la solitude, que je m'endurcisse. Je ne veux pas d'adieux !

Mais les patients du pavillon Wakefield lui font envoyer par Rosalie les cartes d'adieux qu'ils ont dessinées pour lui et il ne peut retenir ses larmes.

— C'est la première fois de ma vie, dit-il, que j'ai une réaction humaine normale. Je ressens ce que j'ai toujours entendu appeler des « sentiments contradictoires » sans savoir ce que c'était.

Le vendredi 6 octobre, date de son transfert, est un jour de congé pour Rosalie Drake mais elle se rend quand même à l'hôpital pour être près de lui dans cette épreuve. Elle sait qu'elle va encourir des réflexions sarcastiques et des regards étonnés de la part de certains membres du personnel mais elle n'en a cure. Elle gagne directement la salle de récréation du pavillon et le découvre en train de faire les cent pas. Il a revêtu son trois pièces bleu sombre et il attend calmement qu'on vienne le chercher, apparemment parfaitement maître de lui-même.

Donna Egar et Rosalie l'accompagnent jusqu'au bureau où un représentant du shérif, à lunettes noires, les reçoit.

Quand le fonctionnaire sort les menottes, Rosalie se place devant Billy et lui demande s'il est bien nécessaire de l'attacher comme une bête sauvage.

— Oui, m'dame, dit l'homme. C'est la loi.

— C'est incroyable ! s'écrie Donna. Il vient jusqu'ici avec deux femmes pour toute escorte mais maintenant qu'il est là, vous allez jouer les méchants et lui passer les menottes !

— Je ne peux pas faire autrement, m'dame. Je m'excuse !

Billy tend les mains et, quand les menottes se referment autour de ses poignets, elle voit ses traits se crisper. Il monte dans le panier à salade et les deux femmes marchent à côté du véhicule qui amorce lentement le virage en direction du pont de pierre. Elles agitent la main jusqu'à ce qu'il ait disparu. De retour au pavillon, elles éclatent en sanglots et pleurent longtemps, à chaudes larmes.

4.

Après avoir étudié le rapport du docteur George Harding, Bernie Yavitch et Terry Sherman conviennent en avoir rarement lu d'aussi solide. Il ne s'y trouve aucune de ces failles que leur œil exercé sait discerner dans les expertises psychiatriques. Ce n'est pas là le compte rendu d'un examen de quelques heures mais un dossier établi après plus de sept mois d'observation en milieu hospitalier. Les analyses qu'il contient n'appartiennent pas au seul Harding puisqu'y figurent les conclusions de nombreux autres psychiatres et psychologues.

Le 6 octobre 1978, au cours de l'audience préliminaire, le juge Flowers décide, en s'appuyant sur le rapport Harding, que Milligan est maintenant en mesure de participer à son procès. Il en fixe la date au 4 décembre.

Schweickart donne son accord, à une condition : qu'il soit stipulé que le procès sera mené au nom des lois existant au moment du crime. En effet de nouveaux textes doivent entrer en application le 1er novembre. La preuve de la folie incombera à la défense alors que jusque-là l'accusation était obligée de prouver la santé mentale du prévenu.

Yavitch s'oppose à la demande de la défense.

— Je mets cette requête en délibéré, déclare le juge. Je n'ignore pas qu'il y a eu des requêtes similaires dans d'autres cas de changement de la loi : par exemple lorsque le nouveau code pénal a été mis au point. A chaque fois, presque sans exception, on a tranché en faveur du texte le plus favorable à la défense. Mais il faut que je vérifie la jurisprudence.

En quittant la salle d'audience, Schweickart annonce à Yavitch et

Sherman que son client va demander à être jugé par Flowers seul. Il renonce à la possibilité de voir son sort fixé par un jury.

— Et voilà ! l'affaire nous échappe ! s'exclame Yavitch en regardant s'éloigner l'avocat.

— Ils ont beaucoup plus d'atouts que prévu, observe Sherman.

Plus tard, le juge Flowers dira que le parquet, en acceptant le rapport du docteur Harding sans reconnaître la folie de Milligan, « lui laissait le plus dur à faire ».

Au cours de leur visite suivante à la prison Franklin, Gary et Judy retrouvent un Billy déprimé qui passe le plus clair de son temps à dessiner ou à broyer du noir. L'attention croissante que les médias portent à cette affaire l'inquiète. De jour en jour, sa période de sommeil s'allonge, comme s'il voulait s'abstraire de son environnement froid et nu.

— Pourquoi ne peut-on me garder à l'hôpital Harding jusqu'au procès ? demande-t-il à Judy.

— Ce n'est pas possible. On a déjà eu de la chance que le tribunal vous laisse sept mois là-bas. Un peu de courage. Le procès est dans moins de deux mois.

— Allons, il faut vous reprendre, insiste Gary. J'ai vraiment l'impression que si vous supportez le procès, on vous déclarera non coupable. Si vous craquez, on vous enverra à Lima.

Un après-midi, Milligan dessine au stylo à bille, couché sur sa banquette. Jetant un coup d'œil à travers les barreaux, le gardien qui le surveille aperçoit un croquis : une poupée de chiffon pendue devant un miroir brisé.

— Eh, dis donc, Milligan, pourquoi tu dessines ça ?

— Parce que j'êtrre colèrre. Moment êtrre venu quelqu'un mourrir.

L'accent slave fait bondir le gardien jusqu'à la sonnerie d'alarme. Ragen l'observe d'un air amusé.

— Bon, alors, lève-toi, toi, qui que tu sois. Tu te lèves doucement et tu recules jusqu'au mur.

Ragen obéit. D'autres gardiens se pressent maintenant devant les barreaux de la cellule. L'un d'eux ouvre la porte, s'empare du dessin, se retire très vite et referme.

— Bon Dieu. C'est un truc de cinglé, ce dessin.

— Appelez son avocat. Ça le reprend.

Gary et Judy sont accueillis par Arthur, qui leur explique que Billy n'a jamais été totalement fusionné.

— En tout état de cause, il l'est suffisamment pour assister à son procès. Puisqu'il saisit désormais la nature des accusations portées contre lui, Billy est en mesure de collaborer à sa propre défense. Mais Ragen et moi avons subsisté. Il ne vous a sans doute pas échappé que cet endroit constitue un environnement hostile. Ragen occupe donc les fonctions dirigeantes. Si Billy n'est pas transféré dans un hôpital, je ne puis garantir qu'il demeure même partiellement fusionné.

Le shérif Harry Berkemer déclarera à un journaliste du *Colombus Dispatch* que ses hommes ont été témoins d'extraordinaires prouesses accomplies par Milligan dans la personnalité de Ragen. Conduit avec d'autres prisonniers sur l'aire de détente, il s'est mis à frapper sur un sac de son.

— Il a cogné dessus pendant dix-neuf minutes et demie, exactement. Un homme normal ne peut pas frapper plus de trois minutes sans être épuisé. Il tapait si fort qu'on a eu peur qu'il se soit cassé quelque chose et qu'on l'a envoyé se faire examiner les mains à l'infirmerie.

Mais Ragen ne s'est pas blessé.

Le 24 octobre, le juge Flowers invite le Centre de santé mentale du Sud-Ouest à procéder à une nouvelle expertise sur la personne de Milligan afin de déterminer s'il est en état de participer à son procès. Le docteur George Harding pourra, s'il le désire, apporter ses soins au prévenu qui sera incessamment transféré à l'hôpital psychiatrique central de l'Ohio.

Le 15 novembre, le docteur Marion J. Koloski, expert en psychiatrie judiciaire, déclare dans un rapport que, lors d'une entrevue à laquelle assistaient le docteur Stella Karolin et Dorothy Turner, il est apparu que Milligan pourrait supporter le procès et collaborer avec son avocat à sa propre défense. Le rapport conclut : « Son état mental nous semble néanmoins extrêmement précaire et l'on ne peut exclure la possibilité d'une désintégration soudaine de la présente personnalité fusionnée et la résurgence des personnalités dissociées qui avaient été précédemment décelées. »

Le 29 novembre, le *Dayton Daily News* et le *Colombus Dispatch* publient un démenti de Chalmer Milligan aux allégations de violences sexuelles qu'il aurait fait subir à son fils adoptif. Voici ce que dit la dépêche de l'agence Associated Press reproduite par le *Colombus Dispatch :*

Le beau-père de Milligan affirme n'avoir jamais abusé de lui. Chalmers (sic) Milligan déclare qu'il a été « tout retourné » par la publication d'articles où on affirmait qu'il avait abusé de son beau-fils William S. Milligan, dont les médecins disent aujourd'hui qu'il a dix personnalités.

« Personne ne m'avait parlé de ça », se plaint Milligan, qui assure que les sévices dont son beau-fils affirme avoir été victime « n'ont jamais existé ».

Selon le rapport du docteur George Harding, les psychiatres ont conclu que Milligan présente tous les caractères d'une personnalité multiple et que ces personnalités ignorent ce que font les autres. Les médecins attribuent son état aux sévices qu'il aurait subis dans son enfance...

Chalmer Milligan affirme que la publication de ce rapport lui a causé le plus grand tort.

— Il y a toujours des gens qui comprennent de travers. C'est très embêtant pour moi.

Les articles qui ne signalaient pas que leurs informations provenaient de William et des psychiatres lui ont causé, affirme-t-il, un tort particulier.

— Tout ça, ça vient du gamin. Les journaux, tout ce qu'ils savent faire, c'est répéter ce qu'ils (les psychiatres et le jeune Milligan) ont dit.

Il refuse de faire savoir s'il a ou non l'intention d'introduire une action en justice.

De plus en plus persuadés que Billy bénéficiera d'une relaxe pour irresponsabilité mentale, Judy et Gary s'attaquent à présent à une nouvelle difficulté. Jusqu'alors de tels verdicts ont toujours entraîné l'internement de l'accusé à Lima. Mais une nouvelle loi, qui doit entrer en vigueur à trois jours de là, le 1er décembre, stipule que les accusés bénéficiaires d'une telle mesure devront être considérés comme des malades mentaux et non comme des criminels. En conséquence, ils devront être placés dans un environnement qui, tout en étant le moins restrictif possible, sauvegarde leur propre sécurité et celle des autres. Ce qui signifie qu'ils seront transférés dans un établissement situé à l'intérieur des limites de la juridiction.

Comme la date du procès a été fixée au 4 décembre, Billy sera le premier accusé à bénéficier de cette loi. On peut donc espérer qu'après le procès, la commission d'application des peines consentira à l'envoyer dans un autre établissement que celui de Lima. A condition que la défense démontre qu'il y recevra un traitement approprié.

La cherté des séjours exclut l'hôpital Harding. Il faut trouver une institution financée par l'Etat où l'on sera en mesure de soigner les personnalités multiples.

Le docteur Cornelia Wilbur recommande aux avocats le directeur médical du Centre de santé mentale d'Athens, une localité située à une centaine de kilomètres de Colombus. Le docteur David Caul est familiarisé avec les troubles dont souffre Billy et jouit d'une excellente réputation.

Sur la demande du parquet, le juge Flowers organise une réunion à laquelle assistera le juge d'application des peines Richard Metcalf. Il s'agit tout d'abord de déterminer les changements que la nouvelle loi va introduire dans la procédure. Mais Judy et Gary n'ignorent pas qu'on ira bien au-delà : on décidera quelles preuves seront reconnues par les deux parties et où Milligan sera transféré s'il était déclaré irresponsable.

Gary et Judy jugent important de contacter d'ores et déjà le docteur Caul. Judy connaît le médecin de nom, elle lui a écrit pour se renseigner sur le syndrome de son client mais elle ne lui a jamais parlé explicitement de ce dernier. Cette fois, elle lui téléphone pour lui demander s'il accepterait de prendre Billy en charge et, en attendant, de venir assister à la réunion qui aura lieu le vendredi suivant à Colombus.

Caul répond qu'il doit en aviser la directrice administrative, Sue Foster, qui en discutera avec ses supérieurs du département d'Etat de la santé mentale. En tout cas, il considère sa requête d'un œil favorable et se rendra à Colombus.

Le 1er décembre, Judy attend donc le docteur Caul avec une certaine impatience. Dans le bureau jouxtant la salle d'audience du juge Metcalf, se pressent les différentes personnes concernées par l'affaire, dont le docteur George Harding, le docteur Stella Karolin,

Dorothy Turner et Bernie Yavitch. Peu après dix heures, Judy voit enfin le réceptionniste la montrer du doigt à un monsieur d'âge moyen. Corpulent et de petite taille, le cheveu grisonnant, le teint olivâtre, le psychiatre pose sur ses interlocuteurs le regard perçant, presque inquiétant, d'un oiseau de proie.

Judy lui ayant présenté Gary et le reste de l'assemblée, on passe dans la salle d'audience.

Assis au second rang, le docteur David Caul écoute les avocats discuter de l'application de la nouvelle loi au cas de Billy. Quelques instants plus tard, le juge Flowers fait son entrée. Avec le concours du juge Metcalf, il résume l'affaire et expose où en est la procédure. Bernie Yavitch présente les résultats des expertises médicales avant de conclure qu'il serait difficile à l'accusation de nier l'état mental particulier de Milligan au moment des crimes. Il ne discutera donc pas les rapports du Centre du Sud-Ouest et de l'hôpital Harding. Gary déclare que la défense n'a pas l'intention de remettre en question les preuves de l'accusation et de nier que son client a effectivement commis ce qui lui est reproché.

David Caul a le sentiment qu'on est en train de mettre au point le scénario du procès qui doit avoir lieu le lundi suivant. Gary et Judy donnent leur accord pour que les noms des victimes ne soient pas mentionnés. Reste à déterminer ce qu'il adviendra de Billy si le juge Flowers le déclare irresponsable.

Gary se lève :

— Nous avons fait venir d'Athens le docteur Caul, qui a acquis une grande expérience du syndrome de personnalité multiple au Centre qu'il dirige. Deux experts reconnus dans ce domaine, les docteurs Ralph Allison, de Californie, et Cornelia Wilbur, du Kentucky, ont vivement recommandé le docteur Caul.

Caul se sent le centre de l'attention générale. Le juge Flowers lui demande :

— Docteur, êtes-vous disposé à l'accepter dans votre établissement ?

Il a un sursaut de méfiance. Quelque chose lui échappe. On est peut-être en train de lui faire un cadeau empoisonné. Une mise au point s'impose.

— Oui, j'accepterai Billy Milligan dans notre établissement. Mais je veux pouvoir le traiter de la même manière que les autres personnalités multiples que j'ai déjà soignées : dans le service le plus favorable à la guérison, un service ouvert.

Il jette un coup d'œil à l'assemblée avant de se tourner de nouveau vers les deux juges :

— Si je ne peux agir à ma guise, gardez-le, insiste-t-il.

Tout le monde accepte ses conditions.

Sur le chemin du retour, le docteur Caul médite sur ce qu'il vient de voir et d'entendre. Ainsi, quasiment tous les participants à cette réunion — même le procureur Yavitch — acceptent l'idée que Milligan possède une personnalité multiple. Le médecin se rend compte que dans l'hypothèse où le procès se déroulerait sous les mêmes auspices que la réunion, Milligan deviendrait le premier prévenu acquitté dans une affaire criminelle pour cause de personnalité multiple. Ce qui s'est passé tout à l'heure préfigure l'audience de lundi, qui pourrait bien marquer une date dans l'histoire de la psychiatrie.

En ce matin du 4 décembre, où Billy Milligan doit être transféré de l'hôpital psychiatrique central de l'Ohio au palais de justice, une surprise attend le jeune homme à son réveil : sa moustache a disparu ! Il ne se souvient pas de l'avoir seulement touchée. Qui donc a pu faire cela ? Entre le deuxième et le troisième viol, sa moustache avait été rasée mais elle avait bien repoussé depuis. Une fois de plus, il a perdu le temps. A nouveau, il ressent l'étrange impression éprouvée vers la fin de son internement à l'hôpital Harding et durant son deuxième et bref séjour à la prison Franklin : Arthur et Ragen sont là, en réserve. Ils n'ont pas pu ou pas voulu fusionner aussi longtemps que le danger d'emprisonnement existerait encore. Du moins Billy est-il suffisamment fusionné pour supporter un procès.

Il continuera de répondre à ce prénom, bien qu'il sache qu'il n'est ni le Billy original ni le Billy totalement unifié. Il se trouve quelque part entre les deux. Tandis qu'on l'emmène vers le fourgon cellulaire, il se demande quelle sensation ce serait d'avoir une personnalité unique.

Au moment où il monte dans le véhicule garé devant l'hôpital, Billy remarque les regards étranges que les policiers posent sur lui. Pour gagner le palais de justice, le fourgon emprunte un itinéraire détourné afin de déjouer une éventuelle filature des journalistes de la presse et de la télévision. Mais à l'instant où il vire dans Front Street pour s'engouffrer par l'entrée de service dans la prison Franklin, une jeune femme et un homme portant une caméra de télévision surgissent d'une encoignure. Ils se glissent à l'intérieur à la suite du véhicule.

— Tu peux y aller, lance le chauffeur à Billy, en ouvrant la portière.

— Je descends pas, tant qu'il y aura ces caméras et ces journalistes. Si vous me protégez pas, je vais le dire à mes avocats dès que je les verrai.

Le chauffeur se tourne et aperçoit les journalistes :

— Qui êtes-vous ?

— Les informations de la quatrième chaîne. On a la permission d'être là.

Le chauffeur interroge Billy du regard. Le jeune homme secoue la tête, l'air méfiant.

— Mes avocats m'ont dit de ne pas me laisser approcher par les journalistes. Je descends pas.

— Nous avons parfaitement le droit..., commence la femme.

— C'est une violation des droits de la défense, crie Billy du fond de son fourgon.

— Qu'est-ce qui se passe ? demande un gardien de l'autre côté du portillon de sécurité.

— Milligan refuse de descendre tant que ces gens resteront là.

— Pardon, m'sieurs-dames, lance la voix du brigadier Willis, y a pas moyen de faire autrement, il faut que vous circuliez, pour qu'on puisse le faire entrer.

Le cameraman et la journaliste repassent le portail du garage et le panneau d'acier s'abaisse. Billy se laisse conduire par le brigadier Willis. De l'autre côté du portillon, des policiers s'attroupent pour regarder passer Milligan, et Willis doit ouvrir un chemin dans la foule.

Le brigadier l'emmène au troisième étage :

— Tu te souviens de moi, mon gars ?

— Billy acquiesce tandis qu'ils sortent de l'ascenseur :

— Vous avez été chic avec moi.

— Oh ! tu nous as jamais fait d'histoire... A part ces tinettes ! Il lui tend une cigarette :

— T'es drôlement célèbre, tu sais.

— Je me sens pas célèbre. Je sens qu'on me hait.

— Ben tu sais, y'a la quatrième chaîne, la dixième et puis aussi ABC, BBC et CBS. C'est rare qu'il y ait tant de journalistes et de caméras de télé, même pour les grands procès de meurtre.

Ils s'arrêtent devant l'entrée grillagée d'un bref corridor qui fait communiquer la prison avec le palais de justice.

Derrière son bureau, un gardien lance à Billy :

— Dis donc, je te reconnaissais pas, sans moustache.

Il presse un bouton pour prévenir la salle de contrôle afin qu'on vienne chercher Milligan.

La porte s'ouvre. Le garde du tribunal plaque Milligan contre le mur pour le fouiller méticuleusement.

— C'est bon. Marche devant moi dans ce couloir.

Au septième étage du palais de justice, Billy retrouve Gary et Judy. Les avocats remarquent tout de suite la disparition de la moustache :

— Ça vous va mieux, dit Judy. Ça fait plus net.

Billy effleure du doigt sa lèvre et Gary a l'impression fugitive que quelque chose ne va pas. Il est sur le point de dire quelque chose lorsqu'un inspecteur muni d'un walkie-talkie s'approche de Billy et, le prenant par le bras, annonce que le shérif veut qu'on le descende au deuxième.

— Qu'est-ce que ça veut dire ? s'insurge Gary. L'audience se passe à l'étage où nous sommes.

— Je ne sais pas. Le shérif a donné l'ordre de le descendre immédiatement.

— Reste ici, dit Gary à Judy. Je l'accompagne en bas pour voir de quoi il retourne.

Il monte dans l'ascenseur avec Billy et le policier. Lorsqu'ils sortent au deuxième étage, Gary comprend. Un éclair de lumière les accueille. Gary reconnaît un photographe et un journaliste du *Colombus Dispatch*.

— Qu'est-ce que c'est que ces magouilles ? hurle l'avocat. Vous me prenez pour un imbécile ? Vous croyez que je vais vous laisser faire ?

Le journaliste explique qu'ils veulent seulement prendre quelques photos où on ne verra pas les menottes. Le shérif, affirme-t-il, a donné son accord.

— Rien à foutre. Vous n'avez pas le droit de faire ça à mon client.

Il fait faire demi-tour à Billy, le pousse vers l'ascenseur.

Le policier les ramène à la salle d'attente des détenus. Dorothy Turner et Stella Karolin les y rejoignent. Elles l'embrassent, s'efforcent de le calmer. Mais lorsque Billy se retrouve seul avec le policier, il s'agrippe à sa chaise, pris de tremblements.

— C'est bon, Milligan, tu peux y aller.

Lorsqu'on introduit Billy dans la salle d'audience, Gary voit les dessinateurs judiciaires le fixer avec un bel ensemble puis, l'un après l'autre, ils saisissent leur gomme. Gary sourit : ils effacent la moustache.

— Monsieur le président, commence Gary en s'approchant de la barre, la défense et l'accusation sont d'accord pour ne pas faire appel à des témoins. Les circonstances de cette affaire sont consignées dans le dossier psychiatrique, qu'aucune des parties ne conteste.

Le juge consulte ses notes :

— Vous ne contestez pas l'acte d'accusation et vous ne niez pas que votre client ait commis les crimes dont il est accusé, sauf la première agression.

— C'est exact. Nous plaidons l'irresponsabilité.

— M. Yavitch, avez-vous l'intention de contester les rapports des psychiatres du Centre du Sud-Ouest et de l'hôpital Harding ?

Le procureur se lève :

— Non, M. le président. L'accusation accepte les expertises des docteurs Harding, Turner, Karolin et Wilbur et leur conclusion quant à l'état mental de l'accusé au moment des crimes.

Judy lit le mémoire déposé par la défense. Tandis que sa voix résonne dans la salle silencieuse, elle jette par moments des coups d'œil au visage blême de Billy. Elle espère que ce qu'il entend ne le fait pas trop souffrir et ne va pas provoquer une nouvelle dissociation de sa personnalité.

Témoignage de Mme Margarett Changett. Mme Changett a constaté à de nombreuses reprises que la mère de Billy avait subi des sévices de M. Milligan. Un jour Billy lui a téléphoné pour lui dire que sa mère venait d'être battue assez sévèrement. Mme Changett s'est rendue chez les Milligan où elle a trouvé Mme Moore couchée. Selon Mme Changett, Mme Moore tremblait, son visage était meurtri. Mme Changett a appelé un médecin et un prêtre. Elle est restée toute la journée au chevet de Mme Moore.

Témoignage de Mme Moore. Mme Moore témoigne que son ex-époux, Chalmer Milligan, la battait souvent après avoir bu. Il avait pris l'habitude d'enfermer les enfants dans leur chambre avant de la battre. D'après elle, Chalmer était « souvent excité sexuellement » après l'avoir battue. Mme Moore affirme que M. Milligan était jaloux de Billy et le battait fréquemment « pour le punir ». Un jour, il a attaché Billy à une charrue et une autre fois à la porte d'une grange « pour le mettre au pas ». Jusqu'à ce que la présente affaire éclate, Mme Moore est restée dans l'ignorance de la gravité des sévices subis par l'enfant. Elle ne savait pas qu'il avait été sodomisé.

Billy s'est caché la tête dans les mains :

— Je peux avoir un mouchoir ? demande-t-il.

Autour de Gary, une dizaine de personnes fouillent leurs poches et tendent un mouchoir au jeune homme.

... Mme Moore a remarqué un comportement efféminé chez Billy en une seule occasion, un matin où il lui préparait un petit déjeuner. Selon elle, Billy avait adopté une démarche et une voix féminines. Le principal de l'école lui ayant un jour téléphoné pour la prévenir que son fils avait quitté l'école sans autorisation, Mme Moore avait retrouvé Billy dans le centre de Lancaster, sur l'escalier de secours d'un immeuble. Il était plongé dans « une sorte de transe ». Mme Moore a trouvé à maintes reprises Billy dans cet état. D'après elle, lorsque Billy sortait de ces « transes », il ne se souvenait plus de rien.

Mme Moore n'engageait pas de procédure de divorce afin de préserver l'unité de sa famille. C'est seulement lorsque ses enfants lui ont posé un ultimatum, qu'elle a divorcé.

L'expertise du Centre du Sud-Ouest, signée par Karolin et Turner, est lue dans le dossier. Puis l'on entend la déposition de Jim, le frère de Billy :

Témoignage de James Milligan. Selon James Milligan, Chalmers (sic) Milligan emmenait souvent James et Billy dans une propriété familiale, où se trouvait une grange. Tandis que lui, James, était envoyé chasser les lapins dans les champs, Bill devait toujours rester auprès de son beau-père. A chaque fois, quand James revenait à la grange, il entendait Billy pleurer. A plusieurs reprises, Billy dit à James que son beau-père lui avait fait mal. Chaque fois que Chalmer voyait Billy commencer à raconter l'incident, il lui disait : « Dis donc, il ne s'est rien passé dans la grange, pas vrai ? » Bill, qui avait très peur de son beau-père, disait non. Chalmer ajoutait : « On va pas donner du souci à maman, pas vrai ? » et, avant de les ramener à la maison, il achetait des glaces à ses enfants.

James confirme que Billy a vécu dans une ambiance familiale traumatisante.

A douze heures trente, le juge Flowers demande aux deux parties s'ils ont quelque chose à ajouter. La défense et l'accusation répondent par la négative.

En l'absence de preuve, le juge déclare Billy innocent du premier viol et, comme il ressort de l'ensemble des expertises psychiatriques que l'accusé était en état de démence au moment des faits, il le déclare non coupable pour irresponsabilité mentale.

Après avoir placé Billy sous l'autorité de la commission d'application des peines, il frappe trois fois de son marteau sur la table, et la séance est levée.

Judy a du mal à refouler ses larmes. Elle embrasse Billy et l'entraîne vers la salle d'attente des détenus pour lui épargner la bousculade. Dorothy Turner, Stella Karolin et les autres se précipitent dans la pièce pour le féliciter. Tous les yeux sont brillants de larmes.

Seul Gary se tient à l'écart, appuyé contre le mur, l'air pensif. Ce fut un combat de longue haleine, jalonné de nuits blanches, dangereux pour la paix des ménages, et le voilà presque terminé.

— C'est bon, Billy. Il nous reste à passer devant la commission d'application des peines et le juge Metcalf. Mais d'abord, il faut sortir de cet endroit pour affronter la meute des journalistes.

— On ne peut pas sortir par-derrière ?

Gary secoue la tête :

— On a gagné. Je ne veux pas que vous ayez de mauvaises relations avec la presse. Ça fait des heures qu'ils vous attendent. Vous devez vous montrer aux caméras et répondre à quelques questions. Il vaut mieux éviter qu'ils disent qu'on s'est défilés.

Gary et Billy sortent dans le hall. Journalistes et cameramen les suivent en se bousculant.

— Comment vous sentez-vous, monsieur Milligan ?

— Ça va.

— Etes-vous très optimiste maintenant ?

— Ben, non.

— Pourquoi cela ?

— Oh ! il y a encore beaucoup à faire.

— Quels sont vos projets à présent ?

— Je veux redevenir un citoyen. Je voudrais apprendre à vivre.

Gary le pousse doucement en avant. Ils montent au huitième étage, au bureau du juge Metcalf, mais ce dernier est parti déjeuner. On leur dit de revenir à treize heures.

Bernie Yavitch téléphone comme promis à chacune des victimes pour les mettre au courant.

— Au vu du dossier, je considère qu'en l'état de la loi le juge a rendu la meilleure décision.

Terry Sherman partage son point de vue.

Après le déjeuner, le juge Metcalf, se fondant sur les rapports des psychiatres, place Milligan sous la responsabilité du docteur David Caul du Centre de santé mentale d'Athens.

On conduit Billy dans la salle de conférence, où l'attend Jan Ryan, de la sixième chaîne, qui prépare un film sur la vie de Billy, pour le compte de la fondation des enfants martyrs. Billy répond à quelques questions. On tourne encore quelques mètres de pellicule pour une émission spéciale. Judy et Billy sont appelés ailleurs. Ils ne sont pas revenus lorsqu'un policier frappe à la porte et annonce à Billy qu'il va être transféré.

Sa gorge se serre à l'idée de partir sans dire au revoir à ses avocats. Mais le policier lui passe les menottes en les serrant trop fort sans raison et il l'entraîne dans les escaliers jusqu'au fourgon cellulaire. Un deuxième policier lui fourre dans les mains un gobelet de café brûlant. La porte claque.

Au premier virage, un peu de café se répand sur son nouveau costume. Il jette la tasse derrière son siège. Billy se sent misérable et son malaise ne va cesser de croître.

A quoi peut bien ressembler le Centre de santé mentale d'Athens ? Billy l'imagine comme une sorte de prison. Il doit garder à l'esprit que beaucoup de gens tiennent à ce qu'il reste derrière les barreaux. Il n'est pas au bout de ses peines. Parce qu'il a détenu des armes, la commission des libérations conditionnelles a fait savoir à Gary que dès que son client sera guéri, elle demandera à ce qu'il soit emprisonné de nouveau. Sans doute pas à Lebanon, suppose-t-il. En raison de son comportement violent, sans doute l'enverra-t-on dans un endroit très dur comme Lucasville. Où est Arthur ? Et Ragen ? Est-ce qu'ils s'intègreront un jour à la personnalité fusionnée ?

Le fourgon roule sur une chaussée couverte de neige. C'est la 33, une route qui traverse la ville de Lancaster, où Billy a passé son enfance, où il est allé à l'école et où il a tenté de se suicider. C'est trop de souffrance. Il est très fatigué, il doit s'en aller. Il ferme les yeux, se laisse glisser...

Un instant plus tard, Danny regarde autour de lui en se demandant où on l'emmène. Il a froid, il est seul, il a peur.

5.

Il fait presque nuit lorsqu'ils quittent l'autoroute pour entrer dans Athens. L'hôpital psychiatrique dresse ses bâtiments de style victorien sur une colline enneigée qui domine le campus de l'université de l'Ohio. Quand le fourgon tourne sur une large avenue pour prendre une étroite route en lacets, Danny commence à trembler. Les deux policiers le font descendre du véhicule et grimper le perron d'un vieil immeuble de brique à la façade ornée de minces piliers blancs.

Ils l'entraînent par un couloir vétuste jusqu'à l'ascenseur qui les conduit au troisième étage. Lorsque les portes s'écartent, le policier s'exclame :

— Toi, mon salaud, tu t'en tires bien.

Danny a un mouvement de recul mais l'homme le pousse contre une lourde porte métallique portant l'inscription :

« Admissions et traitements intensifs ».

Loin de ressembler à l'entrée d'une prison ou d'un hôpital, le hall d'accueil qu'ils découvrent évoque plutôt quelque élégante pension, avec ses tapis, ses lustres, ses rideaux et ses fauteuils de cuir. Le bureau des infirmières n'est pas sans rappeler le comptoir de réception d'un hôtel.

— Bon Dieu, se récrie le policier, mais c'est une clinique normale.

A l'entrée du bureau des admissions, une dame corpulente, d'un âge certain, les reçoit. Son visage large et aimable est encadré de boucles noires qui lui donnent l'air de sortir de chez le coiffeur. Elle sourit au policier :

— Votre nom s'il vous plaît ?

— Eh là, c'est pas moi qu'on interne, ma p'tite dame !

— Oui, mais c'est vous qui me remettez un patient. Je dois consigner le nom de la personne qui l'a amené.

Resté sur le seuil du bureau, l'homme s'exécute à contrecœur. Devant lui, l'air emprunté, Danny ouvre et ferme ses mains engourdies par les liens.

Le docteur David Caul, qui a vu le policier pousser Milligan dans la pièce, intervient d'une voix cassante, l'œil furibond :

— Détachez-le, bon sang !

Le policier ouvre les menottes après avoir fourragé un moment dans la serrure avec sa clé. Danny se frotte les poignets, examine les marques profondes dans la chair :

— Qu'est-ce qui m'arrive ? gémit-il.

— Comment vous appelez-vous, mon garçon ? demande le docteur Caul.

— Danny.

Le policier éclate de rire :

— Ça c'est la meilleure !

Le médecin lui claque la porte au nez. Il n'est pas surpris qu'une nouvelle dissociation soit survenue. Le docteur Harding lui a dit que la fusion lui paraissait fragile. Sa propre expérience lui a appris que des situations pénibles, comme le procès, pouvaient défaire la fusion. Pour l'instant, il s'agit de gagner la confiance de Danny.

— Enchanté de te connaître, Danny. Quel âge as-tu ?

— Quatorze ans.

— Où es-tu né ?

Il hausse les épaules.

— Je m'en souviens pas. A Lancaster, je crois.

Après quelques instants de réflexion, Caul, constatant la fatigue de Milligan, met fin à l'entretien.

— Je pense qu'on peut remettre ces questions à plus tard. Pour ce soir, tout ce que tu as à faire, c'est te reposer. Je te présente Mme Katherine Gillot, une de nos infirmières. Elle va te montrer ta chambre. Tu pourras poser ta valise, te débarrasser de ta veste.

Une série de portes donnent sur le hall. Mme Gillot conduit Milligan à la première à gauche. Elle est ouverte.

— Ma chambre à moi ? C'est pas possible.

— Allons, mon p'tit, dit l'infirmière en allant ouvrir la fenêtre. Entrez. Vous avez une vue magnifique d'ici, sur Athens et sur l'université. Il fait nuit mais demain, vous verrez. Installez-vous.

Dès qu'elle est partie, il s'assied sur une chaise à l'extérieur de sa chambre, paralysé par la terreur. Il ne se décide à bouger qu'au moment où une autre infirmière éteint la lumière du couloir.

Il entre dans sa chambre, s'assied au bord du lit, les yeux pleins de larmes, tremblant de tous ses membres. Il sait que quand quelqu'un est gentil, tôt ou tard, on le paye. Il y a toujours un prix à payer.

Qu'est-ce qui va m'arriver ? se demande-t-il en s'étendant sur le lit. Il essaie de rester éveillé mais la journée a été longue, ses paupières se ferment.

Au matin du 5 décembre 1978, Danny s'éveille dans une chambre inondée de lumière. En s'approchant de la croisée, il découvre la rivière qui coule plus loin en contrebas et, sur la berge opposée, les bâtiments de l'université. Il est encore en train de contempler le paysage quand on frappe à la porte. Une femme d'âge mûr entre. Elle est assez belle, avec ses grands yeux et ses cheveux coupés court.

— Bonjour, je m'appelle Norma Dishong. Je suis votre monitrice du matin. Si vous voulez bien me suivre, je vais vous faire visiter le service et vous montrer où on prend le petit déjeuner.

En passant par la salle de télévision et la salle de billard, ils gagnent une modeste cafétéria composée d'une grande table centrale, de quatre petites tables carrées et d'un comptoir pour le service.

— Prenez un plateau, des couverts et servez-vous.

Il commence à s'exécuter. Mais, plongeant la main dans une boîte pour prendre une fourchette, il en retire un couteau. En le voyant, il sursaute, le jette contre un mur. L'objet rebondit sur le sol. Au bruit, tous les yeux se lèvent.

— Qu'est-ce qui se passe ?

— C'est... j'ai peur des couteaux. Je... les aime pas.

Elle ramasse le couteau, prend une fourchette et la pose sur son plateau.

— Continuez, servez-vous.

Après le petit déjeuner, ils se rendent au bureau des infirmières et elle prend congé de lui.

— Au fait, si vous voulez vous promener dans l'immeuble, n'oubliez pas de signer le registre suspendu au mur, dans le hall, pour que nous sachions que vous êtes sorti du service.

Il lui lance un regard éberlué.

— Vous voulez dire que je peux sortir d'ici ?

— Vous êtes dans un service ouvert. Du moment que vous restez dans l'hôpital, vous êtes libre d'aller et venir à votre guise. Vous pourrez même vous promener sur les pelouses dès que le docteur Caul jugera que vous êtes capable de vous prendre en main.

— Sur les pelouses ? Mais y a pas de mur, pas de clôture ?

— En effet, réplique-t-elle en souriant. C'est un hôpital, ici, pas une prison.

Cet après-midi-là, le docteur Caul vient rendre visite à Danny dans sa chambre :

— Comment te sens-tu ?

— Très bien. Mais je savais pas que vous laissiez les gens comme moi se balader sans les surveiller comme on faisait à l'hôpital Harding.

— C'était avant ton procès. Il y a une chose que tu dois bien te mettre dans la tête. Tu as été jugé et la justice t'a déclaré non coupable. Pour nous, tu n'es pas un criminel. Peu importe ce que tu as fait ou ce que quelqu'un d'autre à l'intérieur de toi a fait. Tout ça, c'est du passé. Tu commences une nouvelle vie. C'est ce que tu vas faire ici, ce sont les progrès que tu accompliras, qui comptent. C'est le fait que tu accepteras certaines choses, que tu travailleras avec Billy à te réunir toi-même, à ta façon, c'est tout ça qui permettra que tu ailles mieux. A toi de jouer. Pour que tu ailles mieux, il faut que tu le veuilles vraiment. Ici, personne ne se permettra de te manquer de respect.

Le soir du même jour, le *Colombus Dispatch* signale le transfert de Milligan à Athens et résume son affaire. A cette occasion, le journal rappelle qu'au procès on a accusé Chalmer Milligan de sévices sur la personne de sa femme et de ses enfants. L'article est accompagné d'un démenti que le beau-père a adressé au quotidien, sur le conseil de son avocat :

« J'ai épousé la mère de William Stanley Milligan en octobre 1963 et j'ai adopté William ainsi que sa sœur et son frère peu après. William m'a accusé de l'avoir menacé, brutalisé et sodomisé en particulier lorsqu'il avait entre huit et neuf ans. Ces accusations sont totalement fausses. En outre, aucun des psychiatres et des psychologues qui ont examiné Milligan, pour constituer le dossier remis au juge Flowers, n'a eu d'entretien avec moi pendant tout le temps qu'a duré la préparation de ce dossier et jusqu'à sa remise.

Pour moi, il ne fait aucun doute que William a menti, d'une manière persistante et systématique, aux médecins qui l'ont examiné. Durant les dix années qu'a duré mon mariage avec sa mère, William m'est apparu comme un éternel menteur. J'ai la conviction que William a conservé l'attitude adoptée des années auparavant.

Les accusations de William et leur publication dans de nombreux journaux et revues m'ont causé beaucoup de tort, ont été source pour moi d'angoisse et de souffrance morale. Cette mise au point était nécessaire pour rétablir la vérité et défendre mon nom. »

Un matin, une semaine après l'arrivée du jeune homme, le docteur Caul revient le voir :

— J'ai pensé qu'il était temps que nous commencions ta psychothérapie. Allons dans mon bureau.

Danny le suit, plein d'appréhension. Le médecin lui indique un fauteuil confortable et prend place en face de lui, en croisant les mains sur sa bedaine.

— Il faut d'abord que je te dise que je connais pas mal de choses à ton sujet, grâce à ton dossier. Il est sacrément épais. On va faire maintenant comme le docteur Wilbur a déjà fait avec toi. Elle m'a parlé de toi, elle m'a raconté comme elle t'avait aidé à te détendre pour pouvoir parler avec Arthur, Ragen et les autres. On va refaire la même chose.

— Comment ça ? Je peux pas les faire venir.

— Tu te carres bien dans ton fauteuil et tu écoutes ma voix. Je suis sûre qu'Arthur comprendra que je suis un ami du docteur Wilbur. Elle a suggéré qu'on te fasse soigner ici parce qu'elle a confiance en moi. J'espère que toi aussi tu as confiance en moi.

Danny se tortille sur le bord de son siège, avant de se laisser aller en arrière, les yeux oscillant par saccades. Un instant plus tard, il se redresse, attentif.

— En effet, dit-il en joignant ses doigts en forme de pyramide. Je suis sensible au fait que le docteur Wilbur vous ait recommandé. Ma collaboration vous est acquise.

Caul, qui s'attendait à l'apparition de l'Anglais, n'est pas surpris par ce changement à vue. Il a trop vu de personnalités multiples pour être étonné par l'apparition d'un alter ego.

— Eh bien... c'est parfait. Puis-je connaître votre nom ? Pour le dossier.

— Arthur. Vous avez manifesté le désir de me parler.

— C'est exact. Bien entendu, j'ai deviné tout de suite à qui j'avais affaire, grâce à votre accent anglais. Mais je ne doute pas que vous comprendrez que, pour éviter les erreurs...

— Si quelqu'un a un accent, mon cher, ce n'est pas moi, mais vous.

Le médecin en reste bouche bée.

— Ah ! oui... excusez-moi. Cela vous ennuierait de répondre à quelques questions ?

— Nullement. Je suis là pour vous aider du mieux que je pourrai.

— J'aimerais revoir avec vous quelques points essentiels concernant les différentes personnalités...

— Ce sont des personnes, docteur, pas des personnalités. Comme Allen a déjà eu l'occasion de l'expliquer au docteur Harding, en nous appelant ainsi, vous nous donnez l'impression que vous nous déniez toute réalité. Ce qui risque de rendre la thérapie très difficile.

Caul réfléchit sur le cas d'Arthur. Il le considère avec une attention soutenue, avant de décider de ne pas tenir compte de la suffisance du personnage.

— Très bien. J'aimerais en savoir davantage sur ces personnes.

— Je vais vous donner toutes les informations dont je dispose.

Sur la demande de Caul, Arthur rappelle l'âge, l'apparence, les traits, les talents des neuf personnes recensées par le docteur Harding. Le médecin l'interroge également sur les raisons de leur apparition :

— Pourquoi la petite fille est-elle venue au monde ? Quel est le rôle de Christine ?

— Tenir compagnie à un enfant solitaire.

— Et comment est-elle, de caractère ?

— Timide. Mais on peut la faire sortir quand Ragen menace de commettre quelque vilenie ou quelque violence. Il l'adore. En général, elle réussit à lui faire oublier les violences qu'il s'apprêtait à commettre, il suffit qu'elle se mette à hurler et à lui donner des coups de pied.

— Pourquoi est-elle bloquée à l'âge de trois ans ?

Arthur a un sourire entendu.

— Il est devenu important que quelqu'un sache peu de chose ou même rien sur ce qui s'est passé. Son ignorance constitue une excellente protection. Si William a besoin de cacher quelque chose, elle apparaîtra pour dessiner, jouer à la marelle ou bercer la poupée de chiffon qu'Adalana lui a confectionnée. C'est une enfant délicieuse. J'éprouve une tendresse particulière pour elle. Elle est anglaise, voyez-vous.

— Je l'ignorais.

— Eh oui ! C'est la sœur de Christopher.

Caul le soupèse un moment du regard.

— Connaissez-vous les autres ?

— Oui.

— Avez-vous toujours connu tous les autres ?

— Non.

— Comment avez-vous appris leur existence ?

— Par déduction. Quand j'ai découvert que je perdais le temps, je me suis mis à observer les gens autour de moi. J'ai compris que j'étais différent d'eux. Cette idée a commencé de me hanter. Alors, en posant quelques questions — à l'intérieur et hors de ma tête — j'ai appris la vérité. Peu à peu, au cours des années, j'ai établi le contact avec les autres.

— Eh bien, je suis enchanté d'avoir fait votre connaissance. Pour venir en aide à Billy — à vous tous — j'aurai besoin de vous, Arthur.

— Vous pouvez m'appeler à tout instant.

— Il y a une question importante que j'aimerais vous poser avant que vous disparaissiez.

— Je vous écoute.

— Gary Schweickart mentionne une possibilité qui a été également évoquée dans la presse. Certaines allusions qui vous ont échappé, certains propos rapportés par les victimes, des expressions grossières, l'évocation d'activités criminelles, le nom de Phil... tout cela a donné l'impression à votre avocat qu'il pourrait exister d'autres personnalités que les dix connues. Avez-vous des renseignements à ce sujet ?

Arthur ne répond pas. Son regard se brouille et ses lèvres remuent. Doucement, insensiblement, il se retire. Quelques secondes plus tard, le jeune homme cligne des yeux, examine ce qui l'entoure.

— Oh, mon Dieu ! Encore ? C'est pas possible !

— Bonjour. Je suis le docteur Caul. Peux-tu me donner ton nom, pour le dossier ?

— Billy.

— Je vois. Bon, eh bien, bonjour Billy. Je suis ton médecin. On t'a envoyé ici pour que je m'occupe de toi.

Encore un peu hébété, Billy se prend la tête entre les mains.

— Je suis sorti du palais de justice. Je suis monté dans le fourgon...

Il examine tour à tour ses poignets et ses vêtements.

— De quoi te souviens-tu ?

— Le flic m'a mis les menottes très serrées. Et puis il m'a fourré une tasse de café brûlant dans les mains et il a claqué la porte. Quand on a démarré, j'ai mis du café partout sur mon nouveau costume. C'est la dernière chose... Où est mon costume ?

— Dans le placard de ta chambre. On peut le faire nettoyer, si tu veux. Pour les vêtements tachés, on doit les envoyer à l'extérieur.

— Je me sens tout drôle.

— Peux-tu essayer de me décrire ça ?

— C'est comme s'il me manquait quelque chose dans la tête.

— Un souvenir ?

— Non. On dirait qu'avant le procès, j'étais davantage avec tous les autres, vous comprenez ? Mais maintenant, on dirait qu'il manque des morceaux là-dedans, conclut-il en se frappant le front.

— Eh bien, tu sais, peut-être que dans quelque temps nous aurons réussi à réunir quelques-uns des morceaux.

— Où je suis, ici ?

— Au Centre de santé mentale d'Athens, dans l'Ohio.

— Ah ! c'est l'endroit dont le juge Metcalf a parlé. Je me souviens qu'il a dit que je devais être transféré ici.

Comprenant qu'il a affaire au Billy original partiellement fusionné, à l'hôte, le docteur Caul procède à petits pas, attentif à poser des questions neutres. Il est frappé par l'importance du changement de physionomie qu'entraîne l'apparition d'une nouvelle personnalité. Les lèvres pincées, l'œil mi-clos, l'expression arrogante d'Arthur ont laissé la place aux yeux écarquillés, à la mine peu assurée de Billy. Il semble faible et vulnérable. Au lieu de manifester de la peur et de l'appréhension comme Danny, il paraît seulement dérouté. Bien qu'il réponde aux questions du médecin avec empressement, qu'il montre le désir de lui plaire, il devient rapidement évident qu'il ne sait ou ne se rappelle rien d'une bonne partie des informations demandées.

— Excusez-moi, docteur. Il y a des moments où vous me posez une question, j'ai l'impression de connaître la réponse mais quand je vais pour la dire, elle n'est plus là. Mon Arthur et mon Ragen doivent savoir, eux. Ils sont plus forts que moi et ils ont une meilleure mémoire. Mais je sais pas où ils sont passés.

— Tout va bien, Billy. Ta mémoire va s'améliorer et tu découvriras que tu en sais plus que tu ne pensais.

— Le docteur Harding disait la même chose. Il disait que ça arriverait quand je serais fusionné. C'est bien ce qui s'est passé. Mais ensuite, après le procès, j'ai été mis de côté. Pourquoi ?

— Je n'ai pas de réponse à ça. Pourquoi penses-tu que c'est arrivé ?

Billy secoue la tête.

— Tout ce que je sais, c'est qu'Arthur et Ragen ne sont pas avec moi en ce moment. Quand ils ne sont pas avec moi, je me souviens pas très bien. Il me manque une grande partie de ma vie parce qu'ils m'ont fait dormir longtemps. Arthur me l'a expliqué.

— Arthur te parle beaucoup ?

Il hocha la tête :

— Depuis que le docteur George, à l'hôpital Harding, m'a présenté à lui. Maintenant, Arthur me dit ce qu'il faut faire.

— Je pense que tu devrais l'écouter. Les gens qui possèdent une personnalité multiple ont généralement quelqu'un, à l'intérieur d'eux-mêmes, qui connaît tous les autres et essaie de les aider. C'est ce que nous appelons un « soutien interne ».

— Alors Arthur est un « soutien interne » ?

— C'est ce que je crois. Il convient à merveille à son rôle : il est intelligent, attentif aux autres, d'une haute moralité...

— Il a beaucoup de moralité. C'est lui qui fait les lois.

— Quelles lois ?

— Comment agir, ce qu'il faut faire et ne pas faire.

— Eh bien, je pense qu'Arthur nous sera d'un grand secours pour te soigner, s'il veut bien collaborer avec nous.

— Je suis sûr qu'il voudra. Arthur a toujours dit que c'était très important pour nous de nous réunir, pour aller mieux et pour que je devienne un citoyen responsable et utile. Mais je ne sais pas où il est passé pour l'instant.

Au fur et à mesure que Billy parlait, Caul a senti croître la confiance du jeune homme en lui-même. Il le raccompagne pour lui montrer une nouvelle fois sa chambre, lui présenter la monitrice et les autres membres du personnel, comme s'il ne les connaissait pas.

— Norma, voici Billy, un nouveau pensionnaire. Il faudrait que quelqu'un lui fasse visiter l'ATI.

— Entendu, docteur.

Mais, en le ramenant à sa chambre, elle jette sur le jeune homme un regard dur :

— Vous connaissez déjà l'endroit, Billy, alors pas la peine de recommencer.

— C'est quoi, l'ATI ?

Elle le conduit à l'entrée du service et, poussant la lourde porte, lui indique l'écriteau : « Admissions et traitements intensifs. »

— En abrégé, l'ATI, dit-elle avant de lui tourner le dos.

« Qu'est-ce que j'ai fait ? » se demande Billy, surpris par ces manières abruptes. Il a beau chercher, il ne trouve pas.

On lui annonce que sa mère et sa sœur viendront lui rendre visite cet après-midi. La nouvelle le remplit d'anxiété. En revoyant Kathy au procès, il a éprouvé un choc : la jeune fille de quatorze ans s'est transformée en une ravissante jeune femme de vingt et un ans. Mais très vite, il s'est senti en confiance. Mme Moore, elle, n'a pas assisté au procès, sur la demande expresse de son fils. Kathy a eu beau affirmer à Billy que leur mère était venue le voir à l'hôpital Harding et au pénitencier de Lebanon, il n'en a pas le moindre souvenir.

Il avait seize ans la dernière fois qu'il a vu sa mère. C'était juste avant qu'on le fasse dormir. Mais l'image gravée dans son esprit date d'une époque plus reculée encore : le beau visage couvert de sang, la chevelure dont une énorme touffe a été arrachée... C'est ainsi que lui est apparue sa mère, certain jour de sa quatrième année.

Quand les deux femmes font leur entrée dans l'ATI, Billy sursaute. Comme sa mère a vieilli ! Elle a des rides et ses boucles noires semblent appartenir à une perruque. Tout de même, les yeux bleus et les lèvres pleines sont toujours aussi beaux.

Elles évoquent le passé, se rappelant l'une à l'autre tel ou tel incident de l'enfance de Billy qui, à l'époque, les avait troublées. Tout s'éclaire maintenant.

— J'ai toujours dit qu'il y avait deux Billy, dit la mère, le mien et l'autre. J'ai essayé de faire comprendre aux gens que tu avais besoin d'aide mais personne n'a voulu m'écouter. Je l'ai dit aux médecins et aux avocats, quand on t'a envoyé à Lebanon. Personne ne voulait m'écouter.

— Mais on t'aurait écoutée, intervient Kathy, si tu leur avais raconté ce que faisait Chalmer.

— Je l'ignorais. Dieu m'est témoin que si j'avais su ce qu'il faisait à Billy, je lui aurais arraché le cœur. Si j'avais su, je ne t'aurais pas pris ce couteau, Billy.

— Quel couteau ? demande-t-il.

— Je m'en souviens encore comme si c'était hier. Tu devais avoir quatorze ans. J'ai trouvé un couteau de cuisine sous ton oreiller et quand je t'ai demandé ce qu'il faisait là, tu sais ce que tu m'as répondu ? Je pense que c'est l'autre qui a dit : « Madame, votre époux aurait dû passer de vie à trépas, ce matin. » Dieu m'est témoin que ce sont exactement les mots que tu as employés.

Billy change de sujet :

— Comment va Challa ?

Sa mère baisse les yeux.

— Il y a quelque chose qui ne va pas.

— Elle va très bien, assure la mère.

— Je sens qu'il y a quelque chose qui ne va pas.

— Elle est enceinte, dit Kathy. Elle a quitté son mari. Elle est revenue habiter avec maman en attendant son bébé.

Billy se passe la main devant les yeux comme pour écarter un rideau de brume ou de fumée.

— Je savais que quelque chose n'allait pas. Je le sentais.

— Tu as toujours deviné les choses. Comment dit-on, déjà ?

— La perception extra-sensorielle, répond Kathy.

— Toi aussi, poursuit la mère. Vous deux, vous avez toujours deviné ce qui se passait. Vous pouviez savoir ce que l'autre pensait sans avoir besoin de parler. Ça m'a toujours angoissée, je peux vous le dire maintenant.

L'entrevue dure plus d'une heure. Lorsqu'elles sont parties, Billy s'étend sur son lit, contemplant par la fenêtre les lumières de la ville d'Athens.

Dans les jours qui suivent, Billy entretient sa forme en courant sur les pelouses de l'hôpital, lit, regarde la télévision et participe à ses séances de psychothérapie. Des échos à son sujet paraissent régulièrement dans les journaux de Colombus. La revue *People* publie un long article sur sa vie et sa photo est imprimée en première page du

Colombus Monthly. Le standard de l'établissement est submergé par les coups de téléphone de personnes qui ont vu des reproductions de ses œuvres ou en ont entendu parler et désirent les acheter. Avec la permission du docteur Caul, il a fait venir du matériel, a transformé une partie de sa chambre en atelier et produit par dizaines portraits, natures mortes et paysages.

Billy raconte au médecin que beaucoup de gens ont pris contact avec Judy et Gary pour se porter acquéreurs des droits sur l'histoire de sa vie et que d'autres veulent le faire participer à des émissions de télévision.

— Tu serais d'accord pour qu'on écrive un livre sur ta vie ?

— Je crois que l'argent me serait utile. Quand j'irai mieux et que je pourrai me réinsérer dans la société, j'aurai besoin d'un pécule pour démarrer. Ce sera pas facile de trouver du travail.

— Mise à part la question financière, ça te fait quoi, l'idée que le monde entier pourrait lire l'histoire de ta vie ?

Billy fait la grimace.

— Je crois qu'il faut que les gens sachent. Ils comprendront mieux les conséquences des brutalités contre les enfants.

— Dans ce cas, si tu te décides à raconter ton histoire à quelqu'un pour qu'il l'écrive, je te présenterai un écrivain que je connais et en qui j'ai confiance. Il est professeur à l'université de l'Ohio. Un de ses livres a été adapté au cinéma. C'est une simple suggestion, bien entendu.

— Vous croyez qu'un vrai écrivain pourrait faire un livre sur moi ?

— Ça ne coûterait rien de le rencontrer pour voir ce qu'il en pense.

— D'accord, c'est une bonne idée. Ça me plaît.

Cette nuit-là, Billy essaie d'imaginer le personnage qu'il va rencontrer. Il porte sans doute une veste de tweed et fume la pipe, comme Arthur. Mais un simple prof à l'université de l'Ohio... Un homme de lettres se doit d'habiter New York ou Beverly Hills. Et pourquoi le docteur Caul le recommande-t-il ? Méfiance ! Gary lui a dit qu'un bouquin rapporterait beaucoup d'argent. Et encore plus un film. Qui pourrait tenir son rôle ?

Il se tourne et se retourne dans son lit, en proie à un mélange d'enthousiasme et d'inquiétude, à l'idée de parler avec un vrai écrivain dont les livres ont été adaptés au cinéma. A l'aube, quand il s'endort enfin, Arthur décide que Billy est incapable de conduire l'entretien avec l'auteur. Il désigne Allen pour sortir sous le projecteur.

— Pourquoi moi ?

— C'est vous le manipulateur. Qui est mieux qualifié que vous pour veiller à ce que Billy ne soit pas escroqué ?

— Je suis toujours au premier rang, dans ces histoires, grogne Allen.

— C'est la place où vous excellez.

Le lendemain, Allen est désagréablement surpris en rencontrant l'auteur. Au lieu du grand et brillant personnage qu'il s'attendait à voir, il a sous les yeux un petit homme maigre, barbu et portant lunettes, vêtu d'un costume de velours marron.

Le docteur Caul fait les présentations puis tous trois gagnent son bureau. Allen s'installe sur le canapé de cuir et allume une cigarette. L'auteur s'assied en face de lui et allume sa pipe. Exactement comme Arthur. Ils bavardent quelques instants puis Allen entre dans le vif du sujet.

— Le docteur Caul dit que vous seriez éventuellement intéressé par les droits sur mon histoire. Vous croyez que ça vaut quelque chose ?

L'auteur sourit, lâche une bouffée de fumée.

— Ça dépend. J'ai besoin d'en savoir davantage pour décider si cela peut ou non intéresser un éditeur. Il faut que ça aille plus loin que ce qui a déjà été publié dans *Time* et dans *Newsweek*.

Caul sourit à son tour en croisant les mains sur son estomac.

— Cela ira plus loin, vous pouvez en être sûr.

— C'est vrai, dit Allen. J'ai beaucoup, beaucoup plus à raconter. Mais je ne vais pas vous le donner pour rien. D'après mes avocats de Colombus, tout un tas de gens sont demandeurs pour les droits. Il y a un type qui est venu d'Hollywood pour faire une offre sur les droits de cinéma et de télé. Il y a aussi un autre auteur qui est dans l'avion, à l'heure actuelle. Il vient me proposer un contrat.

— Votre affaire est intéressante, observe l'auteur. Avec toute la publicité faite autour de votre cas, j'ai la certitude qu'un grand nombre de gens voudront lire l'histoire de votre vie.

Allen opine du chef en souriant. Il a décidé d'aller un peu plus loin avec ce type. On verra bien.

— J'aimerais lire quelque chose que vous avez écrit pour me faire une idée de votre travail. Le docteur Caul dit qu'un de vos bouquins a été adapté au cinéma.

— Je vous enverrai un exemplaire de ce roman. Quand vous l'aurez lu, si vous êtes toujours intéressé, nous pourrons reprendre la discussion.

Une fois l'auteur parti, le docteur Caul suggère à Billy de prendre le plus vite possible un avocat local qui soit en mesure de défendre ses intérêts. Les avocats de Colombus ne sont plus compétents.

Dans les jours qui suivent, Allen, Arthur et Billy lisent l'un après l'autre le roman que l'auteur leur a envoyé. Quand ils ont terminé, Billy dit à Arthur :

— Je crois que c'est notre homme.

— Je partage votre opinion. Il se glisse dans la peau de ses personnages. Je voudrais le voir utiliser le même procédé pour raconter notre histoire. Si quelqu'un doit un jour comprendre la singularité de Billy, ce sera de l'intérieur. L'écrivain devra chausser les bottes de Billy.

— Je n'êtrre d'accord, intervient Ragen. Je pense ce livre ne doit êtrre écrrit.

— Pourquoi ? demande Allen.

— Laisse-moi expliquer. Billy parlera à cet homme et toi aussi et les autrres. Tu pourrais dirre des actes pourquoi je risque êtrre pourrsuivi... autrres crimes.

Arthur médite un moment sur cette objection.

— Nous ne sommes nullement obligés d'aborder ces sujets délicats.

— De toute façon, intervient Allen, nous avons toujours une dernière ressource. Si dans la conversation surviennent des informations qui pourraient être utilisées contre nous, on aura toujours la possibilité d'empêcher le bouquin de paraître.

— Comment cela ?

— En démentant toute l'histoire. Je pourrai toujours déclarer que j'ai fait semblant d'avoir une personnalité multiple. Si je dis que c'était une supercherie, personne n'achètera le livre.

— Tu crois qu'on va crroirre toi ?

— Aucune importance. Quel éditeur prendrait le risque de publier un livre sur un type qui dira ensuite que c'est un pur mensonge ?

— Allen tient là un excellent argument, observe Arthur.

— Le même truc pourrait marcher pour n'importe quel contrat que Billy signerait.

— Vous voulez dire, prétendre qu'il était incompétent en le signant ?

— « Irresponsabilité mentale », c'est bien comme ça qu'on dit, non ? J'ai eu une conversation téléphonique à ce sujet, avec Gary Schweickart. D'après lui, je pourrai toujours dire que j'étais trop cinglé pour signer un contrat, que j'ai subi des pressions du docteur Caul. Le contrat deviendrait nul et non avenu.

— Il me semble que nous pouvons sans risque inviter l'auteur à contacter un éditeur.

— Je pense toujourrrs n'êtrrre pas sage.

— Je crois, quant à moi, qu'il faut que notre histoire soit contée au monde, insiste Arthur. D'autres livres sont parus sur le sujet de la personnalité multiple mais rien qui ressemblât à la vie de Billy. Un tel récit constituerait une importante contribution à la pathologie mentale.

— En plus, dit Allen, on se ferait pas mal de fric.

— Ça êtrre le meilleurr et le plus intelligent des arrguments vous dites aujourd'hui.

— Je pensais bien toucher la corde sensible, raille Allen.

— De toutes les contradictions dans lesquelles se débat Ragen, commente Arthur, c'est bien l'une des plus surprenantes : communiste enragé, il aime l'argent au point de le voler.

— Mais vous reconnaîtrre je donne aux pauvrres et aux nécessiteux tout l'argent nous n'avons besoin pour payer facturres.

— Eh bien, conclut Arthur en riant, nous préléverons sur nos bénéfices un impôt pour les pauvres.

Le 19 décembre, le rédacteur en chef de l'*Athens Messenger* téléphone à l'hôpital pour demander un entretien avec Billy Milligan. Ce dernier et le docteur Caul donnent leur accord.

Caul introduit Billy dans la salle de conférences où il lui présente le rédacteur en chef Herb Amey, le journaliste Bob Ekey et la photographe Gail Fisher. Après que le médecin leur ait montré les œuvres de Billy, celui-ci répond à leurs questions sur son passé, sa tentative de suicide, la domination de son esprit par d'autres personnalités.

— Que pensez-vous du danger que vous représenteriez ? demande Amey, comment rassurer les habitants d'Athens ? Si vous êtes autorisé à sortir du parc, comme beaucoup d'autres patients de ce service ouvert, qu'est-ce qui nous garantit que vous ne serez pas une menace pour eux ou leurs enfants ?

— Je pense que la question du danger doit être posée non pas à Billy, mais à une autre de ses personnalités, déclare le docteur Caul.

Il emmène Billy dans son bureau et, s'asseyant en face de lui :

— Ecoute Billy, je crois qu'il est important que tu établisses de bonnes relations avec les médias d'Athens. Il faut expliquer aux gens que tu ne représentes pas un danger pour eux. Un de ces jours, tu vas avoir envie de profiter de ton droit d'aller faire un tour en ville avec un accompagnateur pour t'acheter du matériel ou aller au cinéma ou manger un hamburger. Ces journalistes m'ont l'air sympathiques. Je crois que nous devrions les laisser parler à Ragen.

Les lèvres de Billy remuent mais il ne profère pas un son. Puis il regarde fixement le médecin :

— Vous êtrre devenu fou, docteur ?

L'agressivité du ton décontenance le médecin.

— Pourquoi ?

— Trrès mauvais ce que vous faire. Nous avons beaucoup trravaillé pour tenir Billy éveillé.

— Je ne vous aurais pas appelé si je ne pensais pas que c'est important.

— Pas important. J'êtrre contre exploitation publicitaire. J'êtrre en colère.

— Vous n'avez pas tort, dit Caul en l'observant avec inquiétude. Mais le public doit être rassuré. Il faut que l'on fasse comprendre que ce que l'on a dit sur vous au tribunal est bien la vérité.

— Je me moque ce que le public penser. Je ne vouloir pas êtrre donné en spectacle. Les grros titres me gêner.

— Mais il est indispensable d'avoir de bonnes relations avec la presse d'Athens. Ce qu'on pense de vous dans cette ville va avoir une influence sur votre thérapie et sur les libertés que nous pourrons vous accorder.

Ragen réfléchit : Caul veut se servir de lui pour défendre ses opinions devant la presse mais sa position est logique.

— Vous pensez qu'êtrre indispensable ?

— Je n'aurais pas fait cette suggestion si je n'en étais pas persuadé.

— Ça va. Je parrle aux journalistes.

Caul le ramène dans la salle de conférence. Les journalistes les considèrent avec appréhension.

— Je répondrre aux questions.

— Je... je voulais vous demander... nous voudrions pouvoir affirmer à la population que vous... que Billy n'est pas violent.

— J'êtrre violent seulement si quelqu'un fairre du mal à Billy, à une femme ou à un enfant. Seulement dans ce cas j'interrviens. Laisse-moi expliquer : vous permettrez qu'on fait du mal à votre enfant ? Non. Vous voulez qu'on protège ta femme, ton enfant et toutes les femmes. Si quelqu'un essaie de fairre du mal à Billy, je le prrotège. Mais attaquer sans être provoqué, c'est barbarie... je n'êtrre barrbare.

Après avoir posé quelques autres questions, les journalistes demandent à parler à Arthur. Caul appuie leur requête et sous leurs yeux, l'expression agressive de Ragen fond littéralement. Un instant plus tard, c'est Arthur qui les considère d'un air préoccupé, la lippe hautaine. Il tire une pipe de sa poche, l'allume, lâche une épaisse bouffée.

— C'est parfaitement déraisonnable, laisse-t-il tomber.

— Quoi donc ? s'enquiert le médecin.

— De plonger William dans le sommeil pour nous donner en spectacle. Je faisais de mon mieux pour le maintenir éveillé. Il est essentiel qu'il garde la direction des opérations. Néanmoins, poursuit-il à l'adresse des journalistes, pour répondre à votre question concernant la violence, je peux rassurer les mères de famille de cette ville : il est inutile de se barricader. William est sur la voie de la guérison. De moi, il est en train d'acquérir la logique et de Ragen, la capacité d'exprimer sa colère. Tout en l'éduquant, nous nous fondons en lui. Quand William aura tout appris de nous, nous disparaîtrons.

Les journalistes écrivent à toute vitesse sur leurs blocs-notes. Puis Caul rappelle Billy qui s'étouffe en retrouvant la pipe d'Arthur dans sa bouche.

— Ouf, ce truc pue horriblement ! s'exclame-t-il en la lançant sur la table. Je ne fume pas.

Des réponses qu'il donne aux questions qui lui sont faites, il apparaît que Billy ne se souvient pas de ce qui s'est passé depuis le moment où le docteur Caul l'a emmené dans le bureau. Il parle d'une manière hésitante de ses aspirations. Il espère vendre certaines de ses peintures pour offrir les bénéfices à une fondation d'aide aux enfants battus.

Quand les gens du *Messenger* ont quitté la salle, Caul remarque qu'ils ont paru extrêmement troublés.

— Je crois que nous les avons convertis.

Judy Stevenson prise par une autre affaire, Gary Schweickart se fait accompagner d'un autre associé pour rendre visite à Billy. Gary désire en savoir davantage sur l'écrivain qui envisage de raconter la vie du jeune homme et sur Alan Goldsberry, avocat d'Athens que Billy a chargé de défendre ses intérêts civils. L'entrevue commence à onze heures, en présence du docteur Caul, de Kathy et du fiancé de cette dernière, Rob. William Stanley Milligan affirme avec force qu'il a pris sa décision en toute indépendance et qu'il veut que ce soit cet auteur-là qui écrive le livre. Schweickart remet à Goldsberry une liste d'éditeurs, d'écrivains auxquels s'ajoute un producteur, qui tous se sont portés acquéreurs des droits sur l'histoire de Billy.

Après quoi, Gary et Billy bavardent quelques instants en tête à tête.

— Je m'occupe d'une autre affaire qui fait la une des journaux en ce moment. Le tueur à la 22 long-rifle.

— Il faut me promettre quelque chose, dit Billy gravement.

— Quoi donc ?

— Si votre client est l'assassin, ne le défendez pas.

Gary sourit :

— Venant de vous, Billy, c'est une demande qui me touche.

Gary quitte le Centre de santé mentale d'Athens avec des sentiments mêlés. Il vient de vivre quatorze mois très difficiles et très exaltants à la fois. Désormais, il appartiendra à d'autres de prendre soin de Billy.

Billy se réveille le 23 décembre, plein d'appréhension à l'idée de l'entretien qu'il va avoir tout à l'heure avec l'auteur. Il se souvient de si peu de chose ! Les bribes de souvenirs dont il dispose, il les a collectés auprès des autres. Comment en tirer l'histoire d'une vie ?

Après le petit déjeuner, il va au fond du hall prendre une deuxième tasse de café au distributeur. En attendant l'auteur, il s'assied et sirote le breuvage brûlant. Il y a une semaine, en présence d'Alan Goldsberry, il a signé le contrat le liant à l'écrivain et à son éditeur.

C'était déjà assez difficile. Aujourd'hui, à l'idée de ce qui va se passer, la panique commence à le gagner.

— Une visite pour vous, Billy.

En entendant la voix de Norma Dishong, il bondit sur ses pieds, renversant le café sur son blue-jean. L'auteur vient de passer le seuil du service. « Seigneur ! Qu'est-ce qui m'a pris, se demande Billy, de me fourrer dans une histoire pareille ? »

— Salut ! lance l'écrivain avec un sourire. Prêt ? On peut commencer ?

Billy lui montre le chemin de sa chambre. Il le regarde déballer un magnétophone, un bloc-notes, des stylos, sa pipe et son tabac et prendre place sur une chaise.

— Prenons l'habitude, à chaque séance, de commencer par votre nom. Je parle à qui ?

— A Billy.

— Bon. Un point pour commencer : quand je vous ai rencontré pour la première fois dans le bureau du docteur Caul, il a fait allusion au « projecteur » et vous avez dit que vous ne me connaissiez pas assez pour m'en parler. Et maintenant ?

Billy baisse les yeux, mal à l'aise.

— Ce n'est pas moi que vous avez rencontré le premier jour. J'étais beaucoup trop intimidé pour venir vous parler.

— Ah bon ? Et à qui ai-je parlé ?

— A Allen.

L'auteur tire sur sa pipe, pensif.

— Bon, fait-il en écrivant quelques mots dans son bloc-notes. Pouvez-vous me parler du projecteur ?

— Comme beaucoup d'autres choses de ma vie, j'ai appris ce que c'était à l'hôpital Harding, quand j'ai été partiellement fusionné. Le projecteur, c'est le mot qu'emploie Arthur pour expliquer aux petits où est le monde réel.

— A quoi ressemble le projecteur ? Que voit-on, en fait ?

— C'est un gros projecteur blanc dirigé vers le sol. On est là, tout autour, dans le noir, debout ou couchés dans nos lits. Il y en a qui regardent, d'autres qui dorment ou qui s'occupent de leurs affaires. Mais celui qui sort sous le projecteur prend la conscience.

— Toutes vos autres personnalités répondent quand on les appelle Billy ?

— Ça a commencé quand on m'a endormi. Les gens de l'extérieur continuaient de m'appeler Billy. Alors mes personnes se sont mises à répondre à ce nom. Le docteur Wilbur me l'a expliqué un jour : les autres faisaient tout pour cacher le fait qu'ils étaient plusieurs. La vérité n'est sortie que par erreur, quand David s'est affolé et a tout raconté à Dorothy Turner.

— Est-ce que vous savez quand vos personnes ont commencé d'exister ?

— Christine est venue quand j'étais très petit. Je ne me rappelle pas quand. Presque tous les autres sont venus quand j'avais huit ans environ. Quand Chalmer... papa Chal...

Il bafouille.

— Si ça vous ennuie de parler de ça, vous n'êtes pas obligé.

— Ça va. Les médecins disent qu'il est important pour moi de m'en libérer.

Il ferme les yeux avant de poursuivre :

— C'était la semaine après le 1er avril. Il m'a emmené à la ferme pour l'aider à préparer le sol avant les plantations. Il m'a entraîné dans la grange, il m'a attaché au motoculteur et... et alors...

Des larmes roulent sur ses joues. Sa voix faiblit, prend des intonations puériles et craintives.

— Je crois qu'on ferait mieux...

— Il m'a cogné, dit-il en se frottant les poignets. Il a mis le motoculteur en marche et j'ai cru qu'il allait me jeter dessus et me déchirer avec les lames. Il a dit que si je le racontais à ma mère, il m'enterrerait dans la grange et il dirait à ma mère que je m'étais enfui parce que je la détestais. La dernière fois que c'est arrivé, j'ai fermé les yeux et j'ai marché. D'après ce que m'a dit le docteur George à l'hôpital, j'ai compris que c'était Danny qu'il avait attaché au motoculteur et qu'ensuite David est venu pour accepter la douleur.

L'auteur frémit.

— L'étonnant, c'est que vous ayez survécu à ça.

— Je me suis rendu compte, murmure Billy, que le jour où la police est venue me chercher à Channingway, en réalité, je n'ai pas été arrêté mais délivré. Je suis désolé qu'il ait fallu faire souffrir des gens pour en arriver là mais j'ai l'impression que cette fois-ci, pour la première fois depuis vingt-deux ans, la chance me sourit.

6.

Le lendemain de Noël, l'auteur prend la route pour Athens, où il a rendez-vous avec Billy Milligan pour un deuxième entretien. Contraint de passer les fêtes à l'hôpital, ce dernier sera probablement fort déprimé.

L'auteur a appris qu'au cours de la semaine précédant Noël, Billy a demandé au docteur Caul l'autorisation d'aller passer quelques jours en famille chez sa sœur, à Logan, dans l'Ohio. Caul lui a objecté qu'il était un peu tôt pour une telle requête — il est arrivé voilà seulement quinze jours — mais Billy a insisté : dans le même service que lui, d'autres patients sont autorisés à aller faire de brefs séjours dans leur famille. Si son médecin veut lui prouver qu'il le traite comme un malade ordinaire, c'est le moment ou jamais.

Comprenant que Billy le met à l'épreuve et désireux de gagner sa confiance, Caul accepte de présenter la requête, avec la conviction qu'on la leur refusera.

De fait, à la commission des libérations conditionnelles, au département d'Etat responsable de la Santé mentale et au parquet de Colombus, la fureur est à son comble. Dès qu'il est au courant, Yavitch bondit sur son téléphone pour appeler Gary Schweickart : qu'est-ce qui leur prend, là-bas, à Athens ? Gary répond qu'il va se renseigner.

— Mais je ne suis plus son avocat, précise-t-il en passant.

— A votre place, je demanderais à son médecin d'en rabattre ! Si on accorde une permission à Milligan quinze jours après son internement, ça va faire très mauvais effet dans l'opinion publique ! Il ne faudra pas s'étonner si l'on nous taxe de laxisme !

Comme le docteur Caul l'avait prévu, la requête a été rejetée.

L'auteur pousse la lourde porte métallique et pénètre dans un service pratiquement désert. Il va frapper à la porte de Billy.

— Voilà ! dit une voix ensommeillée.

Billy vient ouvrir. Il donne l'impression de sortir du lit. L'air complètement perdu, il jette un coup d'œil à la montre à quartz qu'il porte à son poignet.

— Je ne me souviens pas de ça, constate-t-il.

Il va prendre un papier sur son bureau pour le tendre à son visiteur. C'est un reçu d'un montant de vingt-six dollars à l'en-tête de l'intendance de l'hôpital.

— Je ne me souviens pas l'avoir achetée, dit-il. Quelqu'un dépense mon argent — l'argent que j'ai gagné en vendant mes toiles. C'est quand même injuste !

— L'intendant acceptera peut-être de la reprendre ? suggère l'auteur.

— Je crois que je vais la garder, dit Billy en l'examinant. J'ai besoin d'une montre de toute façon. Elle n'est pas terrible mais enfin, bon... on verra.

— Si ce n'est pas vous qui l'avez achetée, qui est-ce à votre avis ?

Il regarde autour de lui, ses yeux gris-bleu scrutant la pièce comme pour s'assurer qu'ils sont bien seuls.

— J'ai entendu des noms inconnus.

— Lesquels ?

— « Kevin ». Et « Philip ».

L'auteur s'efforce de cacher sa surprise. Il a lu tout ce qu'on a écrit à propos des dix personnalités mais personne n'a encore fait allusion aux deux prénoms que Billy vient de donner. L'auteur vérifie que son magnétophone est branché.

— Vous en avez parlé au docteur Caul ?

— Pas encore. Je vais lui dire, mais je n'y comprends rien. Je n'ai aucune idée de qui ils sont, je ne sais vraiment pas pourquoi ils me sont venus à l'esprit.

Tout en l'écoutant, l'auteur se souvient de la conclusion de l'article de *Newsweek* du 18 décembre :

« Quelques questions demeurent toutefois... que signifient les conversations qu'il eut avec ses victimes et au cours desquelles il se vanta d'être un « guérillero » et un « tueur » ? Les médecins estiment que Milligan pourrait posséder d'autres personnalités non encore détectées — et que certaines d'entre elles pourraient être rendues coupables de crimes dont l'auteur n'a pas été découvert. »

— Avant tout, Billy, je voudrais que nous nous mettions d'accord sur deux ou trois points. Je veux être absolument sûr que rien de ce que vous me direz ne pourra être retenu contre vous. Dès que vous aurez l'impression que ce que vous allez me confier risque de vous nuire, dites-moi simplement : « n'enregistrez pas cela », et j'arrêterai le magnétophone. Si vous oubliez de me le signaler, j'interromprai la bande de moi-même, d'accord ?

Billy acquiesce d'un signe de tête.

— Autre chose, si vous aviez, d'une façon ou d'une autre, l'intention d'enfreindre la loi, ne me faites pas part de vos projets. Je serais obligé d'aller vous dénoncer à la police pour ne pas être accusé de complicité.

Billy prend l'air outré.

— Je n'ai aucune intention de ce genre !

— Vous m'en voyez ravi. Mais revenons à vos deux noms.

— Kevin et Philip.

— Qu'est-ce qu'ils vous évoquent ?

Billy regarde son image dans le miroir qui est accroché au-dessus de son bureau.

— Rien. Je n'ai aucun souvenir. Mais il y a un mot, une idée, qui me revient sans arrêt à l'esprit... les « indésirables ». Je suis à peu près sûr que c'est en relation avec Arthur mais je ne sais pas ce que cela veut dire.

L'auteur se penche en avant.

— Parlez-moi d'Arthur. Comment est-il ?

— Glacial. C'est le genre de type à faire des histoires pour un rien au restaurant. Il ne supporte pas de ne pas se faire comprendre mais son temps est trop précieux pour qu'il le perde à s'expliquer avec les gens. Il a toujours des tas d'affaires en cours, des projets à mettre au point, à organiser...

— Il ne se détend jamais ?

— Il joue quelquefois aux échecs, surtout avec Ragen — et c'est Allen qui déplace les pièces. Mais il ne supporte pas l'oisiveté.

— Vous ne semblez pas l'aimer beaucoup ?

Billy hausse les épaules.

— Ce n'est pas quelqu'un qu'on aime ou qu'on déteste. On le respecte.

— Il ne vous ressemble pas ?

— Il a à peu près ma taille et mon poids — un mètre quatre-vingt-deux, quatre-vingt-cinq kilos. Mais il porte des lunettes cerclées de fer.

L'entretien dure trois heures, au cours desquelles Billy évoque les personnalités mentionnées dans la presse, des épisodes concernant la vraie famille de Billy, des souvenirs d'enfance. L'auteur commence à se demander sérieusement quelle méthode il va pouvoir utiliser pour composer un récit cohérent à partir de ses informations. Il a décidé que, dans tous les cas et en dehors des réserves émises précédemment, il s'en tiendrait uniquement aux faits rapportés par Billy. Mais l'amnésie de celui-ci risque de lui compliquer singulièrement la tâche. De son enfance et des sept années cruciales au cours desquelles Billy a dormi tandis que les autres personnalités vivaient sa vie, peut-être ne lui fournira-t-il jamais que des bribes. Et si les lacunes de son récit sont trop importantes, il sera impossible d'en faire un livre.

Le docteur Caul lève les yeux de son bureau : du couloir, lui parvient un dialogue animé. Sa secrétaire affronte un homme qui s'exprime avec un fort accent de Brooklyn.

— Le docteur Caul est occupé. Il ne peut pas vous recevoir pour l'instant.

— Eh, calmos, ma p'tite dame. J'en ai rien à foutre, moi, qu'il soit occupé. J'ai besoin de lui causer !

Le docteur Caul repousse sa chaise pour se lever quand la porte s'ouvre, laissant le passage à Billy Milligan.

— C'est vous, le toubib à Billy ?

— Je suis le docteur Caul.

— Moi, c'est Philip. On s'est dit comme ça que vous auriez p't' être intérêt à jeter un œil là-dessus.

Il jette sur le bureau une feuille de papier timbré, tourne les talons et s'en va. Le docteur Caul regarde la feuille qu'il a sous les yeux. Il s'agit d'une liste comprenant les noms des dix personnalités de Billy et d'autres noms inconnus. Le dernier n'est pas vraiment un nom mais un titre : « Le Professeur. »

Après déjeuner, Caul monte frapper à la porte de Milligan. Au bout de quelques instants Billy vient ouvrir, les yeux gonflés de sommeil.

— Ouais ?

— C'est l'heure de la séance d'enregistrement, Billy. Allons, secouez-vous !

— Ah ouais ! c'est vrai ! Alors allons-y, docteur.

Billy emboîte le pas du petit homme énergique. Quittant le service de soins intensifs, ils longent le couloir qui mène au bâtiment moderne abritant les services de gériatrie. Ils passent devant les distributeurs de boissons et de confiserie et franchissent le seuil de la salle d'enregistrement.

George, qui est en train d'installer la caméra de télévision, les accueille d'un signe de tête. Des chaises sont rassemblées en rang à droite de la pièce, comme dans l'attente d'un public inexistant, face aux caméras et au matériel électronique. On indique un siège à Billy qui prend place et George lui passe autour du cou le micro portatif. Un jeune homme aux cheveux bruns entre à son tour. C'est Dave Malawista, l'un des psychologues d'Athens, auquel le docteur Caul adresse un salut.

Sur un signe de George, qui signale que le matériel est prêt, le docteur Caul se tourne vers Milligan.

— Pouvez-vous nous dire qui vous êtes ?

— Billy.

— Très bien, Billy, nous aurions besoin d'un certain nombre de renseignements que vous pouvez sans doute nous donner. Nous savons déjà que de nouveaux noms de ceux que vous appelez vos « habitants » vous sont venus à l'esprit. Croyez-vous qu'il y en ait d'autres ?

Billy, très étonné, regarde tour à tour les docteurs Caul et Malawista.

— Ben, à Colombus, un psychologue m'a interrogé à propos d'un certain « Philip ».

Caul remarque que Billy élève et abaisse les genoux d'un mouvement saccadé.

— « Shawn », « Mark », « Robert », ces noms vous disent-ils quelque chose ?

Billy réfléchit un moment, le regard lointain. Il remue les lèvres, poursuivant une conversation intérieure. Pour finir, il marmonne :

— J'ai entendu des voix : Arthur s'engueulait avec quelqu'un. Les noms me résonnent dans la tête mais je ne vois pas qui ça peut être.

Il marque un temps d'hésitation puis poursuit :

— Arthur a dit que « Shawn » n'est pas un enfant arriéré. Il est sourd de naissance et c'est ce qui l'a retardé intellectuellement. Il y a des querelles incessantes à l'intérieur de moi-même depuis que le docteur Wilbur m'a réveillé.

De nouveau, il remue les lèvres sans proférer un son. Du regard, Caul fait signe à George d'orienter la caméra pour filmer de plus près l'expression de Billy.

— Vous voulez que quelqu'un vienne expliquer ? demande nerveusement Billy.

— A qui pensez-vous que je devrais parler ?

— Je ne sais pas. Il y a eu des tas d'embrouilles ces jours derniers. Je ne vois pas trop qui pourrait vous renseigner.

— Pouvez-vous quitter le projecteur de vous-même, Billy ?

L'étonnement se lit sur les traits du jeune homme. Il paraît froissé, comme si le docteur Caul le renvoyait.

— Billy, je ne voulais pas...

Le regard de Billy se brouille. Il demeure immobile pendant quelques instants puis jette autour de lui des regards suspicieux, comme s'il s'éveillait en sursaut, les sens en alerte. Il fait craquer ses phalanges et lance à son vis-à-vis un regard furibond.

— Vous êtrre fait beaucoup d'ennemis, docteur.

— Pouvez-vous m'en dire plus ?

— Je n'en faire pas parrtie, non. C'est Arrthur !

— Pourquoi ?

— A cause de la pénétrrration des indésirrrables.

— Qui sont « les Indésirables » ?

— Ceux qu'Arthurrr fairrre tairrre parrce qu'ils ne plus serrrvir à rrrien.

— S'ils ne servent plus à rien, pourquoi sont-ils toujours dans les parages ?

Les yeux de Ragen lancent des éclairs :

— Qu'est-ce que vous prrroposer ? Que nous... les assassiner ?

— Je vois, dit Caul. Continuez.

— Les décisions d'Arrrthurrr ne pas me plairrre. Il devoirrr êtrrre prrrotecteurrr aussi. Je ne pas pouvoirrr tout fairrre.

— Pouvez-vous m'en dire un peu plus, sur « les indésirables » ? Ce sont des violents ? Des criminels ?

— J'êtrrre le seul violent. Et jamais sans rrraison.

Remarquant soudain la montre qu'il porte au poignet, il a un sursaut d'étonnement.

— C'est votre montre ? demande Caul.

— Je pas avoirrr la moindrrre idée d'où venirrr. Billy l'avoirrr achetée sans doute dans mon dos. J'avoir dit que les autrrres ne pas êtrrre des voleurrrs.

Il sourit.

— Arrrthurrr êtrrre trrrès rrrigourrreux surrr les indésirrrables. Il exiger autrrres habitants ne jamais en parrrler. Garrrder le secrrret.

— Pourquoi ne révèle-t-on que maintenant leur existence ?

— Personne avoirrr posé la question.

— Jamais ?

Il hausse les épaules.

— Peut-êtrrre avoir interrrogé Billy ou David qui ne savoirrr pas exister d'autrrres. Les indésirrrables ne pas devoirrr êtrrre rrévélés avant êtrrre totalement en confiance.

— Mais pourquoi me les avoir révélés à moi, alors ?

— Arrrthurrrr perrrdrre pouvoirrr. Les indésirrrables se révolter et décider se fairrre connaîtrre à vous. Kevin rrrédiger la liste. Etrrre une étape nécessairre mais êtrrre mauvais révéler trrop tôt quand la confiance n'êtrre pas totale. Nous perrdre mécanisme de défense. Je êtrre lié au secret mais je ne mentirr pas.

— Que va-t-il se passer, Ragen ?

— Nous êtrre bientôt solidifier. Tous ensemble. Maîtrrriser parfaitement. L'amnésie disparrraîtrre. Un seul dominer.

— Qui ?

— Le Professeur.

— Qui est le Professeur ?

— Etrrre quelqu'un de trrrès sympathique. Il avoir du bon et du mauvais comme la plupart des êtrrres humains. Vous connaîtrrre Billy maintenant : ses sentiments changer selon les cirrrconstances. Le Professeur ne donner pas son nom mais je savoirrr qui il êtrrre désorrrmais. Si vous savoirrr qui il êtrrre, nous décrrréter fou.

— Comment cela ?

— Vous avoirr rrencontrrré des frrragments du prrofesseurr. Ou plutôt, la question prrincipale êtrre : Comment nous tous avoirr apprris tout ce que nous savoirr ? Du Prrofesseurr. C'est lui qui apprrendrre Tommy l'électronique et l'arrt de l'évasion. Il apprrendre à Arrthurrr la biologie et la chimie. M'apprrendrre à moi tout ce que je savoirr sur les arrmes et comment fairre pourr maîtrriser l'adrrénaline pourr donner le maximum de sa forrce. Il nous apprrendrre à tous le dessin et la peinturrre. Le Prrrofesseurr savoirrr tout.

— Qui est le Professeur, Ragen ?

— Le prrrofesseurr êtrre Billy d'un seul tenant mais Billy ne le sait pas.

— Pourquoi êtes-vous venu dans la lumière du projecteur pour me dire tout ça, Ragen ?

— Parrce que Arrrthurr êtrrre en colèrre. Il fairrre une errreurr en rrelâchant son autorrité. Kevin et Philip en prrrofiter pourr rrévéler qui êtrrre les indésirrables. Arrrthurr êtrrre intelligent mais l'errreurr est humaine. Maintenant la rrévolte êtrrre dans la place.

Caul fait signe à Malawista de rapprocher sa chaise.

— Vous ne voyez pas d'inconvénient à ce que Dave Malawista participe à notre conversation ?

— Billy êtrrre nerrveux devant vous deux. Mais je n'avoirr pas peurrr.

Ragen parcourt du regard l'installation électronique et hoche la tête.

— Cela rressembler à la salle de jeu de Tommy.

— Pouvez-vous me parler encore un peu du Professeur ? demande Malawista.

— On pouvoirr dirrre les choses ainsi : Billy êtrrre enfant prrrodige quand êtrrre petit. Il êtrrre alorrs nous tous en un. Il ne pas savoirrr cela maintenant.

— Mais pourquoi a-t-il eu besoin de vous ? s'enquiert encore Malawista.

— Je êtrrre créé pourr prrotection physique.

— Mais vous savez bien, n'est-ce pas, que vous n'êtes qu'un produit de l'imagination de Billy ?

Ragen se rejette en arrière, le sourire aux lèvres.

— On me l'avoirr déjà dit. Je avoirr accepté l'idée d'êtrre le produit de son imagination mais Billy ne pas l'accepter. Billy avoirr échoué pourr bien des choses. Etrrre la rraison de l'existence des indésirrables.

— Pensez-vous que Billy devrait savoir qu'il est le Professeur ?

— Il êtrrre pas capable de le supporter. Mais quand vous parrler au Professeur, vous parrler à Billy en une seule et même personne.

De nouveau, sa montre attire son attention.

— Etrre pas bien dépenser l'arrgent de Billy dans son dos. Mais il savoirr maintenant combien de temps il perrdrre.

— Ragen, intervient Caul, vous ne croyez pas qu'il serait temps pour vous de voir la réalité en face et de vous attacher à résoudre vos problèmes ?

— Je n'avoirr pas de prroblèmes. Je être un aspect du prroblème.

— Quelle serait, à votre avis, la réaction de Billy s'il apprenait qu'il est le Professeur ?

— Cela le détrruirrait.

Plus tard, au cours de la séance de psychothérapie, Ragen apprend au docteur Caul qu'après une discussion longue et animée, Arthur et lui se sont entendus pour révéler à Billy qu'il est le Professeur. Arthur pensait a priori qu'une telle révélation serait plus que Billy n'en pourrait supporter et qu'il en perdrait la raison. Mais ils sont d'accord à présent pour reconnaître que si Billy doit guérir un jour, on ne peut lui cacher éternellement la vérité.

Caul se réjouit de cette décision. Le conflit qui a opposé Arthur à Ragen et la révolte des « indésirables » prouvent que Milligan traverse une crise. Le docteur Caul a le sentiment que le moment est venu pour Billy de prendre conscience des autres et d'apprendre que c'est lui qui a amassé tout le savoir et les talents dont il les a investis. Il devrait se sentir plus fort quand il saura qu'il est le Professeur.

Caul demande à parler à Billy et, quand il est sûr de l'avoir devant lui, recroquevillé sur lui-même, les genoux tremblants, il évoque la décision prise par Arthur et Ragen, sans la lui révéler encore. L'excitation et la peur mêlées se lisent sur le visage de Billy quand, hochant la tête, il annonce qu'il est prêt à l'entendre. Le médecin branche la vidéo puis s'installe en arrière sur son siège pour observer les réactions de son patient.

Billy, le sourire aux lèvres, regarde son image sur l'écran avec une satisfaction non dissimulée. Quand il voit ses genoux trembler violemment, il s'aperçoit qu'il fait la même chose dans la réalité et il les arrête avec ses mains. Puis, voyant ses lèvres remuer silencieusement, il pose les doigts sur sa bouche, les yeux écarquillés, sans comprendre. Apparaît alors le visage de Ragen, semblable au sien. La voix de Ragen s'élève dans la pièce et, pour la première fois, il ne l'entend pas dans sa tête mais à l'extérieur.

— Vous êtrre fait beaucoup d'ennemis, docteur, dit-elle.

Jusque-là, Billy s'est contenté de croire sur parole ceux qui lui ont dit qu'il avait une personnalité multiple. Rien ne lui permettait de s'en rendre compte par lui-même. Il entendait des voix et il perdait le temps mais tout ce que disaient les médecins à propos de son cas demeurait abstrait. Et maintenant, pour la première fois, il voit de ses propres yeux ce qu'ils voulaient dire et il comprend.

Il regarde, fasciné, Ragen parler des vingt-quatre noms de la liste et des « indésirables ». Bouche bée, il l'écoute évoquer le Professeur, qui a tout appris aux autres. Mais qui est le Professeur ?

— Le Professeur êtrre Billy d'un seul tenant. Mais Billy ne le sait pas, dit Ragen sur l'écran.

Caul voit le visage de Billy se décomposer. Il paraît accablé. Il transpire.

Billy quitte la salle d'enregistrement et s'engage dans l'escalier. Il atteint le troisième étage, croise sans les voir ceux qui le saluent sur son passage. Il entre dans le hall désert du service de soins intensifs et se laisse tomber sur une chaise.

Il est le Professeur.

C'est lui qui détient l'intelligence, le talent artistique et la force physique, c'est lui l'as de l'évasion.

Il réfléchit, s'efforce de comprendre. Au début, il y avait seulement Billy, le Billy fondamental, celui qui est né sous ce nom-là, qui figure sur son certificat de naissance. Puis il s'est scindé en plusieurs parties. Mais derrière toutes ces parties, veille une présence anonyme — quelqu'un que Ragen appelle le Professeur. D'une certaine façon, l'être invisible, fragmenté, irréel, le Professeur, est le créateur de tous les autres, les enfants aussi bien que les monstres — et c'est donc à lui et à lui seul qu'incombe la responsabilité de leurs crimes.

Si les vingt-quatre personnalités fusionnent en une seule, le Professeur sera le résultat de cette fusion. Quelle impression cela fera-t-il ? En aura-t-il conscience ? Il faut que le docteur Caul rencontre le Professeur. C'est indispensable pour le traitement. L'auteur aussi, a besoin de le connaître, pour apprendre tout ce qui s'est passé...

Il ferme les yeux et une étrange chaleur se répand dans son corps, de ses jambes à son torse et le long des bras, dans les épaules et jusqu'à la tête. Il sent tout son être vibrer. Baissant les yeux, il voit le projecteur, la lumière blanche, trop vive, qui l'éblouit. Et il comprend alors qu'il doit entrer dans la lumière, tous à la fois, tous ensemble... et voilà qu'ils y sont... il est sous le projecteur, sur la scène, dans la lumière du projecteur... il tombe... plonge à travers l'espace intérieur... tous les habitants plongent ensemble... glissent et s'entremêlent...

Il se trouve brusquement de l'autre côté.

Il serre ses mains l'une contre l'autre et les élève devant ses yeux pour les regarder. Il sait à présent pourquoi il n'a encore jamais complètement fusionné auparavant : les autres étaient dans l'ombre. Tous ceux qu'il a créés, tous leurs actes, leurs pensées, leurs souvenirs, de la petite enfance de Billy jusqu'à l'instant présent, tout lui revient en mémoire à présent. Il voit les personnalités brillantes et toutes les autres — les Indésirables, qu'Arthur s'est en vain efforcé de maîtriser puis de cacher. Il connaît à présent toute son histoire : l'histoire parfois absurde, parfois tragique de tous et de toutes, et il se souvient des actes illégaux qu'ils ont commis. Il sait aussi que lorsqu'un souvenir lui reviendra et qu'il le racontera à l'auteur, toutes les autres personnalités seront là, elles aussi, pour apprendre l'histoire de leur propre vie. Et quand elles la connaîtront en entier, qu'elles ne seront plus amnésiques, elles ne seront plus jamais les mêmes. Cette idée l'emplit de tristesse, comme s'il avait perdu quelque chose. Mais pour combien de temps ?

Le docteur Caul traverse l'AIT pour se rendre à la salle des infirmières quand il aperçoit Billy — ou du moins le prend-il d'abord pour Billy — assis sur une chaise près de la porte de la salle de télévision. Mais, dès l'instant où son patient se lève pour se tourner vers lui, il comprend qu'il n'a affaire ni à Billy ni à l'une quelconque des personnalités qu'il a déjà rencontrées. Il est détendu, à l'aise, son visage est étonnamment ouvert, son regard direct. Caul se rend compte qu'il a dû se passer quelque chose et, désireux de montrer au patient que son médecin est assez sensible pour comprendre sans qu'on ait besoin de lui expliquer, il décide de courir le risque. Croisant les bras sur sa poitrine, il plonge son regard dans le regard pénétrant :

— Vous êtes le Professeur, n'est-ce pas ? Je vous attendais.

Le Professeur hoche la tête, et dans son demi-sourire, transparaît une force tranquille.

— Vous m'avez ôté toutes mes défenses, docteur.

— Ce n'est pas moi, vous le savez bien. Le moment était venu.

— Rien ne sera plus jamais pareil.

— Vous le regrettez ?

— Je ne crois pas.

— Vous allez bientôt pouvoir nous raconter toute votre histoire. Jusqu'où vos souvenirs remontent-ils ?

Le Professeur le regarde posément.

— Je me souviens de tout. Je me rappelle Billy à un mois, quand on l'a emmené à l'hôpital et qu'il a failli mourir d'une obstruction du larynx. Je me souviens de son vrai père, Johnny Morrison, le comédien juif qui s'est suicidé. Je me souviens du premier camarade imaginaire de Billy.

Caul, hochant la tête, lui donne une petite tape sur le bras.

— Heureux de vous avoir parmi nous, Professeur. Nous avons tous beaucoup à apprendre.

Deuxième partie

DE BILLY AU PROFESSEUR

7.

Dorothy Sands conserve en mémoire le souvenir des heures angoissantes qu'elle vécut un certain jour de mars 1955. Elle venait d'administrer un médicament à son bébé d'un mois lorsqu'elle vit le petit devenir écarlate.

— Johnny ! Vite, il faut emmener Billy à l'hôpital !

Johnny Morrison se précipita dans la cuisine.

— Il ne peut rien avaler, dit Dorothy. Il vomit tout. Et voilà ce que le remède lui a fait.

Johnny confia Jim à Mimi, la concierge, puis il se rua dehors pour mettre le moteur de la voiture en marche. Dorothy le rejoignit avec Billy dans les bras et ils foncèrent à tombeau ouvert vers l'hôpital Mont Sinaï à Miami Beach.

Aux urgences, un interne baissa les yeux sur le bébé et déclara :

— Il est trop tard, madame.

— Il vit encore ! hurla-t-elle. Espèce de salopard, faites quelque chose pour mon petit !

Arraché à son apathie par l'apostrophe de la mère, l'homme prit l'enfant en balbutiant :

— Nous... nous allons faire de notre mieux.

L'infirmière de l'accueil entreprit de remplir les formulaires d'admission.

— Nom, prénoms, adresse de l'enfant ?

— Morrison William Stanley, répondit Johnny, 154e rue, North Miami Beach.

— Religion ?

Il hésita et son regard croisa celui de Dorothy. Elle savait qu'il était sur le point de dire « juif » mais que l'expression de sa femme l'avait arrêté.

— Catholique, dit-elle.

Johnny Morrison pivota sur lui-même et gagna la salle d'attente. Dorothy lui emboîta le pas. Elle se laissa tomber sur le canapé en skaï et, les yeux fixés sur son époux qui fumait sans désemparer, elle crut lire ses pensées : il devait se demander une fois encore si cet enfant était bien le sien. Billy ne ressemblait guère à son frère Jim. Le garçon aux cheveux noirs, à la peau brune, avait un an et demi de plus que Billy. Johnny avait éprouvé tant de bonheur à la naissance de Jimbo qu'il avait parlé de retrouver sa femme pour obtenir le divorce. Mais il n'en avait rien fait. Du moins avait-il acheté cette maison de stuc pourpre avec son arrière-cour où poussaient des palmiers. Dans les métiers du spectacle, il était important, assurait-il, de préserver une vie de famille. Dorothy était bien plus heureuse dans son ménage qu'à l'époque où, avec son ex-époux, Dick Jonas, elle habitait Circleville, dans l'Ohio.

Mais elle se rendait compte que Johnny traversait une mauvaise passe. Ses prestations ne faisaient plus rire. En haut des affiches, son nom était remplacé par celui de comédiens plus jeunes et il ne lui restait plus que des rôles de ringard. Autrefois animateur et musicien de premier ordre, il passait maintenant tout son temps à jouer et à se soûler au lieu de travailler son numéro. Au stade où il en était, il commençait par boire « pour se donner du cœur au ventre » avant son entrée sur la scène du night-club et finissait en s'effondrant régulièrement avant la deuxième partie du spectacle. Il se définissait lui-même comme un « mélange de musicien et de comique ». « Avec trois doigts de bourbon », ajoutait-il, à bon droit.

Il n'était plus le Johnny qui répétait consciencieusement ses arrangements musicaux, qui voulait, disait-il, faire « de mon foyer un havre pour ma fermière de l'Ohio, ses vingt-quatre printemps et ses joues roses ». Ce n'était plus le personnage qui lui donnait tant de tranquille assurance quand elle lançait à quelque bellâtre entreprenant : « Fais gaffe, coco, je suis la nana de John Morrison. »

Borgne de l'œil gauche, bâti comme un catcheur, Johnny à trente-six ans était plus qu'un père pour elle.

— Tu devrais moins fumer.

Il écrasa sa cigarette dans le cendrier, plongea les mains dans les poches de son pardessus.

— J'ai pas envie de faire le spectacle ce soir.

— Tu as déjà beaucoup trop manqué ce mois-ci, observa Dorothy.

Le regard que son époux lui lança l'empêcha de poursuivre. Il ouvrit la bouche pour dire quelque chose. Elle se crispa dans l'attente d'une raillerie. Le médecin entra dans la salle d'attente.

— Monsieur et madame Morrison ? Je pense que votre bébé est tiré d'affaire. C'est une tumeur qui obstrue l'œsophage. Son état est stationnaire mais ses jours ne sont plus en danger. Vous pouvez rentrer chez vous. Nous vous appellerons dès qu'il y aura du neuf.

Billy survécut. Durant sa première année, il fallut le ramener souvent à l'hôpital. Lorsque Dorothy et Johnny étaient en tournée, ils confiaient leurs enfants à une institution spécialisée.

Un an après la naissance de Billy, Dorothy était enceinte pour la troisième fois. Johnny lui proposa d'aller se faire avorter à Cuba. Dorothy devait avouer des années plus tard qu'elle avait refusé « parce que c'est un péché mortel ». Kathy Jo vint au monde le 31 décembre 1956. Johnny eut le plus grand mal à faire face aux frais médicaux. Il emprunta davantage, joua et but de plus en plus. Dorothy apprit qu'il devait six mille dollars à des usuriers. Ils se querellèrent. Il la frappa.

Fin 58, il fut hospitalisé pour éthylisme et dépression nerveuse. Mais on le laissa sortir le 19 octobre, pour qu'il puisse assister au goûter prévu pour les cinq ans de son fils, le lendemain. Dans la nuit, Dorothy, en rentrant du travail, découvrit Johnny affalé sur une table. Par terre, une bouteille de scotch à moitié pleine et un tube de somnifère vide.

Selon le Professeur, le premier ami imaginaire de Billy n'avait pas de nom. Un jour — il avait trois ans et huit mois — Jimbo ne voulait pas jouer avec lui, pas plus que Kathy trop petite et papa trop occupé à lire. Billy s'ennuyait, assis dans un coin de sa chambre, dans la seule compagnie de ses jouets. Un petit garçon aux cheveux et aux yeux noirs apparut. Assis en face de lui, il le fixait sans rien dire. Billy poussa un soldat vers l'enfant qui le prit, le mit dans le camion qu'il fit avancer et reculer, avancer et reculer. Ils ne se parlaient pas, mais c'était tout de même plus agréable que d'être seul.

Ce soir-là, Billy et le petit garçon sans nom virent le père ouvrir l'armoire à pharmacie pour y prendre un tube de médicaments. Le miroir renvoyait l'image du visage de papa qui vidait les capsules jaunes dans sa main. Il les avala. Puis il s'assit devant la table. Billy se coucha et le petit garçon sans nom disparut. Billy fut réveillé au milieu de la nuit par les cris de sa mère. Il la vit se précipiter sur le téléphone pour appeler police-secours. Jimbo et lui, debout devant la fenêtre, regardèrent le brancard qu'on poussait et la voiture aux lumières clignotantes qui allait emporter papa.

Les jours suivants, papa ne revint pas jouer avec Billy et maman avait trop d'occupations et de tracas. Jimbo n'était pas là et Kathy était toujours trop petite. Billy aurait bien voulu jouer avec elle, lui parler, mais maman avait dit que c'était une toute petite fille et qu'il fallait faire très très attention. C'est pourquoi, quand la solitude et l'ennui s'appesantirent de nouveau, il ferma les yeux et s'endormit.

Christine ouvrit les yeux et s'approcha du berceau de Kathy. Quand le bébé se mit à pleurer, Christine devina à l'expression de son visage ce dont la petite avait besoin. Elle alla dire à la belle dame que Kathy avait faim.

— Merci, Billy, dit Dorothy, tu es un gentil garçon. Continue de surveiller ta petite sœur pendant que je prépare le dîner. Tout à l'heure, avant de partir travailler, je viendrai te lire une histoire pour t'endormir.

Christine ignorait qui était Billy et pourquoi on l'appelait, elle, par ce prénom. Mais elle était heureuse de pouvoir jouer avec Kathy. Avec un crayon rouge, elle dessina une poupée sur le mur à côté du berceau.

Christine entendit quelqu'un venir. En levant les yeux, elle vit la belle dame qui regardait le dessin sur le mur et le crayon qu'il avait à la main.

— Vilain ! Tu es un vilain ! lui criait Dorothy.

Billy ouvrit les yeux pour découvrir le visage furieux de sa mère. Quand elle le saisit pour le secouer, il eut peur et pleura. Il ne savait pas pourquoi on le punissait. Apercevant le dessin sur le mur, il se demanda qui avait fait ce truc de bébé.

— Billy est pas un vilain ! cria-t-il.

— Tu as barbouillé le mur !

— C'est pas Billy, c'est Kathy ! dit-il en montrant le berceau.

— Ce n'est pas bien de mentir.

Dorothy appuyait très fort de l'index sur la petite poitrıne.

— Pas... bien... du tout, insista-t-elle. Si tu deviens un menteur, tu iras en enfer. File dans ta chambre, je ne veux plus te voir.

Jimbo ne voulait pas lui parler. Billy se demanda si c'était lui qui avait fait le dessin sur le mur. Il pleura un moment puis finit par s'endormir...

Quand Christine ouvrit les yeux, elle vit un garçon plus grand qu'elle qui dormait à l'autre bout de la pièce. Cherchant du regard une poupée, elle n'aperçut que des soldats de plomb et des camions. Elle n'avait pas envie de ces jouets. Elle voulait une poupée de chiffon pour la serrer contre elle et lui donner le biberon.

Elle se faufila hors de la chambre et se mit en quête du berceau de Kathy. Ce n'est que dans la troisième pièce qu'elle le trouva. Kathy dormait. Alors Christine prit la poupée de chiffon et l'emporta dans son lit.

Le lendemain matin Billy subit une réprimande pour avoir pris la poupée de Kathy. Dorothy l'avait trouvée dans son lit. Elle le secoua comme un prunier, si fort qu'il crut que sa tête allait tomber.

— Ne fais plus jamais ça, tu m'entends ? C'est la poupée de Kathy !

Christine apprit à faire attention en jouant avec Kathy quand la mère de Billy était dans la maison. D'abord, elle avait cru que le garçon, dans l'autre lit, était ce Billy dont on lui rebattait les oreilles. Mais non, il s'appelait Jimbo. C'était le frère aîné. Son vrai nom à elle, c'était Christine. Mais comme tout le monde l'appelait Billy, elle se mit à répondre à ce nom.

Elle adorait Kathy. Elle passait son temps à jouer avec elle, à lui apprendre à parler avec les mots qu'elle connaissait, à la regarder faire l'apprentissage de la marche. Elle savait quand Kathy avait faim et connaissait ses aliments préférés. Dès que Kathy souffrait, elle s'en rendait compte et allait avertir Dorothy.

Ensemble, elles jouaient à la ménagère, et aussi, quand la maman de Kathy n'était pas là, à se déguiser. Elles s'attifaient comme Dorothy, avec ses vêtements, ses chapeaux et ses chaussures, pour devenir chanteuses de boîtes de nuit. Par-dessus tout, Christine aimait dessiner pour Kathy mais elle n'utilisa plus jamais le mur comme support. Dorothy lui achetait quantité de papier et de crayons. De l'avis général, Billy était très doué.

Les tracas de Dorothy recommencèrent lorsque Johnny revint de l'hôpital. En apparence, tout allait bien : il jouait avec les gosses et travaillait à de nouvelles chansons, à de nouveaux numéros. Mais dès qu'elle avait le dos tourné, il téléphonait aux bookmakers. Elle essaya de le raisonner, il répondit par des injures et des coups. Il partit s'installer dans un motel et ne revint ni pour le Noël des enfants, ni pour l'anniversaire de Kathy, le 31 décembre.

Le 18 janvier, Dorothy fut réveillée par un coup de fil de la police. On avait trouvé le corps de Johnny dans son break. La voiture était garée sur le parc de stationnement du motel. Un tuyau reliait le pot d'échappement à la vitre arrière. Johnny avait laissé une lettre de huit pages dans laquelle il se plaignait de Dorothy et donnait des instructions pour régler quelques petites dettes personnelles sur l'argent de son assurance-vie.

Quand Dorothy annonça aux enfants que Johnny était monté au paradis, Jimbo et Billy se mirent à la fenêtre pour scruter le ciel.

La semaine suivante, les hommes de main des usuriers vinrent la prévenir qu'elle avait intérêt à payer les six mille dollars que leur devait Johnny, si elle ne voulait pas qu'il leur arrive malheur, à sa petite famille et à elle. Dorothy se réfugia avec ses enfants chez Jo Ann, sa sœur, à Key Largo, puis à Circleville, dans l'Ohio. Là, elle retrouva son ancien mari, Dick Jonas. Ils se revirent et, comme il promettait de se réformer, elle l'épousa de nouveau.

Billy approchait de son cinquième anniversaire. Un matin, il se glissa dans la cuisine sur la pointe des pieds. En tirant sur le torchon dont il voulait s'emparer, il fit choir à terre un bocal de biscuits qui se brisa. Il s'efforça de réunir les morceaux, mais ils ne tenaient pas ensemble. On venait. Il fut pris de tremblements. Il ne voulait pas être puni. Il ne voulait pas avoir mal.

Il n'ignorait pas qu'il avait fait une bêtise mais il ne voulait pas savoir ce qui allait lui arriver, il ne voulait pas entendre maman lui crier dans les oreilles. Il ferma les yeux et s'endormit...

Shawn ouvrit les yeux et regarda autour de lui. Apercevant les débris du bocal, il s'étonna. « Pourquoi c'est cassé ? Qu'est-ce que c'est ? Pourquoi je suis là ? »

Une belle dame s'approcha. Elle lui faisait les gros yeux. Ses lèvres bougeaient, mais il n'entendit rien. Elle le secoua encore et encore, appuyant de l'index sur sa poitrine. Le visage empourpré, elle continuait de remuer les lèvres, bien qu'aucun son n'en sortît. Pourquoi était-elle en colère contre lui ? Il n'en avait pas la moindre idée. Elle l'entraîna dans une chambre, l'enferma. Il s'assit, dans un silence de tombe. Il se demanda ce qu'il allait devenir. Il s'endormit.

Billy ouvrit les yeux et se recroquevilla aussitôt. Il s'attendait à être battu pour avoir cassé le bocal. Mais les gifles ne venaient pas. Comment était-il retourné dans sa chambre ? Il commençait à avoir l'habitude d'être quelque part, de fermer les yeux et de se réveiller ailleurs. Il supposait que tout le monde était dans son cas. On l'avait souvent traité de menteur et puni pour des fautes qu'il n'avait pas commises. Mais aujourd'hui, alors qu'il était réellement coupable, il s'apercevait en ouvrant les yeux que rien ne lui était arrivé. Il attendit avec anxiété le moment où sa mère viendrait le punir pour avoir cassé le bocal de biscuits. Il passa le reste de la journée dans sa chambre. Il aurait voulu voir Jimbo de retour de l'école, ou bien le petit garçon aux cheveux noirs qui jouait avec ses soldats et ses camions. Billy ferma très fort les yeux, dans l'espoir de le faire apparaître. Mais rien ne vint.

Chose étonnante, il ne souffrit plus jamais de la solitude, de la tristesse ou de l'ennui. A chaque fois que l'un de ces maux le menaçait, il lui suffisait de fermer les yeux pour se retrouver dans un lieu différent, où tout était changé. Parfois ses paupières s'abaissaient quand le soleil resplendissait au-dehors et quand elles s'ouvraient, la nuit était tombée. Parfois c'était tout le contraire.

A d'autres moments encore, il jouait avec Kathy ou Jimbo et puis il découvrait qu'il était seul, assis par terre. Souvent, quand cela arrivait, ses bras portaient des marques rouges ou bien son derrière le brûlait comme après une fessée. Mais on ne le secouait plus, on ne le battait plus.

Il était content : plus personne, jamais, ne le punissait.

Dorothy vécut avec Dick Jonas pendant un an puis, n'en pouvant plus, elle le quitta une seconde fois. Pour faire bouillir la marmite, elle travailla comme serveuse au Country Club de Lancaster et chanta dans des bars. Elle plaça ses enfants à l'école Saint-Joseph de Circleville.

La première année, Billy obtint de bons résultats. Les religieuses étaient impressionnées par ses dons artistiques. Il dessinait vite et savait jouer des ombres et de la lumière avec une habileté tout à fait inhabituelle pour un enfant de six ans. Mais la deuxième année, la Sœur Jane Stephen décida qu'il ne devait se servir que de la main droite pour écrire et dessiner. « Le diable est dans ta main gauche, William. Il faut le chasser. » Elle saisit sa règle. Il ferma les yeux...

La dame en robe noire et cornette blanche s'approcha de Shawn, une règle à la main. Il savait qu'il allait être puni. Mais pourquoi ? Les lèvres de la dame bougeaient, mais il n'entendait pas ce qu'elle disait. Il ne pouvait que se recroqueviller en fixant le visage rouge de colère. Elle lui prit la main gauche, leva la règle et tapa sur la paume, longtemps, dans le grand silence.

Des larmes roulèrent sur les joues de Shawn. Il se demanda une fois de plus pourquoi il était là, soumis à une correction pour une faute qu'il n'avait pas commise. Ce n'était pas juste.

Shawn disparut. Billy revint pour voir Sœur Stephen s'éloigner. La main de l'enfant était douloureuse et rouge. Il y avait quelque chose sur son visage. Il effleura ses joues de la main droite. Tiens ! Des larmes ?

Jimbo ne pourra jamais oublier ce jour d'été où Billy et lui firent une fugue. Bien qu'il eût seize mois de plus que les sept ans de Billy, ce fut ce dernier qui le convainquit d'entreprendre l'expédition. « On emportera à manger dans un sac, lui avait dit Billy, et aussi un couteau et des habits et on partira et il nous arrivera tout un tas d'aventures. On deviendra riches et célèbres. » Jimbo s'était laissé entraîner, impressionné par la détermination de son frère et le sérieux de son plan.

Ils quittèrent la maison en catimini, leurs paquets à la main. Ils traversèrent la ville et ses faubourgs. Au milieu d'un champ de luzerne, Billy montra un bosquet de cinq ou six pommiers. Ils s'arrêteraient là pour déjeuner.

Adossés au tronc d'un arbre, ils mangeaient des pommes en rêvant à haute voix des aventures qui les attendaient lorsqu'un vent violent se leva. Des pommes dégringolèrent tout autour d'eux.

— Eh, fit Jimbo, va y avoir une tempête.

Billy lança un coup d'œil circulaire.

— Oh ! regarde les abeilles !

Jimbo s'aperçut que le champ tout entier n'était plus qu'un immense essaim bourdonnant.

— Y en a partout. On va être piqués à mort. On est pris au piège. Au secours ! hurla-t-il. Au secours ! A l'aide !

Billy renouait rapidement leurs baluchons.

— Bon, t'en fais pas, on sera pas piqués en passant à travers le champ. Le mieux qu'on a à faire, c'est de repartir par où on est venus... mais on a intérêt à se grouiller. Allons-y !

Jimbo cessa de crier et lui emboîta le pas.

En courant à travers le champ, ils parvinrent à la route sans être piqués.

— T'es rapide à la détente, dis donc ! s'exclama Jimbo.

Billy leva les yeux vers le ciel qui s'assombrissait de minute en minute.

— Ça tourne mal. On va pas pouvoir continuer, vaut mieux laisser tomber pour aujourd'hui. On rentre, mais faudra rien dire, pour qu'on puisse recommencer.

Tout le long du chemin du retour, Jimbo se demanda pourquoi il se laissait commander par son cadet.

Durant ce même été, ils explorèrent les forêts des environs de Circleville. Ils jouaient un jour sur les berges de la rivière Hargis, quand ils aperçurent une corde qui pendait d'une branche au-dessus de l'eau.

— On peut s'en servir pour passer de l'autre côté, suggéra Billy.

— Je vais essayer, dit Jimbo. Je suis l'aîné. J'y vais d'abord. Si ça marche, tu pourras passer après moi.

Jimbo saisit le bout de la corde, recula pour prendre son élan et se lança. Il avait franchi aux trois quarts l'obstacle quand il lâcha prise et tomba dans la boue. Jimbo se sentit aspiré par la vase.

— Des sables mouvants ! hurla-t-il.

Billy ne perdit pas de temps. Il ramassa un très long bâton qu'il jeta à son frère. Puis il grimpa dans l'arbre, s'avança sur la branche et descendit le long de la corde d'où il put tendre la main à son frère et l'arracher aux sables. Quand ils furent au sec, Jimbo se laissa tomber par terre à côté de son frère et le regarda.

Billy ne dit rien mais Jimbo l'étreignit.

— Tu m'as sauvé, je te dois la vie.

A la différence de ses frères, Kathy aimait beaucoup l'école catholique et admirait les sœurs. C'était décidé : quand elle serait grande, elle serait religieuse. Elle chérissait le souvenir de son père et s'efforçait de retrouver tout ce qui subsistait de Johnny Morrison dans sa mémoire et celle des autres. Dorothy avait dit aux enfants que leur père était tombé malade et qu'il était mort à l'hôpital. Kathy avait cinq ans à présent, et elle allait à l'école. Quoi qu'elle fît, elle se demandait : « Qu'en penserait papa Johnny ? » Elle devait garder jusque dans l'âge adulte ce réflexe mental.

Ayant économisé sur ses gains de chanteuse, Dorothy devint copropriétaire du Top Hat Bar. Elle rencontra un homme jeune, séduisant et beau parleur, qui nourrissait des projets mirifiques. Il lui proposa d'ouvrir, en association avec lui, une boîte de nuit en Floride. « Il faut faire vite, expliqua-t-il. Tu pars avec les enfants en Floride pour choisir un bon coin. Je resterai à Circleville pour vendre tes intérêts dans le bar et puis je te rejoindrai. » Il suffisait qu'elle lui donnât une procuration.

Elle fit ce qu'il lui suggérait. Emmenant avec elle les enfants, elle se rendit chez sa sœur en Floride. Là, elle visita plusieurs night-clubs à vendre. Elle attendit un mois son associé. Il ne reparut pas. Comprenant qu'elle avait été la victime d'un escroc, elle reprit le chemin de Circleville. Elle n'avait plus le sou.

En 1962, dans une boîte de nuit où elle chantait, elle fit la connaissance de Chalmer Milligan. Veuf, il vivait avec sa fille Challa. Son autre fille était infirmière. Il se mit à fréquenter Dorothy et lui trouva un emploi dans l'usine de matériel téléphonique où il était contremaître.

Tout de suite, Billy éprouva de l'antipathie pour lui. Il confia à son frère : « Je me méfie de lui. »

Chaque année, Circleville vit ses grandes heures avec son festival de la citrouille, célèbre dans tout le Middlewest. Les rues sont animées par les défilés, les spectacles et les baraques de la foire où l'on vend des bonbons à la citrouille, des beignets de citrouille et des hamburgers à la citrouille. Lumières, banderoles et processions carnavalesques transforment, par la grâce de la citrouille, la ville en pays magique. Le festival de la citrouille d'octobre 1963 fut un moment heureux.

Dorothy avait la sentiment que sa vie avait pris désormais la bonne direction. Elle avait rencontré un homme qui possédait une situation stable, qui lui permettait de retrouver un certain confort et qui disait vouloir adopter ses trois enfants. Il serait un bon père pour eux et elle, une bonne mère pour Challa. Le 27 octobre 1963, Dorothy épousa Chalmer Milligan.

Trois semaines plus tard, un dimanche de la mi-novembre, il les emmena visiter la petite ferme de son père à Bremen, à quinze minutes de voiture. C'était bien amusant pour les enfants, de courir dans la maison blanche, de jouer à la balançoire, de se poursuivre depuis la fontaine à l'arrière de la maison jusqu'à la grange au bas de la colline. Chalmer déclara que les garçons viendraient en fin de semaine pour travailler à la ferme. Il y avait beaucoup à faire. Il fallait préparer le sol si on voulait faire pousser des légumes.

Billy contempla les champs où pourrissaient les citrouilles. Il grava dans son esprit l'image de la grange et du paysage alentour. Quand on serait de retour à la maison, décida-t-il, il ferait un dessin qu'il offrirait à son nouveau papa.

Le vendredi suivant, la mère supérieure et Frère Mason entrèrent dans la classe de Billy. Ils parlèrent à voix basse à Sœur Stephen.

— Mes enfants, s'il vous plaît, levez-vous et baissez la tête, ordonna Sœur Stephen, tandis que des larmes coulaient sur son visage.

Les enfants écoutaient, impressionnés par la mine solennelle de Frère Mason et par sa voix tremblante :

— Mes enfants, vous ne pouvez pas comprendre ce qui se passe aujourd'hui dans le monde. Ce n'est pas cela que j'attends de vous. Mais il est de mon devoir de vous dire que notre président, John F. Kennedy, a été assassiné ce matin. Nous allons maintenant réciter une prière.

Après le Notre Père, on renvoya les enfants chez eux. Frappés par la tristesse des adultes, les enfants attendirent dans un silence inquiet les autocars qui devaient les ramener à la maison.

A la fin de la semaine, la famille réunie devant la télévision assista aux funérailles du président. La mère de Billy pleurait. Il avait mal. Il ne pouvait supporter de la voir sangloter ainsi. Il ferma les yeux.

Shawn regarda les images silencieuses qui défilaient sur l'écran de télévision et les gens qui les fixaient. Il se leva pour appuyer son visage contre l'appareil et sentir les vibrations. Challa l'écarta. Shawn gagna sa chambre et s'assit sur le lit. Il découvrit que s'il laissait de l'air s'échapper doucement de sa bouche, en gardant les dents serrées, cela provoquait des vibrations amusantes dans sa tête, quelque chose comme : *zzzzzz...* Seul dans la pièce, il joua longtemps. *Zzzzz...*

Chalmer retira les trois enfants de l'école Saint-Joseph et les inscrivit à l'école de Circleville. Irlandais et protestant, il ne tolérait pas que quiconque de sa famille fréquentât une école catholique. Tout le monde irait à l'église méthodiste.

Les enfants furent mécontents de devoir abandonner l'Ave Maria et le Notre Père — des prières d'adultes auxquelles ils avaient droit jusque-là — pour les prières enfantines de Challa.

Billy décida que s'il changeait de religion, il prendrait celle de son père Johnny Morrison. Il serait juif.

8.

Peu de temps après son mariage, alors qu'ils venaient de s'installer dans la ville voisine de Lancaster, Dorothy s'aperçut que Chalmer était exagérément sévère avec les enfants. Interdiction de parler à table. Interdiction de rire. Il fallait passer le sel dans le sens des aiguilles d'une montre. Et quand on recevait des visites à la maison, les enfants devaient s'asseoir bien droits sur leur chaise, les pieds à plat sur le sol, les mains sur les cuisses.

Kathy n'avait pas le droit de s'asseoir sur les genoux de sa mère.

— Tu es trop grande, disait Chalmer à la fillette de sept ans.

Un jour, Billy renversa la salière sur la table en voulant la passer à son frère.

— Tu n'es qu'un incapable ! hurla Chalmer. Il a neuf ans et il est pire qu'un bébé !

Ils se mirent à avoir peur de leur papa Chal. Surtout quand il buvait de la bière.

Trop terrifié pour se révolter ouvertement, Billy se retira en lui-même. Il ne comprenait pas ce qui lui valait cette sévérité, cette hostilité, ces châtiments.

Un jour que Chalmer l'admonestait vertement, Billy osa soutenir son regard. La voix de son père adoptif se transforma en un sifflement haineux :

— Tu veux baisser les yeux quand je te parle !

Au son de cette voix, Billy rentra les épaules et s'exécuta...

Souvent, quand Shawn ouvrait les yeux, quelqu'un le regardait avec colère, en remuant les lèvres. Parfois, c'était la jolie dame. Parfois, c'était l'une des fillettes ou le garçon plus grand que lui qui le poussaient ou lui prenaient son jouet. Quand ils remuaient les lèvres, il se mettait à en faire autant, en émettant un bourdonnement entre ses dents. Ils riaient quand il faisait ça. Mais pas l'homme en colère. L'homme le foudroyait du regard. Alors Shawn se mettait à pleurer et cela faisait tout drôle dans sa tête. Shawn fermait les yeux et s'en allait.

Kathy se souvint, plus tard, du jeu préféré de Billy quand il était petit.

— Fais l'abeille, Billy, dit Kathy. Montre à Challa.

— L'abeille ? demanda Billy étonné.

— Le bruit de l'abeille, tu sais bien. *Zzzzzz !*

Sans comprendre de quoi elle parlait, Billy imita le bourdonnement d'une abeille.

— T'es rigolo, dit Kathy.

— Pourquoi tu fais le bruit du bourdon, la nuit ? lui demanda Jimbo un peu plus tard, dans leur chambre.

Ils partageaient le grand lit de bois et Billy avait souvent réveillé son frère sans le savoir avec ce bruit.

Billy aurait été bien en peine de répondre ! A quoi pouvaient donc faire allusion son frère et sa sœur ?

— C'est un jeu que j'ai inventé, dit-il, bien embêté.

— C'est quoi, comme jeu ?

— Ça s'appelle « Petite Abeille ». Je te montrerai.

Il glissa les deux mains sous la couverture, traçant des cercles avec les doigts.

— *Zzzzzz...* tu vois, il y a toute une famille d'abeilles là-dessous.

Et Jimbo avait l'impression que le bourdonnement provenait bel et bien de sous les couvertures. Billy sortit une main fermée et le bourdonnement sembla provenir de l'intérieur de sa main. Puis il fit semblant de faire aller et venir une abeille sur l'oreiller et la couverture. Il recommença le même manège à plusieurs reprises, comme s'il y avait plusieurs abeilles, et Jimbo sentit brusquement qu'on lui pinçait le bras.

— Aïe ! Qu'est-ce qui te prend ?

— C'est une abeille qui t'a piqué. Essaie de l'attraper. Tue-la ou prends-la dans ta main.

Jimbo réussit à attraper plusieurs fois l'abeille qui le piquait. Puis, comme il venait d'en saisir une au vol, le bourdonnement s'éleva dans la pénombre, s'amplifia et l'autre main sortit des couvertures pour le pincer de plus en plus fort.

— Aïe ! Arrête ! Tu me fais mal !

— Ce n'est pas moi, dit Billy. Tu as attrapé Petite Abeille. Son père et son grand frère sont sortis pour la venger.

Jimbo délivra Petite Abeille et Billy fit effectuer une ronde à la famille d'abeilles sur l'oreiller autour de la petite sœur.

— C'est chouette, ce jeu, dit Jimbo. On y jouera encore demain ?

Allongé dans le noir avant de s'endormir, Billy se dit que c'était sans doute l'explication : il avait inventé ce jeu dans sa tête et bourdonnait tout haut sans se rendre compte que les autres l'entendaient. Cela devait arriver à tout le monde. Comme de perdre le temps. Il croyait que tout le monde perdait le temps comme lui. Il avait souvent entendu sa mère ou des voisines en parler : « J'ai encore perdu mon temps aujourd'hui ! » ou « Il est déjà si tard ? Je n'ai pas vu le temps passer ! »

Le Professeur se souvient très bien d'un dimanche de son enfance. C'était au mois d'avril. Billy, qui avait neuf ans depuis sept semaines exactement, avait remarqué que papa Chal le surveillait constamment. Billy prit une revue et la feuilleta mais quand il releva la tête, il vit que Chalmer l'observait fixement. Il était assis, comme figé, le menton dans la main, ses yeux gris-bleu au regard vide braqués sur lui. Billy se leva pour remettre la revue en place sur la table puis il s'assit sur le divan comme on le lui avait enjoint, les pieds à plat sur le sol, les mains sur les genoux. Mais Chalmer le regardait toujours. Il se leva pour gagner le perron, à l'arrière de la maison, et se mit à jouer avec Blackjack. Tout le monde disait que Blackjack était un chien hargneux mais Billy s'entendait bien avec lui. Quand il releva la tête, Chalmer le regardait par la fenêtre de la salle de bains.

Gagné par la peur, il fit le tour de la maison pour échapper au regard de Chalmer et s'assit dans la cour, frissonnant malgré la douceur de l'après-midi. Le petit marchand de journaux lui tendit la *Gazette* et il se leva pour aller la porter dans la maison mais Chalmer l'épiait par la fenêtre donnant sur la cour.

Toute la journée, Billy sentit les yeux de Chalmer posés sur lui. Qu'avait-il derrière la tête ? Billy sentait la panique l'envahir. Chalmer ne disait pas un mot. Pas une fois, il ne lui adressa la parole, mais les yeux étaient là, guettant chacun de ses gestes, chacune de ses allées et venues.

Le soir, toute la famille regarda une émission de Walt Disney à la télé. Billy, allongé par terre, jetait des coups d'œil par-dessus son épaule et, inévitablement, rencontrait le regard vide et froid de Chalmer. Quand il se leva pour aller s'asseoir près de sa mère sur la banquette, Chalmer quitta la pièce.

Cette nuit-là, Billy ne dormit guère.

Le lendemain matin, avant le petit déjeuner, Chalmer entra dans la cuisine. Selon toute apparence il n'avait pas beaucoup dormi non plus. Il annonça qu'il allait emmener Billy avec lui à la ferme : il y avait beaucoup à faire là-bas.

En grimpant dans le camion, Billy vit Chalmer dissimuler des cartouches de 22 long rifle sous son blouson blanc sur le siège avant et se dit que le fusil devait être caché quelque part sous le siège ou à l'arrière. Chalmer fit halte à Bremen pour aller acheter quelque chose à la quincaillerie, puis il emprunta le chemin le plus long pour se rendre à la ferme et ne desserra pas les dents de tout le trajet.

Chalmer ouvrit le garage puis conduisit le tracteur dans la grange. Là, il héla Billy. Son ton de voix effraya le gamin de neuf ans. Sa respiration oppressée et sifflante, son haleine chargée de bière firent reculer l'enfant. Il l'agrippa par un bras et lui lia les mains à l'aide d'une corde. Puis, balançant la corde en travers d'une poutre, il se mit à tirer dessus.

Billy entendit une voix qui semblait venir de très loin lui dire que si jamais il s'avisait de parler à Dorothy de ce qui allait se passer, on le tuerait pour l'enterrer dans le champ. Dorothy croirait qu'il avait fait une fugue parce qu'il n'aimait pas sa maman.

Billy ferma les yeux.

Il avait mal. Très mal, très, très mal, et il ne savait pourquoi on le punissait ainsi, lui qui n'avait rien fait. Jamais il n'avait eu aussi mal de sa vie. Quand la douleur devint absolument insupportable, il songea au grand bocal de biscuits qu'il avait cassé un jour sans qu'on le punisse pour cette mauvaise action. A cet instant précis, son esprit, ses émotions, son âme volèrent en vingt-quatre morceaux...

Kathy, Jimbo et Challa ont confirmé par la suite le souvenir que le Professeur avait conservé de la scène pénible au cours de laquelle

Chalmer battit leur mère pour la première fois. Selon Dorothy, Chalmer était furieux de l'avoir vue parler à un ouvrier noir qui travaillait avec elle. Elle avait remarqué que ce dernier était sur le point de s'endormir à la chaîne de montage et était allée le secouer en lui signalant le danger.

Il la remercia en souriant et, quand elle regagna sa place à la chaîne, elle vit que Chalmer lui lançait des regards furibonds. Pendant le trajet du retour, il ne prononça pas un mot.

En arrivant chez eux, elle se décida à demander :

— Qu'est-ce qui se passe ?

— Qu'est-ce que vous trafiquez, tous les deux ? explosa-t-il. Tu crois que j'ai pas vu ton petit manège, avec ce nègre ?

— Mon Dieu, mais qu'est-ce que tu vas imaginer ?

Il la frappa. Les enfants, du salon, regardaient Chalmer rouer leur mère de coups. Billy, terrifié, ne bougeait pas. Il aurait voulu faire quelque chose pour aider sa mère, pour empêcher Chalmer de lui faire du mal. Mais il avait senti son haleine avinée et il avait peur qu'il le tue et l'enterre dans la grange pour dire ensuite qu'il s'était enfui.

Billy partit en courant se réfugier dans sa chambre. Il claqua la porte et s'appuya contre elle en se bouchant les oreilles avec les mains. Mais il entendait toujours les cris de sa mère. En larmes, il se laissa glisser le long de la porte et tomba assis. Il ferma les yeux très fort et tout devint silencieux autour de Shawn, le petit sourd...

Ce fut la période la plus pénible de toutes les périodes d'embrouilles, se souvint le Professeur. La vie était devenue très compliquée. Billy errait, perdant sans cesse le temps, sans jamais savoir quel était le jour, la semaine ou le mois. Ses instituteurs remarquaient son comportement bizarre et quand l'une des personnalités, ignorant ce qu'elle faisait là, prononçait des phrases absurdes ou se levait pour arpenter la salle de classe, on l'envoyait au piquet. Christine, trois ans, était celle qui allait au coin.

Elle était capable de rester là très longtemps sans rien dire, sans rien faire de compromettant pour Billy, lui évitant ainsi les ennuis. Mark, qui avait une capacité d'attention très réduite sauf pour les travaux manuels, n'aurait pas pu rester en place. Tommy se serait révolté. David aurait été très malheureux. « Jason », la soupape de sûreté, se serait mis à hurler. « Bobby » se serait perdu dans un monde imaginaire. « Samuel », juif comme Johnny Morrison, aurait prié. Ceux-là comme tous les autres n'auraient fait que multiplier les difficultés, pour Billy. Christine, qui n'avait pas grandi au-delà de trois ans, était la seule à pouvoir rester là patiemment sans rien dire.

Christine était la petite fille du coin.

Ce fut elle qui entendit parler des autres la première. Un matin, en se rendant à l'école, elle s'arrêta pour cueillir un bouquet de fleurs des champs. Si elle l'offrait à sa maîtresse, Mme Roth, peut-être l'enverrait-elle moins souvent au coin ? Mais en passant près d'un pommier, elle décida de lui apporter plutôt une pomme. Jetant le bouquet au loin, elle se dressa sur la pointe des pieds mais les fruits étaient trop haut pour elle. Elle se mit à pleurer.

— Pourquoi pleurer, petite fille ? Pourrquoi chagrrin ?

Elle regarda autour d'elle mais il n'y avait personne.

— Les pommes sont trop hautes. Je peux pas les attraper.

— Ne pas pleurrer. Ragen va chercher pommes.

« Ragen » grimpa à l'arbre et, rassemblant toutes ses forces, cassa une grosse branche.

— Tiens, dit-il. Beaucoup frruits pour toi.

Les bras chargés de pommes, il fit quelques pas en compagnie de Christine.

Quand il la quitta, elle laissa tomber les fruits qui roulèrent au milieu de la chaussée. Une voiture se dirigeait tout droit sur la plus belle pomme, la plus brillante, celle que Christine destinait à sa maîtresse. Au moment où elle traversait pour la récupérer, Ragen la tira en arrière. La voiture écrasa le beau fruit et Christine se remit à pleurer.

Ragen ramassa une pomme bien moins jolie et la lui donna à emporter.

— Merci beaucoup, Billy, dit Mme Roth quand elle posa la pomme sur son bureau.

Désolée que sa maîtresse ne l'ait pas remerciée elle, Christine gagna le fond de la classe, où elle s'assit au hasard, derrière un pupitre. Quelques instants plus tard, un grand garçon vint l'en chasser :

— C'est ma place !

Sentant que Ragen allait intervenir, Christine se leva précipitamment pour aller s'asseoir ailleurs.

— Madame, Billy m'a pris ma place ! s'écria la fillette qui se tenait sur l'estrade.

— Tu ne sais pas où est ta place ? demanda Mme Roth.

Christine secoua la tête.

La maîtresse lui indiqua une place vacante.

— Celle-là est libre, Billy. Va te mettre là-bas tout de suite.

Christine ne savait pas pourquoi Mme Roth était en colère. Elle faisait tellement d'efforts pour se faire aimer de son institutrice ! Les larmes aux yeux, elle sentit que Ragen s'apprêtait à s'en prendre à sa maîtresse. Elle ferma les yeux très fort, tapant du pied pour le retenir. Puis elle s'en alla à son tour.

Billy ouvrit les yeux et regarda autour de lui, stupéfait de se trouver dans la salle de classe. Comment était-il venu ? Pourquoi le regardaient-ils tous comme ça ? Pourquoi se moquaient-ils de lui ?

A la sortie, Mme Roth l'appela :

— Merci pour la pomme, Billy. C'était très gentil. Je regrette d'avoir dû te gronder.

Il la regarda s'éloigner le long du couloir, en se demandant de quoi diable elle pouvait bien parler.

La première fois que Kathy et Jimbo entendirent l'accent britannique, ils crurent que Billy faisait le clown. Il triait son linge dans sa chambre avec Jimbo quand Kathy vint le chercher pour partir à l'école avec Challa.

— Qu'est-ce que tu as, Billy ? demanda-t-elle en voyant son regard absent.

Il parut revenir à la réalité, posant les yeux tour à tour sur la fillette et l'autre garçon. Il ne les avait jamais vus. Il ne savait pas non plus ce qu'il faisait là ni comment il s'y trouvait. Il ne connaissait personne du nom de Billy. Non, tout ce qu'il savait, c'est qu'il s'appelait Arthur et qu'il était londonien.

Baissant les yeux, il vit qu'il portait une chaussette noire et une autre violette.

— Sapristi ! Que voilà des chaussettes bien mal assorties !

La fillette se mit à rire, aussitôt imitée par le garçon.

— T'imites drôlement bien, dis donc. On dirait exactement le docteur Watson dans les films de Sherlock Holmes que tu regardes tout le temps. Tu trouves pas, Jimbo ?

Elle s'éclipsa, suivie de Jimbo qui lança en passant :

— Dépêche-toi, Billy ! Tu vas être en retard !

Pourquoi l'appelaient-ils Billy alors que son nom était Arthur ?

Etait-il un imposteur ? Que faisait-il dans cette maison avec ces inconnus ? Etait-il là en tant qu'espion, détective privé ? Un peu de logique et de réflexion devrait permettre de résoudre cette énigme. Pourquoi portait-il des chaussettes dépareillées ? Qui les lui avait enfilées ? Il se passait des choses bizarres par ici.

— Tu viens, Billy ? Tu sais ce que fera papa Chal si tu es encore en retard !

Arthur songea que s'il était là en imposteur, autant aller jusqu'au bout. Il prit donc le chemin de l'école en compagnie de Challa et Kathy mais demeura silencieux. A l'intérieur de l'école, ils passèrent tous trois devant une salle de classe dans laquelle Kathy lui conseilla d'entrer au plus vite.

Il commença par chercher des yeux une place libre puis s'y rendit directement sans regarder à droite ni à gauche, sans oser prononcer un mot : c'était son accent qui avait déclenché le rire des autres.

L'institutrice distribua des exercices de calcul.

— Dès que vous aurez terminé, vous pourrez aller en récréation. En rentrant, vous vérifierez vos résultats puis je relèverai les copies.

Arthur parcourut des yeux les exercices et sourit. Il saisit un crayon et commença à inscrire les résultats des multiplications et des divisions qu'il calculait mentalement. Puis il croisa les bras, les yeux perdus dans le vide.

C'était vraiment trop élémentaire.

Dans la cour de l'école, les élèves chahutaient beaucoup trop à son goût. Il ferma les yeux...

— Reprenez vos copies, dit la maîtresse quand tout le monde eut regagné sa place.

Billy la regarda sans comprendre, en proie à la plus grande confusion.

Qu'est-ce qu'il faisait en classe ? Comment y était-il arrivé ? Il se souvenait de s'être levé le matin mais pas de s'être habillé ni d'avoir pris le chemin de l'école. Que s'était-il passé entre-temps ?

— Vous pouvez vérifier vos calculs avant de me remettre les copies.

Quelles copies ?

Il n'avait aucune idée de ce qui se passait mais il se dit que si elle lui demandait ce qu'il avait fait de sa copie, il prétendrait l'avoir oubliée ou perdue. Il fallait trouver une excuse ! Il ouvrit son cahier : la copie d'exercices était là, sous ses yeux, avec les cinquante réponses. Il remarqua que l'écriture était un peu différente de la sienne. C'était la même, mais comme s'il avait écrit très vite. Il s'était souvent trouvé en possession de feuilles de papier sans savoir comment, et il en avait conclu qu'elles devaient être à lui. Mais il se savait parfaitement incapable de résoudre ces exercices. Glissant un regard vers sa voisine, il constata qu'elle avait la même copie entre les mains. Avec un haussement d'épaules, il inscrivit « Bill Milligan » au haut de la sienne. Inutile de vérifier ses résultats. Il ne comprenait rien aux problèmes.

— Tu as déjà fini ?

Il leva la tête vers la maîtresse, debout près de son pupitre.

— Oui.

— Tu n'as pas vérifié tes résultats ?

— Non.

— Tu es donc si sûr d'avoir réussi ?

— Je ne sais pas. Vous pouvez me le dire ?

Elle saisit la copie et regagna son bureau. Quelques instants plus tard, Billy la vit froncer les sourcils. Elle revint auprès de lui.

— Montre-moi ton cahier, Billy.

Il s'exécuta et elle le feuilleta attentivement.

— Montre-moi tes mains.

Il éleva les mains devant elle. Puis elle demanda à voir l'intérieur de ses manches, le contenu de ses poches et de son pupitre.

— Je ne comprends pas, dit-elle pour finir. Tu n'avais aucun moyen de te procurer les réponses J'ai fait ronéoter les copies juste avant d'entrer en classe.

— Mes résultats sont bons ? demanda Billy.

— Tu n'as pas fait une seule faute, dit-elle en lui tendant sa copie à regret.

Les maîtres de Billy le traitaient de menteur, de bon à rien et de mauvais sujet. Pendant toute sa scolarité, il eut sans cesse affaire aux directeurs, aux conseillers d'orientation et aux psychologues. Il lui fallait constamment raconter des histoires, déformer la vérité, inventer toutes sortes d'explications pour donner le change, pour cacher à son entourage que, la plupart du temps, il ignorait ce qui lui était arrivé quelques jours, quelques heures ou même quelques minutes auparavant. Tout le monde remarquait ses états de transe. Tout le monde s'accordait à le trouver bizarre.

C'était au printemps, en 1969, se souvient le Professeur. Billy avait quatorze ans. Chalmer l'avait emmené travailler à la ferme. Derrière le champ de maïs, il lui tendit une pelle et lui ordonna de creuser...

Le docteur Stella Karolin décrira plus tard l'épisode dans le rapport qu'elle présentera à la Cour : « Son beau-père fit subir à Billy des sévices sexuels et le menaça de l'enterrer vivant s'il en parlait à sa mère. Il enterra même l'enfant, en lui laissant seulement un tuyau pour respirer... avant d'enlever la terre dont il avait recouvert l'enfant, il lui urina sur le visage par le tuyau. » (*Newsweek*, 18 décembre 1978.)

... Depuis ce jour, Danny a peur de la terre. Jamais il ne s'allonge dans l'herbe, ni ne touche le sol de ses mains, jamais il ne peint de paysages.

Quelques jours plus tard, Billy entra dans sa chambre et voulut allumer sa lampe de chevet. Rien ne se produisit. Il fit jouer plusieurs fois l'interrupteur. Toujours rien. Il alla chercher une ampoule neuve dans la cuisine pour la changer comme il avait souvent vu sa mère le faire. Il reçut une décharge électrique qui le jeta en arrière contre le mur...

« Tommy » ouvrit les yeux et regarda autour de lui avec incertitude. Avisant l'ampoule sur le lit, il s'en saisit et entreprit de la visser sur la lampe. Mais à l'instant où il toucha le métal, il reçut une violente décharge électrique. Putain de lampe ! Qu'est-ce qui se passait ? Il dévissa l'abat-jour pour regarder à l'intérieur de la douille et reçut une nouvelle châtaigne. Il s'assit alors pour réfléchir. D'où provenait ce foutu courant ? Il suivit le fil jusqu'au mur et débrancha la prise puis retourna poser ses doigts sur la douille : rien ! Le courant venait donc du mur ! Il fixa un instant des yeux les deux petits trous, se leva d'un bond et s'élança dans l'escalier. Les fils le conduisirent jusqu'aux fusibles, puis à l'extérieur de la maison. Là, il s'arrêta, stupéfait, en voyant les câbles qui reliaient les poteaux entre eux, tout le long de la rue. C'était donc à cela qu'ils servaient !

Tommy se mit à suivre les poteaux pour voir où ils le conduiraient. La nuit tombait quand il atteignit enfin un bâtiment entouré de câbles sur lequel on pouvait lire : ÉLECTRICITÉ DE L'OHIO. Bon, d'accord, mais où se procuraient-« ils » le courant qui allumait les lampes et envoyait des décharges pareilles ?

En rentrant chez lui, il chercha dans l'annuaire l'adresse de l'Electricité de l'Ohio. Il était trop tard pour s'y précipiter sur-le-champ, mais dès le lendemain matin, il irait voir d'où provenait le courant. Il lui fallait absolument satisfaire au plus vite sa curiosité.

Le lendemain matin, Tommy pénétrait, éberlué, dans les bâtiments de l'Electricité de l'Ohio. Rien que des employés assis derrière des bureaux, qui répondaient au téléphone ou tapaient à la machine ! Une administration comme les autres ! Il s'était encore fourvoyé ! Tandis qu'il déambulait dans les rues en se demandant où il pourrait bien se renseigner, il passa devant la mairie et avisa l'enseigne de la bibliothèque municipale.

Il trouverait peut-être la réponse dans les livres, après tout ! Il consulta le catalogue à « Electricité » et se plongea dans la lecture d'ouvrages où l'on parlait de barrages, d'hydroélectricité, de la combustion du charbon et d'autres sources d'énergie — l'énergie qui permet de faire marcher les machines et d'allumer les lampes.

Il lut jusqu'à la nuit. Puis il s'en fut par les rues de Lancaster, où les lumières s'allumaient de toutes parts, enthousiasmé de savoir à présent comment c'était possible. Il apprendrait tout ce qui se rapportait à l'électricité, décida-t-il. Il s'arrêta devant une vitrine de matériel électronique. Un récepteur de télévision était allumé et une petite foule de badauds s'était rassemblée devant le magasin pour regarder un homme en combinaison spatiale qui descendait une échelle.

— On a du mal à y croire, fit quelqu'un. Dire que ces images viennent de la Lune !

« *... un pas de géant pour l'humanité* », disait le présentateur.

Tommy leva les yeux vers le ciel où brillait la lune puis regarda de nouveau l'écran. Il avait encore beaucoup à apprendre !

Un visage de femme se refléta dans la vitre.

— Il faut rentrer à la maison, maintenant, Billy, dit Dorothy.

Il faillit faire remarquer à la jolie maman de Billy que son nom à lui était Tommy mais elle posa la main sur son épaule pour le conduire vers la voiture.

— Il faut que tu arrêtes de traîner dans les rues comme ça, Billy. Il vaut mieux que tu sois rentré avant Chal sinon tu sais comment cela se termine !

Pendant le trajet du retour, Dorothy lui coula des regards

compréhensifs, comme pour tenter de le tirer de sa torpeur, mais il resta muet.

Elle lui servit son dîner en arrivant puis lui suggéra d'aller prendre ses pinceaux.

— Cela te fait du bien, d'habitude. Tu n'as vraiment pas l'air dans ton assiette !

Haussant les épaules, il gagna néanmoins sa chambre et se mit à peindre, à grands coups de pinceaux, une route jalonnée de poteaux électriques sous un ciel nocturne. Cela fait, il contempla non sans satisfaction le résultat : pas mal pour un débutant ! Le lendemain matin, il se leva tôt pour peindre un paysage diurne, au-dessus duquel il accrocha quand même la lune.

Billy aimait les fleurs et la poésie et il aidait spontanément sa mère à la maison. Mais à force d'être traité de « femmelette » et de « petite pédale » par son beau-père, il renonça aux travaux ménagers et cessa d'écrire des poèmes. « Adalana » prit sa place en secret.

Un soir, Chalmer s'installa devant la télévision. On passait un film sur la Deuxième Guerre mondiale, dans lequel un SS frappait sa victime à l'aide d'un tuyau de caoutchouc. A la fin du film, Chalmer sortit dans la cour pour aller couper un mère cinquante de tuyau d'arrosage. Il le plia en deux et relia les extrémités avec du papier collant pour faire une poignée. Puis il entra dans la cuisine où Billy faisait la vaisselle.

Avant de se rendre compte de ce qui lui arrivait, Adalana reçut un coup au creux des reins qui l'envoya à terre.

Chalmer suspendit l'instrument à la porte de sa chambre et se mit au lit.

Adalana apprit à ses dépens que les hommes sont brutaux et malveillants et qu'il ne faut pas leur faire confiance. Elle aurait voulu que Dorothy ou les petites filles — Kathy ou Challa — la serrent dans leurs bras pour la rassurer mais elle savait que cela lui attirerait des ennuis. Aussi alla-t-elle se coucher ce soir-là en pleurant.

Chalmer se servit souvent du tuyau, surtout contre Billy. Dorothy s'est souvenue par la suite qu'elle accrochait sa robe de chambre ou sa chemise de nuit par-dessus en espérant que son mari finirait par l'oublier. Puis un jour, ayant constaté qu'il ne s'en était pas servi depuis longtemps, elle le fit disparaître. Il ne sut jamais où il était passé.

Tommy ne s'intéressait pas seulement à la mécanique et à l'électricité. Il se mit aussi à étudier les méthodes d'évasion. A cette occasion, il fut extrêmement déçu d'apprendre que certains des tours les plus célèbres d'un Houdin ou d'un Sylvester étaient truqués.

Jimbo se souvient que son frère lui demandait de lui lier les mains le plus étroitement possible et de le laisser seul. Tommy examinait alors les nœuds et cherchait le moyen le plus facile de faire tourner ses poignets pour les faire coulisser. Il attachait aussi un seul poignet à l'aide d'une cordelette et s'exerçait à le détacher derrière son dos avec l'autre main.

La description d'un piège destiné à la capture des singes — l'animal introduit son bras par une fente étroite pour saisir de la nourriture, puis il est incapable de le retirer dans l'autre sens, la main restant coincée à l'articulation — lui donna l'idée d'étudier la structure osseuse de la main humaine. C'est ainsi qu'il s'aperçut qu'en comprimant la main de façon à la rendre plus étroite que le poignet, on devrait pouvoir la faire glisser hors des liens. Comparant la largeur de ses mains et de ses poignets, il s'astreignit à une série d'exercices pour faire jouer ses os et ses articulations. Quand il parvint enfin à comprimer suffisamment ses mains, il sut qu'aucun lien ni aucune chaîne ne pourrait désormais le retenir prisonnier.

Tommy s'avisa alors qu'il devait aussi apprendre à forcer les portes verrouillées pour s'échapper. Un jour qu'il était seul à la maison, il démonta la serrure de la porte d'entrée pour en étudier le mécanisme, dont il fit un croquis pour s'en souvenir. Par la suite, chaque fois qu'il voyait une serrure d'un type différent, il la démontait pour l'examiner de plus près.

Il entra une autre fois dans la boutique d'un serrurier, un vieux monsieur qui l'autorisa à fouiner dans son atelier où il se familiarisa avec toutes sortes de modèles différents. Le serrurier lui prêta même un ouvrage sur les serrures magnétiques et les coffres-forts. Tommy apprenait insatiablement, mettant sans cesse ses connaissances à l'épreuve. Il décida que, dès qu'il aurait réuni la somme nécessaire, il achèterait une paire de menottes.

Un soir où Chalmer s'était montré particulièrement odieux, il chercha un moyen de se venger sans risque.

Il prit une lime dans la trousse à outils et entreprit de démonter le rasoir électrique à lames rotatives de son beau-père. Il remonta les lames dans le mauvais sens, revissa le boîtier et reposa le tout en place.

Le lendemain matin, il guetta Chalmer qui entrait dans la salle de bains. Il entendit le déclic du rasoir, aussitôt suivi par des cris de douleur : au lieu de couper les poils, les lames les arrachaient brutalement.

— Tu vas rester planté là longtemps, espèce de petit crétin ? beugla Chalmer en sortant précipitamment. Tu peux pas te remuer ?

Tommy enfonça les mains dans ses poches et s'éloigna, détournant la tête pour ne pas montrer qu'il souriait.

« Allen » sortit pour la première fois dans la lumière du projecteur pour tenter de dissuader des vauriens qui menaçaient de le pousser dans une fosse destinée à recevoir les fondations d'un immeuble. Il discuta avec eux, usant de tous les arguments qui lui venaient à l'esprit. Mais ce fut peine perdue. Ils le firent tomber au fond et lui jetèrent des pierres. Bon, se dit-il, inutile de s'attarder...

Danny entendit une pierre heurter le sol devant lui. Puis une autre et encore une autre. Levant la tête, il aperçut les petits voyous au bord du trou. Il reçut une pierre à la jambe, une autre au côté et se mit à courir en tous sens, cherchant désespérément un moyen de s'enfuir. Mais il eut vite fait de se rendre compte qu'il n'y avait pas d'issue. Jamais il ne pourrait grimper si haut. Il s'assit en tailleur dans la boue...

Une pierre atteignit Tommy qui leva la tête : il était manifestement dans une situation critique mais ses talents ne lui seraient pas d'un grand secours. Il ne s'agissait ni de défaire des liens ni de forcer une serrure. Il fallait de la force...

Ragen se releva, tira son couteau de sa poche et escalada la pente en trois enjambées. Ouvrant le couteau d'un coup sec, il défia les petites frappes l'une après l'autre, parfaitement maître de lui, prêt à recevoir le premier qui voudrait l'affronter. Il n'aurait pas hésité à frapper. Mais les petits voyous qui s'en étaient pris à plus faible qu'eux ne s'attendaient pas à le voir se défendre. Ils s'éparpillèrent et Ragen rentra à la maison.

Jimbo se souviendra plus tard que les parents vinrent se plaindre à

Chalmer, leurs enfants ayant raconté que Billy les avait menacés d'un couteau. Après leur départ, Billy reçut une raclée.

Dorothy se rendait compte que son fils cadet avait changé et qu'il avait un comportement bizarre.

— Par moments, dira-t-elle, Billy n'était plus Billy. Il était maussade et absent. Quand il était dans cet état, il ne me répondait pas si je lui parlais, comme s'il était ailleurs, perdu dans des pensées lointaines, les yeux dans le vague. Il errait dans les rues comme un somnambule, le soir, après la classe. Quelquefois, quand on le surprenait dans cet état à l'école avant la sortie, on le gardait là-bas et on m'appelait pour que je vienne le chercher. Ou alors on m'appelait pour me prévenir qu'il venait de partir. Je me mettais à sa recherche dans toute la ville et je finissais par le trouver marchant au hasard. Je le ramenais à la maison et je lui suggérais d'aller s'allonger un peu. Mais il ne savait même plus où était sa chambre. Je le conduisais en me disant « Mon Dieu, ce n'est pas possible ! » Quand il se réveillait et que je lui demandais comment il se sentait, il avait l'air de tomber des nues. Il ne se souvenait même plus s'il était allé à l'école ou s'il était resté à la maison. Alors je lui expliquais :

— Tu ne te souviens pas que je suis venue te chercher ? Tu étais à l'école et M. Young m'a appelée. Je suis allée te prendre et on est rentrés ensemble. Tu ne te rappelles pas ?

Il me regardait d'un air hébété sans paraître savoir de quoi je parlais.

— Tu ne te rappelles pas ?

— Je devais pas aller très bien, aujourd'hui.

On a voulu me faire croire qu'il se droguait, mais je savais que ce n'était pas vrai. Billy n'a jamais pris de drogue. Il refusait même un cachet d'aspirine ! Il fallait que je me fâche pour lui faire avaler un médicament ! Quelquefois, il rentrait tout seul, l'air perdu, dans un état second, et il ne m'adressait pas la parole tant qu'il n'avait pas fait un somme. Après, en se réveillant, il redevenait lui-même. Je le leur disais. Je le disais à tout le monde : « *Ce gosse a besoin d'être soigné.* »

Arthur apparaissait quelquefois à l'école pour corriger son professeur d'histoire, surtout quand on traitait de l'Angleterre et de ses colonies. Il passait le plus clair de son temps à dévorer des livres à la bibliothèque municipale de Lancaster. On apprenait certainement plus de choses par la lecture ou l'expérience que de la bouche de ces enseignants de province !

La version que donna son professeur de la « Boston Tea Party [1] » mit Arthur hors de lui. Il connaissait la véritable explication de cet épisode historique pour l'avoir lue dans un ouvrage canadien intitulé *La vérité toute nue,* qui démentait l'interprétation patriotique de ce qui n'était qu'exactions d'ivrognes. Mais quand Arthur prit la parole, il déclencha l'hilarité parmi ses camarades et quitta la classe. Il se rendit directement à la bibliothèque, où la jolie employée ne se moquerait pas de son accent, elle.

Arthur savait parfaitement qu'il n'était pas seul. C'est en consultant le calendrier qu'il commença à se rendre compte que quelque chose ne tournait pas rond. Par ailleurs, dans les livres et dans son entourage, les gens ne semblaient pas dormir aussi longtemps que lui. Il se mit à interroger son entourage.

— Qu'est-ce que j'ai fait hier ? demandait-il à Kathy, Jim, Challa ou Dorothy.

Mais comme leurs réponses n'éveillaient aucun souvenir en lui, il lui fallait faire appel à la déduction logique pour vérifier leurs dires.

Un soir, au moment de s'endormir, il sentit soudain une présence étrangère dans son esprit et il s'obligea à rester éveillé.

— Qui êtes-vous ? demanda-t-il. Répondez-moi.

— Et vous ? Qui êtes-vous ?

— Je m'appelle Arthur. Et vous ?

— Tommy.

— Que faites-vous là, Tommy ?

— Que faites-vous là vous-même ?

Les questions et les réponses se succédaient dans sa tête.

— Comment êtes-vous arrivé là ? demanda Arthur.

— J'en sais rien, et vous ?

— Moi non plus mais j'ai bien l'intention de le découvrir.

— Comment ?

— Tâchons de raisonner logiquement. J'ai une idée. Nous allons

1. *Episode célèbre qui marque le début de la guerre d'Indépendance des colonies américaines contre la couronne britannique (NdT).*

noter chacun à notre tour les périodes durant lesquelles nous sommes éveillés et nous verrons si elles recouvrent une journée entière.

La réponse fut non.

Tommy et Arthur n'étaient pas seuls.

Arthur passa désormais chacun des instants durant lesquels il avait accès à la conscience à tenter de résoudre l'énigme du temps perdu et à rechercher qui partageait encore son corps et son esprit. Après avoir fait la connaissance de Tommy, il découvrit peu à peu tous les autres, vingt-trois en tout, y compris lui-même et celui auquel on s'adressait sous le nom de Billy ou Bill. Par déduction, il parvint à connaître leur personnalité et leur comportement ordinaire.

Seule, Christine, la fillette de trois ans, semblait avoir connu, avant Arthur, l'existence des autres. Il s'aperçut qu'elle savait ce à quoi ils pensaient quand ils étaient conscients. Arthur se demanda si l'on ne pouvait pas cultiver cette capacité.

Il posa la question à Allen, le manipulateur qui se tirait toujours des situations compliquées grâce à son bagout.

— La prochaine fois que vous détiendrez la conscience, il faudra vous concentrer pour me raconter tout ce que vous verrez.

Allen donna son accord et, dès qu'il en eut l'occasion, il fit ce qu'Arthur lui avait demandé. Celui-ci tenta de visualiser ce qu'Allen lui décrivait jusqu'au moment où, au prix d'un effort extraordinaire, il parvint à voir les choses par les yeux d'Allen.

Il venait de vérifier pour la première fois la suprématie de l'esprit sur la matière.

Arthur comprit que son savoir lui conférait la responsabilité d'une grande famille très diversifiée. Chacun de ses membres possédait le même corps et il fallait manifestement mettre un peu d'ordre dans cette situation pour le moins chaotique. Et puisqu'il se révélait le seul capable de l'objectivité nécessaire, il allait désormais se consacrer à cette tâche et trouver une organisation équitable, fonctionnelle et — par-dessus tout — logique.

A l'école, les camarades de Billy le voyaient errer comme un somnambule et parler tout seul, puis adopter soudain le langage d'une petite fille et ils prenaient un malin plaisir à le tourner en ridicule.

Une fois, dans la cour de récréation, un groupe de gosses s'en prit à lui et lui jeta des pierres. Quand l'une d'elles l'atteignit au côté, il ne comprit pas tout de suite ce qui lui arrivait mais il refoula sa colère en songeant à la punition que lui infligerait Chalmer.

Il fit volte-face, défiant les railleurs. L'un d'eux ramassa une autre pierre pour la lui lancer mais Ragen la rattrapa au vol et la renvoya lestement, atteignant son agresseur à la tête.

Les gamins reculèrent, surpris, quand brilla la lame d'un couteau. Ragen s'avançait, menaçant. Ils s'enfuirent à toutes jambes sans demander leur reste.

Demeuré seul, Ragen regarda autour de lui sans comprendre. Qu'est-ce qu'il faisait là ? Qu'est-ce qui se passait ? Refermant son couteau, il le glissa dans sa poche et s'en fut sans avoir trouvé la réponse.

Mais Arthur l'observait.

Impressionné par l'intensité de sa colère et la promptitude de ses réflexes, il comprit instantanément le rôle que jouait Ragen. Il faudrait prendre garde à ces soudaines explosions de fureur mais aussi sans aucun doute apprendre à s'en servir. Avant de se présenter à lui, Arthur prit le parti d'étudier pour le comprendre un peu mieux cet étonnant personnage qui pensait avec un accent slave. Persuadé que les Slaves sont les premiers barbares de l'humanité, Arthur avait l'impression d'avoir affaire à l'un d'entre eux, un individu dangereux, une force à dompter pour la mettre au service de la « famille ». Il remit donc à plus tard leur première entrevue.

Quelques semaines après cet épisode, « Kevin » se joignit à une petite bande de loubards qui se battait contre une bande adverse à coups de mottes de terre. La bagarre avait lieu près d'un grand trou fraîchement creusé dans un chantier de construction. Kevin lançait ses projectiles avec une ardeur joyeuse, riant quand il manquait son but, en les regardant exploser comme des bombes, quand il entendit soudain une voix inconnue à ses côtés :

— Plus bas ! Lance-les plus bas !

Il regarda autour de lui. Il n'y avait personne assez près de lui pour avoir prononcé ces mots.

— Plus bas... plus bas. Lance-moi ça plus bas.

La voix avait l'accent du soldat de Brooklyn, dans un film de guerre qu'il avait vu à la télé.

— Mais balance-moi donc ces saloperies plus bas !

Ebahi, Kevin s'assit sur le tas de boue pour réfléchir.

— T'es où ? demanda-t-il.
— Et toi, où qu' t'es ? répondit la voix.
— Sur le tas de terre, derrière le trou.
— Ah ouais ? Ben moi aussi.
— Comment tu t'appelles ?
— Philip. Et toi ?
— Kevin.
— En v'là un drôle de nom !
— Tu répètes ça et j' te cogne si jamais j' te vois !
— Où qu' tu perches ? demanda alors Philip.
— A Spring Street. Et toi, d'où tu sors ?
— De Brooklyn. Mais j'habite Spring Street maintenant.
— Moi c'est au 933. Une maison blanche. La baraque est à ce type, Chalmer Milligan, dit Kevin. Il m'appelle Billy.
— Ben merde. C'est la même chose pour moi. Je connais le même mec. Y m'appelle Billy aussi. J' t'ai jamais vu là-bas.
— J' t'ai jamais vu non plus.
— Dis, mec, si on allait descendre quelques carreaux à l'école ?
— Au poil !

Ils s'élancèrent en direction de l'école et cassèrent une bonne dizaine de vitres.

Arthur, qui assista à la scène, conclut qu'il avait affaire à des délinquants qui risquaient de poser un jour ou l'autre de graves problèmes.

Des personnalités qui occupaient son propre corps, Ragen connaissait Billy depuis le jour où il avait accédé pour la première fois à la conscience, mais il connaissait aussi David, qui prenait sur lui la douleur, Danny, qui vivait dans la terreur, et Christine, à qui il vouait une véritable adoration. Il se doutait aussi qu'il y en avait d'autres. Les voix qu'il entendait et tout ce qui se passait ne pouvaient pas s'expliquer par la présence de cinq personnes seulement.

Ragen savait qu'il avait pour nom de famille Vadascovinich et qu'il était né en Yougoslavie. Il avait pour but, dans la vie, d'assurer sa propre survie et de défendre les autres « habitants », en particulier les enfants, par tous les moyens. Il était d'ailleurs parfaitement conscient de sa force prodigieuse comme de sa capacité à flairer de loin l'approche du danger, telle une araignée qui sent une présence sur sa toile. Il intégrait la peur des autres pour la convertir en actes et cultivait sa forme physique en s'adonnant, entre autres, aux arts martiaux. Mais cela n'était pas suffisant, dans un monde aussi hostile.

Il s'acheta un couteau et partit s'entraîner au lancer dans les bois. Il ne rentra chez lui qu'à la nuit, quand il commença à faire vraiment trop sombre. Jamais plus, décida-t-il ce jour-là, il ne sortirait sans arme.

Sur le chemin du retour il entendit quelqu'un parler dans son dos avec un accent anglais prononcé. Il fit volte-face, en faisant jaillir son couteau de sa botte. Mais il n'y avait personne.

— Je suis dans votre tête, Ragen Vadascovinich. Nous occupons tous deux le même corps.

Tout en marchant, Arthur le mit au fait de ce qu'il avait découvert à propos des autres « habitants ».

— Vous êtrre vrraiment dans ma tête ? demanda Ragen.

— C'est exact.

— Et vous savoirr ce que je fais ?

— Je vous observe, depuis quelque temps. J'ai pu constater que vous lanciez très bien le couteau mais, si je puis me permettre, vous ne devriez pas vous contenter de cette arme unique. Outre la pratique des arts martiaux, vous auriez certainement intérêt à connaître le maniement des armes à feu et peut-être même à savoir fabriquer une bombe.

— Les explosifs n'êtrre pas mon fort. Je ne comprrendrre rrien à tous ces fils et ces brranchements.

— Tommy pourrait alors se spécialiser dans ce domaine. Ce petit est doué pour l'électronique et la mécanique.

— Qui êtrre Tommy ?

— Je vous présenterai un jour prochain. Si nous voulons avoir une chance de survivre dans ce monde, il va falloir apporter un peu d'ordre dans ce chaos.

— Qu'entendrre par « chaos » ?

— Quand plusieurs personnes prennent successivement la conscience à la place de Billy, qu'elles commencent des choses sans jamais les finir, qu'elles se mettent dans de mauvais cas et qu'il faut faire appel à des trésors d'ingéniosité pour les en tirer, voilà ce que j'appelle le « chaos ». Il faut absolument que nous trouvions un moyen de réglementer tout cela.

— Je n'aimer pas trrop les règlements.

— Pourtant, il devient urgent de faire preuve de discipline si nous voulons survivre. C'est à mes yeux la priorité des priorités.

— Et ensuite ?

— Il faut cultiver nos talents, les améliorer sans cesse.

— J'êtrre d'accord.

— Il faut que je vous parle d'un ouvrage qui donne les moyens d'acquérir la maîtrise de sa propre sécrétion d'adrénaline. On pourrait semble-t-il concentrer ainsi ses forces au maximum.

Ragen écouta Arthur lui exposer un certain nombre de théories biologiques, insistant sur l'idée que l'être humain est capable de dompter sa peur pour la convertir en énergie physique et musculaire grâce à l'adrénaline et aux sécrétions thyroïdiennes. Ragen sentit une certaine contrariété face aux airs de supériorité que se donnait Arthur mais il devait bien convenir que ce dernier faisait appel à des connaissances dont il n'avait personnellement jamais entendu parler.

— Vous jouez aux échecs ? s'enquit soudain Arthur.

— Bien sûr.

— Parfait. e2-e4.

Ragen réfléchit un instant puis répondit :

— b8-c6.

— Ah ! défense indienne ! joli coup.

Arthur gagna la partie et toutes les suivantes. Ragen se rendit à l'évidence : pour la concentration intellectuelle, Arthur l'emportait. Mais il se consola en se disant que ce dernier ne serait pas capable de se défendre tout seul s'il était en danger.

— Nous avons besoin de vous pour nous défendre, fit remarquer Arthur.

— Comment fairre pour lire dans mes pensées ?

— C'est très simple. Vous devriez y parvenir vous aussi un jour ou l'autre.

— Est-ce que Billy nous connaîtrre ?

— Non. Il lui arrive d'entendre des voix et il a parfois des visions mais il ignore complètement notre existence.

— Ne devrrait-on pas mettrre lui au courrant ?

— Je ne pense pas, non. J'ai le sentiment qu'il deviendrait fou.

9.

En mars 1970, Robert Martin, psychologue scolaire au lycée Stanberry, rédigeait un rapport sur Billy :

« A plusieurs reprises, il s'est montré dans l'incapacité de dire qui il était, de retrouver ses affaires et de marcher sans être soutenu. Dans ces moments-là, ses pupilles se rétrécissaient à la taille d'une tête d'épingle. Ces derniers temps, des incidents l'ont opposé fréquemment à ses professeurs et à ses camarades, ce qui s'est traduit chaque fois par son expulsion de la classe. Dans ces occasions, il était dans un état dépressif, pleurait et ne savait plus communiquer. On l'a vu, au cours d'une de ces crises, tenter de se jeter sous les roues d'une voiture. En raison de ce comportement, on l'a fait examiner par un médecin qui a diagnostiqué des « transes psychiques ».

Au cours de l'entretien que j'ai eu avec lui, Bill m'a paru déprimé mais maître de lui-même. L'interrogatoire a fait apparaître une profonde aversion envers le beau-père et, conséquemment, envers le foyer. Bill voit son beau-père comme un être extrêmement rigide et tyrannique, indifférent aux sentiments des autres. Cette impression s'est vérifiée dans un entretien avec la mère. Celle-ci m'a appris que le vrai père de Bill s'est suicidé et que le beau-père compare souvent Bill à son père. Il prétend en outre, selon la mère, que cette dernière et Bill sont responsables de la mort du père. »

John W. Young, le directeur du lycée Stanberry, s'aperçut que Billy Milligan manquait fréquemment la classe et se réfugiait sur le palier du bureau directorial ou dans les coulisses de l'auditorium.

Chaque fois qu'il le trouvait là, Young s'asseyait à côté du garçon pour bavarder avec lui.

Parfois Billy parlait de son père mort, de son désir de devenir à son tour animateur quand il serait grand. Il racontait aussi ses difficultés à la maison. Mais souvent, le principal découvrait l'enfant en pleine transe et le ramenait à la maison. La persistance de ces troubles du comportement incita le directeur à diriger Billy sur le dispensaire d'hygiène mentale du comté.

Le psychiatre Harold Brown, qui dirige le centre, eut une première entrevue avec Billy le 6 mars 1970. En face du médecin, un homme frêle aux rouflaquettes grises, se tenait un garçon d'une quinzaine d'années, mince, à la mise correcte et apparemment en bonne santé. L'enfant restait assis dans une attitude passive, sans nervosité ni anxiété, mais il évitait le regard du psychiatre.

« La voix est douce, nota le docteur Brown, faiblement modulée, évoquant un état de transe. »

Billy leva les yeux sur le médecin.

— Qu'est-ce que tu ressens ? lui demanda ce dernier.

— C'est comme un rêve qui est là et puis qui disparaît. Mon papa me déteste. Je l'entends qui crie. Y a une lumière rouge dans ma chambre. Je vois un jardin et une route... des fleurs, de l'eau, des arbres et y a personne dans cet endroit pour me crier après. Je vois un tas de choses qui n'existent pas. Une porte fermée à double tour et quelqu'un frappe pour sortir. Je vois une femme qui tombe et soudain elle se transforme en barre de fer et je peux pas la toucher. Eh, dites donc, j' parie qu' vous avez jamais vu personne planer sans avoir pris d'acide !

— Qu'est-ce que tu penses de tes parents ?

— J'ai peur qu'il la tue un de ces jours. C'est à cause de moi. Ils se disputent sans arrêt à mon sujet. J'ai des cauchemars que je peux pas décrire. Il y a des moments où je sens mon corps tout drôle, comme si j'étais fait de lumière et d'air. Il y a des fois où j'ai l'impression que je pourrais voler.

Le premier rapport de Brown concluait :

« En dépit des expériences décrites, il ne semble pas avoir perdu contact avec la réalité. Aucun symptôme clairement psychotique n'a été mis en évidence. Le sens de l'orientation, la mémoire sont bons. Il est raisonnablement capable de concentrer son attention et de la soutenir. Le jugement est gravement faussé par les élaborations mentales décrites. Il éprouve le besoin de se présenter sous un jour dramatique. L'introspection est insuffisante pour modifier le comportement. Hypothèse de diagnostic : névrose hystérique grave avec réactions de conversion. »

En rapportant cette séance, le professeur affirmera que le docteur Brown n'avait pas eu affaire à Billy, mais à Allen qui décrivait les pensées et les visions de David.

Cinq jours plus tard, Milligan se présenta au dispensaire sans avoir pris rendez-vous. Voyant que le jeune homme était dans un état de transe, le docteur Brown décida néanmoins de le recevoir. Il nota que le garçon semblait savoir qui il était et qu'il se conformait aux directives qu'on lui donnait.

— Il faut téléphoner à ta mère pour l'avertir que tu es ici.

— J'y vais, dit David qui se leva et sortit.

Ce fut Allen qui revint quelques minutes plus tard et qui attendit sagement d'être appelé à la consultation. Quand il se fut assis en silence en face du médecin, ce dernier demanda :

— Alors, que t'arrive-t-il ?

— J'étais à l'école. Il devait être onze heures et demie, je me suis mis à rêver. Quand je me suis réveillé, j'étais au sommet d'un immeuble, je regardais en bas comme si j'allais me jeter dans le vide. Je suis descendu, je suis allé dans un poste de police pour leur demander de téléphoner à l'école qu'ils ne s'inquiètent pas. Et je suis venu ici.

Brown l'étudia un long moment en tiraillant ses rouflaquettes.

— Tu te drogues ?

Allen secoua la tête.

— Là, en ce moment, tu regardes droit devant toi ? Qu'est-ce que tu vois ?

— Des visages. Rien que les yeux et le nez, avec des couleurs bizarres. Je vois des gens à qui il arrive malheur. Ils se jettent sous les roues d'une voiture, ils sautent d'une falaise, ils se noient.

Le médecin observa Milligan qui paraissait suivre un film sur quelque écran intérieur.

— Parle-moi de ce qui se passe à la maison, dans ta famille.

— Chalmer aime Jim et, moi, il me déteste. Il est tout le temps en train de m'engueuler. Il nous fait mener une vie infernale, à ma mère et à moi. J'ai perdu mon boulot à l'épicerie. Je l'ai fait exprès pour pouvoir rester à la maison avec maman. J'ai fait semblant de voler une bouteille de vin et on m'a viré.

Huit jours plus tard, le 19 mars, le jeune homme se présenta dans une tenue — chemise à haut col et veste bleue — qui lui donnait, selon le docteur Brown, une allure quelque peu efféminée.

Après l'entretien, il rédigea un rapport : « Mon opinion est que ce patient ne peut plus longtemps être traité en thérapie externe et tirerait le plus grand profit d'un placement dans le service de psychiatrie infantile de l'hôpital d'Etat de Colombus. Dans cette perspective, contact a été pris avec le docteur Raujl. Diagnostic définitif : névrose hystérique avec de nombreux traits passifs-agressifs. »

Cinq semaines après son quinzième anniversaire, Billy Milligan bénéficiait, sur la demande de ses parents, d'un placement volontaire dans le service de psychiatrie infantile de l'hôpital d'Etat de Colombus.

Rapport de l'hôpital d'Etat de Colombus. Confidentiel :

« Le 24 mars : 16 heures. Blessure occasionnée lors d'une rixe entre ce patient et un autre patient, Daniel M. La blessure consiste en une coupure située sous l'œil droit. La rixe a éclaté au moment où les deux patients jouaient dans le hall du service, un peu avant 16 heures. William s'est mis en colère, a frappé Daniel qui a répliqué. Patients séparés.

Le 25 mars : On a découvert sur le patient un couteau et une petite lime qu'il avait sortis de l'atelier de menuiserie et introduits dans le service. Le docteur Raujl a eu un entretien avec le patient qui a affirmé vouloir se suicider. Placé à l'isolement et sous surveillance spéciale.

Le 26 mars : Le patient s'est montré parfaitement coopératif. Il se plaint par moments de voir des choses bizarres et inquiétantes. Reste à l'écart pendant les récréations.

Le 1er avril : Le patient crie que les murs se rapprochent et vont l'écraser et qu'il ne veut pas mourir. Le docteur Raujl le fait mettre à l'isolement et lui interdit cigarettes et allumettes.

Le 12 avril : Depuis quelques jours, le patient fait des difficultés au moment de se coucher. Il nous a demandé s'il était en transe, a réclamé des somnifères. Je lui ai expliqué qu'il devait essayer de se coucher. Il est devenu hostile et menaçant. »

Les crises de nerfs étaient le fait de Jason. C'était lui, la valve de sécurité qui relâchait la tension en criant et en pleurant, lui qu'on avait mis à l'isolement dans une pièce spéciale de l'hôpital.

Dès sa création, à l'âge de huit ans, Jason était au bord de l'explosion émotionnelle. Mais, pour éviter à Billy d'être puni, jamais jusqu'alors on n'avait autorisé Jason à paraître. Ici, quand la peur devenait trop forte, il intervenait.

Il cria et pleura en apprenant à la télévision la mort de quatre étudiants de l'université de Kent. Les infirmiers l'enfermèrent.

Quand Arthur s'aperçut qu'on mettait Jason sous les verrous chaque fois qu'il apparaissait, l'Anglais décida de changer ses batteries. Ici ou à la maison, on était traité de la même façon. Il était interdit de manifester de la colère. Si une des « personnes » se laissait aller, toutes en pâtissaient. C'est pourquoi Arthur chassa Jason de la conscience. Il le décréta indésirable et l'avertit qu'il resterait toujours dans l'ombre, hors du projecteur.

Les autres participaient avec ardeur aux activités artistiques thérapeutiques. Quand Tommy n'était pas occupé à déverrouiller des portes, il peignait des paysages. Danny peignait des natures mortes, Allen des portraits. Même Ragen s'y mit, mais il se cantonna dans le dessin en noir et blanc. A cette occasion, Arthur se souvint de l'incident des chaussettes dépareillées et comprit que c'était Ragen qui les avait enfilées et que le Yougoslave était aveugle aux couleurs. Christine dessinait des fleurs et des papillons pour son frère Christopher.

Les infirmiers notèrent que Billy se montrait plus calme et plus coopératif. Il fut récompensé par certains privilèges et, dès que le temps se radoucit, on l'autorisa à sortir pour se promener et dessiner.

D'autres personnalités firent une brève apparition. Après avoir jeté un coup d'œil sur l'extérieur, peu satisfaites de ce qu'elles voyaient, elles s'étaient retirées. Ragen, impressionné par le nom et l'accent slave du docteur Raujl, se conformait à ses prescriptions et prenait de la Thoradizine. Danny et David prenaient leurs médicaments anti-psychotiques comme les petits enfants obéissants qu'ils étaient.

Tommy, quant à lui, les gardait dans sa bouche pour les recracher. Arthur et les autres agissaient de même.

Danny se lia d'amitié avec un enfant noir. Ils parlaient et jouaient ensemble, ils se racontaient des heures durant ce qu'ils feraient quand ils seraient plus grands. Danny riait, pour la première fois.

Un jour, le docteur Raujl fit passer Danny du service RB-3 au RB-4, où les garçons étaient plus âgés. Danny ne connaissait personne, il n'avait personne à qui parler. Il se réfugia dans sa chambre pour y pleurer sa solitude.

Alors Danny entendit une voix :

— Pourquoi tu pleures ?

— Va-t'en, laisse-moi tranquille.

— Où ça ? Où veux-tu que j'aille ?

Danny regarda autour de lui. Il n'y avait personne d'autre dans sa chambre.

— Qui a dit ça ?

— C'est moi. Je m'appelle David.

— Où es-tu ?

— J'en sais rien. Je crois que je suis au même endroit que toi.

Danny regarda sous le lit, dans les toilettes, mais celui qui parlait n'était nulle part.

— J'entends très bien ta voix, mais où es-tu ?

— Ici.

— Ben... je te vois pas. Où es-tu ?

— Ferme les yeux. Je te vois maintenant.

Ils passèrent de longues heures en entretiens privés. Ils échangèrent les informations dont ils disposaient sur leur passé respectif, sans jamais se douter qu'Arthur les écoutait tout le temps que dura cet échange.

Philip fit la connaissance d'une patiente dont la blonde beauté était admirée de tous. Durant leurs promenades et leurs bavardages, il restait sur la réserve, tandis qu'elle se montrait aguichante et frôleuse. Quand il s'asseyait près de l'étang et se penchait sur sa planche à dessin, elle restait là, à le contempler. En général, l'endroit était désert.

Par une tiède journée de juin, elle s'assit à côté de lui et le regarda dessiner une fleur.

— Dis donc, c'est drôlement beau.

— Oh ! un truc de rien du tout.

— Tu es un vrai artiste.

— Ouah, eh, charrie pas !

— Non, je t'assure. Tu es différent des autres types d'ici. J'aime bien les garçons qui sont pas branchés sur un seul truc, tu vois.

Elle posa la main sur la jambe du jeune homme. Philip bondit en arrière.

— Oh là ! ça va pas la tête ?

— Tu n'aimes pas les filles ?

— Pour qui tu me prends ? Chuis pas un pédé. Mais... eh ben... je... j'ai...

— Tu as l'air tout retourné. Qu'est-ce qui t'arrive ?

Il revint s'asseoir près d'elle.

— Ben... voilà, quoi, j' prends pas tellement mon pied dans ces histoires de fesse.

— Pourquoi ça ?

— Ben, nous, je... voilà quoi, quand j'étais gosse, j'ai été violé par un mec.

Elle eut l'air choqué :

— Je croyais que c'était seulement les filles qu'on pouvait violer.

Philip secoua la tête.

— Ben, tu te fourrais le doigt dans l'œil. J'ai été tabassé et violé. Et ça m'a porté sur l' ciboulot, tu vois c' que je veux dire ? J'en rêve tout le temps. C'est une partie de moi. Toute ma vie, je s'rai sûr que le sexe c'est dégueulasse et qu' ça fait mal.

— Tu veux dire que tu n'as jamais fait l'amour normalement avec une fille ?

— J'ai jamais fait l'amour avec personne.

— Ça ne fait pas mal, tu sais.

Il s'écarta en rougissant.

— Allons nous baigner, proposa-t-elle.

— Ouah ! Génial !

Il bondit sur ses pieds et courut se jeter à l'eau. Lorsqu'il revint à la surface en crachant, il l'aperçut : elle avait ôté sa robe et s'approchait de l'eau, nue.

— Ben merde, alors ! s'exclama-t-il avant de replonger vers le fond.

Lorsqu'il remonta, elle nagea jusqu'à lui et l'entoura de ses bras.

De douces jambes encerclèrent la taille de Philip, des seins caressèrent son torse et elle tendit la main pour le toucher.

— Ça ne fait pas mal, dit-elle, je te jure.

En nageant d'une seule main, elle le conduisit jusqu'à une roche plate au bord de l'eau. Il y grimpa à sa suite et elle lui ôta son maillot. Il savait qu'il allait être maladroit quand il la toucherait et il avait peur de disparaître s'il fermait les yeux. Elle était si belle. Il ne voulait pas se retrouver ailleurs sans aucun souvenir de ce qui lui était arrivé. Il voulait garder cet instant dans sa mémoire. Il se sentait bien. Elle l'étreignit très fort pendant l'amour et lorsque ce fut fini, il eut envie de sauter et de crier de joie. Comme il s'écartait d'elle, il perdit l'équilibre, glissa et tomba à l'eau.

Elle rit. Il était fou, mais c'était de bonheur. Il n'était plus vierge, il n'était pas pédé. Il était un homme.

Le 19 juin, sur la demande de sa mère, Billy Milligan quitta l'hôpital avec l'autorisation du docteur Raujl. Le dossier de l'hôpital se terminait ainsi :

« Dans la période précédant sa sortie, Bill s'est employé à manipuler aussi bien les membres du personnel que les patients. Il s'est montré malfaisant, a menti dans le but de semer la discorde et a médit sur tout le monde. Il n'a manifesté aucun remords. Ses relations avec les patients de son groupe sont restées de son côté extrêmement superficielles. Du fait de ses mensonges incessants, les autres malades ne lui faisaient plus confiance.

Conclusion de l'équipe soignante : le comportement du patient entravant de plus en plus la bonne marche du service, il a été remis à sa famille. Un traitement externe et un suivi familial ont été recommandés.

Traitement au moment de la sortie : 25 milligrammes de Thoradizine trois fois par jour. »

Rentré chez lui dans un état de profonde dépression, Danny peignit une fleur jaune desséchée dans un verre craquelé, sur fond noir et bleu-noir. Il monta au salon pour montrer son œuvre à la mère de Billy mais resta pétrifié sur le seuil : Chalmer était là. L'homme lui arracha la peinture des mains, y jeta un coup d'œil et la laissa tomber à terre.

— Menteur, c'est pas toi qui as fait ça.

Danny la ramassa et retourna dans sa chambre en refoulant ses larmes. Puis, pour la première fois, il signa : « Danny, 1970. » Il remplit le formulaire spécial collé au dos de la toile :

Auteur : Danny

Sujet : La mort solitaire

Date : 1970

Depuis ce jour, à la différence d'Allen et de Tommy qui continuaient à quêter l'approbation des autres pour leurs travaux, Danny s'abstint de montrer ses natures mortes à quiconque.

Fin 1970, Billy fut admis au lycée de Lancaster, un labyrinthe de bâtiments de béton et de verre situé au nord de la ville. Billy ne s'adapta pas. Il haïssait ses professeurs, il haïssait l'école.

Arthur manqua souvent la classe pour étudier la médecine dans les ouvrages de la bibliothèque municipale. L'hématologie, en particulier, le fascinait.

Tommy employait ses loisirs à mettre au point des appareils et des techniques d'évasion. Il était parvenu au point où on ne pouvait plus l'attacher. Ses mains défaisaient les nœuds les plus compliqués, glissaient hors des liens les plus serrés. Il s'acheta une paire de menottes et s'entraîna à les ouvrir en utilisant la pointe d'un stylo à bille. Il décida qu'il valait mieux avoir toujours sur soi deux clés de menottes — une dans la poche de devant, une autre dans la poche arrière — pour pouvoir s'en servir quelle que fût la manière dont on essaierait de lui immobiliser les mains.

En janvier 1971, Billy trouva un emploi de livreur à temps partiel dans un magasin d'alimentation. Il acheta sur son premier salaire un steak pour Chalmer. La vie devenait plus agréable depuis les vacances de Noël. S'il avait un geste pour son beau-père, peut-être celui-ci cesserait-il de le harceler.

Il entra par l'arrière de la maison. La porte de la cuisine était arrachée de ses gonds. Pépé et mémé Milligan, Kathy, Challa et Jim entouraient maman.

Dorothy portait autour de la tête un linge ensanglanté, son visage était marqué de bleus et d'ecchymoses.

— Chalmer l'a fait passer à travers la porte, dit Jim.

— Il lui a arraché les cheveux, compléta Kathy.

Billy ne dit rien. Il regarda sa mère, jeta le steak sur la table et gagna sa chambre. Il ferma la porte derrière lui et demeura longtemps assis dans le noir, les yeux fermés. Il essayait de comprendre pourquoi on souffrait tant dans cette famille... Si seulement Chalmer pouvait mourir... Tous leurs problèmes seraient résolus.

La sensation du vide...

Ragen ouvrit les yeux. La fureur qui ne pouvait être plus longtemps contenue, c'était lui qui l'éprouvait. Pour ce qu'il avait fait à Danny, à Billy, et maintenant à la mère de Billy, l'homme devait mourir.

Il se leva lentement et se glissa dans la cuisine, l'oreille aux aguets des voix assourdies qui venaient du salon. Il ouvrit un placard, saisit un couteau à trancher de quinze centimètres de long, le glissa sous sa chemise et retourna dans sa chambre. Il dissimula le couteau sous son oreiller et attendit, étendu sur le lit. Quand ils seraient tous endormis, il irait plonger le couteau dans le cœur de Chalmer. A moins qu'il ne l'égorgeât... Il méditait sur la question en attendant que le silence se fît dans la maison. A minuit, ils étaient toujours en train de parler. Billy succomba au sommeil.

La lumière du jour réveilla Allen. Il bondit hors de son lit, sans trop savoir qui il était, où il se trouvait ni ce qui s'était passé. Il se hâta vers la salle de bains. En chemin, Ragen lui apprit ses projets nocturnes. Il retourna dans sa chambre et tomba sur Dorothy, qui avait commencé à faire le lit et avait découvert le couteau.

— Billy, qu'est-ce que ça veut dire ?

Il posa un regard neutre sur l'objet qu'elle tenait :

— J'avais l'intention de le tuer, dit-il d'une voix monocorde.

Elle sursauta, surprise par la froideur du ton.

— Qu'est-ce que tu racontes ?

Allen soutint son regard :

— Ton mari a failli mourir ce matin.

Elle blêmit, porta les mains à sa gorge.

— Oh mon Dieu ! Billy ! Qu'est-ce que tu dis ?

Elle lui saisit le bras, le secoua en murmurant, les dents serrées pour que personne d'autre ne les entendît :

— Il ne faut pas dire ça. Il ne faut pas penser à des choses pareilles. Tu n'imagines pas ce qui t'arriverait si...

Allen la regarda droit dans les yeux.

— Regarde donc ce qui t'arrive à toi, dit-il posément.

Puis il lui tourna le dos et sortit.

Penché sur son cahier, Billy s'efforçait de ne pas prêter attention aux ricanements et aux plaisanteries de ses camarades de classe. Le bruit s'était répandu qu'il fréquentait un dispensaire d'hygiène mentale. Autour de lui, on gloussait, on se vrillait la tempe de l'index. Les filles lui tiraient la langue.

Entre deux cours, près des toilettes des filles, un groupe de lycéennes l'entoura.

— Viens voir Billy, viens par là, on va te montrer quelque chose.

Il savait qu'elles se moquaient de lui mais il était trop timide pour résister aux personnes de l'autre sexe. Elles savaient qu'il n'oserait pas franchir la barrière qu'elles formaient. Avançant vers lui, elles le contraignirent à entrer dans les W-C.

— C'est vrai que t'es vierge ?

Il rougit.

— T'as jamais fait ça avec aucune fille ?

Il ignorait l'expérience de Philip avec la jeune malade.

Il secoua la tête.

— Il a dû le faire avec des animaux.

— Dis-donc, Billy, t'as déjà joué à touche-pipi avec les animaux de la ferme, à Bremen ?

Elles l'avaient acculé au mur. Avant d'avoir le temps de comprendre ce qui lui arrivait, il était déculotté. Il glissa et tomba sur le sol, essaya de remonter son pantalon mais elles le lui avaient déjà complètement retiré. Elles s'enfuirent en l'emportant. Il resta là à pleurer, en slip, dans les toilettes des filles.

Une enseignante survint, le vit, sortit et revint un instant plus tard avec le pantalon.

— Ces filles mériteraient une bonne correction.

— Ça doit être les garçons qui les ont montées contre moi.

— Tu es un grand, tu es costaud. Pourquoi t'es-tu laissé faire ?

Il haussa les épaules.

— Je pouvais pas frapper des filles.

Il s'en fut, le dos voûté. Il n'oserait plus jamais regarder les filles de sa classe en face. Il erra dans les couloirs. Continuer à vivre n'avait plus de sens. En levant les yeux, il vit que les ouvriers avaient laissé entrouverte la porte de l'escalier conduisant aux toits. Sans bruit, il s'en approcha, gravit les marches. Il faisait froid au sommet de

Billy Milligan

Dr. David Caul",
peinture à l'huile,
par Billy Milligan

"Arthur", croquis à la plume, par Allen

"Christine dans les bras de Ragen",
croquis à la plume, par Allen

"David",
peinture à l'huile,
par Allen

"Shawn",
peinture à l'huile,
par Allen

"Adalana",
peinture à l'huile,
par Allen

"April",
peinture à l'huile,
par Allen

"Christine", croquis à la plume, par Allen

Why do I gots to say in A Cage And cant
got out AN play
Do you Like Icream
I Love you
My Antrer say you going to help us

A great big hug AN A Kiss For Miss Judey

From
CHristene

Note de Christine
à l'avocate Judy Stevenson

"La poupée de chiffons de Christine",
dessinée par Ragen

"Paysage", peinture à l'huile, par Tommy

"La grâce de Cathleen",
peinture à l'huile,
par Billy, Allen et Danny

"Daniel Keyes",
peinture à l'huile,
par Billy

Daniel Keyes

l'immeuble. Il s'assit pour écrire sur la page de garde de son livre : « Au revoir, excusez-moi, mais je peux plus supporter ça. »

Il posa le livre sur la corniche et recula pour prendre son élan. Il inspira violemment et se mit à courir...

Ragen le plaqua à terre avant qu'il eût atteint le rebord du toit.

— Sapristi ! Il était temps ! soupira Arthur.

— Quoi fairrre avec lui ? Etrre danger laisser lui aller dans cet état.

— Il expose notre vie à tous. Dans l'état dépressif qui est le sien, on peut craindre qu'il réussisse une autre fois à se tuer.

— Quelle solution ?

— Le faire dormir.

— Comment ?

— Désormais, Billy ne prendra plus jamais la conscience.

— Qui va dirrriger ?

— Vous ou moi. Nous partagerons les responsabilités. J'aviserai les autres qu'ils ne doivent en aucun cas permettre à Billy de reprendre la conscience. Quand la vie suivra son cours normal, dans un cadre suffisamment sûr, je dirigerai. Si nous devons affronter une situation dangereuse, vous commanderez. A nous deux, nous déciderons qui doit ou non prendre la conscience.

— J'être d'accord.

Ragen baissa les yeux sur le livre de Billy. Il arracha la page sur laquelle était écrit le mot d'adieu, la déchira en menus morceaux qu'il dispersa au vent.

— Je serrai prrotecteurr. Pas êtrre bien que Billy mettait en danger la vie des enfants.

Une pensée frappa Ragen :

— Qui parrlerra ? Autrres gens rrient quand ils entendent mon accent. Et le vôtrre aussi fait rrirre.

Arthur hocha la tête.

— J'y ai songé. Allen pourra parler pour nous. Il me semble qu'aussi longtemps que nous garderons le secret, nous serons en mesure de survivre.

Arthur communiqua les résultats de cette discussion à Allen. Puis il s'efforça d'aider les enfants à comprendre ce qui se passait.

— Essayez d'imaginer. Nous tous — cela fait beaucoup de monde dont un certain nombre de personnes que vous ne connaissez pas — nous sommes tous réunis dans une pièce sans lumière. Au centre, un projecteur éclaire brillamment le sol. Celui qui entre dans la lumière, sous le projecteur, entre dans le monde et prend la conscience. C'est cette personne que les gens de l'extérieur voient et entendent, c'est à ses actes qu'ils réagissent. Les autres personnes, autour du projecteur, poursuivent leurs occupations habituelles, étudient, dorment ou jouent. Celui ou celle qui se montre à l'extérieur doit faire très attention de ne pas révéler l'existence des autres. C'est un secret de famille.

Les enfants comprirent.

— Très bien, conclut Arthur, Allen, tu peux retourner en classe.

Allen entra dans la lumière, ramassa les livres et gagna l'escalier.

— Mais où est Billy ? demanda Christine.

Tous tendirent l'oreille pour écouter la réponse d'Arthur.

L'Anglais secoua gravement la tête.

— Il ne faut pas le réveiller, chuchota-t-il en posant un doigt sur ses lèvres. Billy dort.

10.

Allen trouva un emploi de fleuriste à Lancaster et les choses semblèrent prendre un tour plus favorable. « Timothy », qui aimait les fleurs, faisait presque tout le travail, encore qu'Adalana intervînt de temps à autre pour disposer les bouquets. Allen obtint de son patron l'autorisation d'exposer quelques toiles en vitrine, étant entendu qu'il prendrait une commission sur les ventes. Tout heureux à l'idée de gagner de l'argent avec ses œuvres, Tommy se mit à peindre avec plus d'acharnement encore qu'à l'accoutumée. Il racheta des pinceaux et du matériel grâce aux premières ventes et exécuta une dizaine de paysages qui eurent plus de succès que les portraits d'Allen et les natures mortes signées Danny.

Un vendredi soir du mois de juin, Timothy venait de baisser le rideau de fer quand son patron, un homme d'âge mûr, l'appela dans l'arrière-boutique et lui fit des avances. A l'instant où il comprit ses intentions, Danny se souvint de ce qui s'était passé à la ferme : il se mit à crier et s'enfuit à toutes jambes.

Tommy retourna à son travail le lundi suivant, impatient de voir quelles toiles auraient été vendues. Mais il trouva porte close. Le fleuriste avait fermé boutique et déménagé sans laisser d'adresse, emportant les tableaux avec lui.

— Espèce de vieux salaud ! hurla Tommy devant la vitrine vide. Je te retrouverai !

Il ramassa une pierre, la lança contre la vitrine et se sentit mieux.

— Etrre la faute du système capitaliste pourri, fit remarquer Ragen.

— Le rapport logique m'échappe, rétorqua Arthur. Cet homme

craignait manifestement pour sa réputation. Quel rapport y a-t-il entre la malhonnêteté d'un individu donné et le système économique ?

— La notion de prrofit contaminer l'esprit des jeunes comme Tommy.

— Sapristi ! J'ignorais que vous étiez communiste !

— Un jour, poursuivit Ragen, toutes les sociétés capitalistes êtrre détruites. Je sais que vous êtrre conservateur, Arrthur, et je vous mettrre en garde. Tout le pouvoir au peuple !

— Quoi qu'il en soit, conclut Arthur sur le ton du plus profond ennui, le magasin n'existe plus et il va falloir que l'un d'entre nous parte en quête d'un nouvel emploi.

Allen trouva une place de garçon de salle pour des gardes de nuit dans un hôpital de Lancaster. La Homestead Nursing House occupait un bâtiment bas en brique d'allure moderne, dont le hall vitré était perpétuellement encombré par des vieillards séniles dans leurs fauteuils roulants. Le travail était essentiellement manuel et « Mark » s'acquittait sans rechigner de toutes les corvées : frotter le sol, vider les bassins et faire les lits.

Arthur se passionna immédiatement pour l'aspect médical de l'emploi. Quand il surprenait les infirmières et les aides-soignants à bavarder ou à jouer aux cartes au lieu de s'occuper des patients, il faisait les rondes lui-même. Il allait s'asseoir au chevet des grands malades et des agonisants, les écoutait, soignait les escarres infectées, en un mot, il se consacrait à ce qu'il pensait être sa vocation.

Une nuit, en observant Mark laver le sol d'une chambre qui venait d'être libérée, Arthur secoua pensivement la tête.

— Dire que vous allez passer votre vie à cela ! A des besognes serviles bonnes pour un zombie !

Mark regarda la serpillière, puis Arthur, et haussa les épaules :

— Il faut une intelligence supérieure pour diriger son destin, dit-il. Mais n'importe quel imbécile peut exécuter les ordres.

Arthur haussa les sourcils. Il ne s'attendait pas à tant de réflexion de la part de Mark. Mais c'était encore plus navrant de voir gaspiller ainsi une lueur d'intelligence.

Hochant la tête, il partit rendre visite à ses malades. M. Torvald était à l'article de la mort. Arthur se rendit directement dans sa chambre et s'assit à son chevet, comme toutes les nuits précédentes.

M. Torvald évoqua sa jeunesse en Europe et son arrivée en Amérique, dans l'Ohio, puis, s'interrompant :

— Je suis un vieil homme, dit-il d'un ton las en clignant des yeux. Je parle trop.

— Mais non, pas du tout, le rassura Arthur. J'ai toujours pensé que l'on n'écoute pas assez les vieux, dont la sagesse et l'expérience nous seraient pourtant bien utiles. Il faudrait vous donner la possibilité de transmettre votre savoir aux jeunes.

— Vous êtes un bon petit, dit M. Torvald en souriant.

— Souffrez-vous beaucoup ?

— Cela ne sert à rien de se lamenter. Je n'ai pas à me plaindre de ma vie. Je suis prêt à mourir.

Arthur posa la main sur le bras amaigri.

— Vous mourez avec une dignité rare, dit-il. J'aurais été fier de vous avoir pour père.

M. Torvald fut pris d'une quinte de toux et, du doigt, il indiqua la carafe d'eau.

Arthur sortit pour aller la remplir et, en rentrant dans la chambre, il vit que le vieillard fixait le plafond de ses yeux grands ouverts. Il resta quelques instants immobile, à regarder le visage serein. Puis il ôta la mèche qui retombait sur les yeux et lui ferma les paupières.

— Allen, souffla-t-il. Allez prévenir les infirmières. Allez leur dire que M. Torvald est mort.

Allen entra sous le projecteur et appuya sur la sonnette, à la tête du lit.

— Vous avez fait ce qu'il fallait, commenta Arthur en s'écartant.

Allen eut l'impression que la voix d'Arthur était voilée par l'émotion. Mais il savait bien que c'était impossible. Il songea à lui poser la question mais Arthur avait déjà disparu.

Il garda son emploi à l'hôpital pendant trois semaines. Puis l'administration découvrit qu'il n'avait que seize ans et l'informa qu'il était trop jeune pour travailler la nuit. Il fut licencié.

Au cours de l'automne, quelques semaines après le début du trimestre, Chalmer annonça que Billy allait l'accompagner à la ferme pour l'aider à faucher l'herbe. Tommy regarda Chalmer arrimer son motoculteur flambant neuf à l'arrière du camion, en le faisant rouler sur deux madriers.

— Pourquoi est-ce que j'ai besoin de venir ? demanda-t-il.

— Parce que tu viens. Et sans discussion. Si tu veux manger, faut gagner ton pain. J'ai besoin de quelqu'un pour racler les feuilles avant de couper l'herbe. T'es bon à rien d'autre, tu ferais mieux de la boucler.

Chalmer mit l'engin en prise pour s'assurer qu'il ne bougerait pas.

— Amène les madriers ! lança-t-il à Tommy.

« Merde, rétorqua celui-ci en lui-même, monte-les toi-même ! » Et il quitta le projecteur.

Danny se retrouva là, à se demander pourquoi Chalmer le regardait de cet œil furibond.

— Tu montes les planches au lieu de bayer aux corneilles ?

Danny obéit mais les madriers étaient trop lourds pour un garçon de quatorze ans.

— Espèce de bon à rien ! hurla Chalmer en l'écartant d'une bourrade.

Il poussa lui-même les deux planches sur la plate-forme du camion et ordonna à Danny de monter.

L'adolescent prit place à l'avant, les yeux fixés droit devant lui, il entendit Chalmer ouvrir une cannette de bière et son sang se glaça quand il sentit l'odeur fermentée. A son grand soulagement, Chalmer le mit au travail dès qu'ils arrivèrent à la ferme.

Il mit le motoculteur en marche et, chaque fois que l'engin approchait de Danny, celui-ci tremblait de tous ses membres. Il laissa le projecteur à David, puis à Shawn, changeant alternativement jusqu'à ce que, le travail terminé, Chalmer donnât le signal du départ.

— Envoie les madriers ! On s'en va !

Danny s'exécuta, en prenant sur lui pour s'approcher du motoculteur détesté. Quand les planches furent en place, Chalmer fit monter l'engin en marche arrière sur le camion. Danny ramena les planches et regarda Chalmer boire une bière avant de reprendre la route.

Tommy, qui avait assisté à la scène, s'empara du projecteur. Ce putain de motoculteur faisait peur à Danny ? On allait voir ce qu'on allait voir ! D'une détente, pendant que Chalmer avait le dos tourné, Tommy grimpa à l'arrière du camion et mit l'embrayage au point mort. Puis il alla s'asseoir à l'avant, les yeux droits devant lui. Chalmer pouvait dire adieu à son beau motoculteur tout neuf ! Au premier démarrage un peu trop brutal, il irait valdinguer sur la chaussée !

Chalmer démarra en douceur et roula sans s'arrêter jusqu'à la petite ville de Bremen. Tommy se dit qu'ils s'arrêteraient devant les aciéries. Mais là encore, rien ne se produisit et ils arrivèrent sans encombre à Lancaster. Ce sera pour le prochain feu, se dit Tommy.

Quand le feu passa au vert, Chalmer démarra sur les chapeaux de roues et Tommy sut tout de suite que le motoculteur avait dû tomber. Incapable de conserver un visage impassible, il tourna la tête vers la vitre et, jetant un coup d'œil en arrière, aperçut le petit motoculteur qui dévalait la rue en bondissant. Il glissa un regard vers Chalmer qui regardait dans le rétroviseur, comme hébété.

Il donna un violent coup de frein, bondit à terre et s'élança à sa poursuite, en se baissant pour ramasser les morceaux de métal dispersés le long de la rue.

Tommy éclata d'un grand rire.

— Bien fait pour ta gueule, connard ! Ton engin ne fera plus peur à Danny et à David !

Il venait de faire d'une pierre deux coups : l'engin était cassé et il s'était bien vengé de Chalmer.

Durant toute sa scolarité, Billy n'obtint que des notes médiocres à l'école. Il n'eut une bonne appréciation qu'une seule fois, en biologie. Arthur, qui s'était pris d'intérêt pour cette matière, se montrait attentif pendant les cours et faisait régulièrement ses devoirs.

Comme il ne pouvait pas prendre la parole en classe sans déclencher les rires, Allen répondait à sa place. A la grande stupéfaction de son professeur, il se montra pendant quelque temps étonnamment brillant. Mais, si Arthur ne perdit jamais son intérêt pour la biologie, la situation empirant à la maison, il ne prenait plus régulièrement le projecteur et ses résultats s'en ressentirent. Il décida en fin de compte d'étudier tout seul et les dernières appréciations furent désastreuses.

Arthur avait du mal à maintenir l'ordre, les autres s'emparant du projecteur de manière de plus en plus anarchique. Il qualifia cette période de grande instabilité de « période d'embrouilles ».

Un jour, on fit évacuer l'école à la suite d'une alerte à la bombe et tous les soupçons se tournèrent vers Billy Milligan. Mais personne ne put apporter la preuve de sa culpabilité : Tommy nia avoir fabriqué la bombe, qui se révéla inoffensive, puisqu'on avait mis de l'eau à la place de nitroglycérine. Tommy n'avait pas menti. S'il avait effectivement montré à un camarade comment fabriquer une bombe, avec schéma à l'appui, il n'avait pas participé à sa fabrication. Il n'était pas si fou !

Tommy se réjouit en voyant l'expression mi-satisfaite mi-chagrinée du directeur. M. Moore avait l'air tourmenté d'un homme en butte à des problèmes beaucoup trop nombreux pour lui.

Il résolut l'un d'eux en renvoyant Milligan, le perturbateur.

C'est ainsi que, cinq semaines après l'anniversaire de Billy Milligan, qui venait d'avoir dix-sept ans — soit une semaine après le départ de Jim pour l'Armée de l'air — Tommy et Allen s'engagèrent dans la Marine.

11.

Le 23 mars 1972, Dorothy accompagnait son fils au bureau de recrutement de la Marine. C'était Allen, aidé par Tommy, qui s'apprêtait à contracter l'engagement. La mère de Billy ne voyait pas sans répugnance son cadet entrer dans l'armée mais il fallait à tout prix l'éloigner de la maison et de Chalmer. Depuis son renvoi de l'école, les choses allaient de mal en pis.

L'officier qui les reçut expédia rondement les formalités et l'interrogatoire nécessaires. Dorothy répondit à la plupart des questions.

— Avez-vous séjourné dans un établissement psychiatrique ? demanda l'homme pour terminer. Avez-vous déjà souffert de troubles mentaux ?

— Non, dit Tommy. Pas moi.

— Eh, attends ! intervint Dorothy. Tu as passé trois mois à l'hôpital d'Etat de Colombus. Le docteur Brown a dit que tu avais une névrose hystérique.

Le militaire posa son stylo.

— Oh ! je crois que ce n'est pas la peine de le mentionner. Névrosés, on l'est tous un peu.

Tommy lança un regard de triomphe à Dorothy.

Quand vint le jour des tests de culture générale et de niveau intellectuel, Tommy et Allen sortirent ensemble sous le projecteur. Voyant qu'il n'y avait rien là qui correspondît aux talents de Tommy, Allen décida de s'en occuper seul. Mais Danny prit sa place et contempla le papier sans savoir que faire.

En voyant sa confusion, l'examinateur murmura :

— Vas-y, gribouille n'importe quoi.

Danny haussa les épaules et s'exécuta.

Il fut reçu.

Une semaine plus tard, il était en route pour le centre d'entraînement de la Marine de Great Lakes, dans l'Illinois. Il fit ses classes dans le bataillon 21 de la compagnie 109.

Le soldat Milligan ayant été au lycée membre des groupes aéroportés de la défense civile, on le nomma adjudant d'une compagnie de 160 jeunes recrues. Il se montra très strict sur la discipline.

Apprenant que la compagnie la plus efficace à l'exercice serait nommée compagnie d'honneur, Allen réfléchit avec Tommy à la meilleure façon d'épargner du temps sur les activités du matin.

— Supprime les douches, suggéra Tommy.

— C'est le règlement. Il faut qu'ils aillent à la douche, même sans se savonner.

Tommy s'assit pour mettre au point sur le papier une méthode de douche à la chaîne.

Ce soir-là, Allen donna des instructions à ses hommes :

— Vous roulez votre serviette et vous la tenez dans la main gauche. Vous prenez votre morceau de savon dans la main droite. Il y a seize douches dans un sens, douze dans l'autre. Elles sont toutes à la bonne température. Vous n'allez ni vous geler ni vous ébouillanter. Vous avancez dans un sens en vous lavant le côté gauche du corps. Quand vous serez arrivés au bout, vous ferez demi-tour et vous reviendrez en vous lavant le côté droit et les cheveux. Quand vous serez de retour au point de départ, vous serez rincés et vous n'aurez plus qu'à vous sécher.

Les recrues suivaient, éberluées, la démonstration à laquelle il se livrait en marchant tout habillé sous les douches.

— De cette façon, il ne faudra pas plus de quarante-cinq secondes à chacun d'entre vous pour se laver. Vous êtes 160, vous devez pouvoir être douchés et habillés en moins de dix minutes. Je veux que nous soyons les premiers sur le terrain demain. Nous serons la compagnie d'honneur.

Le lendemain matin, la compagnie de Milligan fut la première sur le champ de manœuvre. Allen était ravi. Tommy lui annonça qu'il travaillait sur d'autres méthodes qui permettraient d'économiser davantage de temps encore. Il reçut la Médaille du Service pour bonne conduite.

Deux semaines plus tard, les ennuis recommencèrent. En téléphonant à la maison, Allen apprit que Chalmer s'était remis à battre Dorothy. Arthur, bien sûr, ne s'en émut guère. Mais la nouvelle suscita la colère de Ragen. Elle inquiéta au plus haut point Tommy, Danny et Allen. Ils sombrèrent dans la dépression. Une fois de plus, le temps s'embrouilla.

Shawn se trompait de pied en mettant ses chaussures et oubliait de les lacer. David négligeait sa tenue. En découvrant où il se trouvait, Philip manifesta que cela ne lui plaisait guère. Les hommes de la compagnie trouvèrent leur adjudant bizarre. Un jour il se conduisait en vrai chef et le lendemain il traînait et bavardait en laissant les paperasses s'entasser.

Ils remarquèrent qu'il marchait en dormant. Quelqu'un le dit à Tommy qui s'attacha le soir aux montants de son lit. Quand on lui retira ses fonctions, Tommy fut très affecté. Danny fréquenta beaucoup l'infirmerie.

Arthur s'intéressa au laboratoire d'hématologie.

Un enquêteur fut envoyé pour examiner son cas. Il le découvrit en train de faire une réussite, étendu sur sa couchette, sa casquette blanche sous les pieds.

— Qu'est-ce qui se passe ici ? demanda le capitaine Simons.

— Allons, lança l'assistant de ce dernier, levez-vous, mon vieux !

— Allez vous faire foutre ! rétorqua Philip.

— Je suis capitaine. Comment osez-vous...

— M'en branle complètement ! Vous pouvez être Jésus-Christ si ça vous chante. Barrez-vous. Vous m'avez fait rater mon coup.

Quand l'adjudant-chef Rankin vint, il fut reçu de la même façon.

Le 12 avril 1972, deux semaines et quatre jours après l'incorporation de Tommy, Philip fut dirigé sur le service psychologique des armées.

Le capitaine de sa compagnie déclarait dans un rapport :

« Cet homme a dans un premier temps fait fonction d'adjudant mais il ne savait rien faire d'autre que harceler tout le monde à tout propos. Quand je l'ai relevé de ses fonctions, il est devenu un habitué de l'infirmerie. Cette attitude n'a cessé de s'aggraver. Dans toutes les activités de la journée, il trouvait toujours une raison pour s'interrompre. Il est devenu un boulet pour la compagnie. Son comportement empire de jour en jour. Cet homme doit être examiné. »

Un psychiatre interrogea David qui ne comprenait rien à ce qui lui arrivait. Une enquête dans l'Ohio fit apparaître qu'il avait menti en remplissant les formulaires d'engagement, puisqu'il avait séjourné dans un établissement psychiatrique. Le rapport du psychiatre conclut : « La maturité et la stabilité mentale nécessaires pour remplir ses devoirs dans la Marine lui font défaut. En raison de son incapacité caractérielle à recevoir une instruction militaire, un retour à la vie civile est recommandé. »

Le 1er mai, un mois et un jour après son incorporation, la Marine américaine se séparait de William Stanley Milligan sans mention désobligeante sur son livret militaire

On lui remit sa solde et un billet d'avion pour Colombus. Mais pendant le trajet entre Great Lakes et l'aéroport O'Hare de Chicago, Philip apprit en bavardant avec deux autres soldats renvoyés dans leurs foyers, que ceux-ci habitaient New York. Au lieu d'utiliser son billet d'avion, Philip monta dans l'autobus avec eux. Il allait à New York, la ville dont il savait être originaire mais qu'il n'avait jamais vue.

A la gare routière de New York, Philip dit au revoir à ses compagnons de voyage et, le paquetage sur l'épaule, se mit en route. Au passage, il avait ramassé cartes et brochures au comptoir de l'Information. Il prit la direction de Times Square. Il se sentait chez lui. Les rues, la foule, les voix dont l'accent lui était familier, tout lui assurait qu'il était revenu dans sa ville.

Philip passa deux jours à l'explorer. Il fit un tour de bateau jusqu'à Staten Island et un autre jusqu'à la statue de la Liberté. Il erra dans les rues étroites du quartier de Wall Street et gagna Greenwich Village. Il dîna dans un restaurant grec, dormit dans un hôtel bon marché. Le lendemain, il s'en fut contempler l'Empire State Building. Il monta au sommet pour admirer le spectacle de la ville.

— De quel côté est Brooklyn ? demanda-t-il au guide.

— Par là, dit-elle en montrant du doigt. Vous voyez les trois ponts : celui de Williamsburg, celui de Manhattan et celui de Brooklyn.

— C'est là-bas que je vais.

Il reprit l'ascenseur et en bas, héla un taxi.

— Emmenez-moi au pont de Brooklyn.

— Au pont de Brooklyn ?

Philip jeta son sac dans la voiture.

— C'est ce que je viens de vous dire.

— Vous voulez vous balancer à l'eau du haut du pont ou vous avez l'intention de l'acheter ?

— Ecrase, mec. Roule et garde tes vannes merdeuses pour les ploucs.

Le chauffeur le déposa à l'entrée du pont et Philip se mit en devoir de le traverser. Une brise coupante soufflait. Il se sentait bien. A mi-parcours, il s'arrêta et baissa les yeux. Que d'eau ! Bon Dieu, c'était vraiment beau. Brusquement, son enthousiasme tomba. Il ignorait pourquoi, mais au milieu de ce pont merveilleux, il se sentit si mal qu'il ne put poursuivre son chemin. Il remit son sac sur l'épaule et revint à Manhattan.

Le malaise ne cessait de croître. Il était à New York et il ne s'amusait pas. Il avait quelque chose de précis à faire mais quoi ? Il fallait qu'il aille quelque part, mais où ? Il prit un autobus jusqu'au terminus, en prit un autre et un autre encore. Il regardait les maisons et les gens mais il ne savait pas où il allait ni ce qu'il cherchait.

Il descendit à l'entrée d'un passage commercial et y pénétra, s'arrêta devant une fontaine où l'on jetait des pièces en formulant des vœux. Il prit de la menue monnaie dans sa poche. Comme il allait jeter sa troisième pièce de vingt-cinq *cents,* on le tira par la manche. Un petit Noir le suppliait du regard.

— Oh merde ! dit Philip en lui tendant la pièce. Le gosse grimaça un sourire et détala. Philip mit le sac sur son épaule. Le malaise lui nouait le ventre, devenait si violent qu'il demeura quelques instants immobile, frissonna et quitta le projecteur...

David chancela sous le poids du sac et le laissa tomber par terre. C'était trop lourd pour un enfant de huit ans — presque neuf. Il le traîna derrière lui et, en regardant les vitrines, se demanda qui il était et ce qu'il faisait là. Il s'assit sur un banc, regarda autour de lui et fixa son attention sur des enfants qui jouaient. Il aurait bien aimé jouer avec eux. Il se leva et se remit à traîner le sac. Mais il était décidément trop lourd. Il l'abandonna et poursuivit sa route.

Il entra dans un magasin de surplus de l'armée et de la Marine, tomba en arrêt devant des sirènes et des radios. Il saisit un objet de plastique, appuya sur un bouton. Un mugissement s'éleva, une lumière rouge clignota. Terrifié, il lâcha l'objet et s'enfuit à toutes jambes. Il heurta en sortant un marchand de glaces sur son triporteur et s'écorcha le coude. Il continua de courir.

Quand il vit que personne ne le poursuivait, David ralentit son pas. Il erra dans les rues en se demandant comment faire pour rentrer à la maison. Dorothy devait probablement s'inquiéter et il commençait à avoir faim. Il aurait bien voulu manger une glace. Si seulement il pouvait trouver un agent, il lui demanderait de le ramener chez lui. Arthur disait toujours que s'il se perdait, il fallait demander à un « bobby » de l'aider...

Allen cligna des yeux.

Il acheta un chocolat glacé et tandis qu'il s'éloignait du vendeur en déchirant l'emballage, son regard croisa celui d'une fillette à la frimousse barbouillée.

— Oh Seigneur ! s'exclama-t-il en lui tendant la friandise.

Il était décidément incapable de résister aux enfants et surtout au regard implorant de ceux qui avaient faim. Il rebroussa chemin.

— Un autre esquimau, s'il vous plaît.

— Eh ben, vous alors, on peut dire que vous êtes affamé.

— Faites votre boulot et gardez vos réflexions pour vous.

Il s'éloigna en suçant sa glace. Il fallait absolument qu'il s'endurcisse. A-t-on jamais vu un escroc de haut vol fondre comme un pigeon devant le premier gamin venu ?

Il se croyait à Chicago et flâna en admirant les grands immeubles. Il prit l'autobus pour gagner le centre. Il se rendait compte qu'il était trop tard pour aller à l'aéroport O'Hare ce jour-là. Il allait passer la nuit à Chicago et prendrait l'avion du lendemain matin pour Colombus.

Puis soudain, sur une façade d'immeuble, il aperçut un tableau d'affichage lumineux qui donnait !a température et la date du jour. 18°-5 mai. On était le 5 mai ? Il tira de sa poche son portefeuille. Cinq cents dollars de solde. Sa feuille de démobilisation portait la date du 1er mai. « Qu'est-ce que c'est que cette embrouille ? » se demanda-t-il en découvrant qu'il avait faim. Il examina sa tenue : l'uniforme bleu, sale et défraîchi, était déchiré aux coudes et il s'était écorché le bras gauche.

Bon. Il allait acheter quelque chose à manger, dormir et attraper le premier avion pour Colombus. Il dévora deux hamburgers, dénicha un hôtel minable où il prit une chambre à neuf dollars.

Le lendemain matin, il héla un taxi et demanda au chauffeur de le conduire à l'aéroport.

— A La Guardia ?

Il secoua la tête. Il ne connaissait pas d'aéroport La Guardia à Chicago.

— Non. L'autre, le grand.

Pendant le trajet, il s'efforça de comprendre ce qui avait bien pu lui arriver. Fermant les yeux, il chercha le contact avec Arthur. Rien. Ragen ? Introuvable. Décidément, la confusion régnait.

A l'aéroport, il se précipita au guichet de l'United Airlines et tendit son billet à l'employée.

— Je peux partir quand ?

Elle baissa les yeux sur le papier puis les leva sur le visage du jeune homme.

— C'est un billet pour un vol de Chicago à Colombus. Vous ne pouvez pas l'utiliser pour aller d'ici dans l'Ohio.

— Qu'est-ce que vous racontez ?

— C'est un billet de Chicago.

— Ah bon ? Et alors ?

Le chef de service s'approcha. Allen ne voyait pas où était le problème.

— Vous déraillez, mon vieux ! dit l'homme. On ne peut pas aller de New York à Colombus avec ce billet, voyons.

Allen passa une main sur son visage piqueté de barbe.

— De New York ?

— Oui, d'ici, de l'Aéroport Kennedy.

— Oh ! Bon Dieu !

Allen prit une profonde inspiration et se lança :

— Bon écoutez, il y a eu une erreur quelque part. Vous comprenez, je viens d'être libéré.

Il sortit sa feuille de démobilisation.

— J'ai pris le mauvais avion, vous voyez ? J'étais censé aller à Colombus. Quelqu'un a dû mettre quelque chose dans mon café parce que j'étais inconscient et quand je suis revenu à moi, j'étais à New York. J'ai laissé mes bagages dans l'avion, mes bagages et tout le reste. Il faut que vous fassiez quelque chose pour moi. C'est la faute de la compagnie.

— Il va falloir payer un supplément pour changer ce billet, dit l'employée.

— Bon, écoutez, vous n'avez qu'à appeler la Marine à Great Lakes. C'est à eux de me rapatrier à Colombus. Vous n'aurez qu'à leur envoyer la facture. Quand même ! Un soldat renvoyé dans ses foyers a le droit de rentrer chez lui sans qu'on lui tende des pièges ! Vous n'avez qu'à décrocher ce téléphone et appeler la Marine !

L'homme le considéra un instant avant de répondre :

— Bon, attendez-moi ici. Je vais voir ce qu'on peut faire pour vous !

— Où sont les toilettes pour hommes ? demanda Allen.

L'employée lui indiqua une direction et il s'élança. Il referma la porte derrière lui et s'assura qu'il était seul dans le local. Il saisit alors un rouleau de papier hygiénique et le lança à travers la pièce.

— Merde ! Merdemerdemerdemerde ! hurla-t-il. Putain de bordel de merde, je peux plus supporter cette merde !

Il se reprit, se lava le visage, se brossa les cheveux en arrière et se coiffa de la casquette blanche, l'inclinant sous un angle coquet. Il était prêt à affronter de nouveau ceux qu'il venait de quitter.

— C'est bon, dit l'employée. Ça a marché. Je vais vous établir un nouveau billet. Vous avez une place dans le prochain vol qui part dans deux heures.

Dans l'avion qui l'emportait vers Colombus, Allen se lamenta sur l'absurdité d'avoir été à New York pendant cinq jours sans avoir rien vu d'autre que l'intérieur d'un taxi et l'aéroport Kennedy. Il n'avait pas la moindre idée de ce qui s'était passé, ni de l'identité de celui qui avait volé le temps. Peut-être ne l'apprendrait-il jamais. Dans l'autocar qui le ramenait à Lancaster, il s'installa pour faire un petit somme. Au moment où il sombrait dans l'inconscience il marmonna, dans l'espoir qu'Arthur l'entendrait :

— Quelqu'un a fait une connerie, sûr.

Allen fut engagé comme représentant dans une firme d'aspirateurs et devint placier au porte-à-porte. Pendant un mois, tout se passa bien. Le bagout d'Allen fit merveille. Mais il avait un coéquipier, Sam Garrison, qui draguait avec succès toutes les femmes qu'il rencontrait, les serveuses dans les bistrots et les restaurants, les secrétaires de la boîte, et même les clientes. Allen admirait beaucoup son culot.

Le jour de la fête nationale, le 4 juillet 1972, Garrison lui demanda pourquoi il n'en faisait pas autant :

— Pas le temps, rétorqua Allen.

Il se tortilla sur sa chaise, gêné comme chaque fois qu'on abordait avec lui le sujet de la sexualité.

— Ça ne m'intéresse pas beaucoup.

— T'es pas pédé, quand même ?

— Bon Dieu, non.

— T'as dix-sept ans et tu t'intéresses pas aux filles ?

— J'ai pas envie d'en parler.

Ignorant l'expérience de Philip avec la jeune patiente de l'hôpital psychiatrique, Allen se sentait de plus en plus mal à l'aise. Il se détourna en rougissant.

— Oh ! ne me dis pas que t'es puceau !

Allen ne répondit pas.

— Compris, mon gars, fit Garrison. Faut faire quelque chose pour toi. Tu peux compter sur Tonton Sam. Je passe te prendre ce soir, à sept heures.

Garrison vint le chercher à l'heure dite. Ils roulèrent jusqu'au centre et Sam rangea la voiture devant le Hot-Spot.

— Attends-moi. Je te ramène une surprise !

Quelques minutes plus tard, Allen eut un coup au cœur en voyant Garrison revenir en compagnie de deux jeunes femmes à la mine blasée.

— Salut, mon chou, dit la blonde en se penchant à la portière. Je m'appelle Trina. Et voici ma copine, Dolly. T'as une bonne tête.

Dolly rejeta en arrière ses longs cheveux noirs et monta à l'avant, à côté de Garrison. Trina s'assit à l'arrière, près d'Allen.

Ils prirent la direction de la campagne. On bavarda et l'on rit pendant tout le trajet. Trina avait posé la main sur la jambe de son voisin et jouait avec la fermeture à glissière de sa braguette. Bientôt, ils arrivèrent dans un endroit désert. Garrison quitta la route principale et arrêta la voiture.

— On y va, Billy, dit-il. Y a des couvertures dans le coffre. Aide-moi à les sortir.

Allen descendit.

— Tu sais ce que c'est, quand même, fit Garrison en lui tendant deux préservatifs dans leur emballage.

— Ouais. Mais j'ai pas besoin d'en mettre deux ?

Garrison lui donna une bourrade.

— Toujours le mot pour rire. Y en a un pour Trina et un pour Dolly. Je leur ai dit qu'on permuterait. On va les baiser toutes les deux !

En baissant les yeux, Allen aperçut un fusil de chasse posé au fond du coffre et il détourna la tête. Sam lui mit dans les bras une couverture, en prit une pour lui et ferma le coffre. Puis il disparut avec Dolly derrière un arbre.

— Allez, viens, autant s'y mettre tout de suite, dit Trina en détachant la boucle de la ceinture d'Allen.

— Oh ! t'es pas obligée.

— Ben, si ça te tente pas, mon chou...

Quelques instants plus tard, Sam appela Trina, et Dolly rejoignit Allen.

— Alors ? demanda Dolly.

— Quoi, alors ?

— Tu peux recommencer ?

— Ecoute, comme j'ai expliqué à ta copine tout à l'heure, t'es pas obligée de faire quoi que ce soit.

— Comme tu voudras, mon chou, seulement j'ai peur que Sam se foute en rogne. T'es gentil, toi. On dirait qu'il a fort à faire avec Trina. Il s'apercevra sans doute de rien.

Quand Sam eut terminé, il alla chercher deux cannettes de bière dans le coffre et en offrit une à Allen.

— Alors, s'enquit-il, comment t'as trouvé les nanas ?

— J'ai rien fait, tu sais.

— Tu veux dire que toi, t'as rien fait, ou que c'est elles qui ont refusé ?

— Je leur ai dit qu'elles étaient pas obligées. Quand je serai prêt pour ça, je me marierai !

— Merde alors !

— Bon, ça va, laisse tomber. Tout va bien.

— Tu parles !

Et, se tournant vers les deux femmes, il donna libre cours à sa colère :

— Je vous avais dit que ce gars était puceau ! Vous deviez vous en occuper !

En s'approchant de l'arrière de la voiture, Dolly aperçut le fusil de chasse.

— Ah ben mon p'tit gars ! Tu vas avoir des ennuis.

— Et merde ! Montez, on vous ramène.

— Moi, je monte pas dans ta bagnole.

— Bon, ben alors, va te faire enculer !

Garrison referma le coffre violemment et bondit au volant.

— Allez, viens, Billy. On laisse ces pouffiasses rentrer à pied.

— Pourquoi vous ne montez pas ? demanda Allen aux deux jeunes femmes. Vous n'allez pas rester ici toutes seules ?

— T'en fais pas pour nous, va ! Mais je vous préviens, vous allez pas vous en tirer comme ça, mes salauds !

Garrison fit rugir le moteur et Allen prit place dans la voiture.

— On devrait pas les abandonner comme ça.

— Et puis quoi ? Qu'est-ce qu'on en a à foutre, de ces putes ?

— Elles y sont pour rien. C'est moi qui ne voulais pas.

— Oui, ben en tout cas, ça nous aura pas coûté un rond.

Quatre jours plus tard, le 8 juillet 1972, Sam Garrison et Allen recevaient une convocation du shérif de Circleville pour affaire les concernant. Quand ils se présentèrent, on les plaça sous mandat de dépôt. Les deux filles les avaient accusés d'enlèvement et de viol sous la menace d'une arme à feu.

Le juge d'instruction abandonna l'inculpation d'enlèvement mais maintint celle du viol et fixa la caution à deux mille dollars, que Dorothy fut contrainte d'emprunter pour ramener son fils à la maison.

Là, Chalmer se mit dans tous ses états, hurlant que mieux eût valu le laisser croupir en prison. Dorothy pria sa sœur de prendre Billy chez elle, à Miami, en attendant l'audience du tribunal pour enfants qui devait avoir lieu en octobre.

Craignant de se retrouver seules face à Chalmer avec Dorothy, Challa et Kathy finirent par lui poser un ultimatum : si elle n'entamait pas une procédure de divorce, elles allaient quitter la maison elles aussi. Dorothy céda.

A Miami, Allen s'inscrivit à l'école, où il donna toute satisfaction. Il fut embauché à mi-temps par le patron d'une droguerie qui apprécia ses talents d'organisateur. Quant à Samuel, le juif intégriste, il découvrit alors que le père de Billy (Johnny Morrison) était juif lui aussi. La communauté juive de Miami apprit avec horreur l'assassinat de onze athlètes israéliens au village olympique de Munich et Samuel alla à la synagogue le vendredi soir afin de prier pour eux et pour le père de Billy. Il demanda à Dieu de faire éclater l'innocence de Billy.

Le 20 octobre, le tribunal renvoya l'affaire en demandant un supplément d'information. Billy passa trois mois en prison et fut libéré le 16 février 1973, le surlendemain de son dix-huitième anniversaire. Comme il était mineur au moment des faits, il fut néanmoins jugé par le tribunal pour enfants. L'avocat choisi par sa mère, Maître Kellner, demanda que, sans préjudice de la décision de la Cour, le jeune homme fût en tout cas soustrait à l'influence destructrice du foyer familial.

Jugé coupable, William Stanley Milligan fut confié à l'Education surveillée de l'Etat d'Ohio.

Par une étrange ironie du sort, le divorce entre Chalmer et Dorothy Milligan fut prononcé le jour même du transfert d'Allen au camp de jeunesse de Zanesville, le 12 mars.

Ragen se moqua abondamment de Samuel :

— Tu vois bien Dieu n'existe pas !

12.

A Zanesville, Arthur décida de confier le projecteur aux jeunes. Puisqu'on leur offrait la possibilité d'apprendre à nager, de monter à cheval, de participer à de grandes randonnées et à toutes sortes d'activités on ne peut plus salutaires, autant en faire profiter les enfants !

Dean Hughes, l'animateur socio-culturel, un grand Noir aux cheveux très courts et à la barbe en pointe, lui parut d'emblée franc et sympathique. Décidément, l'endroit ne semblait pas dangereux.

Ragen était du même avis.

Mais Tommy renâclait devant le règlement. Il haïssait l'uniforme et les cheveux courts. Il était furieux d'être là, au milieu de trente jeunes délinquants.

Charlie Jones, l'éducateur, mit les « nouveaux » au courant de l'organisation du camp. Celui-ci était divisé en quatre zones. De la zone 1 à la zone 4, la discipline était de moins en moins draconienne et les jeunes gens devaient s'efforcer de passer tous les mois d'une zone à l'autre.

De l'aveu même de Jones, la zone 1, c'était « l'enfer ». On avait la boule à zéro et on se faisait engueuler tout le temps. Dès la zone 2, on avait droit à une coupe moins stricte et l'accès à la zone 3 donnait la possibilité de remplacer l'uniforme par ses propres vêtements en dehors des heures de travail. Dans la zone 4, enfin, le dortoir était divisé en boxes particuliers et l'on bénéficiait d'une certaine liberté dans l'organisation de son emploi du temps. Les privilégiés de la zone 4 avaient un droit de discipline sur les pensionnaires des zones inférieures et ils n'étaient même pas tenus d'assister aux petites fêtes du patronage voisin.

Cette idée fit rire les gamins.

On passait de la zone 1 à la zone 4 selon un système d'attribution et de retrait de bons points. Chacun entamait le mois à la tête de 120 points mais il en fallait 130 pour accéder à la zone supérieure. L'application dans le travail et la bonne conduite rapportaient des points supplémentaires, en revanche, un refus d'obéissance ou un comportement asocial entraînaient le retrait d'un ou plusieurs bons points. Le pouvoir de supprimer des points appartenait à la fois au personnel surveillant et aux pensionnaires de la zone 4.

Celui qui se faisait interpeller par le mot « holà ! » devait savoir qu'il venait de perdre un point. « Holà, du calme ! » coûtait deux points et « holà, du calme, au lit ! » retirait deux points au coupable qui était en outre consigné au lit pendant deux heures. Celui qui se levait trop vite était averti par un « holà, du calme, au lit, du calme ! » qu'on venait de lui supprimer trois points. « Holà, du calme, au lit, holà, du calme, prison ! » en coûtait quatre. Et « prison » envoyait les fortes têtes faire un tour à la prison du comté.

Ce code grotesque donna à Tommy envie de vomir.

Charlie Jones ajouta que les activités ne manquaient pas à Zanesville, qu'il comptait donc sur eux pour tirer le meilleur parti de leur séjour et pour marcher droit.

— Si vous êtes en train de vous dire que votre place n'est pas ici et de bâtir des plans d'évasion, croyez-moi, renoncez-y tout de suite ! Quand vous aurez été envoyés au centre de redressement de l'Ohio vous comprendrez ce que je veux dire mais il sera trop tard ! Et maintenant, avant d'aller casser la croûte, filez chercher de quoi faire vos lits à l'intendance.

Ce soir-là, assis au bord de son étroite couchette, au dortoir, Tommy se demanda qui avait bien pu le fourrer dans cet endroit pourri et pour quelle raison. Il se foutait pas mal des bons points, des zones et du règlement : il ne comptait pas faire long feu ici ! Comme il n'avait pas le projecteur en arrivant, il n'avait pas pu repérer la sortie mais il avait constaté l'absence de mur d'enceinte ou de barbelés autour du camp, situé au milieu des bois. Il n'aurait aucun mal à s'en évader.

Dans le couloir de la cantine, il renifla des odeurs alléchantes et remit son évasion à plus tard. Autant se tirer le ventre plein !

Dans les rangs des pensionnaires de la zone 1, Tommy avait remarqué un gosse à lunettes, qui ne devait guère avoir plus de quatorze ans, si maigre qu'on avait peur de le voir s'envoler au premier coup de vent.

Il trimbalait à grand-peine un matelas trop lourd pour lui quand un grand gaillard lui fit un croche-pied. Mais le petit se releva comme un dard et étala l'autre d'un direct à l'estomac.

— Alors là, petit merdeux, t'y coupe pas : Holà !

— Tu peux te le foutre au cul, ton « Holà ! » répliqua le maigrichon, les poings serrés, dominant le grand gaillard de sa petite taille.

— Holà, du calme ! fit l'autre en se relevant.

— Viens te battre, gros con ! défia le maigrichon, des larmes plein les yeux.

— Holà, du calme, au lit !

Un autre pensionnaire s'approcha. Guère plus costaud que lui mais de deux ou trois ans son aîné, il tira le petit en arrière.

— Laisse tomber, Tony. T'as déjà perdu deux points et tu vas te coltiner deux heures au pieu. Ça te suffit pas ?

Tony, instantanément calmé, se baissa pour ramasser le matelas.

— T'en fais pas, Gordy ! J'ai pas faim de toute façon !

A la cantine, Tommy mangea en silence. La nourriture n'était vraiment pas mauvaise mais il était inquiet : si on laissait les mecs les plus forts s'acharner sur les autres et leur supprimer des points, il faudrait qu'il se méfie de ses réactions !

En retournant au dortoir, il vit que le dénommé Gordy occupait le lit voisin du sien et qu'il avait apporté à dîner au maigrichon. Ils étaient en train de bavarder.

Tommy s'assit au bord de son lit et les observa du coin de l'œil. Le règlement interdisait de manger au lit.

— Gaffe ! souffla Tommy en voyant entrer le grand gaillard, à l'autre bout du dortoir.

Tony fit passer son assiette sous le lit et se rallongea. L'autre vint constater qu'il était bien au lit et repartit.

— Merci, dit le petit, je m'appelle Tony Vito. Et toi ?

Tommy le regarda bien en face.

— On m'appelle Billy Milligan.

— Lui, c'est Gordy Kane. Il est tombé pour trafic de hasch et toi ?

— Viol, dit Tommy. Mais je ne suis pas coupable.

A leurs sourires, Tommy comprit qu'ils n'en croyaient rien. Mais il ne se formalisa pas.

— Qui est cette brute ? s'enquit-il.

— Jordan. De la zone 4.

— Il va nous payer ça !

C'est Tommy qui occupait le plus souvent le projecteur. C'est lui qui bavardait avec la mère de Billy quand elle venait lui rendre visite. Tommy l'aimait bien et la plaignait beaucoup. Aussi, quand elle lui apprit que Chalmer et elle avaient divorcé, il se réjouit.

— Il m'a fait beaucoup de mal.

— Je sais. Il t'avait pris en grippe. Mais qu'est-ce que j'y pouvais ? Il fallait bien vous donner un toit. J'avais trois enfants à moi et Challa, qui était comme ma propre fille ! Mais Chalmer est parti et si tu te conduis comme il faut ici, tu pourras bientôt rentrer à la maison.

En la regardant s'éloigner, Tommy songea que c'était la mère la plus jolie de celles qu'il connaissait. Il aurait bien voulu qu'elle fût la sienne. Il se demandait qui était sa mère à lui et comment elle était.

Dean Hughes, le jeune animateur, trouvait souvent Milligan allongé à lire ou plongé dans un état second. Un après-midi, il décida d'aller lui parler :

— Puisque tu es là, dit-il, tu devrais essayer de tirer le maximum de ta situation. Trouve quelque chose à faire qui te plaise. Qu'est-ce que tu aimes ?

— La peinture, dit Allen.

La semaine suivante, sur son budget personnel, Dean Hughes acheta des pinceaux, des tubes de peinture et des toiles pour Milligan.

— Je vais peindre quelque chose pour vous, fit Allen en posant une toile sur une table. Qu'est-ce que vous aimeriez ?

— Une grange abandonnée, dit Hughes, avec des carreaux cassés, un pneu accroché à la branche d'un vieil arbre, une petite route de campagne. Il viendrait de pleuvoir...

Allen passa toute la journée et toute la nuit devant sa toile. Le lendemain matin, il remit son œuvre à Dean Hughes.

— C'est drôlement bien, dis donc ! le complimenta-t-il. Tu sais que tu pourrais gagner de l'argent, avec le coup de pinceau que tu as !

— Ça me plairait, dit Allen. J'adore peindre.

Hughes se demandait comment il pourrait faire sortir Milligan de ses états de transe. Un samedi matin, il l'emmena à Blue Rock State Park en lui suggérant d'emporter avec lui son matériel. Ils s'installèrent dans le jardin public et Hughes regarda Milligan s'adonner à son activité favorite. Des badauds s'approchèrent et Hughes leur vendit quelques toiles. Ils y retournèrent le lendemain et, le dimanche soir, ils avaient vendu pour cent dollars de tableaux.

Le lendemain matin, le directeur convoqua Hughes pour lui faire savoir que, Milligan étant sous la tutelle de l'Etat, il n'avait pas le droit de tirer profit de sa peinture. Il fallait donc contacter les acheteurs pour qu'ils rendent les tableaux.

Hughes, qui ignorait cette loi, accepta aussitôt.

— Comment l'avez-vous su ? demanda-t-il avant de quitter le bureau du directeur.

— Les acheteurs ont téléphoné. Ils voulaient d'autres tableaux de Milligan.

Le mois d'avril passa rapidement. Les beaux jours s'installant, Christine jouait dans le jardin. David allait à la chasse aux papillons. Ragen faisait de la culture physique dans le gymnase. Danny, qui détestait la nature depuis qu'il avait été enterré vivant, restait à l'intérieur à peindre des natures mortes. Christopher, âgé de treize ans, montait à cheval. Arthur passait le plus clair de son temps à la bibliothèque à étudier le code de l'Ohio, et déclarait qu'il ne monterait à cheval que pour jouer au polo. Tous se réjouirent d'accéder à la zone 2.

Milligan et Gordy furent assignés à la blanchisserie et Tommy était ravi de pouvoir bricoler sur la vieille machine à laver et le séchoir à gaz. Il avait hâte de passer dans la zone 3, où il aurait enfin le droit de porter ses vêtements tous les soirs.

Un après-midi, Frank Jordan arriva les bras chargés de linge.

— Lave-moi ça tout de suite. J'attends de la visite pour demain.

— T'en as de la chance, fit Tommy sans lever le nez de ce qu'il était en train de faire.

— Tu t'y mets tout de suite. T'entends ?

Tommy l'ignora.

— Je suis dans la zone 4, petit connard. Je peux te supprimer des points comme je veux et tu passeras pas en zone 3 !

— Ecoute, fit Tommy, tu m'impressionnes vraiment pas avec ta zone 4. J'ai pas à laver tes foutues fringues !

— Holà !

Tommy le fusilla du regard. De quel droit ce délinquant minable lui retirait-il un point ?

— Tu peux te le foutre au cul, ton « Holà » !

— Holà, du calme !

Tommy serra les poings mais Jordan était déjà parti raconter au surveillant qu'il venait de coller un « Holà, du calme » à Milligan. Quand il retourna au dortoir, Tommy apprit que Jordan avait supprimé du même coup deux points à Kane et Vito pour l'unique raison qu'ils étaient ses copains.

— On va pas se laisser faire comme ça ! dit Kane.

— Je m'en occupe, déclara Tommy.

— Qu'est-ce que tu vas faire ? demanda Vito.

— T'en fais pas. Je vais bien trouver !

Allongé sur son lit, Tommy réfléchissait. Et plus il réfléchissait, plus sa fureur grandissait. Pour finir, il se leva, fit le tour du bâtiment en passant par l'arrière pour aller ramasser une bûche et se dirigea vers la zone 4.

Arthur expliqua la situation à Allen et lui conseilla de prendre les choses en main avant que Tommy ne s'attirât de graves ennuis.

— Laisse tomber, Tommy, dit Allen.

— Merde, je vais pas laisser cette crapule m'enlever mes points et m'empêcher d'aller en zone 3.

— Tu n'arriveras à rien comme ça.

— Je vais lui écraser la tête à ce salaud !

— Holà, Tommy, du calme !

— Ne dis plus jamais ça, t'entends ?

— Désolé. Mais je trouve que tu t'y prends mal. Laisse-moi faire.

— Tu parles ! lança Tommy en jetant la bûche. T'es même pas capable de t'occuper de ton cul !

— Ça, pour faire ta grande gueule, t'es toujours là ! Allez tire-toi !

Tommy quitta le projecteur. Allen alla rejoindre Kane et Vito dans la zone 2.

— Voilà ce que nous allons faire, commença Allen.

— Je le sais, ce qu'on va faire, intervint Kane. On va faire sauter la baraque !

— Non, fit Allen. On va aller trouver M. Jones demain matin pour lui raconter et on va lui dire qu'on trouve injuste d'être jugés par des types qui ne valent pas mieux que nous.

Kane et Vito en restèrent bouche bée. Jamais ils ne l'avaient entendu s'exprimer aussi posément.

— Donnez-moi du papier et un crayon, poursuivit Allen. On va tâcher de mettre ça par écrit.

Le lendemain matin, tous trois se rendirent au bureau de Charlie Jones.

— Monsieur, commença Allen, leur porte-parole, vous nous avez assuré, le jour de notre arrivée, qu'on pouvait exprimer franchement nos opinions ?

— Parfaitement.

— Voilà, nous trouvons que les anciens de la zone 4 ne devraient pas avoir le droit de nous supprimer des points. Si vous voulez bien lire ce que j'ai noté là, vous vous rendrez compte par vous-même des injustices qui en résultent.

Jones saisit la feuille de papier qu'Allen lui tendait. Celui-ci avait dressé la liste des « Holà, du calme ! » que Frank Jordan leur avait infligés par simple inimitié personnelle ou parce qu'ils avaient refusé de se mettre à son service.

— Ce système n'a jamais été remis en cause, Bill, fit remarquer Jones.

— Ce n'est pas une preuve de sa valeur. On prétend vouloir nous réadapter à la société et ce qu'on nous montre, c'est son injustice ! Vous ne trouvez pas qu'il y en a une flagrante, à mettre des garçons comme Vito à la merci d'un type comme Frank Jordan ?

Jones réfléchit un moment en se tiraillant le lobe de l'oreille. Allen poursuivait inlassablement sa démonstration, alignant des arguments devant ses camarades impressionnés.

— Je vais y réfléchir, dit Jones pour finir. Revenez me voir lundi et je vous dirai ce que j'ai décidé.

Le dimanche soir, Kane et Vito jouaient aux cartes sur le lit de Kane. Tommy, étendu sur le sien, s'efforçait de reconstituer ce qui s'était passé dans le bureau de Jones à partir de ce qu'avaient dit Kane et Vito.

— Regardez ! fit soudain Kane en levant les yeux.

Frank Jordan s'approcha du lit et lâcha une paire de souliers crottés sur le jeu de cartes, devant Vito.

— J'en ai besoin pour ce soir !

— Alors t'as intérêt à te prendre par la main, déclara Vito. Compte pas sur moi pour cirer tes foutues grolles !

D'un direct qui l'atteignit sous l'œil, Frank fit tomber Vito et tourna les talons. Vito se mit à pleurer. Tommy rattrapa Frank au bout du dortoir et lui tapa sur l'épaule pour lui faire tourner la tête. Avec un grand moulinet du bras, il balança son poing et Frank, le nez en sang, alla dinguer contre le mur.

— Je vais te faire foutre en taule, moi, pauvre connard ! hurla Frank.

Un furieux croc-en-jambe de Kane le fit tomber entre les lits où Tommy et Kane se jetèrent sur lui pour le rouer de coups.

Ragen observait la scène pour voir si Tommy n'était pas en danger. A la première ménace réelle, le Yougoslave serait intervenu. Il ne se serait pas battu de façon désordonnée, en laissant libre cours à sa rage comme Tommy. Il aurait minutieusement calculé ses coups, en sachant précisément quels os briser. Mais cette affaire ne le concernait pas et l'on n'avait pas besoin de lui.

Le lendemain matin, Allen prit le parti d'aller raconter l'épisode à M. Jones avant que Frank Jordan ne le rapportât à sa manière.

— Frank s'en est pris à Vito sans raison. Il profite du système qui lui donne de l'autorité sur plus faible que lui : un système néfaste et potentiellement dangereux quand il est aux mains de criminels.

Le mercredi suivant, M. Jones annonça que désormais, seuls les éducateurs et les surveillants auraient le pouvoir de retirer des points aux pensionnaires. Ceux que Frank Jordan avait injustement supprimés à ses camarades seraient soustraits de son propre compte. Jordan retourna donc en zone 1. Vito, Kane et Milligan se retrouvèrent à la tête d'une somme suffisante et passèrent dans la zone 3.

Dans la zone 4, on avait le droit d'aller passer régulièrement quelques jours dans sa famille. Le jour tant attendu arriva, Tommy prépara son sac, en proie à une confusion grandissante.

Il se plaisait à Zanesville, mais il souhaitait retourner vivre à Spring Street, puisque Chalmer n'y remettrait plus jamais les pieds. Entre Dorothy, Kathy et Challa, il passerait enfin de bons moments à la maison.

Dorothy vint le chercher en voiture. Le trajet jusqu'à Lancaster fut plutôt silencieux. Ils venaient d'arriver quand, au grand étonnement de Tommy, un homme qu'il n'avait jamais vu vint leur rendre visite. Grand et fort, le torse bombé et le visage rubicond, il fumait sans discontinuer.

— Billy, voici Del Moore, présenta Dorothy. Il est directeur de la boîte de nuit où je chantais à Circleville. Il va rester dîner.

Aux regards qu'ils échangeaient, Tommy devina tout de suite qu'il y avait quelque chose entre eux. Merde ! Qu'est-ce que c'était que cet intrus qui venait s'incruster à la maison deux mois à peine après le départ de Chalmer ?

— Je ne vais pas retourner à Zanesville ! annonça Tommy au cours du repas.

— Qu'est-ce que tu racontes ? s'étonna Dorothy.

— Je ne supporte plus cet endroit !

— Non, non, non, Billy, ça ne va pas du tout ! intervint Del Moore. Ta mère m'a dit que tu n'avais plus qu'un mois à tirer ?

— C'est mes oignons !

— Billy ! s'écria Dorothy.

— Bon, écoute-moi, reprit Del, je te parle en ami. Tu n'as pas le droit de faire ça à ta mère. Tu n'en as plus pour longtemps. Alors tu vas me faire le plaisir d'y retourner, sinon c'est à moi que tu auras affaire !

Tommy baissa les yeux sur son assiette et termina son dîner en silence.

— Qui c'est, ce type ? demanda-t-il ensuite à Kathy.

— Le nouveau petit ami de maman.

— Bon sang ! Il a l'air de croire qu'il peut me dire ce que j'ai à faire ! Il vient souvent ?

— Il a une chambre en ville, dit Kathy. On ne peut pas vraiment dire qu'ils vivent ensemble. Mais j'ai des yeux pour voir !

Au cours de sa deuxième permission de fin de semaine, Tommy fit la connaissance de Stuart, le fils de Del Moore, et fut immédiatement conquis. A peu près du même âge que lui, Stuart était un as du football et un athlète complet mais Tommy l'admirait surtout pour ses prouesses à moto. Il faisait des trucs invraisemblables ! Tommy n'avait jamais vu ça !

Stuart conquit aussi Allen, qui le jugea d'emblée sympathique, et Ragen, qui respectait ses capacités physiques, son intrépidité et son brio. Ils passèrent deux journées formidables et tous se réjouirent à l'idée de revoir souvent ce nouvel ami, qui les acceptait sans poser de questions sur leur comportement bizarre. Stuart ne les traitait ni les uns ni les autres de menteurs ou de rêveurs. Tommy aurait bien voulu lui ressembler, un jour.

Il lui confia qu'il aurait du mal à retourner vivre chez lui maintenant que Del Moore y était plus ou moins installé et Stuart lui répondit que, le moment venu, ils pourraient partager un appartement tous les deux.

— Sérieux ? demanda Tommy qui n'osait pas y croire.

— J'en ai même parlé à Del. Il trouve que c'est une idée super, qu'on fera moins de conneries si on est ensemble.

Mais, quelques semaines avant sa libération, Tommy apprit que Dorothy ne viendrait pas le chercher comme prévu.

Le 5 août 1973, la moto conduite par Stuart Moore avait heurté, au détour d'un virage, une remorque transportant un bateau de plaisance. Le bateau et la moto avaient pris feu sous le choc et Stuart était mort carbonisé.

Ce fut une nouvelle épouvantable pour Tommy. Stuart, son intrépide ami qui allait conquérir le monde, Stuart si joyeux... transformé en torche vivante !

C'était atroce, insupportable. Alors David vint prendre sur lui les souffrances de Stuart et pleurer les larmes de Tommy...

13.

Un mois après la mort de Stuart, Billy Milligan fut libéré et quitta Zanesville. Quelques jours après son retour, Allen lisait dans sa chambre lorsque Del Moore vint lui proposer une partie de pêche. Allen savait que Del essayait de complaire à Dorothy. Kathy assurait qu'ils allaient bientôt se marier.

— Avec plaisir, acquiesça le jeune homme, j'adore la pêche.

Del organisa la sortie, prit un jour de congé pour le lendemain. A l'heure dite, il passa prendre Billy.

Tommy lui répondit par une moue dégoûtée.

— Pêcher ? Qu'est-ce que c'est que cette connerie ? J'ai aucune envie de pêcher.

Tommy fit mine de quitter sa chambre. Dorothy intervint, lui reprochant sa conduite incohérente : alors qu'il avait promis à Del qu'il l'accompagnerait... Tommy considéra ses deux interlocuteurs avec étonnement :

— Mais bon Dieu ! Il ne m'a jamais rien demandé !

Fou de rage, Del s'en alla en jurant qu'il n'avait jamais vu aussi fieffé menteur que ce merdeux.

Quand Allen se retrouva seul dans sa chambre, il dit à Arthur :

— Je ne peux plus supporter ça. Il faut qu'on s'en aille. Del est toujours fourré ici, je me sens un intrus.

— Même chose en ce qui me concerne, dit Tommy. Dorothy a été une mère pour moi mais si elle se marie avec Del, je préfère me tirer.

— Très bien, conclut Arthur. Trouvons un emploi. Quand nous aurons réuni un petit pécule, nous prendrons un appartement.

Les autres applaudirent cette idée.

Allen fut embauché dans l'usine de galvanisation de Lancaster le 11 septembre 1973. Il était mal payé pour un travail salissant et pénible qui ne correspondait guère à ce qu'envisageait Arthur.

C'était Tommy qui accomplissait de fastidieuses tâches de manutention. Il saisissait une cage suspendue sur la chaîne en mouvement et la plongeait dans le bain d'acide. Il allait d'un bac de zingage à l'autre, sur la longueur d'une piste de jeu de quilles. Plonger la cage, attendre, la soulever, avancer, plonger, attendre, soulever...

Arthur considérait cette activité servile avec un sourire méprisant. Il préféra reporter son attention sur d'autres questions. Il lui fallait préparer tout son petit monde à une existence autonome.

Durant le séjour à Zanesville, il avait étudié le comportement de ceux qu'il avait autorisés à sortir sous le projecteur et commençait à comprendre que, seule, la maîtrise de soi garantissait la survie en société. Sans règlement, le chaos régnerait et tout le monde serait en danger. Il avait constaté que les règlements du camp de jeunesse avaient le meilleur effet sur les pensionnaires. La menace, constamment suspendue au-dessus de leurs têtes, d'être renvoyés en zone 1 ou 2 mettait au pas ces garçons sans foi ni loi. Il faudrait appliquer un système semblable à la famille.

Il expliqua le code de bonne conduite à Ragen :

— Parce que l'un de nous s'était commis avec des femmes de mauvaise réputation, nous avons été accusés de viol — crime que nous n'avions point perpétré — et on nous a envoyés en prison. Cela ne doit plus jamais se reproduire.

— Comment empêcher ça ?

Arthur marchait de long en large.

— En général, je peux interdire l'accès du projecteur. Quant à vous, j'ai remarqué avec quelle rapidité vous étiez capable d'expulser quiconque survient, dans l'instant fragile où il sort dans la lumière. Il faut que nous surveillions la conscience. J'ai décidé que certains individus indésirables seraient à jamais bannis du projecteur. Les autres devront obéir à un code de bonne conduite. Nous sommes une famille. Nous devons être stricts. Une seule infraction suffira à être déclaré indésirable.

Avec l'accord de Ragen, Arthur proclama le règlement valable pour tous :

Premièrement : ne jamais mentir. Depuis toujours, on nous accuse injustement d'être des maniaques du mensonge simplement parce que certains d'entre nous ont nié connaître tel ou tel acte dont ils n'étaient pas responsables.

Deuxièmement : se conduire correctement avec les dames et avec les enfants. Ce qui signifie, entre autres, ne pas parler grossièrement et respecter les règles du savoir-vivre. Par exemple, s'effacer devant les dames après leur avoir ouvert une porte. Les enfants devront bien se tenir à table, garder la serviette sur les genoux, etc. Si quelqu'un voit un homme battre une femme ou un enfant, il ou elle doit abandonner le projecteur pour laisser Ragen prendre la situation en main. (Si l'un d'entre nous était en danger physique, Ragen sortirait automatiquement sous le projecteur sans qu'il soit besoin de s'effacer.)

Troisièmement : vivre dans le célibat. Les hommes ne doivent plus jamais se trouver dans une situation où on risquerait de les accuser de viol.

Quatrièmement : consacrer son temps à cultiver ses talents. On ne doit pas gaspiller le temps dont on dispose à lire des bandes dessinées ou à regarder la télévision. Chacun poursuivra l'étude de sa spécialité.

Cinquièmement : respecter la propriété privée de chaque membre de la famille. Cette règle devra être appliquée avec une rigueur particulière s'agissant de la vente des œuvres picturales. N'importe qui pourra vendre un tableau sans signature ou signé « Billy », ou « Milligan ». Mais les travaux privés, signés par Tommy, Danny ou Allen, sont leur propriété personnelle. En aucun cas une personne n'a le droit de vendre ce qui ne lui appartient pas.

Quiconque violera ces lois sera banni pour toujours du projecteur et rejeté dans l'ombre avec les autres indésirables.

Après un moment de réflexion, Ragen demanda :

— Qui êtrre ces — comment vous dites — ces indésirables ?

— Philip et Kevin sont tous deux, indubitablement, des êtres asociaux, aux tendances criminelles.

— Que fairre pour Tommy ? Etrre asocial parr moments.

— Certes. Mais l'agressivité de Tommy est nécessaire. Certains des enfants sont si dociles qu'ils se frapperaient eux-mêmes si quelqu'un de l'extérieur le leur demandait. Aussi longtemps que Tommy ne violera pas les autres lois, aussi longtemps qu'il n'utilisera pas ses talents pour l'évasion et pour la serrurerie dans un but criminel, il aura accès au projecteur. Mais je lui ferai sentir la bride de temps en temps pour qu'il n'oublie pas que nous le surveillons.

— Que fairre pour moi ? J'être crriminel. J'êtrre violent et asocial.

— Il ne faut pas contrevenir à la loi. Il ne faut commettre aucun délit, pas même ceux qu'on prétend sans victime. En aucun cas.

— Vous pouvoirr comprendrre, êtrre toujourrs possible j'êtrre placé dans situation où il êtrre nécessaire je commets un crime pour nous défendrre, pour survivrre. Nécessité fairre loi.

Arthur joignit la pointe de ses doigts en forme de pyramide et médita un instant l'argument de Ragen. Puis il hocha la tête :

— Vous serez l'exception qui confirme la règle. Parce que vous disposez d'une grande force, vous seul aurez le droit d'employer la violence contre les gens de l'extérieur. Mais seulement en cas de légitime défense ou pour secourir des femmes ou des enfants. Comme protecteur de la famille, vous seul serez autorisé à commettre des délits sans victime ou des crimes nécessaires à notre survie.

— Alors j'accepter l'idée des lois, dit doucement Ragen. Mais le système pas toujours marrrcher. Pendant les périodes d'embrouilles, les gens perdre le temps. Alors nous ne savons — ni vous, ni moi, ni Allen — nous ne savons ce qui se passe.

— En effet mais nous devons faire de notre mieux avec ce que nous avons. L'un de nos objectifs sera d'éviter ces périodes embrouillées et de conserver la stabilité de la famille.

— Etrre difficile. Vous devez communiquer ça aux autres. Je ne connais encorre toute — comment vous dites — la famille. Ils venirr, partirr. Je n'êtrre pas toujours sûr si une personne êtrre de l'extérieur ou être des nôtrres.

— Ce n'est guère étonnant. Il en est de notre vie comme de celle qu'on mène à l'hôpital ou même au camp de jeunesse. On apprend à connaître par leur nom les gens qui vivent à nos côtés et on prend conscience de l'existence des autres. Mais très souvent même les gens de l'extérieur ne communiquent pas entre eux, en dépit du fait qu'ils vivent dans une grande promiscuité. J'entrerai en rapport avec chacune de nos personnes et je lui ferai connaître ce qu'elle a besoin de savoir.

Ragen était songeur.

— J'êtrre fort mais vous avoir acquis beaucoup de pouvoir avec ce que vous avoir appris.

Arthur acquiesça d'un bref mouvement du menton.

— Et c'est pourquoi je vous battrai toujours aux échecs.

Arthur contacta les autres un par un et leur apprit ce qu'on attendait d'eux. Outre le code de bonne conduite, il fallait que chacun enregistre ce qu'on attendait de lui en particulier, lorsqu'il prenait le projecteur.

Christine était restée à l'âge de trois ans. Elle constituait pour eux une gêne permanente. Pourtant Ragen insista. Parce qu'elle avait été la première à apparaître et qu'elle était toujours le « bébé » de la famille, elle ne serait jamais rejetée ou classée comme indésirable. Elle pourrait même se rendre utile parfois, lorsqu'il serait nécessaire de faire venir sous le projecteur une personne incapable de communiquer et de comprendre. Mais d'elle aussi, on exigerait un effort personnel. Sous la direction d'Arthur, elle apprendrait à lire, à écrire et à corriger sa dyslexie.

Tommy devait poursuivre ses études d'électronique et cultiver ses dons pour le bricolage. Bien qu'il sût forcer les serrures et les portes, il devait employer ces talents dans le seul but de s'échapper si on les enfermait et non pas pour s'introduire chez autrui. Il n'était pas question qu'il se transformât en cambrioleur, ni qu'il se rendît complice d'un vol. Il devait maîtriser son agressivité et, dans les rapports avec l'extérieur, ne la laisser éclater qu'à bon escient.

Ragen apprendrait le karaté et le judo, pratiquerait la course à pied et maintiendrait son corps en parfaite condition physique. Avec l'aide d'Arthur et sous sa direction, Ragen apprendrait à maîtriser sa sécrétion d'adrénaline et à concentrer ses énergies pour affronter le danger. Il approfondirait sa connaissance des armes et des munitions. Une somme serait prélevée sur le prochain salaire, pour acheter un revolver, afin qu'il pût s'entraîner au tir.

Allen s'exercerait à l'éloquence et à la peinture des portraits. Il jouerait de la batterie, ce qui contribuerait à relâcher les tensions, étant le plus sociable de la famille, il serait chargé des relations publiques.

Adalana continuerait à écrire des poèmes et à développer ses talents culinaires, qui seraient fort utiles lorsqu'ils s'installeraient dans leur appartement.

Danny apprendrait à utiliser l'aérographe pour réaliser ses natures mortes. Adolescent, il était tout désigné pour prendre soin des plus jeunes.

Arthur se consacrerait à ses études scientifiques, et en particulier à la médecine. Il s'était déjà inscrit à un cours par correspondance qui lui donnerait les premiers rudiments d'hématologie clinique. Son esprit logique et clair ferait également merveille pour emmagasiner les subtilités de la loi.

Tous les autres furent invités à se conformer aux obligations énoncées par Arthur : consacrer le temps dont on dispose à se cultiver et élargir ses connaissances. Ne jamais rester sans rien faire, ne jamais gaspiller le temps, ne jamais permettre à son esprit de stagner. Poursuivre ses buts propres tout en s'éduquant et se cultivant. Ne jamais perdre cela de vue, même hors du projecteur et y travailler dès qu'on prend la conscience.

Les plus jeunes s'abstiendraient de tenter de conduire une voiture. Si l'un d'entre eux, en sortant sous le projecteur, se retrouvait derrière un volant, il passerait sur le siège du passager et attendrait qu'un aîné vînt conduire.

Tout le monde tomba d'accord pour reconnaître le sérieux et la logique des décisions d'Arthur.

Samuel lisait l'Ancien Testament, mangeait exclusivement casher, avait une prédilection pour la sculpture sur bois et sur grès. Il vint sous le projecteur le 27 septembre pour le Rosh ha-Shana, le nouvel an juif, et récita une prière à la mémoire du père juif de Billy.

Samuel n'ignorait pas qu'Arthur avait sévèrement réglementé la vente des tableaux. Pourtant, un jour qu'il avait besoin d'argent et que personne de la famille ne pouvait être joint pour lui donner un conseil ou lui expliquer où on en était, il vendit un nu signé Allen. Les nus offensaient ses convictions religieuses et il ne voulait plus l'avoir sous les yeux.

— Ce n'est pas moi, mais l'artiste est une connaissance, expliqua-t-il à la personne qui s'en porta acquéreur.

Il vendit aussi une peinture de Tommy au climat inquiétant, représentant une grange.

Quand Arthur apprit l'indélicatesse commise par Samuel, l'Anglais fut profondément choqué. Samuel aurait dû se rendre compte qu'il vendait des œuvres particulièrement chéries de leurs créateurs, des tableaux que des étrangers ne pouvaient pas comprendre. Arthur ordonna à Tommy de dénicher la sculpture préférée de Samuel : une vénus drapée entourée de cupidons.

— Détruis-la, dit-il.

Tommy brisa à coups de marteau la statue de plâtre.

— Pour cette infamie : vendre l'œuvre des autres, Samuel est désormais indésirable. Il est à jamais banni du projecteur.

Samuel discuta sa condamnation. On ne devait pas le chasser, objecta-t-il, pour la bonne raison qu'il était le seul de toute la famille à croire en Dieu.

— Dieu a été inventé par ceux que l'inconnu effraie, rétorqua Arthur. Les gens adorent des figures mythiques comme Jésus-Christ pour échapper à la terreur de ce qui arrivera après la mort.

— Précisément, dit Samuel. Mais écoutez-moi, ce ne serait pas une mauvaise idée d'avoir une petite assurance. Si après notre mort nous devions découvrir qu'il y a effectivement un Dieu, il ne serait pas mauvais qu'au moins l'un d'entre nous ait cru en Lui. Ainsi, l'un de nous aurait une chance d'avoir son âme au ciel.

— Si l'âme existe.

— Pourquoi ne pas tenter le coup ? Cela ne coûterait rien de me donner une seconde chance.

— C'est moi qui ai fait la loi et ma décision est irrévocable. Le 6 octobre sera une de vos fêtes sacrées, Yom Kippour. Vous pourrez prendre le projecteur pour le jour du Pardon et puis vous serez banni.

Plus tard, Arthur devait reconnaître devant Tommy qu'en prononçant son jugement sous le coup de la colère, il avait commis une erreur. Comme il ne pouvait trancher la question de l'existence de Dieu, il n'aurait pas dû tant se hâter de chasser le seul d'entre eux qui eût la foi.

— Vous pourriez revenir sur votre décision, répondit Tommy, et permettre à Samuel de reprendre le projecteur de temps à autre.

— Aussi longtemps que je dirigerai la conscience, cela ne sera pas. Je reconnais avoir failli en laissant mes émotions influer sur mes décisions. Mais une fois le verdict rendu, il faut l'appliquer.

La pensée de l'au-delà tourmentait Tommy. Il tournait et retournait la question dans son esprit. « Si je me retrouvais en enfer, se demandait-il, est-ce que j'arriverais à dégotter un truc pour m'en échapper ? »

Quelques jours plus tard, Allen, qui se promenait en ville, tomba sur une de ses anciennes connaissances de lycée, un ami d'ami dont il se souvenait vaguement. Barry Hart portait à présent le cheveu long et se donnait l'allure d'un hippie. Il invita Allen à boire un verre chez lui.

Dans la cuisine du grand appartement délabré, Allen et Hart bavardèrent devant une bière. Des gens venaient et repartaient. Allen eut l'impression qu'il se revendait beaucoup de drogue sous ses yeux. Quand il se leva pour prendre congé, Hart lui dit qu'une fête était prévue pour le samedi suivant. Il y aurait beaucoup de monde. Voulait-il en être ?

Allen accepta l'invitation. N'était-ce pas une excellente occasion de sortir et d'avoir une vie sociale, suivant la ligne tracée par Arthur ?

Mais en arrivant chez Hart le samedi suivant, Allen n'apprécia guère ce qu'il découvrit. On buvait énormément. On fumait, on reniflait diverses drogues. Le jeune homme trouva la plupart des participants parfaitement grotesques. Il allait simplement boire un verre et repartir. Mais au bout de quelques minutes, il se sentit si mal à l'aise qu'il quitta le projecteur.

Arthur considéra avec dégoût les spécimens d'humanité qui l'entouraient. Mais il décida de rester pour observer comment ces gens s'abêtissaient : l'alcool rendait agressif, les fumeurs d'herbe gloussaient, les adeptes des amphétamines entraient en transes et les amateurs de LSD déliraient. Voilà, conclut-il, un excellent matériel pour une recherche sur les méfaits de la drogue.

Un couple qui se tenait à l'écart comme lui attira son attention. Il ne cessait de croiser le regard de la fille mince et grande aux longs cheveux noirs, aux lèvres pleines et aux yeux rêveurs. Il sentait qu'elle n'allait pas tarder à engager la conversation. Cette simple idée l'ennuyait beaucoup.

Le compagnon de la jeune fille fit le premier mouvement.

— Tu viens souvent aux fêtes de Hart ? demanda-t-il à Arthur qui céda aussitôt la place à Allen.

— Que disiez-vous ? demanda ce dernier en regardant autour de lui d'un air hébété.

— Mon amie pense t'avoir déjà vu ici ou dans une autre fête, expliqua le jeune homme. Moi aussi, il me semble te connaître. Tu t'appelles comment ?

— On m'appelle Billy Milligan.

— Ah ! t'es le frère de Challa ? Moi, c'est Walt Stanley. Je connais ta sœur.

La jeune femme s'approcha et Stanley fit les présentations :

— Marlene, Billy Milligan.

Stanley s'éloigna. Marlene et Allen bavardèrent durant près d'une heure, échangeant des remarques sur les autres invités, discutant de tout et de rien. Allen la trouva pleine d'humour et de charme. Il sentait qu'elle avait un faible pour lui et il éprouvait une étrange attirance pour ses sombres yeux de chatte. Mais il connaissait les règlements édictés par Arthur. Tout cela n'aboutirait à rien.

— Dis donc, Marlene, lança Stanley de l'autre bout de la pièce, on se tire ?

Elle affecta de l'ignorer.

— Ton petit ami t'appelle, dit Allen.

Elle sourit :

— Oh ! ce n'est pas mon petit ami.

Cette nana le mettait sur des charbons ardents. Par la faute d'une fille qui l'avait accusé de viol, il avait été envoyé à Zanesville. Il en sortait à peine qu'une autre fille lui faisait des avances !

— Excuse-moi, Marlene, je dois m'en aller.

Elle parut surprise.

— On se retrouvera peut-être un de ces jours.

Allen s'enfuit.

Le dimanche suivant, il décida que le temps était parfait pour un parcours de golf. Après avoir embarqué les crosses dans son automobile, il s'en fut au Country Club de Lancaster. Il loua une voiture électrique et joua, fort mal. Trois coups malheureux plus tard, il était si mécontent de lui qu'il quitta le projecteur.

Martin ouvrit les yeux, étonné de se découvrir derrière un talus de sable, un club à la main. Il frappa, atteignit le trou. Ignorant combien de coups il avait fallu pour réussir, il s'attribua un « birdie », excellent score.

En voyant la queue qui s'était formée devant le socle de lancement suivant, Martin exprima à voix haute son exaspération. Ces gens si lents gâchaient le plaisir des bons joueurs comme lui.

— J'habite New York, expliqua-t-il au monsieur d'âge mûr qui le précédait dans la file d'attente, et j'ai l'habitude de clubs dont la clientèle est des plus choisies. Ici, on n'est guère exigeant sur la qualité des membres, il me semble !

L'homme le considéra avec fureur. Martin passa devant lui.

— Vous ne voyez pas d'inconvénient à ce que je joue d'abord ?

Sans attendre la réponse, il fit voler la balle de superbe façon, reprit le volant du véhicule électrique et fonça.

Il fit sans difficultés les trois trous suivants. Mais ensuite sa balle échoua dans un bassin près duquel il gara la voiture. Dans l'incapacité de retrouver la balle égarée, il en frappa une deuxième et revint à la voiture de golf. Il voulut bondir avec désinvolture au volant du véhicule. Son genou heurta violemment la carrosserie.

David vint se charger de la douleur. Il se demanda où il était et pourquoi il se trouvait au volant de cette petite voiture. Comme la douleur subsistait, David garda le projecteur. Il joua avec les pédales en vrombissant avec la bouche, desserra le frein. Le véhicule avança, s'enfonça dans la mare. Terrorisé, David disparut et Martin reprit sa place, incapable de comprendre ce qui lui était arrivé. Il lui fallut près d'une demi-heure de manœuvres et de contre-manœuvres pour extirper de la boue les roues avant de son engin. A sa grande fureur, beaucoup de monde passa devant lui.

Quand le véhicule fut ramené sur la terre ferme, Arthur prit la conscience et annonça à Ragen qu'il décrétait Martin indésirable.

— Etrre punition trrès sévèrre pour erreurr de conduite d'une voiturre de golf.

— Ce n'est pas cela. Martin est un fat sans cervelle. Depuis Zanesville, il s'intéresse exclusivement aux vêtements flamboyants et aux grosses automobiles. Il se donne de grands airs sans jamais songer à se cultiver ou à créer. C'est un hâbleur, un imposteur, pis encore, un snob.

Ragen sourit.

— Je ne savais pas que snobisme était rraison d'être banni.

— Mon cher ami, dit paisiblement Arthur auquel l'allusion n'avait pas échappé, sachez que nul n'a le droit d'être snob s'il n'est pas très intelligent. Je jouis de ce droit, Martin non.

Arthur fit les quatre derniers trous sans commettre une seule faute.

Le 27 octobre 1973, près de dix ans après avoir épousé Chalmer Milligan, Dorothy se mariait pour la quatrième fois, avec Delmos Moore.

Ce dernier manifesta des velléités paternelles qui se heurtèrent à l'hostilité de Billy et de ses sœurs. En voulant édicter ses propres lois, il ne réussit qu'à s'attirer le mépris d'Arthur.

La moto était, entre autres, un sujet de friction entre Dorothy et son cadet. Tommy n'ignorait pas que si la mère de Billy lui interdisait d'en faire, c'était à cause de Stuart. Mais il trouvait stupide de se priver de conduire un engin sous prétexte que quelqu'un d'autre en était mort.

Un jour il passa en trombe devant la maison, chevauchant la Yamaha 350 d'un ami. En opérant un demi-tour au bout de la rue, Tommy baissa un instant les yeux. Le tuyau d'échappement était en train de se détacher. S'il heurtait la chaussée...

Ragen sauta de la moto.

Il se releva en époussetant son blue-jean. Quand il eut posé la moto dans la cour, il monta laver le sang qui maculait son front.

A sa sortie de la salle de bains, Dorothy l'apostropha :

— Je t'ai dit que je ne voulais pas que tu fasses de la moto ! Tu le fais exprès pour me faire souffrir !

Del qui remontait de la cour se joignit à elle :

— Ça, c'est sûr, tu l'as fait exprès ! Tu sais bien ce que ça me fait, de te voir sur une moto depuis...

Ragen secoua la tête et laissa le projecteur à Tommy pour qu'il explique ce qui s'était passé.

— Dis-le que tu l'as fait exprès, insistait Del.

Tommy examina ses écorchures en grognant :

— Oh ! arrêtez vos conneries. Le tuyau d'échappement s'est abaissé, alors...

— Encore un mensonge ! coupa Del, je suis allé jeter un coup d'œil à la moto. Si le tuyau d'échappement avait frotté, il serait complètement tordu. Eh ben, il l'est pas du tout.

— Ne me traite plus jamais de menteur, tu m'entends ? hurla Tommy.

— T'es un sale menteur ! cria Del.

Tommy se rua hors de la pièce. A quoi bon leur dire que si le tuyau n'était pas tordu, c'était que Ragen avait vu à temps qu'il était en train de se détacher ? A quoi bon leur expliquer qu'en sautant, il avait évité un accident beaucoup plus grave ? On ne le croirait pas, comme d'habitude !

La colère bouillonnait, trop violente pour Tommy. Il quitta le projecteur...

Pressentant la fureur de son fils, Dorothy l'avait suivi jusqu'au seuil du garage. Par la fenêtre, elle l'observa sans être vue. Elle fut terrifiée par l'expression de rage meurtrière de son fils. Il s'approcha d'une pile de bois, en saisit un morceau, le brisa. Il recommença, encore et encore. C'était une intense et profonde colère qu'il libérait, en cassant en deux des bûches d'une section de cinq centimètres sur dix.

Arthur décida qu'ils devaient partir.

Allen dénicha un deux-pièces bon marché, dans une maison blanche de bois et de brique, à quelques minutes en voiture de chez Dorothy. L'appartement du 808, Broad Street, était vétuste mais équipé d'un réfrigérateur et d'une cuisinière. Allen compléta le mobilier en apportant un matelas, une table et deux chaises. Il acheta à crédit, au nom de Dorothy, une Pontiac Grand Prix. Il était entendu entre eux qu'il réglerait les échéances.

Ragen fit l'acquisition d'une carabine automatique de calibre .30 à neuf coups et d'un automatique de calibre .25.

Les premiers temps, cette liberté nouvelle était enivrante. Ils pouvaient peindre quand ils voulaient et personne ne les dérangeait plus.

Arthur plaça l'aspirine et les autres médicaments dans des boîtes bien fermées, à l'abri de la curiosité des plus jeunes. Sur son insistance, il fallut même que Ragen tînt la bouteille de vodka hors de la portée des enfants. Enfin, l'Anglais ne manqua pas de rappeler que les armes devaient toujours rester sous clé.

La cuisine devint le champ clos où s'affrontèrent Adalana et April. Bien qu'il pressentît les ennuis qui pourraient en résulter, Arthur décida de ne pas prendre parti. Il avait déjà trop peu de temps à consacrer à ses propres travaux comme à la réflexion sur l'avenir. Il s'efforça d'ignorer ces femmes qui se chamaillaient au fond de sa tête. Mais quand les criailleries se firent trop bruyantes, il suggéra un partage des tâches : Adalana cuisinerait, April s'occuperait de la couture et du nettoyage. On s'organisa ainsi.

Lorsqu'il l'avait découverte parmi les autres personnes, Arthur avait été séduit par la mince April aux cheveux noirs et aux yeux marron. Elle était beaucoup plus attirante que cette Adalana si simple, aux allures de ménagère. Elle était bien certainement plus intelligente. Peut-être aussi brillante que Tommy ou Allen ou peut-être qu'Arthur lui-même. Au premier abord, l'accent de Boston avec lequel elle s'exprimait l'avait beaucoup intrigué. Mais en découvrant les pensées de la jeune fille, il avait cessé de s'intéresser à elle. April était obsédée par le désir de torturer et de tuer Chalmer.

Dans son esprit, des plans s'échafaudaient sans cesse. Si elle réussissait à l'attirer dans l'appartement, elle l'attacherait à une chaise pour passer chaque parcelle de son corps au chalumeau. Elle lui donnerait des amphétamines pour le maintenir conscient. La flamme détruirait l'un après l'autre chacun de ses doigts, chacun de ses orteils. Il n'y aurait pas de sang, le feu cicatriserait instantanément chaque amputation. Elle voulait le faire souffrir longuement avant de l'envoyer en enfer.

April entreprit Ragen sur ce sujet. Elle lui murmurait à l'oreille :

— Il faut que tu tues Chalmer. Il faut que tu prennes ton fusil et que tu l'abattes.

— Je n'êtrre un meurrtrrier.

— Ce ne serait pas un meurtre. Après ce qu'il a fait, ce ne serait que justice.

— Je n'êtrre la loi. Il y a tribunaux pour la loi. J'utilise ma forrce seulement pourr défendrre femmes et enfants.

— Je suis une femme.

— Une femme folle.

— Tu verras, ce n'est pas difficile : tu prends le fusil et tu vas te cacher sur la colline en face de la maison où il vit avec sa nouvelle femme. Tu peux l'avoir sans problème. Personne ne saura jamais qui l'a fait.

— Je n'ai pas lunette pour carrabine. Trrop loin, sans lunette. Nous n'avons arrgent pour acheter lunette.

— Tu es plein de ressources, murmura-t-elle. On a un télescope. Tu peux l'adapter sur le fusil et faire une mire avec des cheveux croisés.

Ragen la rejeta dans l'ombre.

Mais April revint sans cesse à la charge, en insistant sur ce que Chalmer avait fait subir aux enfants. Connaissant l'affection particulière que le Yougoslave éprouvait pour Christine, elle insista particulièrement sur les souffrances infligées à la petite fille.

— Je le tuerai, dit-il enfin.

Avec beaucoup de patience et de minutie, il parvint à former un viseur en collant deux de ses cheveux sur la lentille du télescope. Puis il monta sur le toit de la maison et, en utilisant le viseur bricolé, il tira avec une carabine à plomb sur une cible noire disposée au milieu de la pelouse. Quand il commença à maîtriser son dispositif de visée, il le fixa sur la carabine et l'emporta dans les bois pour s'entraîner.

Le lendemain matin, une heure avant le départ de Chalmer pour son travail, Ragen arriva dans son quartier. Il gara la voiture à quelque distance de la maison du contremaître et s'enfonça dans la colline boisée qui s'élevait en face du bâtiment. Ragen prit position derrière un arbre, régla le viseur télescopique sur la porte.

— Ne faites pas cela, dit Arthur à haute voix.

— Il doit mourrrirr.

— Cela n'entre pas dans le cadre des actes indispensables à notre survie.

— Etrre pourr prrotéger femmes et enfants. Il frrappait les enfants. Il devoirr mourrir pour ça.

Constatant que la discussion était inutile, Arthur appela Christine au bord de la lumière, pour lui montrer ce que Ragen s'apprêtait à faire. Elle pleura, tapa du pied et supplia le Yougoslave de ne pas faire le méchant.

Ragen serra des dents. Chalmer venait d'apparaître sur le seuil. Ragen retira le chargeur de l'arme, colla son œil à la lunette. Quand la silhouette de Chalmer se découpa dans le viseur, au centre des cheveux en croix, Ragen pressa doucement la détente. Puis il mit le fusil à l'épaule, regagna la voiture et reprit le chemin de l'appartement.

— April est folle, déclara Arthur, elle constitue une menace pour nous tous.

Et il la bannit du projecteur.

Kevin était seul dans l'appartement quand on sonna à la porte. Il ouvrit. Une très belle jeune femme lui sourit.

— J'ai appelé Barry Hart, expliqua Marlene. Il m'a dit que tu avais pris un appartement. Je t'ai trouvé sympa à la fête l'autre jour, quand on a discuté, alors j'ai eu envie de venir te voir.

Bien qu'il ne comprît goutte à ce que lui racontait la jeune fille, Kevin lui fit signe d'entrer.

— J'étais en pleine déprime, dit-il, et puis j'ai ouvert cette porte... et ça va mieux.

Marlene passa la soirée avec lui. Il lui montra ses tableaux, ils parlèrent de leurs relations communes. Elle était heureuse d'avoir pris sur elle de venir le voir et se sentait d'autant plus proche de lui qu'elle avait fait le premier pas.

Quand elle se leva pour partir, il lui demanda si elle reviendrait le voir. Elle répondit que oui, s'il en avait envie.

Le 16 novembre 1973, Billy Milligan cessait officiellement de dépendre de l'Education surveillée de l'Ohio. Ce jour-là, Kevin, qui prenait un verre dans un bar du quartier, se souvint tout à coup de son départ de Zanesville et des paroles que lui avait glissées Gordy Kane au moment des adieux :

— Si t'as besoin d'un contact dans la came, viens me voir.

Ce n'était pas tombé dans l'oreille d'un sourd. En fin d'après-midi, il prit la route de Reynoldsburg, à l'est de Colombus. A l'adresse que lui avait laissée Kane, il trouva un ranch de luxe, qui occupait l'angle de deux rues.

Gordy et sa mère l'accueillirent chaleureusement. Avec des roucoulements aguichants, Julia Kane dit à Kevin qu'il serait toujours le bienvenu chez elle.

Pendant qu'elle leur préparait le thé, Kevin demanda à Gordy s'il pouvait lui prêter une somme suffisante pour acheter une bonne quantité d'herbe et se lancer dans la revente. Pour l'instant, il était sans un, mais dès qu'il serait renfloué, il le rembourserait.

Kevin accompagna son ami dans une maison du voisinage, où Gordy acheta trois cent cinquante dollars d'herbe.

— Tu devrais pouvoir revendre ça plus de mille dollars. Tu me rembourseras quand t'auras tout fourgué.

Ses mains tremblaient tandis qu'il parlait, comme perdu au fond d'un rêve.

— Avec quoi tu te défonces ? demanda Kevin.

— Morphine. Quand j'en trouve.

Quelques jours plus tard, Kevin trouva acquéreur parmi les amis d'Hart à Lancaster. Après avoir mené à bien cette opération qui lui rapportait trois cents dollars, il rentra chez lui, alluma un joint et passa un coup de fil à Marlene.

Elle vint, lui avoua qu'elle se faisait beaucoup de soucis pour lui, depuis qu'elle avait appris par Harry qu'il vendait de la drogue.

— Je sais ce que je fais, répondit-il en l'attirant contre lui.

Il éteignit. Ils churent sur le matelas. Mais à l'instant où leurs corps se touchaient, Adalana chassa Kevin du projecteur. Voilà ce dont elle avait besoin : serrer tendrement quelqu'un dans ses bras.

Adalana n'ignorait pas l'obligation de célibat imposée par Arthur.

Elle l'avait entendu avertir les hommes qu'un seul manquement à la règle entraînerait le bannissement. Mais en véritable gentleman britannique, il n'avait pas songé à parler de sexualité à une dame. N'ayant rien eu à promettre, elle ne se sentait nullement tenue de respecter les articles puritains de la loi. Arthur ne se douterait probablement jamais de ce qui s'était passé cette nuit-là.

Allen, en tout cas, n'en savait rien quand il s'éveilla le lendemain matin. Il s'inquiéta en découvrant l'argent dans un tiroir. Impossible de joindre Arthur, Ragen ou Tommy pour leur demander une explication.

Dans l'après-midi, quelques amis de Hart se présentèrent. Ils voulaient acheter de l'herbe. Tout d'abord, Allen ne comprit rien à ce qu'on lui demandait. Mais certains consommateurs frustrés se mirent en colère, lui brandirent de l'argent sous le nez et il commença à soupçonner que quelqu'un revendait de la drogue.

Quand il retourna chez Hart, une des personnes présentes lui proposa un « 38 Smith et Wesson ». Sans arrière-pensée précise, Allen en offrit cinquante dollars. Le marché fut conclu, avec quelques cartouches en prime.

Allen posa le revolver sous le siège de la voiture...

Ragen s'empara du « 38 » qu'il avait fait acheter par Allen. Ce n'était certes pas son arme favorite. Il aurait préféré un 9 mm, mais le Smith et Wesson ferait tout de même bonne figure dans sa collection.

Allen résolut de quitter au plus tôt cet appartement minable. En consultant les petites annonces du *Lancaster Eagle Gazette,* il remarqua un numéro de téléphone familier.

Il trouva dans son carnet d'adresses le nom correspondant à ce numéro : George Kellner, l'avocat qui l'avait défendu devant le tribunal pour enfants. Sur la demande d'Allen, Dorothy téléphona et obtint la location de l'appartement pour son fils Billy.

C'était un studio propre et net, situé au 803 1/2, Roosevelt Avenue, au deuxième étage d'une maison blanche séparée de la rue par un autre bâtiment. Après avoir emménagé confortablement, Allen décida de ne plus se mêler de trafic de drogue et de couper toute relation avec ce milieu.

Un jour, à son grand étonnement, Marlene, qu'il n'avait plus revue depuis la fête chez Barry Hart, réapparut pour s'installer chez lui.

Impossible de savoir qui avait noué avec elle de tendres relations. Mais il ne tenait pas à les poursuivre ; elle n'était pas son type.

Elle rentrait après le travail, préparait le dîner, passait avec lui une partie de la soirée avant de retourner dormir chez ses parents. Allen constata qu'elle partageait pratiquement sa vie, en la lui compliquant beaucoup trop à son goût.

Chaque fois qu'elle se faisait tendre, il sortait du projecteur. Il ignorait qui lui succédait et s'en moquait d'ailleurs éperdument.

L'appartement plut beaucoup à Marlene. Dans un premier temps, elle fut choquée par les grossièretés qui envahissaient soudain le langage de Billy et ses explosions de colère l'inquiétèrent. Puis elle s'habitua à ses sautes d'humeur : de la tendresse amoureuse, il passait sans crier gare à la fureur et, après avoir tout bouleversé et piétiné sur son passage, tout à coup il plaisantait, se montrait intelligent et disert. A d'autres moments encore, il était d'une maladresse touchante, comme un petit garçon incapable de lacer ses chaussures. Manifestement, il avait besoin d'être pris en charge. La faute en incombait sans doute à toutes ces drogues qu'il prenait, à ces gens qu'il fréquentait. Si elle parvenait à le convaincre qu'ils se servaient de lui, peut-être s'apercevrait-il qu'il n'avait aucun besoin d'eux.

Le comportement de Billy plongeait parfois Marlene dans l'anxiété. Il se disait inquiet à propos d'autres personnes qui pourraient surgir et lui faire des ennuis s'ils la trouvaient là. Quand il fit allusion à la « famille », elle crut d'abord qu'il voulait se donner de l'importance en suggérant qu'il travaillait pour la Mafia. Mais lorsqu'il en vint à disposer des signaux à l'intention de cette « famille », elle fut ébranlée. Chaque fois qu'elle était chez lui, il suspendait un tableau à l'espagnolette de la fenêtre. Ainsi, assurait-il, « les autres » seraient avertis de la présence de Marlene et demeureraient à l'écart.

Quand ils faisaient l'amour, la brutalité et les mots obscènes cédaient toujours la place aux caresses tendres et aux mots doux. Mais quelque chose la gênait dans la sexualité de Billy. En dépit de la virilité et de la puissance dont il faisait montre, elle avait l'impression qu'il simulait le plaisir et n'atteignait jamais l'orgasme. De cela, elle n'était pas sûre, mais ce qu'elle savait avec une certitude absolue, c'était qu'elle l'aimait. Tout le reste, décida-t-elle, ne serait qu'une question de temps et de compréhension.

Un soir, Adalana disparut et David prit le projecteur. Terrorisé, il éclata en sanglots.

— C'est la première fois que je vois un homme pleurer, soupira Marlene. Qu'est-ce qui ne va pas ?

Les joues ruisselantes de larmes, David fit la moue d'un enfant qui contient son chagrin. L'émotion étreignit Marlene. Il paraissait si vulnérable. Elle le prit dans ses bras.

— Il faut me raconter, Billy. Je ne pourrai pas t'aider si tu ne m'expliques pas ce qui t'arrive.

Ne sachant que répondre, David quitta le projecteur. Tommy se retrouva dans les bras d'une belle femme. Il la repoussa.

— Bon, j'ai compris. Si tu le prends comme ça, je n'ai plus qu'à rentrer chez moi. Tu cherches vraiment à me faire tourner en bourrique.

Tommy la regarda bondir vers la salle de bains sans esquisser un geste.

— Putain de merde ! murmura-t-il en jetant autour de lui des regards égarés. Arthur va me flinguer !

Il bondit hors du lit, enfila son blue-jean, se mit à marcher de long en large en essayant de deviner ce qui se passait.

— Mais, bordel, d'où peut bien sortir cette nana ?

Il aperçut un portefeuille sur une chaise, le rafla, le fouilla frénétiquement. Sur le permis de conduire, il lut le nom de Marlene, se hâta de remettre le tout en place.

— Arthur ? souffla-t-il, si vous m'entendez, sachez que je n'ai rien à voir avec tout ça. Je ne l'ai pas touchée. Croyez-moi. Ce n'est pas moi qui ai contrevenu au règlement.

Il s'installa devant son chevalet, saisit un pinceau pour achever un paysage commencé par lui. Arthur pourrait constater qu'il appliquait les directives en cultivant ses talents.

— J'ai l'impression que tu t'intéresses beaucoup plus à ta peinture qu'à moi.

Il se retourna. Marlene s'était rhabillée et se brossait les cheveux. Sans répondre, il se remit à peindre.

— Le peinture, la peinture ! Il n'y a vraiment que ta foutue peinture qui compte pour toi ! Parle-moi un peu, je t'en prie !

Tommy posa son pinceau et s'assit en face de Marlene. Arthur exigeait qu'on fût poli avec les dames.

Elle était belle. A travers les vêtements, il devinait les contours, les courbes et les cambrures de son corps délicat. Tommy n'avait jamais exécuté de nu. Il aurait adoré la coucher sur sa toile. Il savait pourtant qu'il n'en était pas question. Peindre les gens, c'était la spécialité d'Allen.

Ils bavardèrent. Tommy était fasciné par les yeux noirs de son interlocutrice, par son col de cygne et sa bouche pulpeuse. Peu importaient son identité et la raison de sa présence. Il était fou d'elle.

A l'usine, les absences répétées de Billy Milligan n'étaient pas passées inaperçues. On s'étonnait. Pourquoi se montrait-il soudain si maladroit et stupide ? Il lui était même arrivé de trébucher et de choir dans le bain d'acide et il avait fallu le ramener chez lui. Le 21 décembre 1973, après une nouvelle absence, on le renvoya. Pendant quelques jours, il ne sortit plus de l'appartement. Il peignait. Puis Ragen prit ses armes pour aller s'entraîner dans les bois.

Le Yougoslave avait ajouté de nouvelles pièces à sa collection : outre la carabine de calibre .30, l'automatique de calibre .25 et le colt .38 Smith et Wesson, il possédait à présent un revolver .357 magnum, des fusils d'assaut M 14 et M 16, un .44 magnum. Il appréciait particulièrement la fiabilité et le faible encombrement de sa mitraillette israélienne. Il possédait également un Thomson .45 à chargeur cylindrique qu'il considérait surtout comme une curiosité.

Au plus fort de la période d'embrouilles, Kevin demanda à Gordy Kane de le mettre en contact avec son chef. Kevin était décidé à revendre de la drogue à plein temps. Une heure après, Gordy le rappela et lui donna rendez-vous à Blacklick Woods, près de Reynoldsburg, à l'est de Colombus.

— Je lui ai parlé de toi. Il veut voir à quoi tu ressembles. Si tu lui plais, ce sera tout bon. Il se fait appeler Brian Foley.

Kevin se conforma scrupuleusement aux instructions reçues. Bien qu'il n'eût jamais mis les pieds dans ce secteur, il arriva avec dix minutes d'avance à l'endroit indiqué. Il se gara et patienta derrière le volant de sa voiture. Une demi-heure plus tard environ, une Mercedes survint. Deux hommes en descendirent, un grand au visage grêlé, portant une veste de cuir et un barbu de taille moyenne vêtu d'un costume à fines rayures. Quelqu'un observait la scène à l'arrière de la limousine. Kevin n'aimait pas ça... mais alors là, pas du tout ! Il s'agrippa au volant. La sueur perlait à son front. « Qu'est-ce qui m'a pris de me fourrer dans cette histoire ? Vaudrait peut-être mieux me tirer... »

Le grand se pencha pour le dévisager. Sous l'aisselle droite de l'autre individu, Kevin aperçut un renflement du tissu.

— C'est toi, Milligan ?

Hochement de tête.

— M'sieur Foley veut te causer.

Kevin ouvrit la portière, se glissa au-dehors. En se retournant, il vit que Foley était sorti de la Mercedes et s'appuyait contre la portière ouverte. Il ne paraissait guère plus vieux que Kevin : il devait avoir dans les dix-huit ans. Ses longs cheveux blonds retombaient sur ses épaules. Il portait un manteau de poil de chameau et un cache-nez assorti.

Kevin fit un mouvement dans sa direction. On tira brusquement Billy Milligan en arrière. Contraint d'opérer un demi-tour, il fut plaqué contre la voiture. Le grand type appuya le canon d'un automatique sur son front, le barbu se pencha pour le fouiller et Kevin disparut du projecteur...

Ragen tordit la main du barbu et le projeta contre son acolyte. D'un bond, il fut sur le grêlé, lui arracha le pistolet et, se servant de l'homme comme d'un bouclier, il pointa l'arme sur Foley resté près de la Mercedes.

— N'être bon vous bougez, avertit-il calmement. Je mets trrois balles entrre les yeux avant que vous faites un pas.

Foley leva les mains.

— Toi, lança Ragen au barbu, prrends le flingue sous ta veste et baisse-le tomber par terre.

— Fais ce qu'il dit, ordonna Foley.

Comme l'autre tardait à s'exécuter, Ragen grogna :

— Fais ce que je dirre, ou j'arrache ta tête.

Le barbu ouvrit sa veste, tira le pistolet du holster et posa l'arme sur le sol.

— Maintenant, tu le pousser avec le pied vers moi.

Il obéit. Ragen relâcha son prisonnier, ramassa le deuxième pistolet et tint les trois hommes en joue.

— Etrre mauvaises manières, trraiter vos visiteurs comme ça.

Il vida les chargeurs et jeta les armes aux pieds des truands. Puis, leur tournant le dos, il s'approcha de Foley.

— Si je peux perrmettrre à moi, vous devez peut-être trrouver meilleurrs gardes du corrps.

— Rengainez votre artillerie, lança Foley à ses hommes. Et allez m'attendre près de la voiture. J'ai à parler avec M. Milligan.

D'un signe, il invita Ragen à monter à l'arrière avec lui. Il appuya sur un bouton et un bar apparut :

— Que buvez-vous ?

— Vodka.

— Je m'en serais douté, avec un accent pareil. Vous n'êtes pas Irlandais, contrairement à ce que votre nom donne à penser.

— Jêtrre Yougoslave. Les noms n'avoirr d'importance.

— Et avec un flingue, vous vous débrouillez aussi bien qu'à mains nues ?

— Vous avoirr un pistolet pour démonstrration ?

Foley prit un .45 sous son siège.

— Bonne arme, dit Ragen en la soupesant. Je préfère 9 mm, mais ça va. Vous choisissez une cible.

Foley appuya sur un autre bouton et la glace de la portière s'abaissa.

— Cette boîte de bière de l'autre côté de la route, près de...

Avant qu'il eût terminé sa phrase, Ragen avait levé la main et tiré. La boîte voltigea. Il l'atteignit deux fois pendant qu'elle roulait encore.

Foley sourit.

— M. Milligan, ou quel que soit votre nom, j'aurai du travail pour vous.

— J'avoir besoin d'argent. Vous avoirr boulot, je prrends.

— Vous répugne-t-il d'enfreindre la loi ?

Ragen secoua la tête :

— Non, sauf, je ne frappe jamais que si ma vie êtrre en danger et je ne fais du mal à une femme, jamais.

— Fort bien. Alors, retournez à votre voiture et suivez-nous de près. On va chez moi où on pourra parler affaires.

Pour regagner son automobile, Ragen passa entre les gardes du corps qui lui jetèrent des regards mauvais.

— Si jamais tu recommences, dit le plus grand, je te tue.

Ragen l'agrippa et, lui tordant le bras à la limite de la fracture, il le plaqua contre la voiture.

— Pourr ça, tu dois fairrre plus vite et mieux. Toi, fais attention. J'êtrre trrès dangereux.

— Arrête tes conneries, Murray, lança Foley du fond de sa voiture. Laissez Milligan tranquille et ramenez-vous. Il travaille avec nous à partir de maintenant.

En démarrant à leur suite, Ragen se posa toute une série de questions auxquelles il était bien incapable de répondre.

Il poussa une exclamation de surprise en voyant, non loin de Reynoldsburg, la Mercedes pénétrer dans une luxueuse propriété entourée de haies derrière lesquelles couraient des Doberman.

C'était une vaste demeure victorienne, au sol couvert d'épais tapis, aux murs ornés de tableaux modernes, aux pièces meublées modern style et décorées d'objets d'art. Foley fit les honneurs des lieux à Ragen, en propriétaire fier de ses richesses. Après quoi, ils s'installèrent dans son cabinet de travail, près du bar. Il servit une vodka à Ragen :

— Eh bien, M. Milligan...

— On m'appeler Billy. Je n'aime pas le nom Milligan.

— Je comprends. Ce n'est sans doute pas votre vrai nom. Très bien, Billy. Un homme comme vous peut m'être utile : vous êtes rapide, intelligent, costaud et sacrément doué pout le tir. J'ai besoin de quelqu'un comme vous pour veiller au grain.

— Qu'est-ce que c'est, « veiller au grrain » ?

— Je m'occupe de transports qui ont besoin de protection.

La vodka répandait dans la poitrine de Ragen une chaleur bienfaisante. Il hocha la tête :

— J'êtrre prrotecteur.

— Parfait. J'aurai besoin d'un numéro où je puisse vous appeler. Un jour ou deux avant chaque livraison, vous dormirez ici. Ce ne sont pas les chambres qui manquent. Vous ne saurez jamais ce qu'on transporte et où, jusqu'au moment où vous serez en route avec le chauffeur. On réduit au minimum les risques de fuite.

— Ça paraît trrès bien orrganisé, ça va, dit Ragen en bâillant. Sur le chemin du retour, Ragen s'endormit et Allen ramena la voiture à la maison en se demandant d'où il venait.

Dans les semaines qui suivirent, Ragen assura la protection des livraisons de drogue à différents revendeurs et consommateurs de Colombus et de sa région. Il découvrit avec amusement que les amateurs de marijuana et de cocaïne comptaient dans leurs rangs des personnalités dont les noms revenaient constamment dans les journaux.

Il surveilla la livraison de pistolets-mitrailleurs à un groupe de Noirs de Virginie, en se demandant ce qu'ils comptaient en faire.

A plusieurs reprises, Ragen essaya d'entrer en contact avec Arthur. En vain. Ou bien Arthur s'entêtait et ne voulait plus rien avoir à faire avec lui ou bien on était dans une terrible période d'embrouilles. Le Yougoslave avait deviné que Kevin et Philip volaient du temps : il trouvait parfois dans l'appartement des tubes vides d'amphétamines ou de barbituriques. Et un jour, il découvrit qu'une des armes avait été oubliée sur un meuble. Il entra dans une grande fureur. On aurait pu blesser les enfants par mégarde.

La prochaine fois que l'un des indésirables prendrait le projecteur, il essaierait de rester conscient pour lui tomber dessus. Il l'enverrait valdinguer contre le mur, pour lui donner une leçon. Les drogues, c'était néfaste pour le corps. Contrairement à des substances naturelles comme la vodka ou l'herbe consommées en quantités raisonnables. Mais il ne fallait pas toucher aux drogues dures. Et il soupçonnait Philip et Kevin de tâter du LSD.

Un soir, après avoir accompagné une livraison de marijuana à un marchand de voitures de l'Indiana, Ragen rentra dîner à Colombus. Comme il sortait de la voiture, il aperçut un couple de vieilles gens qui distribuaient des tracts du Parti communiste. Plusieurs contradicteurs les entouraient. Ragen proposa ses services aux deux militants.

— Vous êtes sympathisant de notre cause ? demanda la femme.

— Oui, dit Ragen, j'êtrre communiste. Je connais trravail d'esclave dans les boutiques d'exploiteurrs et dans les usines.

L'homme lui tendit un paquet de tracts qui exposaient la philosophie du Parti communiste et attaquaient le soutien apporté par les Etats-Unis à diverses dictatures. Ragen patrouilla dans Broad Street en fourrant ses tracts entre les mains des passants.

Quand il ne lui en resta plus qu'un, il le garda pour lui. Il chercha les deux vieillards des yeux, mais ils avaient disparu. Il erra un long moment dans le quartier, dans l'espoir de les retrouver à un coin de rue. Pour adhérer au Parti, il fallait savoir où se tenaient les réunions. Ragen avait observé Tommy et Allen à l'usine de galvanisation et il avait conclu que, seul, le soulèvement du peuple permettrait d'améliorer le sort des masses surexploitées.

Puis il vit l'autocollant sur sa voiture : « Travailleurs de tous les pays, unissez-vous ! » Les militants chenus étaient passés par là. La phrase fameuse l'électrisa. Dans le coin droit de l'autocollant, il lut l'adresse d'une imprimerie de Colombus. Là, on pourrait certainement lui dire où se réunissait la cellule du Parti.

Il trouva l'adresse dans l'annuaire. Ce n'était pas bien loin. Il s'y rendit. Il surveilla les lieux sans sortir de la voiture. Puis il contourna l'immeuble, coupa les fils du téléphone de la cabine la plus proche et de la suivante. Il revint ensuite à l'imprimerie.

Le propriétaire, un homme d'une soixantaine d'années, aux cheveux blancs, portant des lunettes à verres épais, nia avoir fabriqué des autocollants pour le Parti communiste.

— C'est un imprimeur de Colombus qui me les a commandés.

Ragen tapa du poing sur le comptoir.

— Donne l'adrresse !

L'homme le considéra avec inquiétude :

— Vous avez des papiers ?

— Non !

— Qu'est-ce qui me dit que vous n'êtes pas du FBI ?

Ragen le saisit au collet et le tira tout près de lui.

— Grrrand-Pèrre, je veux savoirr où tu envoyer ces autocollants.

— Pourquoi faire ?

Ragen sortit son revolver.

— Je chercher mes camarrades et je ne peux trrouver. Donne l'information ou je fais un trrou dans ton corrps.

— Très bien.

L'imprimeur inscrivit une adresse sur un bout de papier.

— Je veux voirr les registrres pour vérrification.

L'homme montra un cahier sur le comptoir.

— C'est ça mais... mais...

— Je savoirr... Adrresse du client communiste n'êtrre là. Ouvrrre le coffrre.

— Vous me dévalisez ?

— Je vouloirr seulement inforrmation correcte.

L'imprimeur obtempéra. Il tira du coffre une pile de papiers qu'il posa sur le comptoir. Ragen y jeta un coup d'œil et constata avec satisfaction que l'adresse était exacte. Il arracha le fil du téléphone.

— Si tu vouloirr prrévenir j'arrive, avoirr la cabine à cent mètres.

Ragen regagna la voiture. Selon son estimation, l'autre imprimerie devait se trouver à six kilomètres. Il aurait le temps d'y arriver avant que le vieil homme eût trouvé une cabine.

A l'adresse indiquée, le Yougoslave trouva un immeuble d'habitation au rez-de-chaussée duquel un simple écriteau collé sur une fenêtre indiquait l'imprimerie. Ragen y entra. C'était un appartement dont le salon faisait fonction de bureau directorial. Un long comptoir, une petite presse à main, une ronéo et nulle part, à la grande surprise de Ragen, l'image de la faucille et du marteau. Tout cela paraissait bien rudimentaire. La vibration du sol indiquait cependant que des presses tournaient au sous-sol.

Un homme d'une quarantaine d'années, massif, portant la barbe en pointe, se présenta sous le nom de Karl Bottorf.

— Que puis-je pour vous ?

— Je vouloirr trravailler pourr la révolution.

— Pour quelle raison ?

— Parce que je pense « gouvernement des Etats-Unis » êtrre même chose que mafia. Le trravail des classes laborrieuses êtrre volé pour donner l'arrgent aux dictateurrs. Je crroire à l'égalité.

— Viens par ici, mon garçon, on va discuter un peu.

Ragen le suivit dans la cuisine et s'assit à la table.

— Tu viens d'où ?

— Yougoslavie.

— Je pensais bien que tu étais slave. Evidemment, il va falloir qu'on se renseigne sur toi, mais je ne vois aucune raison pour que tu ne puisses pas lutter avec nous.

— Je vouloirr... Je veux aller à Cuba un jour. J'avoirr beaucoup d'admiration pour le docteur Castro. Il soulève des trravailleurs des cannes à sucre et avec un petit grroupe, il fait la révolution. Aujourrd'hui, tout le monde êtrre égal à Cuba.

A la fin de leur entretien, Bottorf l'invita à assister à la réunion de la cellule locale.

— Ici ? demanda Ragen.

— Non, c'est du côté de Westerville. Tu n'as qu'à me suivre avec ta voiture.

C'est ce que fit Ragen. A son grand désappointement, ils se garèrent dans un quartier chic. Il aurait préféré une banlieue miséreuse.

On le présenta sous le surnom du « Yougoslave ». Il prit place au fond de la salle pour assister à la réunion. Mais tandis que les orateurs dévidaient leurs abstractions et leurs slogans, son attention s'effilochait. Il s'efforça pendant un moment de rester éveillé mais il finit par abandonner. Un petit somme et ça irait mieux. Il avait trouvé ses camarades. Voilà ce dont il avait toujours rêvé : participer à la lutte du peuple contre l'oppression capitaliste. Il piqua du nez...

Arthur releva la tête, alerte et droit sur le bord de son siège. Il n'avait observé que la dernière partie de l'équipée de Ragen et avait été intrigué de le voir suivre l'autre voiture. Mais à présent, il était stupéfait de voir ce brillant sujet frayer avec ces gens. Des communistes ! Imagine-t-on cela ? Arthur avait bien envie de se dresser pour déclarer à ces robots sans cervelle que l'Union Soviétique n'était qu'une dictature monolithique qui n'avait jamais donné le pouvoir au peuple. Le capitalisme apportait aux peuples du monde entier la liberté de conscience, la liberté d'entreprendre. Il offrait des possibilités d'épanouissement dont le communisme ne pouvait même pas rêver. Quelle inconscience ! Le Yougoslave qui volait des banques, qui vivait du trafic de drogue, se piquait à présent de libérer les peuples !

Arthur se leva, jeta un long regard de mépris sur l'assemblée et laissa tomber, glacial :

— Billevesées !

Arthur sortit sous les regards stupéfaits de l'assistance.

Quand il eut retrouvé la voiture, il s'assit à la place du passager. Il détestait conduire à droite. En dépit de tous ses efforts, il ne put trouver personne pour ramener la voiture à la maison.

La peste soit de ces temps embrouillés !

A contrecœur, il s'installa derrière le volant et, le cou tendu pour ne pas perdre de vue la ligne blanche, il se mit en route. Il roulait à trente à l'heure, dans un état de grande tension.

La signalisation routière apprit à Arthur que le Hoover Reservoir était dans les parages. Il se gara sur le bas-côté pour jeter un coup d'œil à la carte. De fait, ce barrage qu'il avait toujours désiré visiter était tout proche.

D'après ce qu'il avait entendu dire, depuis que l'Armée l'avait construit, la vase s'était accumulée dans la retenue. L'idée qu'une zone marécageuse se constituait là l'avait beaucoup tracassé : les diverses formes de vie microscopique qui y grouillaient devaient certainement constituer un milieu idéal pour les moustiques. Si son hypothèse se vérifiait, si la région était bel et bien malsaine, il demanderait aux autorités d'intervenir. Dans un premier temps, il s'agissait donc de prélever quelques échantillons de vase pour les examiner au microscope. Ce n'était certes pas un projet d'importance nationale, mais il fallait que cela fût fait.

Plongé dans ses pensées, il conduisait lentement et précautionneusement. Soudain, un camion le dépassa. Dans une embardée, il heurta la voiture précédant celle d'Arthur et la projeta contre la glissière au bord de la route. Le camion ne s'arrêta pas. Arthur se rabattit sur le bas-côté et freina. Il descendit de voiture, s'approcha calmement du véhicule accidenté et se pencha pour voir à l'intérieur. Une femme essayait d'en sortir en rampant.

— Grand Dieu, ne bougez plus, madame. Laissez-moi faire.

Elle saignait. Il arrêta l'hémorragie par compression directe. Elle étouffait. A ce qu'il voyait, les dents étaient cassées. La victime était en état de choc. Renonçant à pratiquer une trachéotomie, Arthur décida de l'aider tout de même à respirer. En fouillant ses poches, il mit la main sur un stylobille. Il n'en garda que le tuyau de plastique qu'il recourba à la flamme de son briquet. Il glissa la sonde improvisée dans la gorge de la femme, en lui couchant le visage sur le côté, de façon que la sang s'écoulât de la bouche.

Un examen succint lui apprit que la mâchoire était brisée, ainsi que le poignet. Le côté était lacéré. Une fracture des côtes était à craindre. La victime avait sans doute été projetée contre le volant.

Quand l'ambulance fut sur les lieux, il exposa brièvement ce qui s'était passé et ce qu'il avait fait. Puis il fendit l'attroupement qui se formait et regagna sa voiture.

Il n'irait pas voir le réservoir. Il se faisait tard et il devait absolument être rentré avant la fin du jour. L'idée de devoir rouler de nuit, du mauvais côté de la chaussée, était par trop déplaisante.

14.

Arthur était de plus en plus contrarié par la tournure que prenaient les événements. Allen avait perdu son dernier emploi — qui consistait à taper les factures et charger les camions chez un gros concessionnaire — le jour où David, s'emparant à l'improviste du projecteur, avait poussé le chariot de levage tout droit contre un poteau métallique. Tommy prospectait la région de Lancaster et Colombus à la recherche d'une nouvelle place. Ragen, quant à lui, travaillait régulièrement pour Foley. Il buvait trop et fumait trop de marijuana. Il alla passer quatre jours à Indianapolis sur la trace d'une cargaison d'armes qui s'était égarée et se retrouva à l'hôpital de Dayton. L'un d'entre eux avait absorbé une dose trop forte de sédatifs et Tommy, pris de nausées sur l'autoroute, dut céder le projecteur à David qui fut arrêté sur la plainte d'un directeur de motel. A l'hôpital, on lui fit un lavage d'estomac puis, le directeur du motel ayant retiré sa plainte, on le laissa partir librement. A son retour, Allen retrouva Marlene. Peu après, l'un des indésirables — dont l'accent de Brooklyn révéla qu'il s'agissait de Philip — absorba une surdose de barbituriques. Marlene appela police-secours et l'accompagna à l'hôpital où on lui fit un nouveau lavage d'estomac. Elle resta près de lui pour le soutenir.

Elle savait qu'il avait de mauvaises fréquentations et risquait de graves ennuis, lui dit-elle à cette occasion, mais quoi qu'il lui arrivât, il pouvait compter sur elle. Ses paroles eurent le don d'irriter Arthur, qui se rendait compte que la faiblesse et le désarroi de l'un d'entre eux éveillait chez elle l'instinct maternel. C'était parfaitement intolérable !

La présence quasi permanente de Marlene dans l'appartement compliquait sérieusement la vie. Arthur devait se montrer extrêmement vigilant pour éviter qu'elle ne découvrît le secret. D'autant que le temps lui échappait de plus en plus souvent. Il avait acquis la certitude que l'un d'eux revendait de la drogue le jour où il avait trouvé dans une de ses poches un avis de libération sous caution et avait appris que quelqu'un de la famille avait été arrêté pour avoir tenté de se procurer de la drogue à l'aide d'une fausse ordonnance. Il était pratiquement sûr, d'autre part, que quelqu'un avait des relations sexuelles avec Marlene.

Arthur décida qu'il avait tout intérêt à quitter l'Ohio. C'était le moment où jamais d'utiliser le passeport que Ragen lui avait fourni grâce à ses relations clandestines.

Il examina attentivement les deux passeports que Ragen avait achetés par l'intermédiaire de Foley. L'un d'eux était au nom de Ragen Vadascovinich et l'autre au nom d'Arthur Smith. Qu'ils aient été volés et contrefaits ou fabriqués de toutes pièces, c'était du beau travail : il n'avait aucun souci à se faire, il passerait la frontière sans encombre !

Il téléphona à la Pan American Airlines et réserva un aller simple pour Londres. Puis il fouilla les placards, les tiroirs et les livres de l'appartement pour réunir tout l'argent qu'il pourrait trouver et prépara ses bagages : il allait retrouver le sol de ses pères !

Le vol se passa sans incident et, quand il posa son sac de voyage sur le comptoir, à l'aéroport d'Heathrow, les douaniers lui firent signe de passer sans plus de formalités.

Au centre de Londres, il avisa un petit hôtel sur une place baptisée Hopewell[1] dont le nom lui parut prédestiné. Il y réserva donc une chambre, déjeuna seul dans un restaurant petit mais fort bien fréquenté puis héla un taxi pour se rendre à Buckingham Palace. Il arriva trop tard pour assister à la relève de la garde mais se promit d'y retourner un autre jour. Il se sentait chez lui par les rues de la capitale britannique. Il ne manquerait pas, dès le lendemain, de s'acheter un parapluie et un chapeau melon !

Du plus loin que remontaient ses souvenirs, c'était la première fois qu'il se trouvait parmi des gens qui tous s'exprimaient comme lui. Les voitures roulaient du bon côté de la chaussée et les policiers — les fameux « bobbies » — lui donnaient un sentiment de sécurité.

Il visita la Tour de Londres et le British Museum et dîna de *fish and*

1. *Hopewell : Bon espoir (NdT).*

chips en buvant de la bière anglaise. De retour à l'hôtel, ce soir-là, il décida qu'en souvenir de son ancienne idole Sherlock Holmes, il se rendrait le lendemain au 22 Baker Street pour s'assurer que l'on y rendait hommage au célèbre détective selon ses mérites. Il avait décidément l'impression d'être enfin chez lui.

Le lendemain matin, Allen s'éveilla au son du tic-tac retentissant de la pendule murale. Il regarda autour de lui et se leva d'un bond. Il était dans une chambre d'hôtel au mobilier désuet, aux murs tapissés d'un papier aux motifs tarabiscotés. Sous ses pieds, le tapis était élimé et il chercha en vain la salle de bains. Enfilant son pantalon à la hâte, Allen passa la tête dans le couloir.

Où pouvait-il bien être ? Il s'habilla et descendit voir s'il reconnaissait les alentours. Dans l'escalier il croisa un homme, porteur d'un plateau :

— Vous prendrez bien un petit déjeuner, mon bon Monsieur ? lui dit-il. La journée s'annonce splendide ! Quel temps superbe !

Dévalant les dernières marches, Allen s'élança dans la rue et vit alors les gros taxis noirs, l'enseigne du pub qui occupait le rez-de-chaussée de l'hôtel, puis il remarqua que les voitures roulaient à gauche.

— Putain de merde ! Qu'est-ce qui se passe ? Qu'est-ce qui m'arrive, nom de Dieu ?

Il se mit à courir en tous sens en jurant, furieux et terrifié à la fois. Les passants se retournaient sur son passage mais il n'y prenait pas garde. Il n'en pouvait plus de s'éveiller constamment dans des endroits différents, de n'avoir aucun pouvoir sur lui-même. Il souhaitait mourir. Se laissant tomber à genoux, il martela le trottoir de ses poings, les joues ruisselant de larmes.

Mais, songeant brusquement qu'il était bon pour l'asile de fous si un policier le surprenait dans cet état, il se releva et s'engouffra dans le couloir de l'hôtel. Dans la chambre, il découvrit un passeport au nom d'Arthur Smith et, glissé entre les pages, un billet d'avion à destination de Londres. Il s'écroula sur le lit.

— Qu'est-ce qu'Arthur a bien pu mijoter ? Il déraille complètement, ce n'est pas possible !

En fouillant dans ses poches, il réunit soixante-dix dollars. Où allait-il trouver de quoi payer un billet de retour ? Il ne lui fallait pas moins de trois ou quatre cents dollars.

— Putain de bordel de merde !

Il entreprit de ranger les vêtements d'Arthur dans le sac de voyage puis s'interrompit brusquement.

— Oh ! et puis merde ! Ça lui fera les pieds !

Abandonnant sur place le sac et les affaires d'Arthur, il saisit le passeport, quitta l'hôtel sans payer et héla un taxi :

— A l'aéroport international ! lança-t-il au chauffeur.

— Heathrow ou Gatwick ?

Allen feuilleta fébrilement le passeport pour trouver le billet d'avion et lire ce qui était inscrit.

— Heathrow, dit-il.

Pendant toute la durée du trajet, il tenta de réfléchir à une stratégie. Ses soixante-quinze dollars ne le mèneraient pas loin mais avec de la verve et de l'imagination, il finirait bien par obtenir un billet de retour !

— Bon sang ! lança-t-il à tue-tête en pénétrant dans le hall de l'aéroport. On m'a drogué, ce n'est pas croyable ! Je n'ai pas la moindre idée de ce qui m'est arrivé. On aurait pu me dire qu'il ne fallait pas que je descende. J'ai tout laissé dans l'avion, mes bagages, mon billet, toutes mes affaires ! On a sûrement versé quelque chose dans mon verre. Ça m'a endormi et en me réveillant je suis sorti me dégourdir les jambes ! On ne m'a rien dit et maintenant je n'ai plus rien, plus de billet, plus de chèques de voyage !

Un policier tenta de le calmer puis le conduisit au contrôle des passeports.

— Je suis descendu de l'avion ici alors que j'allais à Paris et on ne m'a rien dit ! reprit-il. J'étais dans un état bizarre, je suis certain qu'on a versé quelque chose dans mon verre ! Tout ça c'est de la faute de la Compagnie et je n'ai plus rien, tout est dans l'avion. Je n'avais que quelques dollars sur moi. Qu'est-ce que je vais faire, maintenant ? Il faut que vous m'aidiez à rentrer chez moi !

Une jeune femme compréhensive l'écouta et promit de faire son possible pour lui venir en aide. Il attendit en faisant les cent pas, fumant sans discontinuer tandis qu'elle donnait plusieurs coups de téléphone.

— Il y a une solution, annonça-t-elle au bout d'un moment. Nous pouvons vous inscrire sur une liste d'attente et vous paierez votre billet en arrivant aux Etats-Unis.

— Cela va de soi, dit-il. Je ne cherche pas une combine pour rouler la Pan Am ! Tout ce que je demande c'est qu'on me laisse rentrer chez moi. Je rembourserai naturellement le prix du billet !

Il continua de raconter la même histoire à qui voulait l'entendre, tant et si bien que, dans tout l'aéroport, on n'eut plus qu'une envie : se débarrasser de lui au plus vite. C'était ce qu'il escomptait ! Pour finir, on lui trouva une place sur un Boeing 747 à destination des Etats-Unis.

Il se laissa tomber dans le fauteuil et poussa un soupir de soulagement en bouclant sa ceinture. De peur que le sommeil ne lui jouât d'autres tours, il s'obligea à garder les yeux ouverts pendant toute la durée du vol et lut toutes les revues que l'on proposait aux passagers. Quand il arriva à Colombus, un agent de la Pan Am le prit en charge et le conduisit en voiture jusqu'à Lancaster. Allen alla dénicher l'argent gagné en vendant des tableaux dans le placard à balais, là où il l'avait caché, et remboursa le prix du billet.

— Je vous remercie infiniment, dit-il à son compagnon en lui remettant l'argent. La Pan Am s'est montrée très compréhensive à mon égard et je ne manquerai pas d'écrire à son président-directeur général pour le féliciter de l'extrême serviabilité de ses employés.

Quand il se retrouva seul, Allen se sentit profondément abattu. Il tenta d'établir le contact avec Arthur. Cela prit très longtemps mais, pour finir, Arthur apparut. Dès qu'il s'aperçut qu'il n'était plus à Londres, il refusa de parler à quiconque.

— Vous n'êtes qu'une bande de bons à rien, grommela-t-il.

Puis il tourna le dos. Il boudait.

Vers la fin du mois de septembre, Allen fut engagé par les verreries Anchor Hocking où Kathy, la sœur de Billy, avait été employée un moment. Son travail consistait à emballer les objets de verre que des femmes lui tendaient mais on le plaçait parfois à l'extrémité de la chaîne pour examiner les produits fabriqués et éliminer ceux qui présentaient des défauts. Debout des heures durant dans le vacarme assourdissant des chalumeaux et des souffleries, il était à la torture et Tommy, Allen, Philip et Kevin se succédaient continuellement.

Avec l'accord d'Arthur, Allen avait loué un vaste duplex à Someford Square, au nord-est de Lancaster — au 1270 K Sheridan Drive. L'appartement plaisait à chacun d'eux pour une raison particulière. C'était la vieille clôture grise qui cachait le parc de stationnement et l'autoroute aux occupants de l'immeuble qui avait séduit Allen. Tommy disposait d'une pièce pour son matériel électronique et une autre tenait lieu d'atelier de peinture. Ragen s'était attribué un grand placard dans la salle de bains du premier étage pour planquer ses armes, à l'exception du pistolet automatique 9 mm, qu'il plaçait sur le haut du réfrigérateur, hors de la vue et de la portée des enfants.

Tous les soirs, en quittant le grand magasin où elle travaillait, Marlene allait chez Billy. S'il faisait partie de l'équipe du soir à l'usine, elle l'attendait jusqu'à minuit. Elle passait une partie de la nuit avec lui puis rentrait chez ses parents avant l'aube.

Marlene trouvait Billy plus lunatique, plus déroutant que jamais. Il arpentait quelquefois l'appartement comme un ouragan en cassant tout ce qui lui tombait sous la main ou restait prostré, les yeux fixés au mur, dans un état de transe. Parfois encore, il s'enfermait dans l'atelier des heures durant et peignait avec frénésie. Mais, la plupart du temps, c'était un amant attentionné, qui n'élevait pas la voix.

Tommy ne lui disait pas qu'il perdait les pédales. Le temps lui échappait et il s'absentait souvent de son travail. Les événements se précipitaient ; ils entraient de nouveau dans une période d'embrouilles. Arthur aurait dû prendre les choses en main mais, pour une raison inconnue, il ne dominait plus la situation. De fait, personne ne maîtrisait plus rien.

Arthur, qui imputait cette confusion générale à la présence de Marlene, souhaitait la rupture de ces relations. Tommy, bouleversé, craignait trop Arthur pour lui avouer qu'il était amoureux d'elle. Il avait déjà si souvent enfreint les règles qu'il vivait dans la terreur d'être déclaré indésirable. Un jour, il entendit la voix d'Adalana :

— Ce n'est pas juste, disait-elle.

— Mes décisions sont toujours justes, rétorqua Arthur.

— Pas celles qui nous contraignent à rompre les liens d'affection et d'amour qui nous unissent à des personnes extérieures.

Elle a raison, songea Tommy. Mais il garda ses réflexions pour lui.

— Marlene fait obstacle à notre accomplissement, dit Arthur. Elle nous fait perdre en scènes et en querelles stupides le temps que nous devrions consacrer à nous cultiver et à enrichir notre esprit.

— N'empêche, insista Adalana, ce n'est pas une raison pour la rejeter. Elle est gentille et sensible.

— Mais sapristi ! Tommy et Allen en sont toujours à s'abrutir dans une fichue usine ! Je pensais qu'ils y resteraient deux ou trois mois tout au plus ! Cela devait n'être qu'une courte étape technique nécessaire, un tremplin pour accéder à un poste stratégique ou plus en rapport avec leurs capacités. Personne n'a plus l'occasion de s'enrichir l'esprit.

— Qu'est-ce qui compte le plus : s'enrichir l'esprit ou exprimer ses sentiments ? Mais, j'oubliais, c'est un mot qui n'évoque rien pour vous puisque vous en êtes totalement dépourvu ! Oh ! je sais, on doit pouvoir réussir brillamment dans la vie en mutilant sa sensibilité et en n'obéissant qu'à la logique. Mais quelle solitude de ne compter pour personne !

— Marlene doit partir, conclut Arthur qui estimait avoir perdu assez de temps avec Adalana. Je me moque de savoir qui a noué cette relation mais il faut y mettre fin.

Marlene raconta plus tard la soirée qui précéda leur première rupture. Ils s'étaient querellés. Il était furieux contre elle et son comportement était si bizarre qu'elle crut sur le moment qu'il s'était drogué. Il était allongé par terre et jouait avec son pistolet, qu'il pointait de temps en temps contre sa tempe.

Marlene n'avait pas peur pour elle-même car jamais il n'avait fait mine de braquer son arme contre elle. Non, c'était pour lui qu'elle s'inquiétait. Il observa longuement une lampe qu'il avait rapportée un soir, peu de temps auparavant. Puis, se dressant d'un bond, il tira dans l'ampoule qui explosa. La balle fit un trou dans le mur.

Il posa le pistolet sur le bar. Marlene le saisit et s'enfuit en courant. Elle dévala les escaliers et sauta dans sa voiture mais au moment où elle franchissait le virage, il sauta sur le capot en lui lançant des regards enragés. Il avait une espèce de tournevis à la main, avec lequel il se mit à donner de grands coups sur le pare-brise. Elle arrêta la voiture et sortit lui rendre son arme. Il la prit et tourna les talons sans un mot.

Elle rentra directement chez elle, persuadée que tout était fini entre eux.

Plus tard dans la soirée, Allen descendit chez Grilli s'acheter un « Stromboli hero » — sandwich à l'italienne, fourré d'une saucisse, de provolone et de sauce tomate — à emporter. Il regarda le vendeur l'entourer encore chaud de papier d'aluminium et le glisser dans un sac de papier blanc.

En rentrant, il posa le tout sur le bar et passa dans sa chambre pour se changer. Il avait envie de peindre, ce soir. Quittant ses souliers, il gagna le placard et entra à l'intérieur en se baissant pour chercher ses pantoufles. Mais en relevant la tête, il heurta violemment la première étagère et tomba à genoux, étourdi et furieux. La porte du placard se referma sur lui. Il tenta de l'ouvrir et s'aperçut qu'elle était coincée.

Il se releva et se cogna de nouveau la tête contre l'étagère.

Quand Ragen ouvrit les yeux, il était assis par terre au milieu d'un amoncellement de souliers. Il se releva, poussa la porte du pied et regarda autour de lui avec contrariété. Toutes ces embrouilles étaient terriblement éprouvantes. Du moins était-il débarrassé de cette femme ! C'était toujours ça.

Il fit le tour de l'appartement en tâchant de mettre de l'ordre dans ses idées. Si seulement il parvenait à contacter Arthur, ce dernier l'aiderait peut-être à comprendre ce qui se passait. Mais pour l'heure, il avait surtout besoin d'un remontant. Il passa dans la cuisine et son regard tomba sur le paquet blanc posé en évidence sur le bar. Il entreprit de se servir à boire mais s'interrompit : un bruit bizarre provenait du mystérieux paquet qui bougeait doucement, en s'affaissant sur le côté. Il recula d'un pas.

Le paquet bougeait toujours. Ragen laissa échapper son souffle à petits coups et fit encore un pas en arrière. Il venait de se souvenir du cobra sans crochets enveloppé dans du papier d'emballage, qu'il avait déposé en guise d'avertissement sur le seuil de l'habitation d'un marchand de sommeil. Celui-ci avait peut-être encore ses crochets à venin ! Levant le bras au-dessus de la tête, il chercha à tâtons son pistolet sur le haut du réfrigérateur. Il s'en saisit d'un geste vif, visa et tira.

Le paquet fut projeté contre le mur. Ragen se pencha par-dessus le bar, prêt à tirer de nouveau. La chose gisait à terre. Il fit le tour du comptoir avec précaution et se baissa pour ouvrir le sac en papier à l'aide du canon de son pistolet. C'est alors qu'il aperçut la bouillie sanglante. Il fit un bond en arrière et tira une deuxième fois en hurlant :

— Tiens ! Prrenez encore ça ! Saleté d'engeance !

Il attendit un instant, poussa plusieurs fois le paquet du bout du pied et, comme il ne bougeait plus, se décida à l'ouvrir. Il contempla, stupéfait, le sandwich à la tomate percé d'un énorme trou, et éclata d'un grand rire : c'était la chaleur qui avait fait bouger l'emballage d'aluminium !

Dire qu'il venait de gaspiller deux cartouches pour un sandwich ! Quel crétin ! Il reposa le paquet sur le comptoir, remit son pistolet en place sur le réfrigérateur et avala d'un trait sa vodka. Puis il s'en servit une autre, l'emporta au salon et alluma la télévision. C'était l'heure des informations : il apprendrait peut-être par hasard la date du jour ! Mais il s'endormit avant la fin de l'émission...

En s'éveillant, Allen se demanda comment il avait réussi à sortir du placard. Il porta la main à sa tête : il n'avait qu'une petite bosse. Renonçant à se creuser la cervelle pour trouver une explication, il se dirigea vers l'atelier : il avait l'intention de peindre le portrait de Kathy, la sœur de Billy, quand il était allé chercher ses pantoufles...

Mais, se souvenant brusquement qu'il avait oublié de manger son sandwich, il rentra dans la cuisine, se servit un coca-cola et s'apprêta à prendre le paquet qu'il avait posé sur le bar. Il n'était plus à la même place et... mais qu'est-ce que c'était que ce gâchis ? Le sandwich était à moitié écrasé, l'emballage d'aluminium déchiré et la sauce tomate avait giclé partout.

Il alla décrocher le téléphone et composa le numéro de chez Grilli.

— J'ai acheté un « Stromboli » chez vous tout à l'heure, dit-il au patron. Le truc que vous m'avez vendu est innommable. Ce n'est plus un sandwich, c'est de la bouillie !

— Je suis vraiment désolé, Monsieur. Si vous voulez bien nous le rapporter, nous allons vous en préparer un autre.

— Non merci. Je tenais seulement à vous faire savoir que vous venez de perdre un client !

Il raccrocha violemment et s'engouffra dans la cuisine pour se faire des œufs sur le plat. Ça, il ne remettrait certainement jamais les pieds dans cette boutique !

Deux semaines plus tard, profitant de la confusion générale, Tommy rappela Marlene. Elle avait laissé des affaires chez lui, dit-il. Peut-être voulait-elle passer les chercher ? Elle vint le soir même, en quittant son travail, et ils passèrent la soirée à bavarder. A partir de ce jour-là, elle reprit l'habitude de venir régulièrement.

Tout recommença comme avant et Ragen mit cela sur le compte d'Arthur, qui était décidément incapable de diriger la famille.

15.

Walter s'éveilla dans l'appartement de Billy, le 8 décembre en fin d'après-midi, frémissant d'impatience. Il avait hâte d'éprouver l'exaltation de chasser, le bonheur d'arpenter les bois en solitaire, un fusil à la main.

Walter sortait rarement sous le projecteur et il savait qu'on ne l'appelait qu'au moment où se faisait sentir le besoin de son surprenant sens de l'orientation — un don qu'il avait exceptionnellement cultivé en chassant dans la brousse de son Australie natale. La dernière fois qu'il avait pris la conscience, c'était durant un camp d'été des groupes aéroportés de la défense civile auquel participaient Billy et son frère Jim. Le talent de Walter avait valu à Billy d'être enrôlé dans l'armée comme observateur de tir.

Voilà longtemps qu'il n'avait pas chassé.

Aussi, cet après-midi-là, prit-il le risque d'utiliser le pistolet que Ragen laissait sur le réfrigérateur. Cela ne valait pas un bon fusil mais c'était mieux que rien. La météo annonçait un temps froid. Il se vêtit d'une épaisse veste de trappeur et enfila des gants. Impossible de mettre la main sur son fameux chapeau australien à bords relevés. Il se rabattit sur un passe-montagne. Il se prépara une collation à emporter et descendit. Sur la route 664, il prit la direction du sud sans avoir besoin de se repérer. Par là, il trouverait une zone boisée où il pourrait satisfaire sa passion. Il quitta la nationale pour suivre les panneaux indiquant le chemin du Hocking State Park. Il se demandait avec une excitation croissante quel gibier il trouverait.

Dans la forêt, il se gara et se mit à marcher. Il s'enfonça profondément sous les frondaisons. A ses pieds, les aiguilles de pin formaient un tapis élastique. Il inspira profondément. Qu'il était bon d'être conscient et d'avancer dans le grand silence sauvage.

Pendant près d'une heure, il marcha. Hormis parfois un petit bruit de galopade trahissant la présence d'un écureuil, pas trace de gibier. Le soir tombait. L'impatience de Walter était à son comble lorsqu'il aperçut un gros corbeau noir perché sur une branche. Il visa prestement et tira. L'oiseau tomba comme une pierre. L'esprit de Walter se brouilla aussitôt et il quitta le projecteur...

— Quelle barbarie, dit Arthur, glacial, tuer les animaux est contraire au règlement.

— Pourquoi il prrend mon pistolet ?

— Vous ne l'aviez pas mis sous clé. Cela aussi est contraire au règlement.

— N'êtrre vrrai. Nous sommes d'accord, une arrme êtrre toujours disponible, horrs de porrtée les enfants pour cas d'agrression. Walter n'avoir le drroit prendrre le pistolet.

Arthur soupira.

— J'avais beaucoup d'affection pour ce garçon. Energique, sérieux, excellent sens de l'orientation. Il dévorait tout ce qui se rapportait à l'Australie. Et ce continent n'est-il pas partie intégrante de l'Empire ? Un jour, il m'a suggéré de faire des recherches sur l'évolution du kangourou. Hélas, je crains qu'il ne faille le déclarer indésirable.

— Etrre sévèrre punition pour tuer le corbeau.

— Un jour viendra peut-être, coupa Arthur, où il vous faudra tuer un être humain pour nous défendre. Mais jamais je ne tolérerai qu'on assassine une bête innocente.

Après avoir enterré le volatile, Arthur regagna la voiture. Allen, qui avait entendu la fin de la conversation, prit le projecteur pour conduire.

— Ce type qui se prend pour un grand chasseur et qui flingue un malheureux corbeau... Quel abruti !

La nuit était tout à fait tombée. Sur l'autoroute à l'entrée de Lancaster, Allen eut un coup de fatigue. Il jeta la bouteille de Pepsi qu'il venait de boire et, apercevant dans la lumière des phares une aire de stationnement, il décida de s'arrêter un moment. Il se gara près des toilettes pour hommes. Sa tête ballottait, il ferma les yeux...

Danny les ouvrit. Que faisait-il là, derrière le volant ? Se rappelant les instructions d'Arthur, il prit place sur le siège du passager, dans l'attente d'un adulte de la famille. Il reconnut les toilettes qu'il avait souvent utilisées. Deux autres automobiles stationnaient. Dans l'une, Danny distingua une femme qui portait un chapeau à large bord. Dans l'autre, un homme. Ces gens restaient assis à ne rien faire. Peut-être avaient-ils eu un changement de projecteur, eux aussi. Peut-être attendaient-ils que quelqu'un vînt conduire leur voiture.

Danny s'impatientait. Il était fatigué, il avait envie d'uriner. Comme il quittait la voiture pour aller aux toilettes, il vit que la dame en faisait autant.

Il entra dans le cabinet pour petits garçons, ouvrit sa braguette. Derrière lui, il perçut des pas et le grincement de la porte. La dame entrait derrière lui. Interloqué, il rougit et se détourna pour qu'elle ne le vît pas faire pipi.

— Tu en es, mon chou ?

La voix n'était pas celle d'une dame, mais d'un homme portant un grand chapeau, violemment maquillé, avec une mouche sur le menton. Il semblait tout droit sorti d'un film de Mae West.

— Voyons, mon grand, laisse-moi te sucer la queue.

Danny secoua la tête. Comme il faisait mine de sortir, un autre homme entra.

— Oh ! mais on n'a pas l'air de s'ennuyer, ici ! On se fait une petite partouze ?

Agrippant Danny au collet, l'homme le poussa contre le mur. Mae West ouvrit sa veste et chercha sa braguette. Terrorisé par ces gestes brutaux, Danny ferma les yeux...

Ragen saisit le poignet de l'homme qui le tenait au collet et le projeta contre le mur. Assommé, l'homosexuel s'effondra aux pieds du Yougoslave qui lui administra au passage un coup de genou dans la poitrine et une manchette au cou.

Ragen fit volte-face et s'immobilisa. Il ne pouvait pas frapper une femme.

— Ben merde alors, espèce de salopard... dit le travesti.

Ragen comprit qu'il avait affaire à un homme déguisé. D'une clé au bras, il l'immobilisa et, lui enfonçant le coude dans les reins, il le colla au mur, sans perdre de vue celui qu'il avait envoyé au tapis.

— Parr terre avec l'ami ! ordonna-t-il en frappant sans ménagement Mae West à l'estomac.

Le travesti se plia en deux et s'écroula. Ragen fouilla ses victimes et s'empara de leurs portefeuilles. Il allait sortir quand Mae West l'agrippa par la ceinture :

— Rends-moi ça, fumier !

Ragen opéra un demi-tour et le cueillit à l'aine du bout du pied. Quand le travesti tomba, Ragen le frappa de l'autre pied, en plein visage. Le sang jaillit du nez. L'homme hoqueta, les dents cassées.

— Tu vivrras, dit paisiblement Ragen. Je fairre trrès attention quels os je casse.

Il jeta un coup d'œil à l'autre blessé. Bien qu'il ne l'eût pas frappé au visage, un filet de sang lui coulait de la bouche. Ragen avait ajusté son coup dans le plexus solaire de façon à exercer une pression sur l'épiglotte, ce qui avait entraîné une rupture des vaisseaux. Lui aussi vivrait. Ragen lui prit son bracelet-montre.

En sortant, Ragen aperçut les voitures. Il ramassa une pierre et démolit les phares. Sans lumière, ils ne pourraient pas le suivre sur la nationale.

Il prit la direction de la maison. Quand il fut certain que tout danger était écarté, il quitta le projecteur...

Allen ouvrit les yeux en se demandant s'il n'y avait aucune objection à ce qu'il allât aux toilettes. Puis il sursauta et poussa un soupir excédé. Il était de retour chez lui. Il n'avait plus envie d'uriner. Ses jointures étaient écorchées. Et cette tache sur la chaussure droite ? Il la toucha, l'examina.

— Bon Dieu ! gémit-il. C'est le sang de qui ? Qui est-ce qui s'est battu ? Putain de merde, je veux savoir. J'ai le droit de savoir ce qui se passe.

— Ragen est intervenu pour protéger Danny, dit Arthur.

— Qu'est-ce qui s'est passé ?

Arthur expliqua pour tout le monde :

— Les plus jeunes doivent savoir que les aires de stationnement sont des endroits dangereux la nuit. Il est de notoriété publique que, dès la fin du jour, les homosexuels affluent en ces lieux. Ragen a été obligé d'entrer en scène pour tirer Danny du mauvais pas où Allen l'avait laissé se mettre.

— Ben, zut alors, c'était pas ma faute. Je n'ai pas demandé à quitter le projecteur et c'est pas moi qui ai dit à Danny de venir. J'aimerais bien savoir qui peut deviner le nom de celui qui vient ou de celui qui s'en va ou ce que font les gens dans cette période d'embrouille ?

— J'aurais aimé être là, dit Philip, pour casser la tronche de ces pédés.

— Tu risquais de te faire flinguer, observa Allen.

— A moins que vous ne commettiez quelque autre sottise, dit Arthur. Tuer l'un d'entre eux, par exemple. Ce qui nous aurait mis un damné meurtre sur le dos.

— Ouah, eh...

— En outre, vous êtes interdit de projecteur, dit Arthur, tranchant.

— N'empêche, ça m'aurait botté d'y être...

— Je commence à vous soupçonner de voler le temps en profitant des périodes de chaos pour mener vos activités asociales.

— Qui ça, moi ? Meu non !

— Je sais que vous avez pris le projecteur. Vous êtes un drogué. Vous mésusez de votre corps et de votre esprit.

— Vous me traitez de menteur ?

— C'est précisément l'une de vos caractéristiques. Vous êtes un androïde défectueux. Je peux vous assurer que, pour autant qu'il est en mon pouvoir, vous ne reprendrez jamais la conscience.

Philip replongea dans l'ombre en se demandant ce qu'était un androïde. Il n'allait sûrement pas demander d'explication à Arthur. Il n'avait aucune envie de donner à ce putain d'Angliche le plaisir de bavasser encore sur son cas. Il sortirait chaque fois que l'occasion se présenterait. Il savait que depuis Zanesville, la domination d'Arthur s'était affaiblie. Aussi longtemps qu'il y aurait de l'herbe, des amphés ou de l'acide, il trouverait toujours moyen de prendre ce cul-serré d'Arthur à contre-pied.

La semaine suivante, Philip était sous le projecteur quand Billy Milligan raconta à Wayne Luft, un de ses clients, ce qui s'était passé dans les toilettes de l'aire de stationnement de Lancaster.

— Ben merde alors, dit Luft, tu savais pas que ces chiottes sont infestées de tantes ?

— Je te jure que je m'y attendais pas, à celle-là. Ces saloperies de pédales qui draguaient. Je les hais.

— Pas tant que moi.

— Si on s'en payait quelques-uns ?

— Comment ça ?

— Ben, on sait qu'ils se garent toujours devant ces chiottes d'autoroute. On y va et on leur fait une tête au carré. On va désinfecter ces endroits.

— On peut les braquer, aussi. On se fait notre petit Noël et en même temps, on vire les pédales. On va rendre l'endroit plus sûr pour les gens convenables.

— Ouais, ricana Philip, dans notre genre.

Luft étala sa carte routière et fit une croix sur les aires de stationnement de la région.

— On se servira de ma voiture, dit Philip. Elle fonce.

Philip emporta une épée de collection qu'il avait trouvée dans l'appartement.

Près de Rockbridge, ils repérèrent une voiture qui stationnait devant les toilettes des hommes, une Volkswagen avec deux personnes à l'intérieur. Philip gara la Grand Prix sur le bas-côté, de l'autre côté de la route, en face de l'aire de stationnement. Il prit deux cachets d'amphétamines que Luft lui tendait. Ils restèrent assis pendant une demi-heure, les yeux fixés sur la coccinelle. Aucune allée et venue.

— Ça doit en être, dit Luft. Pourquoi ils resteraient garés si longtemps devant les chiottes pour hommes ?

— J'y vais d'abord. J' prends l'épée. S'ils me filent le train, t'entres derrière eux avec le flingue.

Avec un sentiment de bien-être, Philip traversa l'autoroute. L'épée battait à son côté, sous le manteau. Comme prévu, les deux hommes le suivirent. A leur approche, Philip eut la chair de poule. Il ne savait pas si c'était leur présence ou les amphé qui le faisait agir, mais il tira l'épée et agrippa l'un des homosexuels. Le deuxième était de forte corpulence. Quand Luft lui enfonça le canon de l'arme dans le dos, l'homme se mit à trembler.

— Allez, bande de pédés, hurla Luft, couchez-vous par terre.

Philip débarrassa le plus gros de son portefeuille, d'une bague et de sa montre. Luft fit de même avec l'autre.

Puis Philip les entraîna à la voiture.

— Où vous nous emmenez ? sanglota l'homme corpulent.

— On va vous faire faire une petite promenade dans les bois.

Ils prirent une petite route de campagne et abandonnèrent leurs victimes dans un lieu écarté.

— C'était fastoche, dit Luft

— Le crime parfait, tu vois.

— On s'est fait combien ?

— Un paquet. Y z'étaient friqués. En plus, y z'avaient des cartes de crédit.

— Putain, dit Luft. Je laisse tomber mon boulot. Je gagnerai mieux ma croûte avec ça.

— On fait une œuvre de salubrité publique.

De retour à l'appartement, Philip raconta son crime parfait à Kevin. Il se sentait sur le point de craquer. Il avala quelques calmants, pour redescendre en douceur.

Tommy disposa sur l'arbre de Noël les guirlandes lumineuses et au pied du sapin, les cadeaux qu'il avait achetés pour Marlene et la famille, puis il se prépara pour aller passer la soirée à Spring Street avec Dorothy, Del, Kathy et son petit ami Rob.

Tout se passa bien jusqu'au moment où Kevin se trouva sous le projecteur, dans le salon, en compagnie de Kathy et Rob.

— Dis donc, elle est super, ta veste de cuir, dit Rob. Et t'as une nouvelle Seiko ?

Kevin leva le poignet pour mieux la montrer.

— C'est la meilleure.

— Ça m'intrigue, ça, Billy, avoua Kathy. C'est pas avec ce que tu gagnes à la Anchor Hocking que tu peux te payer ça. Où prends-tu l'argent ?

Kevin sourit.

— J'ai mis au point le crime parfait.

Kathy leva les yeux sur lui, puis les détourna, mal à l'aise. Il était encore différent. Cette moue sarcastique, ce regard froid...

— Qu'est-ce que tu racontes ?

— J'ai braqué des pédés dans les toilettes d'autoroute. Impossible de me retrouver. Pas d'empreintes digitales, rien. Et ils oseront sûrement pas se plaindre aux flics. On leur prend le fric et les cartes de crédit.

Elle n'en croyait pas ses oreilles. Billy ne pouvait pas parler de cette façon, c'était inimaginable.

— Tu plaisantes ?

Il sourit encore et haussa les épaules.

— Peut-être bien que oui, peut-être bien que non.

Del et Dorothy entrèrent dans le salon. Kathy s'excusa et fit mine d'aller aux toilettes. Ne trouvant rien dans la veste de cuir, elle sortit pour fouiller la voiture de Billy. Ce n'était que trop vrai : il y avait un portefeuille dans la boîte à gants. Et aussi des cartes de crédit, un permis de conduire et la carte d'identité d'un infirmier. Ainsi son frère ne plaisantait pas. Elle resta un moment assise sans bouger dans la voiture. Que faire ? Elle mit le portefeuille dans son sac à main. Il fallait en parler à quelqu'un.

Après le départ de Billy, elle montra ce qu'elle avait trouvé à sa mère et à Del.

— Dieu tout-puissant, gémit Dorothy, je n'arrive pas à y croire.

Del examina le portefeuille.

— Pourquoi ? Moi, je n'y crois que trop. Maintenant, on sait comment il a pu s'acheter tous ces trucs.

— Il faut prévenir Jim, dit Kathy. Il faut qu'il vienne à la maison pour essayer de ramener Billy dans le droit chemin. J'ai un peu d'argent à la banque. Je lui paierai son billet d'avion.

Dorothy appela son fils qui servait dans l'aviation et le supplia de demander une permission exceptionnelle.

— Billy est en train de se mettre dans de mauvais draps. Si on n'arrive pas à le faire changer d'attitude, on va être obligés de prévenir la police.

Jim obtint une permission de ses chefs et arriva chez lui deux jours avant Noël. Del et Dorothy lui montrèrent le portefeuille et les coupures du *Lancaster Eagle Gazette* qui parlaient des agressions dans les toilettes d'autoroute.

— Il faut que tu voies ce que tu peux faire, dit Del. Dieu sait que j'ai essayé d'être un père pour lui. Après Zanesville, j'ai cru pendant un moment que Billy remplacerait mon pauvre fils — Dieu ait son âme — mais Billy n'en fait qu'à sa tête.

Jim prit les choses en main. Il appela un numéro de téléphone trouvé dans le portefeuille.

— Vous ne me connaissez pas, dit-il à l'homme qui décrocha. Mais j'ai quelque chose qui pourrait vous être utile. Laissez-moi vous poser une question. C'est une simple hypothèse mais si quelqu'un savait que vous êtes infirmier grâce à vos papiers, qu'est-ce que vous en diriez ?

Il y eut un silence, puis la voix répondit :

— Je dirais que ce quelqu'un sait ce qu'il y a dans mon portefeuille.

— Bon. Et pouvez-vous me dire à quoi ressemble votre portefeuille et ce qu'il contient ?

L'homme s'exécuta.

— Comment l'avez-vous perdu ?

— J'étais dans les toilettes de l'autoroute entre Athens et Lancaster avec un ami à moi. Deux types sont entrés, l'un avait un pistolet et l'autre une épée. Ils nous ont pris nos portefeuilles, nos montres et nos bagues. Ils nous ont emmenés dans les bois et nous y ont abandonnés.

— C'était quel genre de voiture ?

— Le type à l'épée conduisait une Pontiac Grand Prix bleue.

Et il récita le numéro d'immatriculation.

— Comment pouvez-vous être sûr de la marque de la voiture et du numéro ?

— J'ai revu cette auto en ville l'autre jour. Elle était garée devant une boutique. J'ai vu le type à l'épée à moins de cinquante mètres de moi. Je l'ai suivi jusqu'à sa voiture. C'était lui.

— Pourquoi ne l'avez-vous pas fait arrêter ?

— Parce que je vais bientôt avoir un nouveau boulot beaucoup plus intéressant pour moi et que je suis homosexuel. Si je racontais tout, non seulement je m'attirerais des ennuis, mais en plus, j'en attirerais à mes amis.

— Compris. Puisque vous me dites que vous voulez éviter de divulguer l'affaire, je vais vous rendre votre portefeuille et vos papiers. Pour respecter l'anonymat, je vous les envoie par la poste.

En reposant le combiné, Jim poussa un profond soupir. Il leva les yeux sur sa mère, sur Kathy et sur Del.

— Billy est mal barré, dit-il en décrochant de nouveau.

— A qui téléphones-tu maintenant ?

— Je vais dire à Billy que je passe le voir demain. Pour visiter son nouvel appartement.

— Je t'accompagnerai, annonça Kathy.

Le lendemain soir, 24 décembre, Tommy ouvrit la porte à Kathy et à Jim. Il était pieds nus et derrière lui, dans un coin, clignotaient les lumières de l'arbre de Noël entouré de cadeaux. L'un des murs était orné d'une panoplie d'épées de collection.

Pendant que Jim et Tommy parlaient, Kathy s'excusa et monta au second niveau, en quête d'autres preuves des activités de Billy.

— Dis donc, dit Jim quand ils furent seuls, quelque chose me tracasse : où as-tu trouvé le blé pour te payer tout ça : le duplex, les cadeaux, les fringues, la montre ?

— C'est ma nana qui travaille.

— C'est Marlene qui a tout payé ?

— Oh ! il y a beaucoup de trucs à crédit.

— Fais gaffe, avec ces cartes de crédit, on s'en sort plus après. J'espère que t'as pas trop poussé.

Dans son régiment aérien, Jim venait de faire un stade durant lequel il avait appris les techniques d'interrogatoire. Il voulut essayer son savoir tout neuf pour le bien de son frère. S'il pouvait lui faire avouer, reconnaître qu'il avait fait une bêtise, il y aurait peut-être moyen de lui éviter la prison.

— C'est dangereux de se trimballer avec ces cartes de crédit. On te les pique, on s'en sert et tu l'as dans le baba.

— Oh ! il y a un forfait de cinquante dollars à ta charge Au-delà, c'est la banque qui casque. C'est pas ça qui les ruinera.

— J'ai lu dans le journal que des gens ont été braqués dans les toilettes d'autoroute. On leur a pris leur carte de crédit. Tu vois ce que je veux dire ? Ça pourrait t'arriver.

Il avait à peine terminé cette phrase que les yeux de son frère se voilaient. Billy entrait en transe. Cette vision rappelait à Jim l'état dans lequel se mettait Chalmer Milligan avant l'une de ses brutales explosions de fureur.

— Eh, dis donc, ça va ? Tu te sens pas bien ?

Kevin dévisagea Jim en se demandant ce que le frère de Billy faisait là, et depuis combien de temps il était arrivé. Kevin jeta un coup d'œil à sa nouvelle montre. Neuf heures quarante-cinq.

— Quoi ?

— Je te demandais si tu te sentais bien.

— Ben oui, ça va, pourquoi tu me demandes ça ?

— Je te disais de faire attention, avec ces cartes de crédit. Tu sais bien, il y a eu des braquages dans les toilettes d'autoroute, des trucs comme ça...

— Oh ouais, j'ai vu ça dans les journaux.

— J'ai entendu dire que certains des types attaqués étaient des homosexuels.

— Ouais. Ils l'ont pas volé.

— Comment ça ?

— Qu'est-ce qu'ils avaient besoin de se trimballer tout ce fric, ces pédés ?

— En tout cas, ceux qui les ont agressés ont intérêt à faire gaffe. Ça coûte cher en années de prison, ce genre de chose.

Kevin haussa les épaules.

— On les a pas encore retrouvés. Il faut des preuves.

— Eh bien, par exemple, là, dans ta panoplie, il y a une épée qui ressemble comme deux gouttes d'eau à la description que des types attaqués ont donnée.

— Y a pas moyen de faire le lien entre celle-là et celle du braquage.

— Peut-être bien, mais il y a aussi le pistolet.

— Oh ben, j'ai pas de flingue. On peut pas me coincer.

— Ouais, mais ils mettront la main sur l'autre type et celui qui était avec lui tombera aussi.

— On peut pas m'impliquer là-dedans, s'obstina Kevin. C'est pas le genre de chose pour lequel les tantes vont porter plainte. Y a pas d'empreintes digitales, rien.

Kathy revint. Au bout de quelques minutes, Billy monta aux toilettes et elle montra à Jim ce qu'elle avait trouvé.

— Bon Dieu, grogna Jim. Toutes ces cartes de crédit à des noms différents... Comment on va faire pour le sortir de là, ce coup-ci ?

— Il faut qu'on l'aide, Jim. Ça ne ressemble pas à notre Billy, de se conduire de cette manière.

— Je sais. Peut-être que le mieux, c'est encore de l'affronter directement.

Kevin redescendait. Jim lui montra les cartes de crédit.

— Voilà ce que je cherchais à te dire, Billy. C'est toi qui as commis ces agressions. Et tu gardais chez toi les preuves.

Kevin hurla de fureur :

— Vous avez pas le droit de venir chez moi pour fouiner dans mes affaires !

— Billy, on essaie de t'aider, intervint Kathy.

— Je suis ici chez moi et vous vous permettez d'entrer et de fouiller, sans mandat de perquisition !

— Je suis ton frère, Kathy est ta sœur, on voulait...

— Les preuves obtenues sans mandat de perquisition ne peuvent être prises en considération par le tribunal.

Craignant une explosion de colère, Jim dit à Kathy d'aller l'attendre dans la voiture. Quand ils restèrent seuls face à face, Kevin battit en retraite vers la cuisine.

— Billy, tu as acheté tout ça avec les cartes de crédit. Ils te coinceront là-dessus.

— Ils sauront jamais. J'ai juste acheté un ou deux trucs et puis j'ai balancé les cartes. Je n'ai braqué que des pédales et des gens qui agressaient les autres.

— C'est un crime.

— Ça me regarde.

— Mais tu vas t'attirer de graves ennuis.

— Ecoute, t'as aucun droit. Je t'ai pas demandé de venir de Spokane pour fourrer ton nez dans mes affaires. Je suis assez grand maintenant pour savoir ce que j'ai à faire. J'ai quitté la maison, ce que je fabrique, c'est mes oignons. De toute façon, ça fait longtemps que tu as laissé tomber la famille.

— C'est vrai. Mais on se fait du souci pour toi.

— Je t'ai pas demandé de ramener ta fraise. Barre toi maintenant

— Je ne partirai pas tant que nous n'aurons pas réglé cette histoire.

Kevin décrocha sa veste de cuir du portemanteau.

— Bon, ben, si c'est comme ça, je me tire. Va te faire foutre.

Jim avait toujours été plus fort que Billy et, a l'armée, il avait suivi un entraînement aux arts martiaux. Il barra le chemin de la sortie à son frère et, dans la bousculade, le rejeta plus violemment qu'il n'aurait voulu. Kevin heurta l'arbre de Noël qui s'abattit contre le mur. Les paquets-cadeaux furent éventrés, les ampoules volèrent en éclats, le fil fut arraché de la prise et les lumières s'éteignirent.

Kevin se releva et bondit vers la porte. Il n'était pas bagarreur, il ne tenait pas à affronter Jim, mais il lui fallait se sortir de là. Jim le saisit par la chemise et l'envoya dinguer contre le bar...

Kevin quitta le projecteur.

En heurtant le bar, Ragen reconnut celui qui l'attaquait, bien qu'il ignorât pourquoi. Il n'avait jamais aimé Jim. Il ne lui avait jamais pardonné d'être parti de la maison en laissant les femmes et Billy aux mains de Chalmer. Ragen ramassa un couteau sur le comptoir du bar et le lança avec tant de force qu'il se ficha dans le mur tout près de la tête de Jim.

Pétrifié d'horreur, Jim contemplait la haine glacée de son cadet. C'était la première fois qu'il voyait cette expression sur le visage de

Billy. C'était la première fois qu'il assistait à un tel déchaînement de violence. A deux doigts de sa tête, le couteau vibrait encore. Son frère le haïssait au point de vouloir sa mort. Il s'écarta quand Ragen passa devant lui en silence. Le Yougoslave sortit pieds nus dans la neige...

Dans la rue, Danny ne comprit pas ce qu'il faisait là, dans le froid, en chemise déchirée, sans souliers ni chaussettes. Il fit demi tour pour rentrer à la maison. Il eut un choc en trouvant Jim sur le seuil. Le frère de Billy le regardait comme s'il doutait de sa raison.

En découvrant l'arbre de Noël renversé et les cadeaux saccagés, Danny eut brusquement peur.

— Je voulais pas le renverser, dit Jim, éberlué par l'incroyable changement d'expression de son frère.

La rage froide avait disparu. Billy gémissait, tremblait.

— T'as cassé mon arbre de Noël, dit-il dans un sanglot.

— Excuse-moi.

— J'espère que toi, tu passeras un joyeux Noël. Pasque le mien, maintenant, il est gâché.

Kathy, qui était restée jusque-là dans la voiture, vint les avertir, le visage blême :

— La police.

Quelques secondes plus tard, on frappait à la porte. Kathy regarda Jim puis Billy, qui pleurait comme un petit garçon.

— Alors, qu'est-ce qu'on fait ? murmura-t-elle. S'ils viennent pour...

— Je les fais entrer, ça vaut mieux, trancha Jim.

Sur son invitation, deux policiers pénétrèrent dans l'appartement.

— On nous a appelés. Paraît qu'il y a du grabuge par ici ? demanda le premier en examinant la pièce par-dessus l'épaule de Jim.

— Vos voisins se plaignent du tapage, expliqua son compagnon.

— Désolé, excusez-nous, messieurs.

— Demain, c'est Noël, les gens sont avec leurs gosses. Qu'est-ce qui se passe ?

— Une petite dispute familiale, expliqua Jim. C'est fini maintenant. On ne savait pas qu'on était si bruyants.

L'un des policiers écrivit quelques lignes sur son carnet de rapports.

— Bon, eh ben, calmez-vous, les gars, mettez une sourdine.

Quand ils furent partis, Jim enfila son manteau.

— Eh bien... alors, au revoir Billy. Je dois m'en aller. Je suis ici pour deux jours seulement, après, il faudra que je rentre à la base.

Quand Jim et Kathy sortirent, leur frère pleurait toujours.

La porte claqua et Tommy jeta des regards ahuris autour de lui. Ses mains saignaient. Il retira les bouts de verre de ses paumes et nettoya les coupures. Où étaient passés Kathy et Jim ? Pourquoi l'appartement était-il bouleversé ? Il s'était donné beaucoup de mal pour cet arbre de Noël et voilà à quoi il ressemblait maintenant ! Tous les cadeaux que les autres habitants et lui-même avaient réalisés de leurs propres mains ! Ils n'avaient rien acheté. Il y avait un tableau pour Jim au deuxième niveau : un paysage marin que Jim adorerait, Tommy en était sûr. Il voulait le lui offrir.

Il releva l'arbre et tenta de lui redonner meilleure apparence, mais la plupart des décorations étaient abîmées ou brisées. Il n'avait que le temps d'arranger le cadeau de Marlene avant son arrivée. Il avait pris le risque de l'inviter à réveillonner avec lui.

En voyant le désordre qui régnait dans la pièce, Marlene s'inquiéta :

— Qu'est il arrivé ?

— Je sais pas vraiment, répondit Tommy, et pour te dire la vérité, je m'en moque complètement Ce qui compte, c'est que je t'aime.

Elle l'embrassa et l'entraîna vers la chambre. Elle savait que dans des moments semblables, la plus grande confusion régnait dans l'esprit de Billy, qu'il était vulnérable et qu'il avait besoin d'aide.

Tommy rougit et ferma les yeux En la suivant, il s'interrogeait : pourquoi donc, une fois la porte de la chambre franchie, ne gardait il jamais le projecteur ? Pourquoi ne pouvait il pas faire l'amour avec elle ?

Le jour de Noël, Allen, dans l'ignorance absolue de ce qui s'était passé la veille au soir, s'efforça de remettre un peu d'ordre dans le salon. Il fit des recherches à l'intérieur de sa tête, mais personne ne répondit. Bon Dieu, comme il détestait ces temps d'embrouilles. Il réunit tous les cadeaux récuperables, les remballa de neuf et sans oublier le tableau de Tommy pour Jim, les emporta à la voiture.

A Spring Street, il reconstitua sans peine les événements de la veille. Jim était malade de tristesse a l'idée que son frère lui avait lancé un couteau à la tête. Kathy, Del et Dorothy prirent Allen à part, en l'accusant d'avoir commis des vols .

— C'est toi, les agressions des toilettes d'autoroute, s'ecria Del. Et en plus, tu t'es servi d'une voiture qui est au nom de ta mère !

— Je ne comprends rien à ce que vous racontez, hurla Allen en retour.

Avec un grand geste de dégoût, il se précipita à l'étage. Del fouilla les poches de la veste de cuir et s'empara des clés de la voiture. Dans la boîte à gants, ils découvrirent des cartes de crédit, des permis de conduire et une carte d'autoroute où les emplacements des aires de stationnement étaient marqués d'une croix.

Presque en même temps, Kathy, Jim, Dorothy et Del se retournèrent vers la maison. Il était là, sur le seuil : il les regardait.

— C'est toi ! C'est toi qui as fait ça ! lui lança Del en brandissant la carte.

— Y a pas à s'inquiéter, laissa tomber Kevin. C'est le crime parfait. J'ai pas laissé d'empreintes, rien. Et les pédés porteront pas plainte.

— Non mais, quel imbécile ! cria Del, Jim a téléphoné au type à qui tu as volé le portefeuille. Il t'a vu en ville. C'est toute la famille que tu vas compromettre avec ton foutu « crime parfait » !

Il changea de visage. L'indifférence cédait la place à la panique.

Dorothy, Kathy, Jim et Del se mirent d'accord pour aider Billy à se débarrasser des preuves. Jim emmènerait la Pontiac Grand Prix à Spokane, il prendrait les mensualités à sa charge. Billy abandonnerait son appartement de Somerford Square pour un autre plus petit, sur Maywood Avenue.

Durant tout le temps qu'ils discutèrent, Danny écoutait, perplexe : de quoi pouvaient-ils bien parler ? Et quand est-ce qu'on ouvrait les cadeaux ?

16.

Le mercredi 8 janvier, en arrivant au centre commercial Memorial Plaza où il avait rendez-vous avec Marlene pour déjeuner, Tommy vit un camion de livraison se ranger devant le drugstore Gray.

— Livraison de médicaments, murmura-t-il en regardant le livreur emporter un volumineux carton à l'intérieur du magasin. Le pharmacien va travailler tard, ce soir.

Marlene lui lança un regard interrogateur. Mais la phrase lui avait échappé et il fut incapable de l'expliquer.

Kevin projetait de braquer le drugstore. Il en avait parlé à Wayne Luft et à un autre copain, Roy Bailey, en leur exposant son plan. Ils en seraient les exécutants et garderaient pour eux la part du lion. En échange de l'idée, Kevin prendrait vingt pour cent du butin.

Ce soir là, se conformant aux instructions de Kevin, les deux jeunes gens attendirent la fermeture, à une heure et demie du matin. Sous la menace de leurs armes, ils contraignirent le pharmacien à rentrer dans sa boutique et à leur ouvrir le coffre et l'armoire des médicaments toxiques.

Suivant à la lettre le plan d'action de leur complice, ils gagnèrent les bois, bombèrent le break blanc en noir et passèrent prendre Kevin pour l'emmener chez Bailey évaluer leur prise : Ritalin, Preludin, Demerol, Seconal, Quaaludes, Delaudid, etc.

En les revendant dans la rue, ils en tireraient trente ou trente-cinq mille dollars, estima Kevin qui vit une expression de cupidité passer sur le visage de ses complices. Ils consommèrent une partie de leur butin pendant la nuit et, chacun à leur tour, les deux jeunes gens vinrent proposer à Kevin de voler la part de l'autre.

Au matin, profitant de l'état de quasi-coma des deux autres, Kevin fourra la drogue et l'argent dans deux valises et reprit seul le chemin de Colombus. Ni l'un ni l'autre ne prendrait le risque de l'affronter. Ils avaient peur de lui. Ne les avait-il pas entendus dire qu'il était dingue, qu'il avait passé son poing à travers une porte et tiré dans la bagnole d'un mec avec une mitrailleuse Thompson ?

Ils le donneraient aux flics, ça, c'était sûr. Mais une fois qu'il se serait débarrassé de la came, on ne pourrait plus rien contre lui. Le pharmacien avait vu leurs visages, pas le sien. Non, il était blanc comme neige !

En lisant la nouvelle de l'attaque du drugstore Gray dans la *Lancaster Eagle Gazette* le lendemain, Marlene eut un coup au cœur.

Quelques jours plus tard, Tommy devait déjeuner avec elle. Elle s'étonna : pourquoi avait-il repeint la vieille Dodge en noir ? Et si mal ?

C'est toi qui l'as fait ?

— Quoi ? Repeint la voiture ? demanda Tommy en toute innocence.

L'attaque du drugstore.

— Marlene ! Tu te rends pas compte ! Tu me traites carrément de criminel, maintenant ! Je te jure que j'ai rien a voir avec ça !

Elle s'excusa. Quelque chose lui disait qu'il était coupable mais ses soupçons semblaient l'avoir sincerement bouleversé. A moins d'être un acteur génial, il ne pouvait pas mentir !

— J'espere de tout cœur que tu n'y es pour rien !

Quand ils se séparerent, Allen ne put s'empêcher de se poser des questions a propos des accusations de Marlene. Quelque chose n'allait pas. Comme il retournait au travail, il se décida a appeler les autres a la rescousse.

— Eh les mecs ! dit-il à voix haute, on est dans le pétrin.

— Je suis là, Allen, dit Arthur. Continue a rouler.

— Vous ne voulez pas prendre le volant ?

— Je n'aime autant pas, non. Je ne me sens pas tres sûr de moi sur les routes américaines. Continuez votre chemin.

— Vous avez une idée de ce qui ne va pas ?

— J'étais plongé dans mes recherches pendant toute cette période d'embrouilles et je ne sais pas tres bien ce qui s'est passé. Mais j'ai l'impression que des indésirables ont reussi a voler du temps pour commettre des crimes.

— J'ai tenté de vous mettre en garde.

— Je crois vraiment que nous aurions besoin de Ragen, dit Arthur. Vous pouvez le trouver ?

— Ce n'est pas faute d'avoir essayé ! Celui-là, il n'est jamais là quand on a besoin de lui !

— Je vais faire mon possible. Concentrez-vous sur la route pendant que je le cherche.

Arthur scruta les zones obscures de son esprit, de l'autre côté du projecteur. Il en découvrit qui dormaient dans leur lit, d'autres assis dans le noir. Les indésirables refusèrent de le regarder — depuis qu'il les avait bannis, il n'avait plus aucune autorité sur eux, là où ils étaient. Pour finir, il trouva Ragen, qui jouait avec Christine.

— On a besoin de vous, Ragen. Je crois que l'un de nous a commis un, sinon plusieurs crimes et nous sommes probablement en danger.

— Je n'êtrrre pour rien. N'êtrrre pas mes affaires.

— Je vous crois volontiers mais je vous rappelle que si l'un d'entre nous est envoyé en prison, les enfants seront enfermés eux aussi. Songez à Christine dans un environnement pareil, au milieu d'individus sadiques et pervers.

— D'accord, céda Ragen. Vous connaîtrre mon point faible.

Arthur entreprit une vaste enquête. Il interrogea les « habitants » les uns après les autres. Il était persuadé que les indésirables lui mentaient. Néanmoins, il finit par rassembler suffisamment d'éléments pour avoir une idée assez nette de la situation.

Tommy lui parla des soupçons de Marlene à propos de l'attaque du drugstore Gray et de la remarque qu'il avait faite en voyant livrer les produits pharmaceutiques.

Walter nia avoir emprunté les armes de Ragen depuis qu'Arthur l'avait banni du projecteur pour avoir abattu un corbeau. En revanche, il se souvint avoir entendu une voix s'exprimant avec l'accent de Brooklyn évoquer un crime parfait dans une aire de stationnement. Philip fini par avouer les agressions qu'il avait commises contre les homosexuels mais il nia toute participation à l'attaque du drugstore.

Kevin reconnut en avoir été l'instigateur.

— Mais je n'y étais pas. C'est moi qui ai donné l'idée aux autres et je leur ai piqué leur part. Mais y peuvent rien contre moi. Même s'ils m'ont donné aux flics, je suis blanc. N'ont aucune preuve contre moi !

Arthur exposa les faits à Ragen et Allen :

— Et maintenant, réfléchissez bien tous les deux : quels moyens ont-ils de nous mettre le crime sur le dos ?

Toute réflexion faite, aucun, conclurent-ils l'un et l'autre.

Quelques jours plus tard, un receleur à qui Billy Milligan avait revendu de la drogue donna son nom à la brigade des stupéfiants en échange de l'impunité. La police lança un mandat d'arrêt contre Milligan.

Quand Marlene arriva chez Tommy le lundi soir en rentrant du travail, celui-ci lui offrit une bague de fiançailles.

— C'est très important pour moi, Marveen, dit-il en l'appelant par le surnom affectueux qu'il lui avait donné. S'il m'arrivait quelque chose, je veux que tu saches que je t'aimerai toujours.

Elle le regarda lui passer la bague au doigt. Elle n'osait pas y croire. Mais pourquoi fallait-il que cet instant dont elle rêvait depuis si longtemps fût si douloureux ? Avait-il acheté la bague parce qu'il se savait en danger ? Elle ravala ses larmes. Quoi qu'il ait fait et quoi qu'il lui arrive, elle resterait près de lui.

Dans son agenda, en date du 20 janvier, elle nota : « Suis fiancée. N'en suis pas encore revenue. »

Le lendemain même, Danny fut arrêté.

On le fit monter dans un fourgon cellulaire qui le conduisit directement à la prison du comté de Fairfield. On commença par lui déclarer qu'il pouvait exiger de ne parler qu'en présence de son avocat puis on l'interrogea. Il n'avait pas la moindre idée de ce dont on lui parlait.

L'interrogatoire dura des heures et des heures. D'après ce que les policiers racontaient, Danny finit par comprendre plus ou moins ce qui s'était passé : Wayne Luft, arrêté pour conduite en état d'ivresse, avait raconté que Milligan et Roy Bailey étaient les auteurs de l'attaque du drugstore.

Danny regardait les policiers avec étonnement. Ils voulaient obtenir de lui une déposition volontaire. Quand on lui posait des questions, il entendait la réponse dans sa tête, énoncée par Allen. A la fin de l'interrogatoire, on demanda à Danny de signer sa déposition.

Il s'appliqua, la langue entre les dents, et signa en appuyant très fort : « William Stanley Milligan. »

— J' peux rentrer chez moi, maintenant ?

— Si vous payez les dix mille dollars de caution.

Danny secoua la tête. Il ne comprenait décidément pas très bien ce qui lui arrivait. On le remmena dans sa cellule.

Dans la journée, Marlene fit déposer la somme par un prêteur de caution. Tommy rentra chez Del et Dorothy, qui contactèrent l'avocat qui l'avait défendu deux ans plus tôt, pour l'affaire de viol.

Avant le procès, Arthur apprit que d'autres motifs d'inculpation étaient retenus contre Milligan. Deux victimes d'une agression commise dans une aire de stationnement l'avaient identifié et, le 27 janvier 1975, on l'inculpa de vol à main armée sur la personne d'automobilistes.

On enferma de nouveau Milligan à la prison du comté de Fairfield, deux ans, au jour près, après son entrée au camp de Zanesville.

Allen voulait aller à la barre pour assurer sa propre défense. Arthur désirait se saisir de l'affaire et prouver par lui-même qu'il se trouvait très loin du drugstore le soir du vol.

— Et les agressions des aires de stationnement ? demanda Allen.

— Ragen en est l'auteur. Mais il y avait légitime défense.

— D'après la police, il y en a eu plusieurs autres. Des agressions pures et simples, pour le fric !

— Faux ! intervint Ragen. Je n'ai attaqué personne sur autoroute pour le frric !

— Alors c'est quelqu'un d'autre, conclut Allen.

— Il y a des prreuves ?

— Comment voulez-vous que je le sache ! Je n'y étais pas !

— Que nous fairre ? s'enquit Ragen.

— Tout cela me semble bien mal engagé ! dit Arthur. Pouvons-nous faire confiance à notre avocat ? Il n'a pas réussi à nous éviter Zanesville, il y a deux ans !

— Cette fois-ci, il propose de plaider coupable, expliqua Allen. D'après ce que j'ai compris, si j'avoue l'attaque du drugstore, on n'ira pas longtemps en taule.

— Comment ça ? s'étonna Ragen.

— On commence par te condamner pour un temps indéterminé et à peine t'es enfermé, on te remet en liberté. T'es tellement content que tu te tiens à carreau !

— Si cela doit se passer ainsi, dit Arthur, nous avons tout intérêt à suivre le conseil de notre avocat. On le paie pour ça, pas vrai ?

— D'accord, dit Allen. On s'en tient là : on plaide coupable.

Le 27 mars 1975, à leur grande stupeur, William Stanley Milligan était condamné à cinq ans de prison ferme. Avec les remises de peine, il pouvait espérer que sa détention ne durerait pas plus de deux ans.

Allen passa les quarante-cinq premiers jours au centre d'éducation surveillée de Mansfield. Le 9 juin, il fut transféré à la prison de Lebanon, en compagnie de cinquante-neuf compagnons d'infortune.

Dans l'autocar, enchaîné à un autre prisonnier, Allen évita de croiser le regard du flic en armes assis à l'avant dans une cage. Comment allait-il faire pour survivre deux ans, et peut-être cinq ans ? Quand l'autocar se rangea devant la prison et qu'Allen vit le mur d'enceinte surmonté de barbelés et jalonné de miradors, il sentit le froid de la peur s'insinuer en lui. On fit descendre les détenus pour les conduire jusqu'à l'entrée.

La première porte s'éleva en grinçant. Allen se souvint du sifflement haineux de Chalmer et la peur fut soudain trop forte. Il n'atteignit jamais la seconde porte...

Ragen hocha la tête en entendant la seconde porte s'élever en grinçant. Enchaîné à un autre homme, il gagna le bloc cellulaire avec les autres détenus. Arthur s'était effacé. Ici, c'était lui, Ragen, qui prenait le pouvoir, lui qui allait décider désormais qui viendrait ou non sous le projecteur.

Ragen Vadascovinich entendit retomber derrière lui la lourde porte métallique.

17.

En découvrant Lebanon, Ragen eut le sentiment que son transfert se traduirait par une amélioration de son sort. Son nouveau lieu de détention était plus neuf, plus propre, plus clair que le centre de redressement de Mansfield. Au premier jour de leur période d'observation, on exposa aux arrivants le règlement de la prison ainsi que l'organisation du travail et des cours.

Puis un grand gaillard au cou de taureau se campa en face des détenus :

— Bon, moi, c'est brigadier-chef Leach qu'on m'appelle. Alors, mes agneaux, on se prend pour des durs, hein ? Eh ben, maintenant, vous êtes à ma botte ! Vous avez fait les cons dehors mais vous vous êtes fait prendre, gros malins. Je vais vous apprendre à filer doux, moi, vous allez voir. Vos droits de détenus, vos droits de l'homme et du citoyen, toutes ces foutaises, vous pouvez vous les carrer dans le cul ! Ici, vous êtes moins que de la merde. Essayez seulement de pas marcher droit et je vous le ferai regretter...

Pendant un quart d'heure, il les bombarda de menaces. Ragen jugea que l'homme remuait beaucoup d'air pour les impressionner.

Puis le psychologue, un gringalet blond à lunettes, reprit la même antienne :

— Vous n'êtes plus rien ici. Rien que des numéros. Vous n'avez plus d'identité. Tout le monde se moque de savoir qui vous êtes. Que vous soyez ou non ici, nul ne s'en soucie. Vous n'êtes plus que des criminels et des détenus.

Sous l'insulte, plusieurs prisonniers perdirent leur sang-froid et des cris fusèrent :

— Pour qui tu te prends ?

— Eh mec, arrête tes conneries !

— Chuis pas un numéro.

— Tu débloques, mec.

— Salope de psy, tu vas la fermer ta grande gueule ?

Ragen écoutait sans broncher les cris de ses codétenus. Il soupçonnait une intention précise derrière les provocations du petit homme à lunettes.

— Vous voyez ? triompha le psychologue en pointant l'index sur les hommes. Regardez ce qui vient de se passer. Vous ne vous adaptez pas à la société parce qu'à la moindre tension la situation vous échappe. A un exposé oral, vous répondez par l'hostilité brute et la violence. Vous pouvez peut-être comprendre maintenant pourquoi la société est obligée de vous mettre en cage jusqu'à ce que vous appreniez à réagir de façon adaptée.

Comprenant qu'ils étaient tombés dans un piège, les hommes se rassirent en échangeant des sourires penauds.

Quand les nouveaux détenus sortirent de la salle d'orientation, des quolibets fusèrent parmi les prisonniers présents dans la travée principale :

— Eh, les mecs, des bleus !

— Eh, les gonzesses, à bientôt, hein ?

— Oh ! celle-là, elle est mignonne, elle est pour moi.

— Ah non merde, je l'ai vu en premier, c'est mon minet.

Ragen posa un regard glacial sur les hommes qui le montraient du doigt.

Ce soir-là, dans sa cellule, il eut un entretien avec Arthur.

— C'est vous le responsable, ici, dit l'Anglais. Mais j'aimerais vous faire observer que ces plaisanteries sont pour une bonne part un simple défoulement. Ces gens ont profité de l'occasion pour rire un peu. Vous auriez tout intérêt à distinguer les plaisantins de ceux qui constituent un réel danger.

Ragen acquiesça.

— Etrre exactement ce que je pense.

— J'aurais une autre suggestion à vous faire.

Ragen l'écouta avec un sourire en coin. Arthur suggérer plutôt que donner des ordres, c'était un événement réjouissant.

— J'ai remarqué que ces détenus en uniforme vert d'hôpital sont les seuls qu'on autorise à marcher au milieu des travées. Quand on déterminera notre affectation, il serait sage qu'Allen se portât candidat pour un poste à l'hôpital de la prison.

— Pourr quelle rraison ?

— Le travail d'infirmier nous donnerait une marge de sécurité appréciable — en particulier pour les enfants. Comprenez-vous ? Dans les communautés carcérales, on respecte le personnel médical. Tout détenu sait qu'il risque d'avoir besoin un jour de secours d'urgence. Je me chargerai d'accomplir les tâches requises, avec l'aide d'Allen pour communiquer.

Le lendemain, quand les gardiens s'enquirent des qualifications des prisonniers, Allen exprima le souhait d'être employé à l'hôpital de la prison.

— Tu t'y connais ? demanda Leach.

Allen lui fournit les explications préparées par Arthur :

— Quand j'étais dans la Marine, il y avait une école de pharmacie à ma base de Great Lakes. J'ai travaillé à l'hôpital.

Ce n'était pas précisément un mensonge. Arthur avait étudié seul ces matières et il ne se présentait pas explicitement comme un infirmier confirmé.

La semaine suivante, le docteur Harris Steinberg, directeur médical de l'hôpital de la prison, fit demander Milligan.

En longeant les couloirs immaculés, Allen eut l'occasion de se constituer une image plus nette de la prison : elle affectait la forme d'un crabe à neuf pinces. Des bureaux donnaient sur la travée centrale de laquelle partaient, à intervalles irréguliers, les travées des différentes sections.

A l'hôpital, Allen patienta dans l'antichambre de la salle des consultations. A travers un panneau de verre incassable, il observa le docteur Steinberg, vieil homme à cheveux blancs, au visage aimable et rougeaud, au sourire amical. Allen remarqua les tableaux accrochés au mur.

Enfin, le docteur Steinberg lui fit signe d'entrer dans son bureau.

— J'ai cru comprendre que vous aviez l'expérience du laboratoire.

— J'ai toujours rêvé d'être médecin. Je me suis dit qu'avec la charge d'une population carcérale de cette importance, quelqu'un qui sait faire les examens du sang et des urines vous serait utile.

— Vous en avez déjà pratiqué ?

— Pas depuis longtemps, bien sûr. J'ai probablement beaucoup oublié mais je ne demande qu'à apprendre. Je comprends vite. Et comme je vous disais, ma grande ambition est de trouver un emploi dans ce secteur, quand je sortirai. J'avais un tas de bouquins médicaux chez moi et j'apprenais tout seul. Je m'intéresse particulièrement à l'hématologie. Si vous consentiez à me prendre à l'essai, j'en serais très heureux.

Allen sentait que son boniment avait peu de prise sur le médecin et qu'il lui fallait trouver autre chose :

— Ces tableaux ne sont vraiment pas mal du tout. J'aime mieux ceux à l'huile que ceux à l'acrylique. En tout cas, celui qui a fait ça avait le sens du détail.

Une lueur d'intérêt apparut dans les yeux de Steinberg :

— Vous peignez ?

— Depuis toujours. La profession qui m'intéresse, c'est la médecine mais, depuis que je suis gosse, on a toujours dit que j'étais doué pour la peinture. Un de ces jours, si vous voulez, j'exécuterai votre portrait. Vous avez un visage plein de vigueur.

— Je suis collectionneur d'art. Et je peins un peu moi-même.

— J'ai toujours considéré l'art et la médecine comme complémentaires.

— Vous avez déjà vendu vos œuvres ?

— Oh ! quelques-unes. Des paysages, des natures mortes, des portraits. J'espère qu'ici on me donnera la possibilité de peindre.

Steinberg joua un moment avec son stylo sans mot dire.

— Très bien, dit-il enfin. Je vais vous prendre à l'essai au labo. Vous allez commencer par passer la serpillière et ensuite vous mettrez un peu d'ordre dans la pièce. Vous aiderez Stormy, l'infirmier de service. Il vous expliquera le boulot.

Arthur était aux anges. Peu lui importait de devoir se lever plus tôt que les autres détenus pour réaliser les examens sanguins. Consterné par les diagnostics qu'il jugeait faux, il modifia de son propre chef le traitement de quatorze diabétiques qu'il considéra bientôt comme ses patients. Il passait le plus clair de son temps au laboratoire, penché sur le microscope ou sur les préparations. Quand, à quinze heures trente, fatigué et heureux, il regagnait sa cellule, il ne prêtait guère attention au détenu qui la partageait avec lui, un homme maigre et taciturne.

Adalana atténua la nudité de la cellule en diposant des tissus décoratifs au mur et sur le sol. Bientôt Allen se lança dans le négoce : il échangea une serviette brodée de fleurs contre une cartouche de cigarettes, prêta ensuite les cigarettes avec un intérêt de deux pour une, et se retrouva en fin de semaine avec deux cartouches. Son petit commerce prospéra. Avec ce que sa mère et Marlene lui envoyaient ou lui apportaient, il pouvait cantiner et dîner sans toucher à l'ordinaire de la prison. Il bouchait son lavabo avec un couvercle en caoutchouc emprunté au laboratoire, le remplissait d'eau bouillante et y plongeait une boîte de poulet cuisiné, de soupe, ou de ragoût de bœuf pour obtenir un repas chaud.

Il portait fièrement son uniforme vert et jouissait du privilège attaché à sa fonction : il avait le droit de marcher et même de courir au milieu des travées, au lieu d'être contraint de raser les murs comme un cafard. Son grand bonheur était d'être appelé « toubib ». Il écrivit à Marlene de lui acheter des livres de médecine dont il lui fournit les titres. Arthur se consacrait à ses études médicales avec beaucoup de sérieux.

En la faisant passer pour leur femme légitime, beaucoup de détenus recevaient la visite de leur petite amie. C'est en apprenant cela que Tommy avait demandé à Ragen l'autorisation de voir Marlene. En dépit de l'opposition d'Arthur, le Yougoslave avait accepté : la jeune femme pourrait apporter beaucoup de choses à son faux époux.

— Ecrris à elle, elle amène des oranges. Mais elle met d'abord de la vodka dans l'orrange avec la serringue. Etrre trrès bon.

C'est à Lebanon que Lee sortit pour la première fois sous le projecteur. Comédien, humoriste, farceur, il illustrait à merveille la théorie d'Arthur sur la fonction de soupape de sûreté que jouaient les plaisanteries chez la plupart des détenus. Lee se joignait aux autres prisonniers pour lancer ces quolibets qui avaient suscité tant de colère chez Ragen et tant de frayeur chez Danny. Ragen avait entendu parler du père de Billy, comique de cabaret et animateur qui se définissait lui-même comme un « mélange de musicien et de comique ». Le Yougoslave avait décidé que Lee aurait un rôle à jouer dans la prison.

Mais Lee ne sut pas se contenter des histoires drôles. Sa malignité trouva à s'exprimer dans l'activité commerciale d'Allen. Il mit à tremper un bout d'allumette dans de l'eau sucrée puis le roula dans le soufre prélevé sur deux autres allumettes et l'inséra dans une cigarette. Il recommença l'opération, glissa les deux cigarettes piégées dans le paquet d'Allen. Ce fut l'une d'elles, bien sûr, qu'il donna au premier prisonnier qui lui tendit la main. Lee n'eut que le temps de quitter la cafétéria avant la détonation et le hurlement de rage de la victime. Par la suite, d'autres cigarettes piégées explosèrent au visage d'Allen.

Un matin, tout à sa réflexion sur l'importance de l'anémie falciforme chez les détenus noirs, Arthur, son travail terminé, quitta le projecteur. Lee lui succéda et pour échapper à l'ennui qui le gagnait, chercha quelque facétie à accomplir. Son regard s'arrêta sur un flacon d'huile essentielle d'oignon. Il enduisit de liquide l'œilleton du microscope.

— Dis donc, Stormy, dit-il en tendant une préparation à l'infirmier, le docteur Steinberg veut d'urgence la numération des leucocytes de cet échantillon. Tu devrais y jeter un coup d'œil tout de suite.

Stormy colla son œil au microscope, régla l'appareil. Brusquement, il se rejeta en arrière, les yeux pleins de larmes.

— Qu'est-ce qui t'arrive ? demanda Lee, candide. C'est si grave que ça ?

Malgré ses larmes, Stormy était incapable de contenir ses hurlements de rire :

— Oh ! l'enculé ! Oh ! le fils de pute ! Toi alors, comme déconneur, tu te poses un peu là ! s'exclamait-il en s'aspergeant les yeux, penché sur le lavabo.

Quelques instants plus tard, sous les yeux de Lee, un détenu entra, tendit cinq dollars à Stormy qui prit un grand flacon sur une étagère encombrée, en ôta le bouchon et le tendit à l'homme qui but longuement.

— Qu'est-ce que c'est ? demanda Lee lorsque le prisonnier fut reparti.

— " Eclair blanc ". Un alcool de ma fabrication. C'est cinq dollars le coup. Si jamais je suis pas là quand un client se ramène, tu peux toujours lui vendre à boire à ma place, je te donnerai un dollar.

Lee répondit qu'il serait heureux de lui rendre ce service.

— Au fait, reprit Stormy, le docteur Steinberg a demandé de ranger la salle des urgences. Tu t'en occupes ? J'ai des trucs à faire.

Pendant que Lee s'activait dans la pièce à côté, Stormy vida l'alcool dans un récipient et le remplaça par de l'eau. Puis il enduisit le goulot d'un médicament concentré très amer.

— Faut que je parle au docteur, dit-il à Lee. Tu gardes la boutique, d'ac ?

Quelques minutes plus tard, un gigantesque prisonnier noir entra dans le laboratoire.

— A boire, mec. J'ai filé dix sacs à Stormy pour deux coups. Il a dit que t'étais au parfum.

Lee tendit le flacon. L'homme le porta à la bouche, écarquilla les yeux, toussa et hoqueta.

— Putain d'enculé de merde ! Qu'est-ce que c'est que cette saloperie ?

Avec une grimace épouvantable, il s'essuya la bouche puis saisit le flacon par le goulot, et le brisa sur le comptoir, éclaboussant l'uniforme de Lee.

— Je vais te faire la peau, crevure ! rugit-il en brandissant le tesson.

Lee recula vers la porte.

— Ragen, souffla-t-il, eh, Ragen !

Mais personne ne venait. Lee bondit dans le couloir, le colosse noir à ses trousses.

Ragen fit un mouvement pour prendre le projecteur, mais Arthur intervint :

— Lee a besoin d'une bonne leçon.

— Je ne pouvoirr le laisser égorrger.

— Si on ne lui apprend pas à se surveiller, il constituera pour nous tous une menace.

Ragen se rendit à ses raisons et s'abstint d'entrer en scène. Lee, terrorisé, courait dans le hall en criant :

— Ragen, merde, où es-tu ?

Le Yougoslave jugea que Lee avait eu suffisamment peur et que la situation devenait trop dangereuse. Comme le Noir arrivait à la hauteur d'une civière roulante, Ragen la lui envoya dans les jambes. L'homme s'effondra et se coupa la main sur son tesson.

— Etrre fini ! rugit Ragen.

Le Noir se releva, frappé de terreur. Ragen le saisit par le revers, l'attira dans la cabine de radiographie et le plaqua contre la paroi.

— Terrminé, si tu n'arrêtes, je te démolirr !

L'homme roulait des yeux effarés par ce brusque changement. Au jeune garçon terrorisé avait succédé une espèce de cinglé à l'accent russe, qui l'immobilisait d'une clé dans le dos et d'un bras qui lui serrait la gorge.

— On arrête tout de suite, lui murmura Ragen à l'oreille. Etrre nécessaire en finirr.

— Ouais, mec, ça va, ça va...

Ragen le lâcha. Le Noir battit en retraite :

— Je me tire, mec. Pas la peine de s'engueuler. Laisse tomber...

L'homme s'enfuit.

— Voilà, observa Arthur, une façon bien barbare de retrouver la maîtrise de la situation.

— Qu'est-ce que vous fairre à ma place ?

— Si j'avais disposé de votre puissance physique, j'aurais sans doute agi de même.

Ragen hocha la tête.

— Et que faisons-nous de Lee ? La décision vous appartient.

— Il êtrre indésirrable.

— Fort bien. Que pouvions-nous attendre d'une personne dont la seule raison de vivre est de commettre des farces ? C'est un androïde inutile.

Lee fut banni. Mais, dans l'incapacité de survivre dans l'ombre, de faire face à une existence sans facéties ni joyeusetés, il choisit de disparaître complètement.

Pendant longtemps, plus personne ne rit plus.

Tommy devenait bizarre. Ses lettres traduisaient d'imprévisibles sautes d'humeur. « Mes poings sont enflés », écrivait-il à Marlene avant de décrire une rixe qui l'avait opposé à certains détenus qui lui avaient volé ses timbres. Le 6 août, il lui jura qu'il allait se suicider. Cinq jours plus tard, il lui demanda de lui envoyer des feutres pour se remettre à la peinture.

Arthur captura et éleva quatre souris. Il observa leur comportement. Il se lança également dans la rédaction d'un long rapport sur la greffe de peau de souris sur des grands brûlés. Un après-midi, il travaillait au laboratoire sur ses notes, quand trois détenus surgirent. Pendant que l'un d'eux faisait le guet, les deux autres se campèrent en face de lui :

— File-nous le paquet. On sait que c'est toi qui l'as. Donne, grouille-toi.

Arthur eut un geste d'ignorance et retourna à ses notes. Les deux prisonniers contournèrent le comptoir et l'agrippèrent...

Ragen jeta les deux hommes à terre. Le troisième détenu s'approcha, un couteau à la main. Ragen lui cassa le poignet. Les trois hommes battirent en retraite.

— T'es foutu, Milligan, lança l'un d'eux. Je vais te mettre un contrat au cul.

Ragen demanda à Arthur s'il savait ce qui s'était passé.

— Ils cherchaient un paquet. D'après leur comportement, je suppose qu'il s'agit de drogue.

En fouillant le laboratoire puis l'infirmerie, il finit par dénicher, sur une étagère haut perchée, derrière une rangée de livres, un sac de plastique rempli de poudre blanche.

— De la came ? s'enquit Allen.

— Nous allons voir cela. Je vais procéder aux examens nécessaires, répondit Arthur en posant le paquet sur une balance. Il y en a pour un demi-kilo.

Les examens confirmèrent que c'était de la cocaïne.

— Et maintenant ? Qu'est-ce que vous avez l'intention...

Arthur vida la poudre dans les toilettes et tira la chasse.

— Vous êtes en train de faire des malheureux, observa Allen.

Mais l'Anglais s'était déjà replongé dans son rapport sur les greffes de peau.

Arthur avait entendu parler de la déprime des prisons. Avant de s'adapter, le prisonnier passait par une période d'angoisse aiguë. Contraint et forcé de renoncer à son indépendance comme à son identité, le détenu sombrait dans la dépression. Pour Milligan, le temps des embrouilles était revenu.

Les lettres à Marlene changèrent de caractère. Philip et Kevin cessèrent de lui envoyer des obscénités et des bandes dessinées pornographiques. A présent, c'était la crainte de la folie qui s'exprimait. Les missives de Tommy parlaient d'étranges hallucinations. Il affirmait aussi étudier jour et nuit la médecine. Quand il aurait sa conditionnelle, assurait-il, il suivrait des cours « même si cela devait durer quinze ans ». Ils se marieraient, ils auraient une maison et lui se vouerait à la recherche. « Tu imagines ? Le docteur Milligan et Madame. Ça fait bien, non ? »

Le 4 octobre, à la suite de l'incident de la cocaïne, Milligan fut transféré au bloc C et, par précaution, placé à l'isolement. On lui prit ses livres de médecine et sa télévision portative. Ragen arracha du mur les montants d'acier de son lit et les coinça dans la porte. Il fallut la desceller pour sortir Milligan de sa cellule.

Il dormait mal, se plaignait de vomissements fréquents et de troubles visuels. Le docteur Steinberg qui l'examinait de temps à autre lui administrait des calmants légers et des antispasmodiques. Quoique conscient de l'origine psychologique des troubles de Billy, le médecin ordonna son transfert le 13 octobre au centre médical de Colombus.

De là, Allen écrivit à l'Union américaine des libertés civiles, qui ne lui répondit pas. Après dix jours d'observation et d'examens, on diagnostiqua un ulcère de l'estomac et on prescrivit un régime avant de le renvoyer à Lebanon. De retour à la prison, replacé à l'isolement, il apprit qu'il ne pourrait bénéficier d'une libération conditionnelle avant avril 1977, un an et demi plus tard.

Après les fêtes de fin d'année, Allen participa à une grève de la faim. Il écrivit à son frère :

> Cher Jim,
>
> Ici, couché dans ma cellule, je pense à toi et aux enfants. Mon temps s'en va et mon âme hait de plus en plus la vie. Je suis désolé que par ma faute ta famille ait été brisée, famille dont j'ai fait partie. Tu as une vie fantastique devant toi et tant de choses à faire. Ne fous pas tout en l'air comme moi. Si tu me hais pour ce que j'ai fait, j'en serai désolé. Mais je te respecterai toujours, comme je respecte le vent et le soleil. Jim, je jure devant Dieu que je n'ai pas commis ce dont on m'accuse. Dieu dit qu'il y a une place et un destin sous le ciel pour chacun d'entre nous. Je suppose que c'est ça, le mien ! Je suis désolé pour la honte que j'ai attirée sur toi et que j'ai attirée sur tout le monde autour de moi.
>
> Bill

Tommy écrivit à Marlene :

> A ma Marveene,
>
> Alors, voilà, Marv, on est en grève de la faim et il va y avoir de la bagarre. Je prépare cette lettre pour toi au cas où les prisonniers

s'empareraient de la prison. Si c'est le cas, plus aucun courrier ne sortira. Les cris et le bruit de verre cassé deviennent de plus en plus forts. Ils me tueront si j'essaie de prendre la nourriture sur le chariot...

Quelqu'un a foutu le feu ! Mais ils l'ont éteint. Les gardiens sortent des gens de leur cellule. Le mouvement va lentement mais les détenus prendront la prison vers le milieu de la semaine, tu peux me croire. Dehors, ils sont prêts, avec leurs fusils anti-émeute, mais c'est pas ça qui arrêtera les gars. Tu me manques, Marveene ! Je n'ai plus qu'une envie, c'est de mourir. Les choses tournent mal. D'ici quelques jours, on en parlera aux informations de six heures. Pour l'instant, on n'en parle qu'à la radio de Cincinnati. Si ça tourne à la grande bagarre, ne viens pas. Je sais qu'il y aura des milliers de gens dehors, ne te mets pas devant la grande porte. Je t'aime, Marveene, tu me manques. Rends-moi un service. Les gars d'ici me demandent de faire parvenir cette lettre à la radio de ma ville. Ils ont besoin d'un soutien public. Envoie-la à la WHOK. Merci, au nom de tout le monde. Bon, alors, Marv, je t'aime beaucoup beaucoup beaucoup porte-toi bien.

Je t'aime.

Bill

Si ça va, apporte du cacao.

Dans sa cellule solitaire, Bobby grava son nom sur la couchette d'acier. Entre ces quatre murs, il pouvait donner libre cours à ses délires d'imagination. Il se voyait en acteur de cinéma ou de télévision, il voyageait à travers le monde et vivait des aventures épiques.

Il détestait être appelé Robert par les autres et insistait toujours : « Pas Robert, Bobby ! »

Affligé d'un complexe d'infériorité, sans ambition personnelle, il vivait comme une éponge qui s'imprégnait des idées des autres. Quand quelqu'un lui suggérait quelque activité, il répondait « qu'il ne savait pas comment s'y prendre ». Seul de la famille, il n'avait aucune confiance en lui pour mener à bien un projet.

Quand Bobby entendit parler de la grève de la faim, il s'imagina en être l'instigateur et le chef. Tous les prisonniers suivaient son exemple. Comme le grand Mahatma Gandhi, il ferait plier les forces oppressives en jeûnant. Quand la grève prit fin au bout d'une semaine, Bobby décida de la poursuivre seul. Il perdit beaucoup de poids.

Un soir, un gardien ouvrit la porte de la cellule pour lui apporter son plateau. Bobby le repoussa et jeta son seau hygiénique au visage de l'homme.

De l'avis d'Arthur et de Ragen, si les fantasmes de Bobby les avaient aidés à survivre durant ces longs mois de prison, son jeûne avait affaibli le corps. On le déclara indésirable.

Un après-midi, la mère de Billy vint rendre visite à son fils pour son vingt et unième anniversaire. En quittant le parloir, Tommy jeta un dernier regard par la vitre et remarqua pour la première fois l'étrange attitude de ses codétenus et de leurs visiteuses. Eparpillés dans la salle, les prisonniers étaient assis à côté de leur femme. Les mains étaient invisibles sous les petites tables carrées. Dans chaque couple, l'homme et la femme, le regard perdu dans un rêve intérieur, paraissaient s'ignorer.

Quand Tommy en parla à son voisin Jonsie, ce dernier éclata de rire :

— Non mais, d'où tu sors ? Bon Dieu, c'est la Saint-Valentin ! Ils se branlaient sous la table.

— C'est pas possible, je te crois pas.

— Ecoute, mec, si t'as une femme qu'est prête à tout pour toi, quand elle vient te voir, elle met une jupe et pas de culotte. La prochaine fois qu'on va à la visite ensemble, je te montrerai le cul de ma nénette.

Une semaine plus tard, comme Tommy allait entrer dans le parloir où l'attendait la mère de Billy, il croisa Jonsie et son amie, une rousse flamboyante. Jonsie cligna de l'œil et souleva la jupe de la jeune femme, montrant ses fesses nues.

Tommy rougit et détourna les yeux.

Ce soir-là, au milieu de la lettre que Tommy écrivait à Marlene, l'écriture changeait brusquement. « Si tu m'aimes, avait écrit Philip, la prochaine fois que tu viens, mets une jupe et pas de culotte. »

En mars 1976, Allen plaça beaucoup d'espoir dans une réunion de la commission des libérations conditionnelles au mois de juin. Mais quand ladite commission repoussa de deux mois l'examen de son cas, il s'inquiéta. Le bruit courait dans la prison qu'il fallait payer l'employé du bureau central chargé de préparer les dossiers. Allen se démena pour trouver de l'argent. Il dessinait au stylo et au fusain, échangeait ses œuvres avec les détenus et les gardiens contre des objets qu'il revendait ensuite. Il supplia Marlene de lui rapporter des oranges imprégnées de vodka. Il en donnerait une à Ragen et revendrait les autres.

Le 21 juin, il était à l'isolement depuis huit mois quand il écrivit à Marlene qu'à son avis les lenteurs de la commission constituaient une sorte d'épreuve psychologique, « ou alors c'est que je suis tellement siphonné que j'y bite plus que dalle, agaga-agaga ». Sans mettre fin à son isolement, on le transféra à « l'étage psychiatrique », du bloc C, un ensemble de dix cellules réservées aux détenus souffrant de troubles mentaux. Peu de temps après, Danny s'ouvrit les veines et, comme il refusait de se laisser soigner, on le transporta au centre médical de Colombus. Au bout de quelques jours, on le ramena à Lebanon.

Pendant son séjour au bloc C, Allen bombarda le directeur de protestations contre un isolement qu'il n'avait pas demandé. Cela constituait une violation de ses droits fondamentaux garantis par la Constitution, écrivait-il, et il menaçait de poursuivre tout le monde en justice. Les semaines passèrent et Arthur suggéra un changement de tactique. Désormais, ils ne parleraient plus à personne, ni aux détenus, ni aux gardiens. Et les enfants refuseraient de se nourrir.

En août, après onze mois passés à l'isolement et de multiples séjours à l'étage psychiatrique, on lui annonça qu'il allait retrouver le régime commun.

— On pourrait vous affecter à un travail pas trop dangereux, dit le directeur. On m'a dit que vous avez des dons artistiques, ajouta-t-il en montrant les dessins au mur de la cellule. Ça vous dirait de travailler à l'atelier d'art de M. Reinert ?

Allen accepta avec joie.

Le lendemain, on conduisit Tommy à la salle d'art graphique. L'endroit bourdonnait d'activité. On s'y adonnait à la sérigraphie, à la gravure, à la photo et à l'impression. Pendant quelques jours, M. Reinert, un homme maigre et sec, se contenta d'observer du coin de l'œil ce prisonnier qui restait inactif sans manifester d'intérêt pour ce qui l'entourait.

— Qu'est-ce que tu aimerais faire ? lui demanda-t-il enfin.

— Peindre. Je me débrouille pas mal dans la peinture à l'huile.

Reinert le considéra avec une attention plus soutenue.

— On ne fait pas de peinture à l'huile ici.

Tommy haussa les épaules.

— C'est ce que je sais faire.

— Bon, viens avec moi. Je crois qu'on va pouvoir te trouver du matériel.

Tommy avait de la chance : l'atelier d'art graphique du Centre de redresssement de Chillicothe venait de fermer ses portes. La prison de Lebanon avait hérité des couleurs à l'huile, des toiles et des cadres. Reinert aida Billy Milligan à se fabriquer un chevalet et l'invita à se mettre au travail.

Une demi-heure plus tard, Tommy venait lui présenter un paysage. Reinert était stupéfait :

— Je n'ai jamais vu quelqu'un peindre aussi vite. Et en plus, ça n'est pas mal du tout.

— Il a fallu que j'apprenne à peindre vite, si je voulais terminer ce que je commençais.

Quoique la peinture à l'huile n'entrât pas dans les spécialités enseignées à l'atelier, Reinert se rendait bien compte que c'était le pinceau à la main que Milligan donnait le meilleur de lui-même. Aussi le laissa-t-il peindre, du lundi au vendredi, autant qu'il le voulait. Les gardiens, les détenus, et même certains membres de l'administration venaient admirer les paysages de Tommy. Il réalisa sur commande quelques tableaux qu'il signa « Milligan » et fut autorisé à vendre ses œuvres personnelles à l'extérieur, par l'intermédiaire de sa mère et de Marlene.

Le docteur Steinberg venait de temps en temps à l'atelier pour avoir l'opinion de Milligan sur son propre travail. Tommy lui apprit à maîtriser la perspective et à rendre les reflets de l'eau quand il peignait des rochers au fond d'un lac ou d'une rivière. En fin de semaine, Steinberg profitait de son temps de congé pour voir Milligan. Il le faisait tirer de sa cellule et ils travaillaient côte à côte. Connaissant la répugnance du jeune homme pour l'ordinaire de la prison, le médecin lui apportait en fraude des sandwiches au fromage ou au saumon fumé. Au cours de l'une de leurs séances communes, Tommy lui demanda s'il pouvait lui obtenir l'autorisation de peindre dans sa cellule.

— Impossible, tant que vous êtes deux, répondit Steinberg. C'est contraire aux règlements.

Mais la difficulté fut bientôt levée. Au cours d'une fouille de la cellule, les gardiens découvrirent de la marijuana.

— C'est pas à moi, dit Tommy, très inquiet.

S'ils ne le croyaient pas, ils l'enverraient au mitard. Mais son compagnon avoua : sa femme l'avait quitté et il fumait pour combattre le désespoir. On l'envoya à l'isolement et Milligan disposa provisoirement de la cellule pour lui seul.

Sur intervention de Reinert auprès du responsable du bloc, le brigadier Moreno, Milligan fut autorisé à peindre tant qu'il serait seul. Ce fut ainsi que chaque jour, après la fermeture de l'atelier à quinze heures trente, Milligan peignait « chez lui » jusqu'à l'heure du coucher. Le temps passa beaucoup plus vite.

Mais, un matin, un gardien lui apprit qu'il allait avoir un nouveau compagnon. En se rendant à la cafétéria, Allen marqua un arrêt devant le bureau de Moreno.

— Si vous mettez quelqu'un d'autre avec moi, je ne pourrai plus peindre mes tableaux.

— Eh bien alors, il faudra que tu peignes ailleurs.

— Je peux vous expliquer quelque chose ?

— Reviens me voir tout à l'heure, on aura le temps d'en parler.

Après le déjeuner, Allen passa prendre à l'atelier un tableau que Tommy venait de terminer et se présenta au bureau de Moreno.

— C'est toi qui as fait ça ? s'étonna le brigadier.

Il éleva la toile devant ses yeux pour contempler le paysage verdoyant aux confins duquel serpentait une rivière

— Tu vois, un truc pareil, ça me plairait bien.

— Je vous en peindrais bien un, mais je ne peux plus travailler dans ma cellule.

— Ah bon... Bon, attends... Tu dis que tu me ferais un tableau ?

— Gratuitement.

Moreno appela son adjoint :

— Virez le nom de ce type du tableau de la porte de Milligan. Mettez une étiquette avec un X à la place. T'inquiète pas, ajouta-t-il à l'adresse d'Allen. Dans neuf mois tu passes devant la commission, non ? Alors, pour le temps qu'il te reste, tu es tranquille.

Allen était heureux. Tommy, Danny et lui travaillaient sans arrêt, en veillant à ne jamais tout à fait terminer leurs œuvres.

— Méfiez-vous, avait dit Arthur. Dès que Moreno aura son paysage, il reviendra sur sa promesse.

Allen fit lanterner le brigadier pendant près de deux semaines avant de lui apporter un tableau représentant un ponton avec des barques à l'amarre. Moreno était très satisfait.

— Vous êtes sûr que personne d'autre ne sera mis avec moi ? s'inquiéta Allen.

— Je l'ai mis sur le tableau général, tu peux aller vérifier.

A la rotonde de surveillance, Allen vit un mot sous son nom : « Pas de compagnon de cellule pour Milligan. » Le papier était recouvert d'un ruban adhésif transparent et semblait en place pour longtemps.

Milligan peignit avec frénésie. Pour les gardiens, pour les employés de l'administration, il peignait des tableaux à vendre par l'intermédiaire de sa mère et de Marlene. On lui passa commande d'une toile pour le greffe. Tommy peignit un immense paysage à suspendre au-dessus du comptoir des entrées. Par erreur, il signa de son nom mais Allen s'en aperçut à temps et le remplaça par celui de Milligan.

La plupart de ses œuvres, trop commerciales, le laissaient insatisfait. Mais c'est avec ferveur qu'il réalisa *La grâce de Cathleen*, un tableau composé à partir d'une reproduction trouvée dans un livre d'art.

Allen, Tommy et Danny y travaillèrent tour à tour. A l'origine, ils se proposaient de faire le portrait d'une grande dame du XVIIe siècle tenant une mandoline. Allen exécuta le visage et les mains. Tommy se chargea de l'arrière-plan, Danny des détails. Quand vint le moment de lui placer une mandoline entre les mains, Danny s'aperçut qu'il ne savait pas la peindre et la remplaça par une partition. Quarante-huit heures d'affilée, tous trois se relayèrent. Le tableau terminé, Milligan s'effondra sur sa couchette et s'endormit.

Avant le séjour à Lebanon, Steve avait rarement pris possession de la conscience. Conducteur émérite et téméraire, il avait eu quelquefois l'occasion de tenir un volant, quand il était plus jeune. Il se vantait d'être le meilleur conducteur du monde. En prison, Ragen l'autorisa à sortir sous le projecteur après le bannissement de Lee, parce que lui aussi savait faire rire. Steve se présentait en toute modestie comme l'un des meilleurs mimes vivants. Il était capable d'imiter n'importe qui, avec une drôlerie qui faisait tordre de rire son public de détenus. Imiter les gens était sa façon de s'en moquer. Steve semait le désordre, il mettait les rieurs de son côté, il était l'éternel imposteur.

Il s'attirait la fureur de Ragen en imitant l'accent yougoslave et le courroux d'Arthur en parlant l'anglais populaire.

— Ce n'est pas ainsi que je m'exprime, insista Arthur, je n'ai pas l'accent des faubourgs londoniens.

— Il va nous attirer des ennuis, prédit Allen.

Un après-midi, Steve, placé derrière le brigadier-chef Leach, l'imitait : bras croisés, il se balançait sur les talons. Leach se retourna brusquement.

— Très bien, Milligan, tu vas aller faire ton numéro au trou. Dix jours de mitard, ça te servira peut être de leçon.

— Allen nous avait prévenus, rappela Arthur à Ragen. Steve n'a aucune utilité. Il est dépourvu d'ambition comme de talent. Il n'est bon qu'à se moquer de tout et de rien. Ses singeries peuvent bien amuser un temps mais ceux qui en sont la cible deviennent nos ennemis. C'est vous le maître, mais je dois vous faire observer que nous n'avons nul besoin d'ennemis supplémentaires.

Ragen l'approuva et déclara Steve indésirable. Il annonça à ce dernier qu'il était banni. Mais Steve refusa de quitter le projecteur et, en se moquant de l'accent de Ragen, il grogna :

— Qu'est ce tu vouloirr dirre ? Tu n'exister. Vous n'existez, aucun de vous. Vous êtrre tous crréation de mon imagination. J'êtrre seul ici. J'êtrre la seule personne rréelle. Tous les autres, vous êtes hallucinations.

Ragen le projeta contre la muraille. Son front se couvrit de sang. Alors Steve quitta le projecteur.

Sur les instances d'Arthur, Allen s'inscrivit au cours d'anglais, de dessin industriel, de mathématiques élémentaires et de publicité industrielle. Il ne récolta que des « A » dans les matières artistiques et des « B+ » en anglais et en maths. En arts graphiques, on ne tarissait pas d'éloges sur son travail : « exceptionnel », « extrêmement productif », « apprend très vite », « très sérieux », « excellents comptes rendus », « extrêmement motivé ».

Le 5 avril 1977, Allen passa devant la commission des libérations conditionnelles. On lui déclara qu'il serait relâché trois semaines plus tard.

Quand il reçut la lettre officielle, Allen était si heureux qu'il ne pouvait tenir en place. Il tournait en rond dans sa cellule. Il finit par transformer la feuille en avion de papier. La veille du jour de sa mise en liberté, il siffla en passant devant le bureau du gardien-chef. Leach leva les yeux et un avis de libération sur parole descendit en vol plané vers lui.

La dernière journée fut interminable. La nuit précédente, jusqu'à trois heures du matin, Allen avait arpenté la cellule. Il avait expliqué à Arthur qu'à l'extérieur il conviendrait de le consulter davantage sur l'identité de ceux à qui on cédait le projecteur.

— C'est moi qui conduis les relations avec les gens de l'extérieur, c'est moi qui nous tire des passes difficiles en baratinant.

— Après deux ans de pouvoir absolu, Ragen aura du mal à céder la place. Il ne voudra pas d'un triumvirat. Je crois que Ragen caresse le projet de garder le pouvoir.

— Allons donc ! Vous serez le chef dès que nous aurons franchi la porte. C'est moi qui devrai nous trouver un boulot et une place dans la société. Il faut qu'on tienne compte de mes avis.

Arthur fit la moue.

— Votre requête me semble raisonnable. Si je ne puis répondre de Ragen, du moins avez vous mon appui.

Dans la travée, un gardien lui tendit un costume neuf d'une excellente coupe. Allen eut un mouvement de surprise.

— Ben quoi, c'est votre mère qui vous l'avait envoyé. Vous pouvez le prendre, maintenant.

— Ah ouais, fit Allen en affectant de s'en souvenir.

Un autre gardien lui présenta un reçu à signer. Avant de partir, il lui faudrait payer trente *cents* pour rembourser une tasse de plastique qui avait disparu de sa cellule.

— On me l'a prise quand j'ai été emmené à l'isolement et on me l'a jamais rendue.

— Pas au courant. Il faut payer.

— Vous m'aurez pas comme ça, hurla Allen, je ne paierai rien du tout !

On le conduisit au bureau de l'intendant qui lui demanda pourquoi il faisait des difficultés le dernier jour.

— Ils veulent que je rembourse une tasse de plastique qu'ils m'ont prise. J'y suis pour rien, moi, si ce truc a disparu.

— Vous nous devez trente *cents*.

— Plutôt crever.

— On ne peut pas vous libérer si vous ne payez pas.

— Alors, je campe ici, dit Allen en s'asseyant. Je ne paierai pas pour quelque chose que je n'ai pas fait, question de principe.

Finalement, on le laissa aller. Pendant qu'on l'emmenait dans la salle où sa mère devait venir le chercher, Arthur lui demanda :

— Vous auriez fait cela ?

— Question de principe, comme je l'ai dit à l'intendant.

Bob Reinert vint lui souhaiter bonne chance, ainsi que le docteur Steinberg, qui lui remit discrètement l'argent qu'il lui devait pour les tableaux acquis.

La mère de Billy échangea quelques mots avec le médecin. Allen s'impatienta :

— Allez, viens, on s'en va.

— Une minute, Billy, tu vois bien que je parle.

Il marchait de long en large en grommelant pendant que sa mère parlait toujours. A la fin, il explosa :

— Maman, je me tire. Tu peux rester, si tu veux.

— Bon, bon, au revoir, docteur. Et merci encore pour tout ce que vous avez fait pour mon Billy.

Il se rua vers la sortie et elle le suivit. En entendant le chuintement dans son dos, Allen s'aperçut que le jour de son arrivée, il n'avait pas remarqué la deuxième porte.

Pendant que Kathy allait chercher la voiture, Allen ruminait encore sa colère. « Quand un type sort de tôle, il faut lui ouvrir la porte et le laisser se tirer, un point c'est tout. A quoi ça rime de le faire mijoter à l'intérieur avec des bavardages de vieille pie ! C'est assez dur comme ça quand c'est l'Etat qui vous enferme mais alors quand c'est votre mère qui fait durer le plaisir, c'est trop ! » Il bondit dans la voiture.

— Conduis-moi à la banque de Lebanon. Je préfère encaisser le chèque de mon pécule ici. Si je retire l'argent à Lancaster, tout le monde saura que je sors de taule.

Il entra dans l'agence, endossa le chèque et le posa sur le comptoir. L'employé lui remit cinquante dollars, qu'il plaça dans son portefeuille a côté de l'argent que lui avait donné le docteur Steinberg. Constatant que sa colère ne se dissipait pas et comme il s'en voulait de cette colère, Allen préféra s'effacer...

Tommy regarda autour de lui et se demanda ce qu'il fichait dans cette banque. Il y entrait ou il en sortait ? Ouvrant son portefeuille, il se vit riche de près de deux cents dollars. Il en conclut qu'il devait être sur le point de sortir. En regardant à travers la grande vitre, il aperçut Marlene et Dorothy qui l'attendaient dans la voiture que conduisait Kathy. Il comprit quelle devait être la date. Il consulta du coin de l'œil un calendrier sur le comptoir. C'était bien le jour de sa libération.

Il franchit en courant la porte de la banque, en feignant de tenir quelque chose dans ses mains.

— Vite, fuyons ! planquez-moi, vite !

Il étreignit Marlene en riant. La vie était belle.

— Oh mon Dieu ! Billy, dit la jeune fille. Tu es toujours aussi versatile.

Ils voulurent le mettre au courant de tout ce qui était arrivé à Lancaster au cours des deux années qui venaient de s'écouler, mais il s'en moquait éperdument. Tout ce dont il avait envie, pour l'heure, c'était de passer un moment avec Marlene. Après deux ans d'entrevue au parloir, il désirait se retrouver enfin seul avec elle.

Quand ils arriverent a Lancaster, Marlene dit à Kathy :

— Dépose-moi au centre commercial. Il faut que j'aille au boulot.

— Au boulot ? répéta Tommy en la regardant dans les yeux.

— Ben oui, j'ai pris la matinée, mais il faut que j'y retourne.

Tommy était abasourdi et bien malheureux. Il avait cru qu'elle aussi aspirerait à ce moment d'intimité. Il ne dit rien, ravala ses larmes mais la sensation de vide en lui était si douloureuse qu'il quitta le projecteur...

Seul dans sa chambre, Allen lança a haute voix :

— De toute façon, j'ai toujours su qu'elle n'était pas digne de lui. Si elle avait tenu un tant soit peu a Tommy, elle aurait demandé un congé pour toute la journée. Je déclare que nous n'avons plus rien à faire avec elle.

— Cela concorde, dit Arthur, avec la position que j'ai adoptée depuis le début.

18.

Quelques semaines avant la libération de Billy, Kathy reprit son ancien emploi aux verreries Anchor Hocking et revint habiter chez Del et Dorothy, à Lancaster. Seule la présence de sa nouvelle amie, Bev Thomas, rendait le travail supportable. Tout en triant les objets de verre à mesure qu'ils se déplaçaient le long de la chaîne, elles bavardaient dans le rugissement des brûleurs et des souffleries. Quand Kathy quitta l'usine pour commencer des études à l'université de l'Ohio, à Athens, les deux amies continuèrent à se voir régulièrement.

Séduisante jeune femme aux cheveux châtains et aux yeux verts, Bev, à l'âge de Billy, était déjà divorcée. Kathy appréciait son indépendance, sa tolérance et sa franchise. Bev s'intéressait à la psychologie pour tenter de comprendre, disait-elle, la méchanceté des gens et ce qui, dans leur passé, expliquait leur comportement.

Kathy lui avait raconté ce que Chalmer avait fait subir à sa propre famille — et surtout à Billy. Un jour qu'elle avait invité son amie à la maison, elle lui montra les tableaux de son frère et lui parla des bêtises qui l'avaient conduit en prison. Bev exprima le désir de le rencontrer.

Peu après la libération de Billy, elle lui demanda donc s'il voulait bien les emmener faire un tour en voiture, toutes les deux. Vers la fin de l'après-midi, Bev arriva à Spring Street au volant de sa voiture blanche. Kathy fit les présentations mais Billy, penché sur le moteur de sa Volkswagen, esquissa un vague signe de tête et se replongea dans la mécanique.

— Billy, tu avais promis de nous emmener faire un tour ! dit Kathy.

Il regarda l'une après l'autre les deux amies, puis la Volkswagen et secoua la tête :

— A vrai dire, je ne me sens pas assez sûr de moi pour prendre le volant, voyez-vous. Il est encore un peu trop tôt.

— Ah ! il est dans son humeur britannique, dit Kathy en riant. Voyez-vous, chère amie !

Il leur adressa un regard méprisant qui contraria Kathy. Elle ne voulait pas que Bev prît son frère pour un petit rigolo.

— Allez, insista-t-elle. Tu ne peux pas t'en tirer par une pirouette. Tu me l'avais promis ! Et deux ans, ce n'est pas si long ! Ça va te revenir tout de suite, tu verras. Si tu préfères, c'est moi qui conduirai.

— On peut aussi prendre ma voiture, suggéra Bev.

— Je vous emmène, concéda-t-il enfin.

Il fit le tour de la Volkswagen pour aller leur ouvrir la porte, du côté passager.

— Au moins, la prison ne t'a pas fait oublier ta galanterie ! fit remarquer Kathy.

Elle s'installa à l'arrière et Bev à l'avant. Billy refit le tour de la voiture, se glissa derrière le volant et démarra. Mais il lâcha trop vite la pédale d'embrayage et la Volkswagen fit un bond en avant, vers le mauvais côté de la chaussée.

— Tu devrais peut-être me laisser conduire, dit Kathy.

Il ne répondit pas, attentif à redresser son véhicule, penché au-dessus du volant. Il roula très lentement, en silence, pendant quelques minutes, puis obliqua vers une station-service.

— J'ai le sentiment d'avoir besoin d'essence, dit-il à l'employé.

— Qu'est-ce qu'il a ? chuchota Bev.

— Ça va aller, dit Kathy. Il est quelquefois comme ça, mais ça ne dure jamais longtemps.

Elles virent alors ses lèvres remuer. Il regarda soudain autour de lui et, apercevant Kathy à l'arrière de la voiture, il lui sourit :

— Salut, dit-il. Belle journée pour faire un tour !

— Où va-t-on ? demanda Kathy comme il redémarrait en douceur, avec une soudaine assurance.

— J'irais bien à Clear Creek, dit-il. Ce que j'ai pu en rêver pendant deux ans à... à...

— Bev est au courant, fit Kathy. Je lui ai tout raconté.

Il regarda d'un air pensif la jeune femme assise à ses côtés.

— Je ne connais pas beaucoup de gens qui iraient se balader en voiture avec un type qui sort de taule.

Bev le regarda bien en face :

— Je ne juge pas les autres, répliqua-t-elle. Et je souhaite qu'on en fasse autant pour moi.

A l'expression de Billy, dans le rétroviseur, Kathy vit que la remarque de son amie lui était allée droit au cœur.

Quand ils arrivèrent à Clear Creek, où il avait campé si souvent, il contempla le paysage comme s'il le voyait pour la première fois. En regardant le scintillement de l'eau sous les rayons du soleil perçant à travers les arbres, Kathy comprit pourquoi Billy aimait tant cet endroit.

— Il faut que je revienne peindre ici, dit-il. Je le ferai différemment, cette fois. Je vais retourner dans les endroits que je connais pour les peindre autrement.

— Ça n'a pas changé, pourtant, dit Kathy.

— Mais moi, si !

Ils passèrent deux heures à se promener alentour et Bev les invita à aller dîner chez elle, dans la caravane qu'elle habitait à Morrison.

Ils retournèrent à Spring Street chercher la voiture de Bev et Billy se changea pour le dîner. Kathy était ravie que son frère portât son costume neuf à fines rayures. Il était très élégant quand il s'habillait, se taillait la moustache et coiffait ses cheveux en arrière.

A la caravane, Bev présenta Billy à ses deux enfants — Brian, cinq ans et Michelle, six ans — et il se mit aussitôt à jouer avec eux, les prenant chacun sur un genou pour leur raconter des histoires drôles en affectant d'être lui aussi un petit enfant.

— Tu sais t'y prendre, avec les enfants, lui dit Bev quand Brian et Michelle furent au lit. Ils t'ont adopté !

— J'aime bien les enfants. Et les tiens sont vraiment adorables.

Kathy sourit, heureuse de voir Billy de si charmante humeur.

— J'ai invité un autre ami à dîner, dit Bev. Il s'appelle Steve Love et il habite une caravane lui aussi. Mais il est séparé de sa femme. On est très copains tous les deux et j'ai pensé que vous seriez contents de le rencontrer. Il doit avoir un an ou deux de moins que Billy. C'est un type vraiment sympa. Il est à moitié Cherokee.

Quand Steve Love apparut, Kathy fut frappée par sa prestance. Plus grand que Billy, il avait le teint sombre, d'épais cheveux noirs et des yeux d'un bleu soutenu comme elle n'en avait jamais vu.

Au cours du dîner, elle constata que Bev et Steve plaisaient à Billy. Quand Bev l'interrogea sur la vie à Lebanon, il leur parla du docteur Steinberg et de M. Reinert et leur confia que le fait de pouvoir peindre l'avait beaucoup aidé à supporter la prison. Plus tard, après le repas, il raconta comment il s'était retrouvé en taule et Kathy eut l'impression qu'il en rajoutait. Brusquement, il se leva et lança :

— Allons faire un tour en bagnole !

— A cette heure-ci ? s'étonna Kathy. Il est plus de minuit.

— Génial ! fit Steve.

— Je vais demander à la nièce de mon voisin si elle peut venir garder les enfants, dit Bev.

— Où allons-nous ? voulut savoir Kathy.

— J'ai envie de faire de la balançoire ! dit Billy.

Quand la petite voisine arriva, ils s'entassèrent tous les quatre dans la Volkswagen, Kathy et Steve Love à l'arrière, Bev et Billy devant.

Ils s'arrêtèrent devant le terrain de jeu d'une école. A deux heures du matin, ils se balancèrent en riant comme des gamins. Kathy était heureuse de voir Billy s'amuser. Il fallait absolument qu'il se fît de nouveaux amis pour ne pas renouer avec ses anciennes fréquentations. Le juge d'application des peines avait insisté sur ce point auprès de la famille.

A quatre heures du matin, après avoir raccompagné Steve et Bev, Kathy demanda à Billy ce qu'il pensait de sa soirée :

— Ils sont drôlement sympas, dit-il. J'ai l'impression de m'être fait des amis.

Elle lui pressa affectueusement le bras.

— Et j'adore les gosses, ajouta-t-il.

— Tu feras un bon père, un jour, Billy.

Il secoua la tête.

— C'est physiquement impossible.

Marlene sentait que Billy avait changé, comme s'il s'était endurci. Avec elle, il n'était plus le même et elle avait l'impression qu'il la fuyait, qu'il cherchait à l'éviter. Elle en souffrait, elle qui l'avait attendu pendant deux ans sans jamais sortir avec quelqu'un d'autre.

Un soir, une semaine après sa libération, il vint la chercher à la sortie de son travail. Il semblait de nouveau lui-même, et se montra prévenant et attentionné, tel qu'elle l'aimait. Ils allèrent faire un tour à Clear Creek, une de leurs balades préférées, puis rentrèrent à Spring

Street. Del et Dorothy étaient sortis et ils montèrent dans la chambre du jeune homme. C'était la première fois qu'ils se trouvaient seuls sans s'être querellés, la première fois qu'ils pouvaient se serrer l'un contre l'autre. Cela faisait si longtemps que l'angoisse étreignait Marlene.

Lui, sentant son inquiétude, s'écarta d'elle :

— Qu'y a-t-il, Billy ?

— C'est plutôt à moi de te poser la question.

— J'ai peur, dit-elle. C'est tout.

— Peur de quoi ?

— Cela fait deux ans...

Il se leva et se rhabilla.

— J'en ai vraiment ma claque, grommela-t-il.

La rupture fut très soudaine.

Un après-midi, au grand étonnement de Marlene, Billy arriva à l'improviste au magasin. Il venait lui proposer d'aller à Athens le soir même, d'y passer la nuit avec elle et, le lendemain, d'aller chercher Kathy à la fac pour la ramener à Lancaster.

Marlene déclina sa proposition, affirmant qu'elle n'en avait pas envie.

— Je te rappellerai tout à l'heure, dit-il. Au cas où tu changerais d'avis.

Mais il n'en fit rien. Quelques jours plus tard, elle apprit qu'il était allé à Athens avec Bev Thomas.

Hors d'elle, elle lui téléphona pour l'avertir que cela ne pouvait pas durer.

— On peut toujours en rester là, dit-elle. Pour ce qu'il y a entre nous !

Il ne discuta pas.

— Il pourrait m'arriver quelque chose et je ne veux pas que tu souffres, dit-il. Je ne veux plus que tu souffres à cause de moi.

Elle comprit que cette fois, c'était pour de bon, mais ne laissa rien paraître de la douleur qu'elle éprouvait à l'idée de rompre avec l'homme qu'elle avait attendu pendant deux ans.

— Très bien, dit-elle. Restons-en là.

Ce qui tracassait surtout Del Moore, c'étaient les mensonges de Billy, que le docteur Steinberg lui avait conseillé de ne plus laisser passer. Billy mentait systématiquement pour éviter de subir les conséquences de ses actes.

— Ce n'est pas un simple d'esprit, faisait-il remarquer à Dorothy, au contraire, il est bien trop intelligent pour faire des choses aussi bêtes.

Mais il obtenait toujours la même réponse de sa femme :

— Ce n'est pas mon Billy. C'est l'autre Billy.

Aux yeux de son beau-père, Billy n'était bon à rien, sauf, peut-être, pour la peinture. En outre, il ne tenait jamais compte de ses conseils :

— Il se laisse influencer par le premier venu mais quant à écouter les conseils de ceux qui veulent son bien, c'est sans doute trop lui demander !

Si Del lui demandait qui lui avait donné tel avis ou tel renseignement, Billy éludait :

— C'est un type que je connais, répondait-il, quand il ne se contentait pas de tourner le dos et de quitter la pièce sans un mot.

Les craintes et les phobies de Billy avaient elles aussi le don d'exaspérer Del Moore, et particulièrement la terreur que lui inspiraient les armes à feu — auxquelles il ne connaissait rien, d'ailleurs !

Mais Billy ne connaissait rien à rien !

Pourtant, il se produisit un jour quelque chose que Del ne s'expliqua jamais. D'évidence, il était plus fort que Billy, ce qui n'empêchait pas les deux hommes de se mesurer de temps à autre. Au « bras de fer », Del l'emportait toujours et il était manifestement hors de question qu'il pût en aller autrement. Or, un beau soir, Billy plaqua le bras de Del sur la table.

— On remet ça, fit Del. Mais avec le bras droit, ce coup-ci. Billy l'emporta encore puis se leva sans un mot pour quitter la pièce.

— Quand on est costaud comme toi, constata son beau-père, on ne reste pas sans rien faire. Quand est-ce que tu vas te décider à trouver du boulot ?

Billy le regarda avec étonnement et rétorqua qu'il en cherchait.

— Tu mens ! s'écria Del. Si c'était vrai, il y a longtemps que tu en aurais trouvé !

La querelle se prolongea pendant près d'une heure. Pour finir, Billy partit faire sa valise et quitta la maison en claquant la porte.

Steve Love, qui s'était fait expulser du terrain qu'il occupait, habitait désormais chez Bev Thomas. Celle-ci, en apprenant la situation de Billy, lui proposa de venir s'installer avec eux. Le juge d'application des peines donna son accord.

La vie qu'ils menaient ensemble enchantait Bev. Nul n'aurait cru, à les voir tous les trois, que leurs relations étaient dépourvues de tout caractère sexuel. Ils ne se quittaient plus. Jamais ils ne s'étaient autant amusés de leur vie.

Billy n'avait pas son pareil avec Brian et Michelle. Il les emmenait à la piscine ou au zoo, leur achetait des glaces, s'occupait d'eux comme il aurait fait de ses propres enfants. Bev appréciait, le soir, de trouver le ménage fait — en dehors, toutefois, de la vaisselle. Billy ne faisait jamais la vaisselle.

Parfois, il affectait des manières si efféminées que Bev et Steve en vinrent à se demander s'il n'était pas homosexuel. Billy dormait parfois dans le même lit que la jeune femme mais jamais il n'avait fait mine de la toucher. Quand elle lui demanda pourquoi, il répondit qu'il était impuissant.

Cela ne gênait pas Bev. Elle l'aimait bien et tout ce qu'ils faisaient ensemble, tous les trois, l'amusait. Ils allèrent camper pendant trois jours à Burr Oak Lodge et consommèrent avec délices pour cinquante dollars de sandwiches et de sucreries. Ils faisaient des virées à Clear Creek en pleine nuit. Billy, la lampe de poche à la main, jouait les James Bond à la recherche de plants secrets de marijuana. Il la faisait rire quand il prenait l'accent anglais et nommait chaque espèce végétale par son nom latin. C'était de la folie, sans doute, mais Bev retrouvait un délicieux sentiment de liberté avec ses deux merveilleux amis et, pour la première fois depuis longtemps, elle était heureuse.

Un soir, elle découvrit que Billy avait repeint sa Volkswagen verte en noir et bombé en argent toutes sortes de motifs délirants.

— Des comme ça, tu peux y aller, y en a pas deux ! dit-il.

— Mais qu'est-ce qui t'a pris ? s'étonnèrent Bev et Steve.

— Ben, je sais que le shérif me tient à l'œil ! Ça va lui faciliter la tâche !

Ce qu'il ne leur dit pas, c'est qu'Allen en avait par-dessus la tête d'oublier en permanence où les autres « habitants » avaient garé la voiture. Comme ça, il aurait peut-être un peu moins de mal à la retrouver !

Mais quelques jours plus tard, il échangeait la Volkswagen contre la camionnette de Bill Love, le frère de Steve, dont il venait de faire la connaissance. Puis il troqua la camionnette contre la moto d'un ami de Steve. L'engin était en panne mais Steve, qui était un fana de la moto et de la mécanique, eut tôt fait de la réparer.

Steve raconte que son ami tantôt conduisait comme un fou tantôt, au contraire, osait à peine enfourcher son engin. Un jour, au cours d'une randonnée motorisée en pleine campagne, ils furent arrêtés par un escarpement rocheux. Steve le contourna, et entendit soudain un moteur rugir au-dessus de sa tête. Billy était là-haut !

— Comment as-tu fait ? hurla Steve.

— Amène-toi !

— T'es fou !

Un instant plus tard, Steve vit son ami changer du tout au tout. Il s'y prenait si mal pour descendre de son perchoir qu'il semblait n'avoir jamais touché une moto de sa vie. A plusieurs reprises il perdit l'équilibre et la machine faillit lui échapper des mains. Pour finir, Steve posa la sienne et, escaladant la pente abrupte, rejoignit Billy et l'aida à ramener sa moto.

— C'est pas croyable, que tu sois monté là-haut, dit-il. Mais c'est pourtant vrai.

Billy ne répondit pas. Il n'avait pas l'air de comprendre à quoi Steve faisait allusion.

Un autre jour, ils partirent pour une grande promenade à pied à travers bois. Après avoir arpenté les collines pendant deux heures, ils se retrouvèrent au pied d'une pente plus raide que les précédentes.

— On s'arrête là, Billy, proposa Steve qui, bien que plus costaud et un peu plus entraîné que son ami, sentait qu'il avait atteint les limites de ses possibilités. On se repose un peu et on rentre ?

Il se laissa tomber au pied d'un arbre, épuisé. C'est alors que Billy, pris d'un extraordinaire regain d'énergie, s'élança sous ses yeux à l'assaut de la colline. Afin de ne pas être en reste, Steve l'imita en suant et soufflant.

A mi-pente, il leva la tête. Billy, tout là-haut, contemplait le paysage qui s'étendait à ses pieds, en secouant les mains dans un geste d'émerveillement. A mesure qu'il grimpait, Steve l'entendait prononcer des paroles incompréhensibles, dans une langue étrangère.

Quand il le rejoignit au sommet, Billy le regarda comme s'il ne l'avait jamais vu, puis il prit son élan et dévala la pente à toute vitesse en direction d'un petit étang.

— Bon Dieu, Billy ! s'exclama son ami. Mais où prends-tu toute cette énergie ?

Mais Billy courait toujours, en hurlant des mots aux sonorités inconnues. Il plongea tout habillé dans l'étang et le traversa rapidement à la nage.

Quand Steve le retrouva, il était assis sur un rocher, sur l'autre rive. Il secouait la tête comme pour vider l'eau de ses oreilles.

En voyant son ami approcher, il lui lança un regard de reproche :

— Pourquoi m'as-tu poussé à l'eau ?

— Qu'est-ce que tu racontes ?

Billy baissa les yeux sur les vêtements trempés :

— C'est vraiment pas malin, franchement !

Steve le regarda sans répondre. Il n'avait pas le courage de le contredire.

Ils allèrent rechercher leurs motos et Steve, en voyant Billy démarrer comme un débutant, se dit qu'il avait intérêt à surveiller ce type : il était dingue, c'était sûr.

— Tu sais ce qui me plairait ? demanda Billy quand ils atteignirent la route qui s'engageait entre la colline et l'étang.

J'aimerais tendre une toile à travers la route, là, entre les deux ormes. Je peindrais des arbres, des buissons, des pierres, comme un prolongement de la montagne, et je percerais un trou au milieu pour les voitures.

— Drôle d'idée !

— Oui. N'empêche, ça me plairait.

Bev voyait l'argent se volatiliser. Elle nourrissait deux personnes de plus sur son salaire et tout le reste servait à payer les réparations des motos et des voitures (Billy s'était acheté une vieille Ford Galaxy). Elle suggéra aux deux jeunes gens de chercher du travail. Ils firent la tournée des usines des environs et, au cours de la troisième semaine de mai, Billy, grâce à son bagout, leur décrocha à chacun un emploi à l'usine de produits chimiques de Reichold.

Le travail était dur. Il consistait pour eux à couper des rouleaux de fibres synthétiques quand ils atteignaient une certaine taille et à transporter ces rouleaux, qui pesaient plus de cinquante kilos, jusqu'à un wagonnet. Et ainsi de suite, des heures et des heures d'affilée.

Les deux amis rentraient ensemble, un soir, quand Billy arrêta la voiture sur le bas-côté pour prendre un auto-stoppeur. Ce dernier portait un appareil instamatic en bandoulière et, pendant le trajet, Billy lui proposa d'échanger son appareil-photo contre trois doses de speed. Steve vit Billy plonger la main dans sa poche pour en tirer trois cachets blancs enveloppés dans un pochon de plastique.

— Je ne prends pas d'amphétamines, dit le stoppeur.

— Tu peux les revendre huit dollars pièce !

Le jeune homme fit un rapide calcul mental puis tendit l'appareil-photo.

Billy le déposa à Lancaster.

— Je ne savais pas que tu faisais du trafic de drogue, dit Steve à Billy quand ils se retrouvèrent seuls.

— Pas étonnant !

— Qui te les a refilés ?

— C'est de l'aspirine ! rétorqua Billy en éclatant de rire.

— Toi alors ! fit Steve en se tapant sur la cuisse. T'es vraiment pas un mec ordinaire !

— Une fois, j'ai fourgué une valise pleine de comprimés bidon, dit Billy. J'ai comme l'impression que c'est le moment de remettre ça. Viens, on va fabriquer des buvards d'acide.

Il s'arrêta devant une pharmacie pour acheter de la gélatine et quelques ingrédients. De retour à la caravane, il fit fondre la gélatine dans une casserole et l'étala en une couche très fine, qu'il laissa durcir en séchant. Il la découpa ensuite en carrés minuscules qu'il colla sur un ruban de papier buvard.

— On doit pouvoir en tirer plusieurs dollars pièce.

— Quel effet c'est censé produire ?

— Ça met en forme. Ça donne des hallucinations. Les vrais, bien sûr, mais le plus beau, avec ces trucs bidon, c'est qu'y a pas moyen de t'accuser de trafic de drogue. Et c'est pas les pigeons à qui on va les fourguer qui vont aller voir les flics, j' te garantis !

Le lendemain, Billy plaça dans une valise des comprimés d'aspirine et les rubans de papier buvard imbibé. Quand il rentra, la valise était vide. Il tira de sa poche une liasse de billets mais Steve lui trouva l'air traqué.

Le lendemain, ils réparaient une moto ensemble quand une voisine leur fit remarquer qu'ils faisaient trop de bruit. Dans un mouvement de fureur, Billy lança son tournevis en direction de sa caravane. L'objet, en heurtant le métal, produisit un claquement sec, comme la détonation d'une arme à feu. La voisine porta plainte et Billy fut arrêté. Del dut payer la caution. Les poursuites furent abandonnées mais le juge d'application des peines lui enjoignit de retourner habiter chez ses parents.

— Vous allez me manquer, dit Billy à ses deux amis en bouclant ses valises. Les gosses aussi.

— Oh ! on ne va pas tarder à s'en aller non plus, répondit Steve. Le proprio a l'intention de virer tout le monde, d'après ce que j'ai entendu dire.

— Qu'est-ce que vous allez faire ?

— Trouver quelque chose en ville, dit Bev. Tu pourras peut-être revenir habiter chez nous !

Billy secoua la tête.

— Vous n'avez pas besoin de moi.

— Tu te trompes, Billy, dit Bev. Tu sais bien que nous sommes inséparables, tous les trois.

— On verra. En attendant, il faut que je retourne chez moi.

Au moment de lui dire au revoir, les enfants se mirent à pleurer.

Allen supportait très mal le travail à l'usine, surtout depuis que Steve Love avait quitté le sien. Les remarques du contremaître, qui se plaignait sans cesse de l'irrégularité de son rendement, lui portaient sur les nerfs, sans parler de celles d'Arthur, qui lui reprochait d'avoir choisi une fois de plus une besogne ingrate et indigne d'eux.

Vers la mi-juin, il donna son congé.

Del, qui se doutait de quelque chose, téléphona à son employeur pour en avoir le cœur net. Puis, pour se conformer aux conseils du docteur Steinberg, il interrogea Billy afin de le mettre en face de ses mensonges :

— Tu as perdu ton boulot, hein ?

— Ça me regarde !

— Tant que tu vivras sous mon toit, ça me regardera au moins autant que toi ! Tu crois que je les fabrique, ou quoi ? T'es pas foutu de garder ton boulot et faut que tu racontes des bobards par-dessus le marché ! Tu pouvais pas nous le dire, que tu t'étais tiré ?

Tommy se sentait reporté au temps où Chalmer le traitait d'imbécile et de bon à rien. Il coulait des regards vers la mère de Billy dans l'espoir qu'elle interviendrait en sa faveur. Au bout d'une heure, comprenant qu'elle n'en ferait rien, il décida que cette discussion humiliante serait la dernière.

Il monta dans sa chambre faire ses bagages, s'élança hors de la maison pour aller jeter les valises dans sa voiture. Puis il s'installa à l'avant et attendit que l'un des « habitants » vînt prendre le volant pour l'emmener loin d'ici, où la vie devenait vraiment impossible. En voyant l'état dans lequel était Tommy, Allen comprit aussitôt ce qui s'était passé :

— D'accord, dit-il sans demander d'explications, ça nous fera pas de mal de changer d'air.

Six jours durant, ils sillonnèrent l'Ohio à la recherche d'un emploi. Le soir, ils garaient la voiture dans un chemin creux pour y passer la nuit. Par mesure de précaution, Ragen gardait une arme à portée de la main sous le siège et une autre dans la boîte à gants.

Un soir, Arthur eut une idée : pourquoi Allen ne chercherait-il pas une place d'homme à tout faire dans un immeuble d'habitation ou un lotissement ? Tommy s'y entendrait parfaitement pour réparer les installations électriques, le chauffage central ou la plomberie. D'autre part, et c'était un avantage non négligeable, ils seraient logés gratuitement. Arthur suggéra donc à Allen de reprendre contact avec un ancien codétenu de Lebanon à qui il lui était arrivé de rendre service. Ce dernier était justement homme à tout faire dans une banlieue de Colombus.

— Il peut probablement nous être utile, insista Arthur. Téléphonez-lui pour lui proposer de passer le saluer.

Allen commença par se faire prier mais, pour finir, se rallia à l'avis d'Arthur.

Ned Berger fut enchanté d'avoir de ses nouvelles. Il n'y avait pas de travail pour lui dans son lotissement, mais pourquoi ne viendrait-il pas passer quelques jours chez lui en tout cas ?

Ce qui fut dit fut fait. Les deux hommes trinquèrent en évoquant leurs souvenirs de prison. Allen était là depuis trois jours quand Berger lui annonça un matin que l'on cherchait un homme à tout faire au lotissement de Channingway.

— Tu n'as qu'à les appeler. Mais ne dis pas que c'est moi qui t'ai filé le tuyau, précisa Berger.

Tant par sa présentation que par ses compétences, Milligan impressionna favorablement John Wymer, le jeune directeur du personnel des administrateurs de biens Kelly et Lemmon. Au cours de leur premier entretien, le 15 août 1977, Milligan lui affirma que le jardinage, la menuiserie, l'électricité et la plomberie n'avaient pas de secret pour lui.

— Je suis capable de réparer tout ce qui est électrique, électronique ou mécanique, affirma-t-il. Et si je tombais sur quelque chose que je ne connaissais pas, je saurais l'apprendre.

Wymer lui promit de le rappeler dès qu'il aurait vu tous les candidats.

Le jour même, en vérifiant les références indiquées par Milligan dans son formulaire de candidature, il téléphona à son dernier employeur : Del Moore. Moore fit de lui un portrait on ne peut plus élogieux. C'était un jeune homme bien élevé et consciencieux, déclara-t-il, à qui le travail de commis boucher ne convenait guère, et c'était d'ailleurs l'unique raison de son départ. Il ferait certainement merveille dans ce nouvel emploi.

Wymer ne put contacter ni M. Reinert, ni le docteur Steinberg, que Milligan avait cités comme références personnelles sans prendre la peine d'indiquer d'adresse. Mais, dans la mesure où le jeune homme travaillerait uniquement à l'extérieur, Wymer décida que l'excellente opinion de son dernier employeur lui suffisait largement. Le directeur du personnel demanda néanmoins à sa secrétaire de procéder à l'enquête de police d'usage.

Le second entretien qu'il eut avec Milligan confirma Wymer dans sa première impression. Il l'engagea donc pour s'occuper de l'entretien extérieur du lotissement de Williamburg Square, voisin de Channingway que Lemmon et Kelly géraient aussi. Il pouvait prendre son emploi sur-le-champ.

Après le départ de Milligan, Wymer tendit à sa secrétaire les deux formulaires de candidature du nouvel employé. Il n'avait pas remarqué que sur l'un et l'autre, dans l'espace réservé à la date, Milligan avait inscrit le jour et l'année, « 15-77 » et « 18-77 », en omettant d'indiquer le mois.

Sharon Roth, une jeune femme au teint pâle, au visage encadré de longs cheveux noirs, était chargée d'organiser ses journées. Elle partageait son bureau, à l'agence immobilière de Williamsburg Square, avec ses deux collègues Carol et Cathy.

Sharon le jugea d'emblée sympathique et intelligent. Après l'avoir présenté à Carol et Cathy, elle le mit au courant du fonctionnement de la maison. Chaque matin, il passerait à l'agence chercher son ordre de travail, comportant la liste des réparations lui incombant. Le soir, ses diverses tâches accomplies, il remettrait la liste à Sharon après y avoir apposé sa signature.

Pendant la première semaine, Milligan travailla consciencieusement. Il posa des volets, répara des barrières, tondit les pelouses et ratissa les allées avec un zèle qui ne passa pas inaperçu. De l'avis général, c'était un jeune homme travailleur et ambitieux. Un de ses jeunes collègues, Ned Atkins, le logeait provisoirement chez lui.

Dans le courant de la deuxième semaine, Milligan alla voir Wymer, au bureau du personnel. Il désirait louer un appartement. Wymer réfléchit quelques instants puis, se souvenant de la solidité du curriculum vitae de Milligan et de son expérience en électricité et en plomberie, il décida de le prendre à l'essai pour l'entretien intérieur des pavillons. Comme on devait pouvoir l'appeler vingt-quatre heures sur vingt-quatre, on lui demandait d'habiter sur place et ce nouvel emploi lui donnait donc droit à un logement gratuit.

— Passez au bureau de Sharon pour qu'elle vous remette les clefs, conseilla Wymer.

L'appartement qu'on lui attribua dans l'un des pavillons lui plut immédiatement. De plain-pied, il donnait sur un patio et comportait une cheminée dans la salle de séjour, une chambre, une cuisine et une arrière-cuisine. Tommy rangea son matériel électronique dans un cagibi qu'il ferma à clef pour empêcher les enfants d'y fourrer leur nez. Allen transforma en atelier de peinture l'arrière-cuisine minuscule, qui donnait sur une courette. Adalana se chargea de la cuisine et du ménage. Ragen parcourait à petites foulées les environs pour entretenir sa forme. La vie s'organisait pour le mieux.

Arthur était satisfait. Il allait enfin pouvoir se consacrer à ses études médicales.

Le hasard voulut que personne ne s'avisât de faire procéder à l'enquête de police concernant le passé de Milligan.

Quinze jours environ après leur installation à Channingway, Ragen faisait de la course à pied non loin de là, dans un faubourg misérable de Colombus, quand son attention fut attirée par deux petits Noirs qui jouaient pieds nus sur le trottoir. Il vit alors un Blanc vêtu avec une élégance voyante qui se dirigeait vers une Cadillac blanche. Il en conclut que c'était un proxénète.

Il s'approcha et, avant que l'autre eût le temps de se rendre compte de ce qui lui arrivait, le plaqua contre la voiture.

— Qu'est-ce qui vous prend ? Vous êtes fou ?

Ragen fit jaillir un pistolet de sa ceinture.

— Donner porrtefeuille !

L'homme s'exécuta. Ragen vida le portefeuille puis le lui jeta avec mépris.

— Et maintenant, file !

Tandis que la Cadillac s'éloignait, Ragen tendit les deux cents dollars aux deux gamins dépenaillés.

— Tiens. Pour acheter des chaussures et à manger pour la famille.

Il sourit en regardant les enfants détaler en emportant l'argent.

Plus tard, Arthur reprocha son acte à Ragen.

— Vous n'allez pas jouer les Robin des bois de Colombus ! Détrousser les riches pour donner aux gosses miséreux !

— Etrre agréable.

— Vous savez pourtant que le juge d'application des peines nous a interdit le port d'armes.

— Autant êtrre en prison, maugréa Ragen en haussant les épaules.

— C'est parfaitement ridicule. Ici, nous sommes libres.

— Et fairre quoi de notre liberrté ?

Ainsi, songea Arthur, Allen avait sans doute raison : Ragen préférait même la prison à tout autre environnement où il ne détenait pas la responsabilité du projecteur.

Ragen découvrait de jour en jour les quartiers populaires de la rive gauche de Colombus. A voir la misère qui s'étalait au pied des immeubles de grand luxe abritant les sièges sociaux de firmes opulentes, il sentait grandir sa fureur.

Un après-midi, en passant devant une bicoque délabrée, il avisa une adorable fillette blonde aux grands yeux bleus. Elle était recroquevillée dans un panier à linge, ses jambes maigres formant des angles bizarres. Une vieille femme se tenait sur le seuil.

— Pourrquoi enfant n'a pas apparreils orthopédiques ou fauteuil rroulant ?

— Vous savez combien ça coûte, monsieur ? demanda la vieille femme en s'approchant. Voilà deux ans que je supplie la sécurité sociale et on ne m'a encore rien accordé pour Nancy.

Ragen poursuivit son chemin, profondément plongé dans ses pensées.

Le soir même, il demanda à Arthur de se renseigner pour lui dire où il pourrait trouver des prothèses de marche et un fauteuil roulant pour enfant. Bien que contrarié d'avoir été dérangé dans sa lecture et agacé par le ton impératif de Ragen, Arthur téléphona néanmoins à plusieurs fournisseurs d'appareils orthopédiques. Il finit par obtenir une réponse positive d'un fournisseur de Louisville, dans le Kentucky. Ce dernier tenait ces articles à sa disposition.

Arthur donna à Ragen les références des objets et l'adresse du distributeur.

— Au fait, s'enquit-il soudain, pourquoi vouliez-vous ces renseignements ?

Ragen ne prit pas la peine de répondre.

Ce soir-là, il emporta dans la voiture des outils et une corde de nylon et prit la direction de Louisville. Il n'eut aucun mal à découvrir le magasin de fournitures orthopédiques. Pénétrer à l'intérieur semblait enfantin ; il n'aurait pas besoin de faire appel à Tommy. Il attendit un moment pour être absolument sûr qu'il n'y avait plus personne à l'intérieur et qu'il ne risquait pas de faire de rencontres malencontreuses puis, sanglé de son sac d'outils, il escalada une clôture grillagée et contourna le bâtiment pour gagner l'arrière, d'où l'on ne pouvait l'apercevoir de la rue. Là, il leva la tête pour examiner le mur de briques et en repérer les prises, le long de la gouttière.

Dans les films, à la télé, les monte-en-l'air utilisaient toujours des grappins de montagnards pour se hisser sur les toits. Mais il n'avait pas besoin de ça ! Il tira de son sac un chausse-pied métallique et défit le lacet de son soulier gauche, au moyen duquel il fixa le chausse-pied sous sa semelle, le côté concave tourné vers l'extérieur. A l'aide de ce crampon de fortune, il s'éleva jusqu'au toit. Il découpa la vitre d'un vasistas, passa la main à l'intérieur pour l'ouvrir et fixa la corde de nylon le long de laquelle il se laissa glisser à l'intérieur du bâtiment. Il se revoyait, bien des années auparavant, à l'époque où il faisait de l'alpinisme en compagnie de son frère Jim.

Ragen passa ensuite près d'une heure à fouiller les réserves du magasin à la recherche des articles correspondant aux références indiquées par Arthur, une paire de prothèses de taille quatre ans et un fauteuil roulant repliable. Quand il les trouva enfin, il les fit glisser le long de la corde jusqu'à terre et redescendit par où il était arrivé. Il emporta le tout dans sa voiture et reprit le chemin de Colombus.

Il arriva au matin devant la maison de Nancy.

Il frappa à la porte et le visage de la vieille femme apparut derrière un carreau.

— J'apporte quelque chose pour Nancy.

Il tira du coffre le petit fauteuil roulant, le déplia et expliqua à la fillette et à la vieille dame comment on s'en servait. Puis il montra à Nancy comment fixer les prothèses sur ses jambes.

— Etrre long apprendre à t'en serrvir, mais êtrre important marrcher.

La vieille femme fondit en larmes.

— Jamais je ne pourrai vous les payer, disait-elle.

— N'êtrre pas la peine. Etrre cadeau rriche fournisseur à petit enfant en peine.

— Vous prendrez bien un petit déjeuner ?

— Un café, avec plaisir.

— Comment tu t'appelles ? demanda Nancy quand sa grand-mère eut disparu dans la cuisine.

— Pour toi, Tonton Ragen.

Elle lui jeta les bras autour du cou. Puis la vieille dame apporta du café et le meilleur gâteau que Ragen eût jamais goûté ; il n'en laissa pas une miette.

Dans la soirée, Ragen, qui s'était assoupi, se dressa brusquement sur son séant. On parlait dans la pièce à côté ! Tendant l'oreille, il comprit que deux hommes se querellaient à propos du partage du butin provenant de l'attaque d'une banque. L'un d'eux s'exprimait avec l'accent de Brooklyn, l'autre, dépourvu d'accent particulier, était simplement d'une ignoble grossièreté.

Il se glissa hors du lit, saisit son arme et ouvrit les unes après les autres chaque porte de l'appartement. Il colla l'oreille contre les murs mais les voix provenaient bel et bien de l'intérieur de l'appartement.

— Ne pas bouger ou je tire ! lança-t-il en faisant soudain volte-face.

Le silence se fit.

Mais, un instant plus tard, Ragen entendit de nouveau une voix dans sa tête :

— Ça va pas d' me donner des ordres ! Pour qui y s' prend, çui-là ?

— Montrrer toi ou je tirre !

— Qu'est-ce que tu vises, mec ?

— Où vous êtrre ?

— Si j' te l' dis tu m' croiras pas !

— Comment cela ?

— J'en sais rien où j' suis. J'en ai pas la moindre idée !

— Pourrquoi parrler, avant ?

— J' m'engueulais avec Kevin.

— Kevin ? Qui êtrre ?

— Le mec après qui j'en avais.

Ragen réfléchit quelques instants.

— Décrrire endroit où êtrre, demanda-t-il enfin. Que voirr autour toi ?

— Une lampe jaune. Un fauteuil rouge à côté de la lourde. Une télé allumée.

— Décrrire télévision. Quelle émission ?

— C'est un poste blanc plutôt maousse. En couleur. C'est le feuilleton qui passe.

Ainsi, les inconnus étaient dans la même pièce que lui, mais invisibles ! Ragen refit le tour de l'appartement en inspectant tous les recoins.

— J'avoir regardé partout. Où vous êtrre ?

— Ici, avec toi, dit Philip.

— Comment cela ?

— J'ai pas arrêté d'y être ! C'est pas nouveau.

Ragen hocha la tête.

— Ça va, dit-il. N'en parrler plus.

Toute la nuit, en se balançant dans le fauteuil à bascule, il chercha à comprendre comment d'autres « habitants » avaient pu exister à son insu.

Le lendemain, Arthur lui parla de Kevin et de Philip.

— Je crois que ce sont des produits de votre imagination, lui confia-t-il.

— Que vouloirr dire ?

— Envisageons d'abord les choses sous l'angle de la stricte

logique, si vous le voulez bien : en tant que gardien de la haine, vous devez savoir que vous possédez une grande force de destruction. Certes, la haine permet parfois d'accomplir de grandes choses en faisant appel à la violence, mais il est impossible de la tenir en lisière Si l'on tente de domestiquer la haine pour jouir de sa puissance sans pâtir de ses mauvais côtés, on ne parvient jamais à se débarrasser de tous ses traits repoussants. En refrénant vos pulsions mauvaises, vous avez créé Philip et Kevin.

— Eux êtrre pareils comme moi ?

— Ce sont des criminels, qui n'hésitent pas à se servir de vos armes pour parvenir à leurs fins. Mais sans elles, ils ne sont plus rien. Les armes leur donnent un sentiment de puissance et ils se prennent pour vos égaux. Ce sont des êtres vindicatifs et je ne serais pas étonné d'apprendre qu'ils commettent des attentats contre la propriété privée. Je les avais déclarés indésirables après notre départ de Zanesville parce qu'ils avaient violé inutilement la loi. Mais vous savez comment cela se passe pendant les périodes d'embrouilles... vous avez démontré à plusieurs reprises que vous aviez un bon fond, Ragen, mais votre personnalité n'en recele pas moins certains aspects déplaisants. On ne peut pas se passer completement de la haine. C'est le prix qu'il faut payer pour conserver la force et l'agressivité.

— Pérriodes embrrouilles n'arriver pas si vous diriger comme il faut prrojecteur. Etrre mieux en prison.

— Nous avons connu des périodes de confusion en prison, alors que vous déteniez le pouvoir. Mais vous ne vous en rendiez pas compte sur le moment, voilà tout. Philip et Kevin ont souvent volé le temps en prison. Il est absolument primordial de les empêcher de renouer avec leurs anciennes relations de Colombus ou de Lancaster.

— J'êtrre d'accord.

— Il faut nous faire de nouveaux amis, recommencer une vie nouvelle. L'occasion nous en est fournie aujourd'hui, à Channingway, nous aurions tort de ne pas la saisir. Il faut nous adapter a la société.

Arthur regarda autour de lui.

— Avant tout, nous devrions commencer par aménager notre intérieur.

Au mois de septembre, il acheta des meubles à crédit Il paierait le premier versement au début du mois suivant.

Les premiers temps, tout semblait marcher pour le mieux, sinon qu'Allen ne s'entendait pas très bien avec Sharon Roth. Il ignorait pourquoi mais elle le mettait mal à l'aise. Elle lui rappelait trop Marlene. Encore une mademoiselle je sais tout. Et autoritaire avec ça !

Il sentait bien qu'elle ne l'aimait pas.

Vers la mi-septembre, les embrouilles se multiplièrent. La confusion était à son comble. Allen passait prendre la liste des travaux à l'agence puis se rendait sur les lieux de la première réparation et attendait la venue de Tommy. Mais, de plus en plus fréquemment, Tommy ne se montrait pas. Impossible de le joindre et il était le seul à pouvoir faire le travail. Allen aurait été bien incapable de réparer un chauffage central ou quelque installation de plomberie. Et il avait trop peur d'attraper une châtaigne pour se risquer à toucher à l'électricité.

Il attendait donc le plus longtemps possible dans l'espoir que Tommy finirait par se présenter puis se résignait à partir en signant son ordre de travail comme s'il avait effectué la réparation. Parfois, il inscrivait « fermé à clef », prétextant qu'il n'avait pas pu pénétrer dans l'appartement. Mais les locataires mécontents rappelaient Sharon. Au quatrième appel concernant la même panne, cette dernière décida un jour d'accompagner Bill afin de se rendre compte par elle-même des difficultés auxquelles il se heurtait.

— Mais enfin, Billy ! s'exclama-t-elle devant une machine à laver qui refusait de se remplir. Je suis sûr que c'est enfantin et que je serais capable de le faire moi-même ! C'est votre métier, tout de même !

— J'ai réparé l'arrivée d'eau !

— Ce n'est manifestement pas de là que ça vient !

En la déposant devant son bureau, il la savait mécontente de lui. Il se dit qu'elle allait le faire virer.

Allen demanda l'idée à Tommy d'un moyen de pression qui lui permettrait d'avoir barre sur John Wymer et Sharon Roth pour les empêcher de le mettre à la porte.

Tommy lui proposa aussitôt de fabriquer une « boîte bleue » pour la voiture de John Wymer et d'y poser un système d'écoute.

— C'est un truc tout simple à bricoler, expliqua Allen à son employeur. Ça vous fera un téléphone dans la voiture sans avoir à vous abonner à la compagnie des téléphones.

— Mais c'est illégal !

— Pas du tout. Les ondes hertziennes n'appartiennent à personne !

— Vous seriez vraiment capable de fabriquer ça ?

— Un seul moyen de le savoir. Vous m'avancez l'argent pour acheter le matériel et je vous en bricole une.

Wymer lui posa des questions précises, stupéfait de ses connaissances en électronique.

— Je vais y réfléchir, dit il. Mais ça me paraît intéressant.

Quelques jours après cette conversation, en achetant du matériel pour fabriquer sa propre « boîte bleue », Tommy avisa un système d'écoutes magnétiques à insérer dans un combiné et actionné par la sonnerie. Il pourrait aisément le mettre en marche en composant le numéro du service du personnel ou du bureau de Sharon Roth. Il prétendrait avoir fait un faux numéro et raccrocherait. Un jeu d'enfant ! En écoutant leurs conversations téléphoniques, il découvrirait peut être qu'il leur arrivait de tourner la loi. Il tenait là un bon moyen de chantage au cas où ils s'aviseraient de vouloir le virer.

Tommy fit établir la facture au nom de Kelly et Lemmon, y compris pour le système d'écoute.

Le soir même, il s'introduisit dans le bureau de Sharon et fixa le dispositif magnétique à l'intérieur de son téléphone. Il fit la même chose au bureau de Wymer, puis Allen sortit sous le projecteur pour aller fouiller dans les dossiers à la recherche de renseignements utiles. Il tomba ainsi sur la liste des actionnaires de la société — les gens qui employaient les administrateurs de biens Kelly et Lemmon pour s'occuper des lotissements de Channingway et Williamsburg Square. Allen fit des photocopies.

La liste de noms en poche et les écoutes en place sur les téléphones, il se sentit enfin rassuré. Il ne perdrait pas son travail de sitôt.

Harry Coder fit la connaissance de Billy Milligan quand ce dernier vint faire une réparation chez lui.

— Votre chauffe bain aurait bien besoin d'être remplacé, conseilla-t-il. Je pourrais vous en procurer un.

— Ça me reviendrait à combien ?

— Je peux vous l'avoir pour rien. Personne ne s'en apercevra jamais.

Coder le regarda avec étonnement. Comment osait-il proposer un truc pareil, en sachant qu'il s'adressait à un inspecteur de police de Colombus chargé à mi-temps de la sécurité de Channingway !

— Je vais y réfléchir, fit Coder.

— Faites-moi signe quand vous serez décidé. Je me ferai un plaisir de vous l'installer gratuitement.

A dater de ce jour, Coder décida de tenir Milligan à l'œil. On avait constaté une recrudescence de vols à Channingway et Williamsburg Square depuis un certain temps. Et tout donnait à penser que le malfaiteur possédait un passe-partout.

Peu de temps après, John Wymer reçut un coup de fil d'un collègue de Milligan qui avait été engagé à peu près à la même époque. Il voulait le mettre en garde contre Milligan. Wymer le convoqua à son bureau.

— Ce que je fais m'est très désagréable, dit l'homme, mais ce type est vraiment spécial.

— Que voulez-vous dire ?

— Il écoute les conversations téléphoniques des femmes à leur bureau.

— C'est-à-dire ? Il les gêne dans leur travail ou bien... ?

— Je veux dire qu'il utilise un système électronique.

— Allons donc !

— Je vous assure.

— Vous en avez la preuve ?

L'homme jeta des regards inquiets autour de lui.

— C'est Milligan qui me l'a dit lui-même. Et il m'a répété, presque mot pour mot, la conversation que j'avais eue avec Sharon et Carol. On se racontait qu'au lycée presque tout le monde se droguait, des trucs dans ce goût-là. Il m'a dit aussi que, quand elles sont seules au bureau, les filles parlent très vulgairement entre elles.

— Mais qu'est-ce qui pourrait le pousser à faire ça ? s'étonna Wymer en tapotant du doigt sur son bureau.

— Il dit qu'il en sait assez long sur Sharon et Carol pour les faire virer avec lui si elles cherchent à l'enfoncer. Pas seulement elles, d'ailleurs. Il dit qu'il a les moyens de faire virer Kelly et Lemmon eux-mêmes.

— Ça ne tient pas debout. Quels moyens voulez-vous qu'il ait ?

— Il m'a dit qu'il vous avait proposé de vous bricoler une « boîte bleue » pour votre voiture.

— C'est vrai. Mais je n'en ai pas voulu.

— Il avait prévu d'y cacher un dispositif pour écouter vos conversations à vous aussi.

Après le départ de l'employé, Wymer appela Sharon au téléphone :

— On dirait que vous aviez raison, a propos de Milligan. Je crois qu'il vaudrait mieux lui demander de s'en aller.

L'après-midi même, Sharon convoqua Billy à son bureau pour lui annoncer qu'il était licencié.

— Si on m'oblige à me tirer, rétorqua-t-il aussitôt, vous n'allez pas tarder à partir non plus, je vous préviens.

Sharon était chez elle au début de la soirée quand on sonna à la porte. Milligan se tenait sur le seuil, vêtu d'un costume bleu foncé qui lui donnait l'allure d'un fonctionnaire.

— Je passais simplement vous prévenir que vous êtes convoquée au commissariat demain, à treize heures. Bon, je vais aller voir John Wymer, maintenant. Si vous ne pouvez pas vous y rendre par vos propres moyens, on enverra quelqu'un vous chercher en voiture.

Puis, sans un mot de plus, il tourna les talons.

La jeune femme savait bien que tout cela était absurde, mais elle ne pouvait s'empêcher de se tracasser. Pourquoi le commissaire de police la convoquerait-il ? Et qu'est-ce que Milligan avait à voir là-dedans ? Qui était-il ? Que cherchait-il ? En tout cas, une chose était sûre, ce n'était pas un employé ordinaire.

A cinq heures et demie, après la fermeture, Milligan entra dans le bureau désert et démonta le dispositif d'écoutes. Mais avant de partir, il se dit qu'il allait laisser un petit mot à Carol. Quand John Wymer serait en possession des documents qu'il allait lui remettre, il serait contraint de la mettre à la porte elle aussi. Sur le bureau commun aux deux jeunes femmes, il avisa l'agenda ouvert à la date du vendredi. Il le feuilleta pour trouver celle du prochain jour ouvrable : lundi 26 septembre 1977. Sous la date, il inscrivit :

> Une nouvelle journée !
> Profitez-en pendant qu'il
> est encore temps.

Puis il rouvrit l'agenda au vendredi.

Quand Wymer eut quitté lui aussi son bureau, il alla ôter le dispositif de son téléphone. En sortant, il faillit heurter Terry Turnock, le directeur régional de Kelly et Lemmon.

— Qu'est-ce que vous faites là, Milligan ? Je croyais que vous aviez été licencié !

— J'étais venu voir John Wymer. Il se passe des choses dans cette boîte que je suis décidé à révéler au grand jour. Je voulais donner une chance à Wymer de tirer tout cela au clair avant que j'en avertisse les autorités compétentes.

— De quoi s'agit-il ?

— En tant que directeur régional, vous êtes sans doute en droit d'être mis au courant.

John Wymer venait d'arriver chez lui quand il reçut un coup de fil de Terry Turnock le priant de revenir a son bureau sur-le-champ.

— J'ai Milligan devant moi. Et j'aimerais que vous veniez entendre ce qu'il a a dire.

Quand Wymer arriva, ce fut pour apprendre que Milligan était retourné chez lui et qu'il serait de retour quelques instants plus tard.

Qu'a-t-il dit ? demanda Wymer.

— Il a porté des accusations. Mais je préfère que vous l'entendiez de sa bouche.

— Ce type n'est pas ordinaire, fit Wymer en ouvrant le tiroir de son bureau. Je vais enregistrer cette conversation.

Il introduisit une cassette vierge dans un petit magnétophone et laissa le tiroir entrouvert.

Wymer ne put réprimer un sursaut d'étonnement en voyant entrer Milligan. Jusque la, il l'avait toujours vu en vêtement de travail et voilà qu'il portait avec distinction et autorité un costume trois pieces et une cravate qui le changeaient du tout au tout.

Milligan prit un siege et, glissant les pouces dans son gilet, déclara :

— Il faut que je vous mette au courant de certaines pratiques qui ont cours dans votre société.

— Par exemple ? le pressa Turnock.

— Des pratiques délictueuses pour la plupart. Je veux vous donner une chance de régler cette affaire avant d'en référer a la justice.

— Mais de quoi s'agit-il, Billy ? demanda Wymer.

Pendant l'heure qui suivit, Milligan raconta que l'on falsifiait les dossiers au détriment des actionnaires et que certains employés louaient des appartements réputés vacants à des amis et empochaient l'argent. Il avait aussi la preuve, ajouta-t-il, que l'on trafiquait les compteurs pour frauder la compagnie d'électricité.

Il affirma qu'il ne croyait pas que Wymer fût impliqué dans ces détournements frauduleux. En revanche, ce n'était pas le cas d'un très grand nombre d'employés de l'agence — et en particulier l'une d'elles, qui faisait profiter ses amis des appartements du lotissement.

— J'ai l'intention de vous donner le temps de faire une enquête par vous-même, et de remettre les coupables aux mains de la justice. Mais si vous n'en faites rien, je rendrai toute l'affaire publique en la révélant au *Colombus Dispatch.*

Wymer se sentait gagné par l'inquiétude. Des employés malhonnêtes pouvaient très bien avoir agi à son insu. Et Milligan insinuait manifestement que Sharon Roth était derrière toute l'affaire.

— Qui êtes-vous, au juste ? demanda-t-il en se penchant en avant sur son bureau.

— Je représente des personnes qui se font du souci pour la maison.

— Vous êtes détective privé ?

— Je n'ai pas de raison de révéler mon identité dès aujourd'hui. Disons que je défends les intérêts de certains actionnaires.

— J'ai toujours pensé que vous n'étiez pas un employé ordinaire, dit Wymer. Vous étiez trop brillant, sans doute. Ainsi, vous représentez des actionnaires. Pouvez-vous me dire lesquels en particulier ?

Milligan, redressant la tête, laissa tomber avec une moue dédaigneuse :

— Il ne me semble pas avoir dit que j'étais envoyé par les actionnaires ?

— Alors vous travaillez sans doute pour une société rivale qui a décidé de couler Kelly et Lemmon.

— Oh ! s'exclama Milligan. Qu'est-ce qui peut vous faire croire une chose pareille.

— Vous ne voulez pas nous dire qui vous envoie ? insista Wymer.

— Tout ce que je peux vous dire, c'est que vous avez tout intérêt à faire venir Sharon Roth dans cette pièce pour lui poser quelques questions.

— J'ai certainement l'intention de prendre en considération vos accusations, Bill, et je vous remercie de m'avoir averti en premier. Vous pouvez me faire confiance, si nous découvrons des employés malhonnêtes, nous agirons en conséquence.

Tendant son bras gauche, Milligan montra à ses deux vis-à-vis le micro miniature glissé dans sa manche.

— Je dois vous signaler que cette conversation a été enregistrée.

— C'est de bonne guerre, dit Wymer. Car je l'ai enregistrée aussi.

Milligan sourit.

— Très bien, dit-il. Vous avez trois jours, à partir de lundi, pour éclaircir la situation et trouver les coupables. Après quoi, l'affaire sera rendue publique.

Peu après le départ de Milligan, Wymer appela Sharon Roth à son domicile pour lui faire part des accusations portées par Milligan. La jeune femme protesta de son innocence et affirma qu'aucun employé de l'agence n'avait détourné de l'argent. C'étaient des mensonges purs et simples.

Sachant que Milligan enregistrait ses conversations téléphoniques, Sharon se rendit à son bureau dans la journée du dimanche pour chercher le dispositif d'écoutes. Elle ne trouva rien. Soit il était venu l'enlever, soit il racontait des bobards. Elle jeta un coup d'œil à son agenda et tourna machinalement la page du lundi. Elle sursauta en lisant l'inscription menaçante :

Une nouvelle journée !
Profitez-en pendant qu'il
est encore temps.

Mon Dieu ! songea-t-elle. Il va me tuer parce que je l'ai viré !

Terrifiée, elle appela Terry Turnock et lui apporta la page arrachée. Ils comparèrent l'écriture avec celle de Milligan. C'était bien la sienne !

A deux heures et demie, le lundi après-midi, Milligan appela Sharon pour lui enjoindre de se présenter au commissariat de police le jeudi suivant à treize heures trente. Si elle n'obtempérait pas, il serait contraint de venir la chercher avec des agents de l'ordre public, ce qui, fit-il remarquer, ferait très mauvais effet.

Le soir même, Harry Coder appela Milligan à son domicile pour lui demander de cesser de harceler les jeunes femmes de l'agence.

— Qu'est-ce que vous racontez ? Je n'ai rien fait de ce genre !

— Ecoutez, Bill. Si elles devaient effectivement se présenter au commissariat, elles auraient reçu une convocation !

— En quoi est-ce que cela vous concerne ?

— Elles savent que je suis inspecteur de police. Elles m'ont demandé de me renseigner, c'est tout simple.

— Elles ont la frousse, Harry ?

— Non, Bill. Elles n'ont pas peur. Elles ne veulent pas être harcelées, c'est tout.

Allen décida de laisser tomber cette affaire pendant quelque temps. Mais un jour ou l'autre, il s'arrangerait pour faire virer Sharon Roth. Pour le moment, il gardait l'appartement mais il fallait qu'il retrouve un emploi au plus vite.

Pendant les deux semaines qui suivirent, Allen partit en chasse mais on ne lui offrit rien de correct. Il n'avait rien à faire, plus personne à qui parler. Il perdait son temps et se sentait de plus en plus abattu.

Il reçut son avis d'expulsion le 13 octobre 1977. Il arpentait l'appartement, en proie à une violente colère, quand il s'avisa que Ragen avait oublié son Smith and Wesson bien en évidence sur la cheminée. Qu'est-ce que ça faisait là ? Qu'est-ce qui lui avait pris ? Si on trouvait ça chez lui, sans parler du pistolet automatique dissimulé dans le placard, il était bon pour retourner en taule.

Il s'arrêta et prit une profonde inspiration. C'était peut-être le plus cher désir de Ragen, tout au fond de lui-même ? Peut-être même que, sans le savoir, Ragen souhaitait retourner en prison, là où il pourrait reprendre la situation en main, et se retrouver maître du projecteur ?

— Je n'en peux plus, Arthur, dit Allen à voix haute.

Il ferma les yeux et disparut...

Ragen leva la tête et regarda autour de lui pour s'assurer qu'il était bien seul. Il aperçut les factures et les notes qui jonchaient la table et se rendit compte que, sans salaire, ils étaient dans une situation critique.

— Il faut habiller les petits pour l'hiver, dit-il tout haut, et leur donner à manger. Une seule solution, le vol !

Aux premières heures de l'aube, le vendredi 14 octobre, Ragen glissa son Smith and Wesson dans le holster qui lui sanglait l'épaule, et enfila un chandail marron à col roulé, des tennis blancs, un survêtement marron, un blue-jean et un blouson de pluie. Il avala trois doses d'amphétamines et pas mal de vodka et, avant le lever du jour, partit faire de la course à pied en direction du campus universitaire.

19.

Ragen traversa au pas de course la ville de Colombus. Il avait parcouru dix-sept kilomètres quand il atteignit l'un des parcs de stationnement de l'université d'Ohio. Il n'avait pas de plan. Il projetait simplement de voler quelqu'un. Dans le virage, entre la faculté de médecine et le parc de stationnement, il aperçut une jeune femme qui garait une Toyota dorée. Elle descendit de voiture et Ragen nota le manteau de daim, le pantalon marron et le chemisier assorti. Il détourna les yeux, en quête d'une autre proie. Pas question d'agresser une femme.

Mais Adalana, qui le surveillait, savait pourquoi Ragen se trouvait là. Elle n'ignorait pas qu'il était fatigué par sa course à travers la ville et que les amphétamines combinées à la vodka avaient mis son organisme à rude épreuve. Elle souhaita lui prendre le projecteur...

Adalana s'approcha de la jeune femme qui, penchée au-dessus de la place du conducteur, ramassait des livres et des papiers sur le siège du passager. Tirant du holster le pistolet de Ragen, Adalana l'appuya contre le bras de la femme. Celle-ci ne se retourna pas et éclata de rire :

— Allez, les mecs, ça ne prend pas.

— S'il vous plaît, remontez dans la voiture, dit Adalana, on va faire un tour.

Carrie Dryer fit volte-face. Elle ne connaissait pas cet homme et il ne plaisantait pas : sa main gantée tenait un revolver. D'un signe, il lui ordonna de s'installer sur le siège du passager. Elle enjamba tant bien que mal le levier de vitesse pendant qu'il s'asseyait au volant.

Après s'être escrimé un moment à débloquer le frein à main, il parvint à démarrer.

Carrie Dryer grava soigneusement le signalement de l'homme dans sa mémoire : cheveux brun roux, moustache bien taillée, un grain de beauté sur la joue droite. Beau garçon, bien bâti, quatre-vingts kilos, un mètre quatre-vingts environ.

— On va où ? demanda-t-elle.

— Faire un tour quelque part, dit-il doucement, je ne connais pas très bien Colombus.

— Ecoutez, je ne sais pas ce que vous me voulez, mais j'ai un examen d'optométrie aujourd'hui.

Il gara la voiture sur le parc de stationnement d'une usine. Ses globes oculaires oscillèrent par saccades, comme chez une personne souffrant de nystagmus. « Un détail à signaler à la police », songea Carrie.

Il fouilla dans le sac à main de la jeune femme, en tira le permis de conduire et d'autres papiers d'identité. D'une voix dure il l'avertit :

— Si vous prévenez les flics, je m'en prendrai à votre famille.

Tirant des menottes de sa poche, il attacha la jeune femme à la poignée de la portière.

— Puisque vous avez un examen, murmura-t-il, si vous voulez réviser pendant que je conduis, je n'y vois pas d'inconvénient.

La voiture repartit en direction du nord. Comme elle franchissait un passage à niveau, elle s'arrêta net au milieu de la voie. Un train approchait à petite vitesse. L'homme bondit au-dehors et passa à l'arrière de l'automobile. Carrie était terrifiée. Est-ce qu'il allait l'abandonner là, prisonnière de la voiture, avec ce train qui arrivait ? C'était peut-être un fou ?

Dehors, Kevin, qui avait succédé à Adalana en entendant le bruit des pneus sur les rails, se pencha sur les roues et constata qu'il n'avait pas crevé. Si tel avait été le cas, il aurait détalé. Il reprit le volant et démarra.

— Enlève ton falzar !

— Quoi ?

— Enlève ton foutu falzar ! hurla-t-il.

Elle obéit, terrorisée par ce soudain changement d'humeur. Elle crut comprendre. C'était pour lui interdire toute tentative de fuite qu'il lui avait fait retirer son pantalon. Et en effet, même si elle n'avait pas été menottée, elle ne serait jamais sortie de l'auto dans cette tenue.

Ils roulaient toujours et, pour ne pas accroître la nervosité de son ravisseur, elle essayait de garder les yeux fixés sur son manuel d'optométrie. Elle vit néanmoins qu'ils sortaient du campus et s'engageaient sur des routes de campagne. Par instants, il marmonnait :

— Echappé ce matin... frappé avec une batte de base-ball...

Ils longèrent un champ de blé, contournèrent une barrière placée en travers de la route, dépassèrent des épaves automobiles et s'arrêtèrent dans un bosquet.

Carrie songeait aux ciseaux pointus qu'elle avait posés entre le siège du chauffeur et le levier de vitesse. Allait-elle s'en saisir pour le poignarder ? Elle chercha l'objet des yeux.

Un couteau à cran d'arrêt jaillit dans la main de l'homme.

— Essaie pas de jouer au plus malin avec moi.

Il coupa le moteur, détacha les menottes de la porte mais les lui laissa au poignet droit. Puis il descendit de la voiture, étendit le manteau de daim sur le sol boueux et se tourna vers elle :

— Enlève ta culotte, souffla-t-il, et allonge-toi.

Carrie Dryer vit les yeux de l'homme osciller...

Adalana s'étendit à côté de la femme et fixa les frondaisons au-dessus d'elle. Elle ne comprenait pas pourquoi elle cédait sans cesse le projecteur à Philip ou Kevin. A deux reprises, quand elle était derrière le volant, ils s'en étaient emparés. Chaque fois, elle avait dû les chasser de la conscience. Tout était si embrouillé...

— La solitude, vous savez ce que c'est ? demanda-t-elle à la femme couchée à ses côtés. Plus personne pour vous prendre dans ses bras, depuis longtemps ? Ne plus savoir ce que c'est que l'amour ?

Carrie Dryer ne répondit pas et Adalana l'étreignit comme elle avait étreint Marlene.

Mais cette jeune femme était très petite. Et puis, il y avait autre chose. Adalana avait beau s'évertuer, chaque fois qu'elle tentait de pénétrer Carrie Dryer, celle-ci avait un spasme qui la rejetait. C'était étrange et effrayant. Déconcertée, Adalana quitta le projecteur...

Carrie lui expliqua en pleurant qu'elle souffrait de troubles pour lesquels elle était suivie par un gynécologue. Chaque fois qu'elle essayait de faire l'amour, elle en était empêchée par ces spasmes.

L'homme eut un nouvel accès de nystagmus et, brusquement, il la regarda avec une hargne méchante :

— Merde, grogna-t-il, avec toutes les nanas qu'il y a à Colombus, il a fallu que je tombe sur celle-là, avec qui je ne peux rien faire !

Il l'aida à remettre son pantalon et lui dit de retourner à la voiture. Carrie le vit encore changer de comportement.

— Tenez, dit-il aimablement en lui tendant une serviette de papier, mouchez-vous.

Adalana s'inquiétait à présent. Elle n'avait pas oublié le projet initial de Ragen, la raison pour laquelle il avait entrepris cette expédition sur le campus. Si elle en revenait les mains vides, le Yougoslave aurait des soupçons.

Carrie observait le sadique. Devant son expression préoccupée, devant le souci qui se peignait sur son visage, elle se serait presque sentie désolée pour lui. Qu'est-ce qui n'allait pas ?

— J'ai besoin d'argent. Si je n'en trouve pas, quelqu'un va se mettre terriblement en colère.

— Je n'ai pas d'argent sur moi, dit Carrie en se remettant à pleurer.

Il lui tendit un autre mouchoir.

— Allons, il ne faut pas vous tracasser. Si vous m'obéissez, il ne vous arrivera rien.

— Faites-moi ce que vous voulez, prenez tout mon argent, mais ne touchez pas à ma famille. Laissez-les tranquilles.

Il fouilla de nouveau le sac à main de Carrie et en tira le chéquier et un relevé de compte qui faisait apparaître un crédit de quatre cent soixante dollars.

— Vous pensez qu'il vous faut combien pour vivre pendant une semaine ?

Carrie renifla, murmura :

— Dans les cinquante ou soixante dollars.

— Très bien. Gardez soixante dollars et faites un chèque de quatre cents.

La surprise était plutôt agréable pour Carrie, bien qu'elle sût qu'il lui serait impossible de trouver de quoi payer les livres et les cours spéciaux dont elle avait besoin.

— On va se faire une banque, annonça-t-il abruptement. Vous venez avec moi.

Elle refusa farouchement :

— Oh non ! non, vous pouvez faire de moi ce que vous voudrez, mais je ne vous aiderai pas pour ça.

— Si, insista-t-il, on va aller dans une banque pour encaisser votre chèque.

Mais il se ravisa au bout d'un moment :

— Vous nous feriez remarquer, dans l'état où vous êtes. Vous êtes trop instable, psychologiquement, pour retirer de l'argent dans une agence. Vous feriez tout rater.

— Je ne crois pas que ce soit moi qui aie un problème de ce côté-là.

Elle était de nouveau sur le point d'éclater en sanglots.

— Pour quelqu'un qui a un pistolet braqué sur lui, ajouta-t-elle, j'ai l'impression de pas mal me débrouiller.

Il ne répondit que par un grognement.

Sur West Broad Street, l'Ohio National Bank avait installé un guichet où l'on pouvait retirer de l'argent sans descendre de voiture. La Toyota s'arrêta à sa hauteur. Carrie tira la carte d'identité de son sac. Le revolver de son ravisseur, invisible de l'extérieur, restait pointé sur elle. En retournant le chèque pour l'endosser, elle pensa un instant à écrire « Au secours ». Mais, comme s'il lisait dans son esprit, il la prévint :

— N'essayez pas de me jouer un tour. N'écrivez rien au dos.

Par-dessus la glace baissée, il tendit le chèque et la carte d'identité au guichetier qui leur remit l'argent.

— Vous pourrez déclarer à la police que vous avez retiré cette somme sous la menace et faire opposition au chèque, dit l'homme en redémarrant. Comme ça, c'est la banque qui en sera pour son fric.

La circulation était très dense dans le centre.

— Vous allez prendre le volant et filer. Si vous portez plainte, on viendra vous faire la peau, à vous et à votre famille. Et ce n'est pas à moi que vous aurez affaire, mais à quelqu'un d'autre.

Puis il ouvrit la portière et s'en fut à grands pas. En quelques instants, il avait disparu dans la foule.

Ragen regarda autour de lui. Au lieu de se trouver, comme il le pensait, sur le parc de stationnement de l'université, il était en train de marcher sur le trottoir d'un grand magasin. L'après-midi était bien avancé. Où était passé le temps ? Dans sa poche, sa main rencontra une liasse de billets. Bon, il avait dû passer à l'acte. Il avait certainement volé quelqu'un et l'avait oublié.

Il monta dans l'autobus pour regagner Reynoldsburg.

De retour chez lui, il posa la carte de crédit et l'argent sur l'étagère de la penderie et alla se coucher.

Une demi-heure plus tard, Arthur s'éveilla, frais et dispos, et fort étonné d'avoir dormi si tard. Après s'être douché, il ouvrit le placard pour prendre des sous-vêtements et découvrit la liasse abandonnée sur l'étagère : « Sapristi ! comment diable cet argent a-t-il échoué ici ? Quelqu'un de la famille se sera employé à en trouver. Enfin, puisque nous en disposons, cette somme nous sera bien utile pour effectuer quelques achats d'épicerie et régler diverses factures. Mais avant tout, il conviendrait d'honorer les traites de l'automobile. »

Arthur jeta la lettre du gérant au fond d'un tiroir. Après avoir renvoyé Allen et les autres, John Wymer réclamait le loyer. Arthur avait mis au point une tactique destinée à contrarier les manœuvres des sieurs Kelly et Lemmon. Si ces chicaneaux voulaient aller jusqu'au procès, grand bien leur fasse ! Allen n'aurait qu'à expliquer au juge dans quel traquenard on l'avait attiré. Ces messieurs lui avaient fait quitter son travail, ils l'avaient contraint à emménager dans l'immeuble qu'ils géraient en prétendant que c'était une obligation s'il voulait l'emploi de factotum et au moment même où il s'était installé avec un mobilier acheté à crédit, ils l'avaient mis à la porte et menaçaient de le jeter à la rue.

Il savait que le juge lui donnerait quatre-vingt-dix jours pour vider les lieux. Et même après l'avis d'expulsion, il aurait encore trois jours devant lui. Allen aurait donc tout le temps de dénicher un autre emploi et d'épargner de quoi payer le loyer d'un nouvel appartement.

Cette nuit-là, Adalana se rasa la moustache. Elle avait toujours détesté avoir des poils sur le visage.

Ce samedi-là était le dernier jour de la fête foraine à Lancaster. Tommy avait promis à la sœur de Billy de l'y accompagner. Dorothy et Del, qui avaient pris un restaurant en gérance, auraient sans doute besoin d'un coup de main pour la fermeture.

Tommy ramassa l'argent qui traînait sur le buffet — il n'en restait plus beaucoup — et demanda à Allen de le conduire à Lancaster. Il passa une journée délicieuse à la foire. Ils montèrent sur les manèges, perdirent à la loterie, tirèrent à la cible, se gavèrent de hot-dogs et remuèrent des souvenirs en buvant de la bière. Jim jouait dans un nouveau groupe de rock dans les Etats de l'ouest du Canada et ils se perdirent en spéculations sur sa carrière. Ils parlèrent aussi de Challa qui travaillait sur une base aérienne. Kathy dit à son frère qu'elle l'aimait beaucoup mieux sans moustaches.

Au restaurant, Dorothy s'activait devant le gril. Tommy se glissa derrière elle et, avec les menottes, l'attacha à son instrument de travail :

— Si tu dois être enchaînée à tes fourneaux toute la journée, autant que ça se voie.

Elle éclata de rire.

Ils retournèrent à la foire et Tommy y resta avec Kathy jusqu'à la fermeture des derniers stands. Puis Allen le ramena à Channingway.

Plongé dans ses ouvrages médicaux, Arthur passa un paisible dimanche. Le lundi matin, ce fut Allen qui s'éveilla. Toute la semaine, il scruta les petites annonces, donna coup de fil sur coup de fil. En vain : on n'embauchait pas.

Le vendredi soir, Ragen sauta de son lit, persuadé qu'il venait à peine de s'endormir. Où était donc passé cet argent qu'il ne se souvenait même pas d'avoir volé ? Disparu !

Ragen saisit l'automatique sur l'étagère et se rua à travers l'appartement en ouvrant les portes à coups de pied. Le Yougoslave s'attendait à débusquer un cambrioleur qui se serait introduit dans l'appartement pendant son sommeil, mais toutes les pièces étaient vides. Il appela Arthur. Pas de réponse. Fou de rage, Ragen brisa le cochon de porcelaine dans lequel ils vidaient la monnaie de leurs poches, rassembla douze dollars et sortit s'acheter une bouteille de vodka. Il revint, se servit un verre et alluma un joint. Comment payer les factures ? Rien n'était résolu. La conclusion s'imposa d'elle-même à Ragen : quoi qu'il eût fait pour s'emparer de cet argent, il devait le refaire.

Il avala quelques cachets d'amphétamine, boucla la sangle de son holster, endossa sa veste de survêtement et un blouson léger. De nouveau, il courut à travers Colombus. Il atteignit l'un des parcs de stationnement de l'université vers sept heures trente du matin. Ragen reprit son souffle devant le perron d'un immeuble moderne. Au-dessus de l'entrée, on pouvait lire : « Upham Hall ». En face du bâtiment, de l'autre côté de la route, le parc de stationnement.

Une infirmière descendit le perron. Petite, potelée, le teint foncé, les pommettes hautes, elle avait tressé ses longs cheveux noirs en une natte qui se balançait dans son dos. Elle se dirigea vers une Datsun blanche et Ragen la suivit des yeux. Il avait l'étrange impression de la reconnaître. Quelqu'un — Allen, sans doute — l'avait déjà rencontrée, voilà longtemps, dans une chambre d'étudiant.

Ragen se détourna, mais Adalana ne lui laissa pas le temps de s'éloigner. Elle souhaita prendre le projecteur...

Au terme d'une garde de huit heures à l'hôpital psychiatrique universitaire, Donna West était épuisée. Elle était convenue avec son fiancé qu'elle lui téléphonerait en sortant de l'hôpital. Ils devaient prendre ensemble le petit déjeuner. Mais la nuit avait été longue et éprouvante et elle n'avait plus qu'une envie : partir de là au plus vite. Elle attendrait d'être chez elle pour appeler Sidney. Tandis qu'elle se dirigeait vers sa voiture, un ami passa et lui cria bonjour en agitant la main. Donna s'approcha de sa Datsun, judicieusement garée, comme d'habitude, dans la rangée la plus proche de l'Upham Hall.

— Mademoiselle, s'il vous plaît !

A l'autre bout du parc de stationnement, un jeune homme en jeans et blouson léger lui faisait des signes. « Beau garçon », enregistra-t-elle machinalement. Avec ses lunettes de soleil, il lui rappelait vaguement un acteur, mais elle aurait été incapable de dire lequel. Il lui demanda le chemin du parc de stationnement principal.

— Ecoutez, c'est compliqué à expliquer, répondit-elle. Je vais de ce côté. Si vous voulez, montez, je vais vous rapprocher.

Il prit place sur le siège du passager. Donna démarra. La Datsun sortit en marche arrière de la rangée de voitures. L'homme tira un pistolet de son blouson.

— Continuez à rouler. Il faut que vous m'aidiez à sortir de là.

Quelques secondes plus tard, il ajouta :

— Si vous faites ce que je vous dis, il ne vous arrivera rien. Mais croyez-moi, je n'hésiterai pas à tuer, s'il le faut.

« Ça y est, pensa Donna, je vais mourir. » Elle eut une bouffée de chaleur. « Oh ! mon Dieu, se dit-elle, au bord de l'évanouissement, pourquoi n'ai-je pas téléphoné à Sidney ? Bon, en tout cas, il sait que je dois l'appeler. Il avertira peut-être la police. »

Son ravisseur tendit la main vers le siège arrière et rafla le sac à main. Il le fouilla. Dans le portefeuille, il prit le permis de conduire pour l'examiner.

— Bon, maintenant, Donna... c'est bien comme ça que vous vous appelez ? Vous allez prendre la nationale 71.

Il s'appropria les dix dollars que contenait le portefeuille, en comptant avidement les billets avant de les glisser dans la poche de sa chemise. Donna trouva qu'il mettait beaucoup d'affectation dans ses gestes. Il cueillit une cigarette dans le paquet de la jeune femme et la lui fourra dans la bouche.

— Je parie que vous avez envie de fumer, dit-il en lui présentant l'allume-cigare.

Sur les mains de l'homme et sous ses ongles, elle remarqua des taches, ce n'était ni de la boue, ni de la crasse, ni du cambouis. Il essuya ostensiblement l'allume-cigare pour effacer ses empreintes. Ce réflexe terrifia Donna : cela signifiait probablement qu'il s'agissait d'un professionnel avec un casier judiciaire long comme le bras. Il remarqua son trouble et expliqua :

— Je suis membre d'un groupe. Certains d'entre nous sont impliqués dans des activités politiques.

Bien qu'il n'eût prononcé aucun nom, sur le moment, elle eut le sentiment qu'il voulait parler des *Weathermen*. S'il lui faisait prendre la direction du nord, c'était, supposa-t-elle, pour fuir vers Cleveland. Elle était de plus en plus persuadée d'avoir affaire à un terroriste.

A sa grande surprise, il lui ordonna de quitter la nationale 71 pour prendre un chemin de traverse. Il paraissait détendu, comme s'il connaissait la région. Bientôt, ils furent hors de vue de la grand-route et il lui donna l'ordre de se garer.

Quand Donna West constata en quel endroit désert ils avaient abouti, elle comprit que sa mésaventure n'avait rien à voir avec la politique. On allait la violer ou la tuer, ou les deux. L'homme se renversa en arrière sur son siège et elle sut que quelque chose de vraiment grave allait se produire.

— Il faut que je m'arrête une minute, le temps de retrouver mes esprits, dit-il.

Donna garda les mains sur le volant. Elle regardait droit devant elle. Elle songeait à Sidney et à sa vie et se demandait ce qui allait lui arriver. Des larmes roulèrent sur ses joues.

— Qu'est-ce qu'il y a ? Vous avez peur que je vous viole ?

Ces paroles prononcées sur un ton sarcastique la transpercèrent. Elle le regarda en face :

— Oui.

— Eh ben, vous êtes vraiment trop con. Vous êtes là à vous inquiéter pour votre cul ! Vous feriez mieux de vous faire du souci pour votre vie.

Cette réplique lui fit l'effet d'une gifle. Donna cessa instantanément de pleurer.

— Oh, mon Dieu ! vous avez parfaitement raison. J'ai peur de mourir.

Les lunettes noires cachaient ses yeux quand il parla d'une voix soudain radoucie :

— Défaites votre natte.

Elle serra le volant plus fort.

— Je vous dis de défaire votre natte ! cria-t-il.

Elle lâcha le volant, ôta la barrette. Il dénoua la natte en lui caressant les cheveux. Il murmurait qu'ils étaient beaux.

Changeant brusquement d'humeur, il se mit à parler d'abondance et à voix haute :

— Bon Dieu, vous voyez maintenant dans quel guêpier vous vous êtes fourrée ?

— C'est ma faute, peut-être ?

— Regardez comment vous êtes habillée ! Et vos cheveux ! Vous deviez bien vous douter que vous alliez attirer l'attention d'un type dans mon genre. Qu'est-ce que vous fabriquiez sur le parc de stationnement à sept heures et demie du matin ? Vous êtes vraiment trop con !

« Après tout, il n'a pas tout à fait tort », se dit Donna. Ce qui arrivait était bel et bien de sa faute : c'était elle qui lui avait offert de l'emmener. Elle ne pourrait s'en prendre qu'à elle-même. Puis elle se ressaisit. Il voulait qu'elle se sente coupable. Elle avait entendu dire que c'était là une tactique courante chez les violeurs, mais elle ne tomberait pas dans le panneau. En tout cas, conclut-elle, un type qui brandit un pistolet n'aura jamais grand mal à convaincre de sa culpabilité une femme sans défense, et qui a peur de mourir.

Elle se résigna à ce qui allait se passer. Une idée lui traversa l'esprit : « Bon, finalement, il pourrait m'arriver un jour bien pire que de me faire violer. » La voix de l'homme l'arracha à ses pensées :

— Au fait, je m'appelle Phil.

Elle ne se retourna pas vers lui, garda les yeux fixés droit devant elle.

— Je vous dis que je m'appelle Phil, lui hurla-t-il au visage.

— Ça ne m'intéresse pas du tout, répondit-elle en secouant la tête. Je préfère ne pas le savoir.

Il lui ordonna de descendre de la voiture. Elle s'exécuta et il lui fouilla les poches.

— Je parie qu'à l'hosto, vous pouvez piquer un max d'amphés.

Elle ne dit rien.

— Mettez-vous sur le siège arrière.

Tout en faisant ce qu'il lui demandait, Donna se mit à parler à toute vitesse, dans l'espoir de détourner le cours de ses pensées.

— Vous vous intéressez à l'art ? Moi, je suis une passionnée d'art. Je fabrique des poteries à mes moments perdus. Je travaille l'argile.

Elle continuait à bavarder, au bord de l'hystérie. Mais il ne paraissait pas l'entendre.

Il lui fit retirer son collant, elle lui fut presque reconnaissante de ne pas l'humilier davantage en l'obligeant à se dévêtir complètement.

— Je n'ai pas de maladie, dit-il en ouvrant sa braguette.

Cette phrase surprit Donna. Elle avait envie de crier : « Des maladies, j'en ai, moi. J'en ai beaucoup. J'ai toutes les maladies imaginables ! » Mais, convaincue désormais d'avoir affaire à un malade mental, elle ne voulait pas l'énerver davantage. Pour l'instant, les maladies, c'était bien le cadet de ses soucis. Une seule chose comptait : qu'il en finisse !

A son grand soulagement, il eut bientôt terminé.

— T'es vraiment super, comme nana. Qu'est-ce que tu m'excites !

Il sortit de la voiture, jeta un coup d'œil aux alentours et revint s'installer au volant.

— C'est la première fois que je viole quelqu'un. Je ne suis plus seulement un terroriste, maintenant. Je suis un violeur.

Après quelques minutes de silence, Donna demanda :

— Je peux descendre ? J'ai envie d'uriner.

Il hocha la tête.

— Je n'y arrive pas quand on me regarde. Vous ne pourriez pas vous écarter un peu ?

Il fit ce qu'elle lui demandait et quand il revint, elle remarqua un nouveau changement d'humeur. Il plaisantait, détendu. Puis brusquement, il changea encore et reprit le ton et l'attitude autoritaire qu'il avait avant le viol. Ses grossièretés, ses violences verbales effrayaient la jeune femme.

— Remontez dans la voiture. On retourne sur la nationale,

direction le nord. Je veux que vous encaissiez des chèques et que vous me filiez du fric.

Elle réfléchissait aussi vite qu'elle pouvait. Elle voulait à tout prix se retrouver en terrain familier.

— Ecoutez, si c'est de l'argent que vous voulez, retournons à Colombus. On ne pourra pas encaisser de chèque ailleurs un samedi.

Comme la réponse tardait à venir, Donna prit une résolution désespérée. S'il insistait pour se diriger vers le nord, cela signifierait qu'il allait à Cleveland. Dans ce cas, elle jetterait la voiture hors de la route et ils se tueraient tous les deux. Après ce qu'il lui avait fait subir, elle était pleine de haine. Elle voulait être sûre qu'il ne profiterait pas de son argent.

— Bon, entendu, on va au sud.

Elle espéra qu'il ne remarquerait pas son soulagement et décida de pousser son avantage :

— Et si on prenait la 23 ? Il y a des tas de banques le long de la 23. On en trouvera plus facilement avant la fermeture, à midi.

De nouveau, il accepta sa suggestion. Elle se sentait encore en danger de mort mais elle se prit à espérer qu'en l'étourdissant de paroles, elle réussirait à s'en sortir vivante.

— Vous êtes mariée ? demanda-t-il à brûle-pourpoint.

Elle hocha la tête. Il était important de lui faire croire qu'on l'attendait chez elle, où sa disparition ne passerait pas inaperçue.

— Mon mari est médecin.

— Et... il se débrouille bien ?

— Il est interne.

— C'est pas ce que je vous demande.

— Quoi alors ?

— Comment il est, sur le plan physique ?

Elle allait décrire Sidney quand elle comprit soudain qu'il lui demandait si son mari la satisfaisait sexuellement. Des compliments l'amadoueraient peut-être ?

— C'est bien mieux avec vous. Vous comprenez, mon mari a des problèmes, de ce côté-là. Il lui faut très longtemps. C'est drôlement bien d'être aussi rapide que vous.

En le voyant tout émoustillé par ces paroles, elle fut plus que jamais persuadée d'être la victime d'un schizophrène qui avait perdu le contact avec la réalité. Si elle continuait à le flatter, elle arriverait peut-être à s'en sortir.

Il se remit à fouiller le sac à main, en tira la carte de crédit, la carte d'infirmière et le carnet de chèques.

— Il me faut deux cents dollars. Quelqu'un qui a besoin d'argent. Vous allez faire un chèque pour retirer du fric, à votre agence de Westerville. On entrera ensemble, je serai juste derrière vous. Si vous essayez de me jouer un tour, si vous tentez quoi que ce soit, je vous flingue.

En pénétrant dans la banque, Donna tremblait comme une feuille. A sa grande stupéfaction, les employés devant lesquels elle passa ne firent pas attention à elle. Pourtant, elle écarquillait désespérément les yeux, tordait la bouche, multipliait les grimaces. Personne ne la remarqua. Avec sa carte de crédit, Donna opéra deux retraits de cinquante dollars chacun, puis le reçu du distributeur lui indiqua qu'elle avait atteint son maximum.

Tandis que la Datsun s'éloignait de la banque, il déchira méticuleusement les reçus et les jeta par la fenêtre ouverte. En levant les yeux sur le rétroviseur, Donna eut un choc. Une voiture de police les suivait de près. La jeune femme se mordit le poing. « Oh mon Dieu, on va se faire coller une contredanse pour avoir jeté les reçus par la fenêtre ! Ils vont nous demander nos papiers. »

L'émotion de Donna n'avait pas échappé à son ravisseur, qui suivit la direction de son regard.

— Bon Dieu de bordel de merde ! Qu'ils y viennent, ces fumiers de flics ! Je leur fais sauter le caisson. C'est salaud pour vous, vous n'y êtes pour rien mais c'est comme ça. Je vais les flinguer et si vous essayez de me jouer un tour, vous y passerez aussi.

La voiture de police tourna au coin d'une rue et Donna poussa un soupir. Elle tremblait.

— Il nous faut une autre banque, dit-il.

Ils essayèrent de retirer de l'argent dans plusieurs banques, sans succès. Elle remarqua qu'avant d'entrer, il était nerveux et agressif mais qu'une fois dans les lieux, il se montrait plein d'aisance, comme si tout cela eût été un jeu. Dans l'une des agences, il passa son bras autour de l'épaule de Donna, en jouant les maris affectueux.

— Nous avons absolument besoin de cet argent, expliqua-t-il au guichetier. Nous partons en voyage.

Finalement, Donna parvint à tirer cent dollars d'un distributeur.

— Je me demande, dit l'homme, si tous les ordinateurs sont reliés entre eux.

Comme elle lui faisait remarquer qu'il avait l'air de savoir beaucoup de choses sur le fonctionnement des banques et des distributeurs, il lui rétorqua :

— Il le faut, ce sont des informations utiles pour mon groupe. Nous partageons les informations. Chacun apporte quelque chose au groupe.

Elle crut encore qu'il parlait des *Weathermen* ou de quelque autre organisation extrémiste. Pour entretenir la conversation, on pouvait donc, jugea Donna, l'entreprendre sur le chapitre de l'actualité politique. Comme il piétinait un vieux numéro du *Time* qui traînait sur le plancher de l'auto, elle lui demanda ce qu'il pensait du débat sur le renouvellement du traité du canal de Panama. La question parut le plonger dans l'embarras, il balbutia des propos incohérents et la jeune femme eut bien vite la certitude qu'il ignorait tout d'un événement qui faisait la une des journaux et sur lequel les informations télévisées revenaient constamment. De l'avis de Donna, il n'avait rien du militant politique pour lequel il voulait se faire passer et ne savait pas grand-chose de ce qui arrivait dans le monde.

— N'allez pas vous plaindre à la police, lui lança-t-il tout à coup. Vous serez surveillée, on vous retrouvera. Moi, je serai sans doute en Algérie mais quelqu'un d'autre s'occupera de vous. C'est comme ça qu'on fait. Chacun travaille pour les autres. La confrérie à laquelle j'appartiens vous aura.

Bien. Il fallait continuer à le faire parler, mais en évitant la politique. Donna choisit un sujet sur lequel, pensait-elle, on pouvait déblatérer durant des heures.

— Vous croyez en Dieu ?

— Et vous, vous y croyez en Dieu ? hurla-t-il en lui collant le canon du pistolet sur la joue. Il vous aide en ce moment, Dieu ?

— Non... non, balbutia-t-elle. Je crois bien que vous avez raison. Dieu ne m'aide pas beaucoup en ce moment.

La fureur de l'homme retomba d'un seul coup et il se tourna vers la fenêtre.

— Je crois que je suis pas clair, côté religion. Vous le croirez jamais, je suis juif.

— Ça alors, s'exclama-t-elle sans réfléchir, c'est drôle, vous n'avez pas l'air d'un juif.

— Mon père l'était.

Il grommela un moment entre ses dents, visiblement contrarié.

— Toutes les religions, laissa-t-il tomber enfin, c'est des conneries.

Donna garda le silence. Décidément, Dieu n'était pas le bon sujet de conversation.

— Vous savez, reprit-il doucement, vous me plaisez beaucoup. C'est vraiment dommage d'avoir fait connaissance dans ces conditions.

Il n'allait pas la tuer. Donna en était sûre maintenant. Elle réfléchit au moyen d'aider la police à le retrouver.

— Ce qui serait formidable, murmura-t-elle, c'est qu'on puisse se revoir. Téléphonez-moi ou écrivez-moi... ne serait-ce qu'une carte postale. Si vous ne voulez pas signer de votre vrai nom, vous pouvez mettre un G, comme guérilla.

— Et votre mari ?

Ça y était, elle le tenait. Elle avait touché la corde sensible, il marchait à fond.

— Ne vous en faites pas pour lui, je m'en charge. Ecrivez-moi, téléphonez-moi. Ça me plairait beaucoup d'avoir de vos nouvelles. Voyant que la jauge était à zéro, il lui suggéra de s'arrêter dans une station-service.

— Non, ça ira. J'en ai encore assez, répondit-elle dans l'espoir d'une panne sèche qui le contraindrait à sortir de la voiture.

— On est loin de l'endroit où je vous ai enlevée ce matin ?

— Pas très, non.

— Vous pourriez me ramener là-bas ?

Elle acquiesça. Ce n'était pas une mauvaise idée de revenir là où tout avait commencé. A la hauteur de l'école dentaire, il lui demanda de le déposer. Il insista pour lui laisser cinq dollars pour l'essence, et, comme elle ne voulait pas les prendre, il les glissa derrière le pare-soleil. Puis il la considéra tendrement une dernière fois :

— Je regrette qu'on se soit rencontrés dans des circonstances pareilles, soupira-t-il. Je t'aime vraiment.

Il l'étreignit avec ferveur, puis descendit de la voiture et s'éloigna en courant.

A treize heures, le jour même, Ragen était de retour au lotissement de Channingway. De nouveau, il n'avait aucun souvenir de l'agression qu'il pensait avoir commise. Il glissa l'argent sous son oreiller et posa le pistolet sur la table de nuit.

— Ce frric rester avec moi, annonça-t-il avant de sombrer dans le sommeil.

En fin de journée, Allen s'éveilla, découvrit les deux cents dollars sous l'oreiller et se demanda, ébahi, d'où ils sortaient.

Il prit une douche, rasa sa barbe de trois jours, s'habilla et sortit dîner.

Le mardi suivant, Ragen s'éveilla, persuadé de n'avoir dormi que quelques heures. Il glissa aussitôt la main sous l'oreiller et découvrit que l'argent avait une fois encore disparu. Envolé ! Evaporé ! Et les factures qui n'étaient toujours pas payées ! Et il n'avait rien pu s'acheter pour lui-même ! Une nouvelle investigation intérieure réussit, cette fois-ci, mieux que la précédente : il entra en contact avec Allen et Tommy.

— Ben oui, dit Allen. J'ai vu de l'argent qui traînait. Je ne savais pas qu'il ne fallait pas le dépenser.

— J'ai acheté du matériel pour peindre, expliqua Tommy. On en avait besoin.

— Crrétins ! rugit Ragen. Je voler seulement pour payer factures. Pour acheter nourrriture. Pour trraites de la voiture.

— Oh bon ! mais où est passé Arthur ? demanda Allen. Il aurait dû nous le dire.

— Je ne trrouve Arrthurr. Il êtrre parrti je ne sais où dans les rrecherches scientifiques au lieu s'occuper prrojecteurr. Etrre moi qui dois trrouver l'arrgent pourr payer les factures.

— Qu'est-ce que vous allez faire maintenant ? interrogea Tommy.

— Je rrecommence. Etrre derrnière fois. Personne ne toucher l'arrgent, après.

— Bon Dieu, soupira Allen. Comme je déteste ces périodes d'embrouilles.

A l'aube du vendredi 26 octobre, Ragen passa une veste de cuir et, pour la troisième fois partit, courir à travers les rues de Colombus dans la direction de l'université. Il lui fallait trouver de l'argent. Voler quelqu'un. N'importe qui. Vers sept heures et demie, il reprenait son souffle à un carrefour quand une voiture de police s'arrêta au feu. Le Yougoslave plongea la main sous son blouson et la referma sur la crosse de son pistolet. Les policiers devaient avoir de l'argent sur eux.

Ragen s'avança vers eux mais le feu passa au vert et la voiture de patrouille s'éloigna.

Plus loin, Ragen aperçut une Corvette bleue pilotée par une belle femme blonde, qui s'engageait dans l'allée privée d'une résidence. Une plaque sur l'immeuble de brique proclamait qu'il avait été baptisé Gemini. Le Yougoslave emprunta à son tour l'allée qui conduisait au parc de stationnement, à l'arrière du bâtiment. Ragen était sûr que la conductrice ne l'avait pas remarqué. Il n'aurait jamais songé à agresser une femme mais, à présent, il était désespéré. Il le fallait, pour les enfants.

— Monter dans la voiture.

La femme sursauta, se retourna :

— Quoi ?

— J'ai un pistolet. J'ai besoin, vous m'emmenez quelque parrt.

Terrifiée, elle se conforma à ses ordres. Ragen prit place sur le siège du passager et exhiba deux pistolets. Puis Adalana, pour la troisième fois, souhaita lui prendre le projecteur...

Adalana commençait à craindre qu'Arthur découvrît le pot-aux-roses. Si jamais il comprenait qu'elle volait le temps de Ragen... Mais elle se rassura en songeant que si Ragen était arrêté, il porterait la responsabilité de toute l'affaire. Il était sorti armé, il avait effectivement projeté de commettre une agression. Tout le monde croirait qu'il était resté constamment sous le projecteur. Et quant à ses trous de mémoire, on les attribuerait aux drogues et à la vodka.

Elle admirait Ragen, autant pour son agressivité que pour la tendresse qu'il manifestait à Christine. Il possédait des qualités dont elle était dépourvue. Tandis que la jeune femme blonde manœuvrait la Corvette pour sortir du parc de stationnement, Adalana se mit dans la peau de Ragen et parla comme il aurait parlé :

— Je veux que vous vous arrêtiez devant l'immeuble là-bas. Il doit y avoir une limousine garée tout près.

Quand la voiture en question fut en vue, Adalana braqua un pistolet dans sa direction.

— Je tuerai l'homme à qui appartient cette auto. S'il avait été là, il serait mort. Il vend de la cocaïne. Je sais qu'il a tué une petite fille en lui donnant de la drogue. Il fait ça sans arrêt avec les gosses. C'est pour ça que je vais le tuer.

Dans la poche de sa veste, Adalana sentit le contact d'un objet dur.

C'étaient les menottes de Tommy. Elle les laissa tomber sur le plancher de la voiture.

— Comment tu t'appelles ?

— Polly Newton.

— Tu vas tomber en panne sèche, Polly. Arrête-toi dans une station-service.

Adalana paya de sa poche les quinze litres d'essence qu'elle fit mettre dans le réservoir et elle ordonna à Polly de prendre la 71 vers le nord. La voiture roula un moment puis Adalana contraignit Polly de s'arrêter à la hauteur d'une buvette, le temps d'acheter deux Coca-Cola.

Un peu plus tard, Adalana remarqua qu'une rivière longeait la route à droite. De vieux ponts à voie unique enjambaient le cours d'eau.

Adalana sentait que Polly Newton étudiait son visage du coin de l'œil, sans doute pour enregistrer son signalement. Adalana jouait consciencieusement le rôle de Ragen, bavardait, inventait des histoires. Cela dérouterait Arthur et les autres et effacerait toute trace de son passage. Personne ne saurait qu'elle avait pris le projecteur.

— J'ai déjà tué trois personnes. Et pendant la guerre, j'en ai tué beaucoup plus que ça. Je suis membre d'un groupe de terroristes, les *Weathermen.* On m'a lâché dans Colombus hier soir pour terminer une mission. Je dois faire disparaître un homme qui devait témoigner en justice contre les *Weathermen.* Je dois vous dire que j'ai accompli ma mission.

Polly Newton hochait la tête sans mot dire pendant que son ravisseur continuait de se faire mousser :

— Je vis aussi sous une autre identité. Je suis très bien habillé. Je suis un homme d'affaires qui roule en Maserati.

Obéissant aux indications de l'homme, Polly Newton bifurqua sur une route de campagne déserte. La Corvette passa au-dessus d'un profond fossé d'irrigation, coupa à travers un champ envahi de hautes herbes et s'arrêta au bord d'un petit étang. Adalana demanda à la conductrice de sortir de la voiture puis elle-même en descendit pour jeter un coup d'œil sur les environs.

— Il faut que j'attende ici, dit Adalana en revenant s'asseoir sur le capot de la voiture. On va attendre une vingtaine de minutes, après tu me largueras.

Polly parut soulagée.

— Et je veux faire l'amour avec toi.

Polly se mit à pleurer.

— Je ne vais pas te faire de mal. Cogner les femmes et les éventrer c'est pas mon genre. Rien que de savoir qu'on leur fait des choses pareilles, ça me dégoûte.

Les sanglots de Polly redoublèrent.

— Allons, écoute-moi. Quand on te viole, c'est pas la peine de crier ou de te débattre parce que tu risques de rendre le violeur fou furieux et il pourrait te brutaliser. Le mieux, c'est de te coucher sur le dos et de lui dire : « Vas-y. » Comme ça, il ne te fait pas de mal. Ça me fait beaucoup de peine de te voir pleurer, mais tu n'as pas le choix. De toute façon, tu n'y couperas pas.

Adalana prit deux serviettes de toilette qui traînaient dans la voiture et les étendit sur le sol, à côté de sa veste de cuir.

— Allonge-toi là, les bras le long du corps, et essaie de te détendre.

Polly obéit. Adalana s'étendit près d'elle, lui ôta son chemisier et son soutien-gorge et l'embrassa.

— Ne t'inquiète pas, tu ne risques pas de te retrouver enceinte, je suis vasectomisé.

Adalana baissa son pantalon de survêtement jusqu'aux genoux pour montrer à Polly une cicatrice sur le bas-ventre, juste au-dessus du pénis. Cette marque en diagonale sur l'abdomen ne résultait nullement d'une vasectomie, mais de l'opération d'une hernie.

Quand l'homme se coucha sur elle, Polly sanglota :

— S'il vous plaît, ne me violez pas !

Le mot « violez » transperça Adalana. Elle se souvint des souffrances de David, de Danny, et de Billy. Seigneur, comme c'était horrible, d'être violé !

Au cri poussé par la jeune femme, l'homme s'était pétrifié. Il roula de côté et fixa le ciel, des larmes plein les yeux.

— Billy, dit Adalana à haute voix. Qu'est-ce qui t'arrive ? Reprends-toi.

Puis elle se releva et remit les serviettes de bain dans la voiture. Sur le siège avant, elle prit le plus grand des pistolets, jeta une bouteille dans l'étang, visa, appuya sur la gâchette. Le coup ne partit pas. Elle essaya encore, tira deux fois sur la cible et la rata. Adalana, à la différence de Ragen, n'avait rien d'un tireur d'élite.

— Bon, allons-nous-en.

Comme la Corvette s'arrachait aux berges de l'étang, Adalana passa le bras par-dessus la vitre baissée et fit feu à deux reprises sur un poteau télégraphique. Puis elle se saisit du sac à main de la jeune femme et le fouilla.

— Il me faut de l'argent pour quelqu'un d'autre. Dans les deux cents dollars. On va aller retirer du fric, conclut-elle en s'emparant du chéquier de Polly.

Dans une première agence, Polly Newton put retirer cent cinquante dollars. Puis ils essayèrent ailleurs, auprès d'autres sociétés, à certains guichets pour automobilistes ; partout, ils se heurtèrent au même refus. Après de nombreuses tentatives inutiles, Adalana suggéra à sa prisonnière d'utiliser la carte de crédit de son père comme garantie pour encaisser un autre chèque. Enfin, dans la banque d'un centre commercial, on leur fit confiance. Polly Newton put prendre cinquante dollars.

— On peut encaisser encore un chèque, suggéra Adalana. Tu garderas l'argent.

Changeant brusquement d'attitude, elle déchira un des chèques de Polly pour y écrire un poème. Mais sitôt qu'il fut terminé, elle expliqua :

— Je ne peux pas te le donner, parce que ça pourrait servir à la police.

Elle déchira le chèque et arracha une page au carnet d'adresses de Polly.

— Je vais la garder. Si tu me dénonces à la police, si tu leur donnes mon signalement exact, j'envoie ça aux *Weathermen.* Ils viendront à Colombus tuer ta famille.

A cet instant, une voiture de police les dépassa sur la gauche. Saisie de frayeur, Adalana quitta le projecteur...

— Ben merde alors ! s'exclama l'homme à haute voix. Qu'est-ce que je fous ici ? Qu'est-ce que tu fous là, mon vieux Phil ?

— C'est votre nom, ça, Bill ?

— Heu, non, Phil.

Il regarda autour de lui.

— Putain de merde, qu'est-ce qui se passe ? Bon Dieu, y a une minute de ça, j'étais...

Puis Tommy lui succéda. Il considéra la conductrice avec perplexité. Qui était cette fille ? Sans doute une nana qu'il avait draguée. Il jeta un coup d'œil à sa montre. Presque midi.

— T'as faim ? s'enquit-il.

Elle hocha la tête.

— Y a une buvette par là. On se prend des hamburgers-frites ?

Ce fut elle qui passa la commande et Tommy qui paya. Elle lui parlait d'elle pendant qu'ils mangeaient, mais il ne lui prêtait qu'une oreille distraite. Ce n'était pas vraiment lui qui l'avait draguée. Il n'avait plus qu'à attendre. Celui qui sortait avec elle allait revenir et il l'emmènerait là où tous deux étaient censés aller.

— Tu veux que je te laisse à un endroit particulier ? demanda la jeune femme blonde.

Tommy, de plus en plus perplexe, scruta le visage de son interlocutrice. Apparemment, celui qui l'avait draguée venait de rompre avec elle.

— Sur le campus, ça ira.

Quand ils furent revenus à la voiture, il ferma les yeux...

Allen jeta un rapide coup d'œil sur la conductrice, porta la main à sa poche et sentit le contact du pistolet et de la liasse de billets. Oh ! bon Dieu, non...

— Ecoutez, quoi que j'aie fait, je le regrette. Vraiment. Je ne vous ai pas fait mal, j'espère ? Ne donnez pas mon signalement à la police d'ac ?

Elle le regarda sans répondre. Il chercha un moyen de brouiller les pistes, au cas où elle porterait plainte.

— Dites à la police que je suis Carlos le chacal. Je viens du Venezuela.

— Qui est-ce, Carlos le chacal ?

— Il est mort, mais la police l'ignore pour l'instant. Si vous leur dites que je suis Carlos, ils vont sans doute vous croire.

Il sortit de la voiture et s'éloigna en toute hâte.

Rentré chez lui, Ragen compta le butin et annonça :

— Personne toucher arrgent. Je vole ça pour payer les facturres.

— Permettez, intervint Arthur, j'ai payé les factures en question avec l'argent que j'avais trouvé sur le buffet.

— Quoi ? Pourquoi vous ne le dirre ? Pourrquoi je continue à faire les agrrressions ?

— Je pensais que vous comprendriez en voyant que l'argent avait disparu.

— Ah ? Et qui prrend l'argent de la deuxième agrrression ? Il a disparu aussi mais pas pour payer des facturres !

— Ces jeunes gens vous ont fourni les éclaircissements nécessaires.

Ragen bouillait de rage. De fureur, il mit l'appartement sens dessus dessous. Il exigea de savoir qui lui avait volé son temps.

Arthur interrogea Tommy, Kevin et Philip qui nièrent avoir volé du temps à Ragen. Philip décrivit la fille blonde qu'il avait vue dans la voiture :

— C'était la supernana.

— Vous n'étiez pas censé prendre le projecteur, observa Arthur.

— Ben, merde alors, j' l'ai pas cherché. Je me suis retrouvé assis à côté de cette pétasse dans cette putain de bagnole sans savoir pourquoi. Et je me suis tiré dès que j'ai compris ce qui se passait.

Tommy raconta qu'il avait eu affaire à la même fille, qu'il lui avait acheté un hamburger dans une buvette en croyant que c'était une conquête d'un autre membre de la famille.

— Mais ça n'a pas duré plus de vingt minutes. L'argent était déjà dans ma poche.

— Plus personne ne sort pendant quelques jours, décida Arthur. Il faut que nous tirions au clair cette affaire. Tant que nous n'aurons pas découvert qui a volé le temps de Ragen, nous resterons ici.

— Je veux bien, intervint Tommy, mais demain Dorothy et Del fêtent leurs quatre ans de mariage. Kathy m'a téléphoné pour m'y faire penser. Je lui ai promis qu'on se verrait à Lancaster pour acheter un cadeau ensemble.

— Très bien, dit Arthur. Vous pouvez la rappeler pour prendre rendez-vous. Mais n'emportez pas trop d'argent. Le strict nécessaire. Et revenez dès que possible.

Le lendemain, Tommy et Kathy firent du lèche-vitrine à Lancaster. Ils achetèrent un superbe couvre-lit de velours pour offrir à leur mère et leur beau-père. Kathy remarqua que ce jour était aussi celui du quatorzième anniversaire du mariage de leur mère et de Chalmer Milligan.

Après une agréable et paisible soirée en famille, Tommy prit place dans la voiture et attendit qu'Allen revînt pour le conduire à Channingway.

A peine rentré, Allen s'effondra sur le lit...

David s'éveilla. Il ne savait pas pourquoi il était si inquiet. Ça n'allait pas du tout. Mais qu'est-ce qui n'allait pas ? Il parcourut l'appartement, appela successivement Arthur, Allen et Ragen, mais personne ne vint. Tout le monde en voulait à tout le monde.

Sous le lit, il aperçut le sac de plastique contenant des cartouches et sous le fauteuil rouge, le pistolet de Ragen. Ça, David le savait, c'était très mal. Ragen gardait toujours ses armes sous clé.

Il se souvint de ce qu'Arthur disait toujours :

— Quand quelqu'un se conduit mal ou quand quelque chose ne va pas, si vous êtes dans l'impossibilité de joindre un adulte de la famille, appelez les « bobbies ».

David savait ce que ce mot voulait dire. C'était ainsi que l'Anglais appelait les agents de police. David décrocha le combiné et composa le numéro qu'Arthur avait placé en évidence près du téléphone. Quand une voix d'homme répondit à l'autre bout du fil, l'enfant lui dit :

— Quelqu'un est en train de faire quelque chose de très mal ici. Il va arriver malheur.

— D'où appelez-vous ?

— Old Livingston Avenue, lotissement Channingway. Un malheur épouvantable. Mais ne dites à personne que je vous ai appelés.

Il raccrocha, se tourna vers la fenêtre. Au-dehors, la brume paraissait peuplée de fantômes.

Un moment plus tard, il quitta le projecteur. Danny vint et, en dépit de l'heure tardive, se mit à peindre. Puis il s'installa au salon pour regarder la télévision.

On frappa à la porte. Etonné, il regarda à travers l'œilleton et vit un homme qui tenait un carton de pizza à la main. Il ouvrit.

— Je n'ai pas commandé de pizza.

L'homme cherchait Billy. Danny s'efforça de le renseigner. Soudain, il fut plaqué contre le mur et on lui colla un pistolet sur la tempe.

Des policiers firent irruption dans le salon et une jolie femme avertit Danny qu'il avait le droit de se taire. Il garda donc le silence. Deux hommes l'entraînèrent jusqu'à une voiture. Très lentement, à cause du brouillard, ils gagnèrent le commissariat.

Danny ignorait tout de ce qui avait entraîné son arrestation. Il ne comprenait rien à ce qui lui arrivait. Dans sa cellule, il demeura assis sans rien faire jusqu'au moment où David lui succéda et se mit à contempler les évolutions des cafards. Arthur, Ragen ou Allen viendraient bientôt le tirer de là. David était tranquille. Il avait toujours été bien sage. Il n'avait jamais rien fait de mal.

Troisième partie

PAR-DELÀ LA FOLIE

20.

Dans les premières semaines de l'année 1979, Billy Milligan et l'auteur ont de fréquentes entrevues au Centre de santé mentale d'Athens. Le Professeur se penche sur son passé. Et tandis qu'il raconte ce que les « habitants » ont vu, pensé et fait depuis leur naissance, tous — sauf Shawn, le petit sourd — prêtent l'oreille et découvrent leur histoire.

Le Professeur, qui répond à présent au nom de Billy, prend chaque jour davantage d'assurance. Si Billy perd encore pied parfois, quand il ne discute pas avec l'auteur, il sait désormais dans quelle direction il va. S'il parvient à rester fusionné assez longtemps pour se libérer de cette peur et de cette agressivité qui le jettent dans les périodes d'embrouilles, il retrouvera l'unité perdue. Une nouvelle vie pourra alors commencer pour lui, avec la peinture pour gagne-pain.

Billy dévore des livres, en particulier des ouvrages médicaux. Il entretient sa forme physique en faisant de la gymnastique et en courant à petites foulées autour de l'immeuble. Et surtout, il se consacre à son art. Il dessine Arthur, peint le portrait de Danny, de Shawn, d'Adalana et d'April. En s'aidant de modèles moléculaires achetés à la librairie de l'université, il étudie seul la chimie, la physique et la biologie. La nuit, sur un émetteur radio dont il a fait l'acquisition, il lance des appels sur la bande publique et débat avec les autres cibistes de la lutte contre les bourreaux d'enfants.

Le journal local raconte que le refuge pour femmes battues d'Athens, aux prises avec des difficultés financières, est menacé de fermeture. Billy envoie un don de cinquante dollars. Mais quand elles découvrent l'identité du donateur, les responsables lui restituent aussitôt l'argent.

Le 10 janvier, à peine plus d'un mois après son transfert à Athens, Billy ouvre, au nom de la Fondation contre les bourreaux d'enfants, un compte bancaire sur lequel il dépose mille dollars. Cette somme représente une partie de ce que lui a versé une habitante de Colombus qui s'apprête à ouvrir une galerie d'art et qui lui a acheté *La grâce de Cathleen,* portrait d'une dame qui tient à la main un cahier de partition.

Il fait imprimer un autocollant en lettres noires sur fond jaune :

AUJOURD'HUI, EMBRASSEZ DONC VOTRE ENFANT.
ÇA NE PEUT PAS FAIRE DE MAL.
S'IL VOUS PLAÎT, AIDEZ-MOI À COMBATTRE LES BOURREAUX D'ENFANTS.

BILLY.

Billy bavarde souvent avec les jeunes patientes. Infirmières et aides soignantes savent que ces demoiselles lui font du charme et que chacune intrigue pour capter son attention. L'infirmière Pat Perry remarque que la présence et la conversation de Billy suffisent à tirer de son état dépressif Mary, une ancienne étudiante en anthropologie. Billy admire l'intelligence de Mary. Chacun fait le plus grand cas des jugements de l'autre. En janvier, après son départ de l'hôpital, elle manquera beaucoup à Billy.

En dehors de ses entretiens avec Mary, avec le docteur Caul ou avec l'auteur, le Professeur s'ennuie beaucoup. Sa réclusion l'exaspère. Dans ces moments-là, il régresse au stade de Danny, de David ou du Billy non-fusionné. Alors, il trouve plus facilement le contact avec les autres malades. Certains des membres du personnel qui le suivent de près remarquent que, lorsqu'il est Danny ou Billy, il possède une étonnante intuition de ce que ressentent les autres. Il sait quand ils sont contrariés, quand ils souffrent et quand ils ont peur. Il arrive qu'une patiente, poussée par l'hystérie ou la frayeur, s'enfuie du service ouvert. Dans ce cas, Billy réussit souvent à deviner où le personnel pourra la retrouver.

— David et Danny sont la part de moi qui a la capacité de se mettre à la place des autres. Ils peuvent sentir d'où vient la souffrance. Quand quelqu'un va cacher sa peine ailleurs, dans le coin où il s'est refugié, il y a comme un signal lumineux. Danny et David n'ont qu'à en montrer la direction.

Un soir, après dîner, David, assis au salon, a une vision. De l'autre côté de la porte du service, une patiente se présente vers la rampe du palier, dans l'intention évidente de se jeter dans la cage de l'escalier : un plongeon de trois étages. Ragen a toujours trouvé peu naturelles les images mentales qui assaillent parfois David. Cette fois, il comprend que le spectacle auquel l'enfant assiste a toutes les chances d'être réel. Le Yougoslave sort sous le projecteur, se rue dans le couloir, grimpe des escaliers, ouvre une porte à la volée et traverse le hall en courant.

Katherine Gillott, l'infirmière dont le bureau est le plus proche de la sortie, saute par-dessus sa table de travail et se précipite à sa suite. Elle parvient sur le palier au moment où Ragen agrippe la malade, qui a déjà enjambé la balustrade. Il la hisse sur le palier. Gillott ramène la jeune femme dans le service et le Yougoslave s'efface...

David a mal aux bras.

Outre la thérapie classique qui, depuis le début, vise à renforcer chez Billy la maîtrise de la conscience, le docteur Caul pratique l'hypnothérapie. Il enseigne également à son patient les techniques d'autosuggestion qui l'aideront à diminuer sa tension nerveuse. Au cours des séances hebdomadaires de thérapie de groupe menées avec deux autres personnes affligées du syndrome de personnalité multiple, Billy acquiert une meilleure compréhension de son affection en la voyant chez d'autres. Ses accès de dissociation se raréfient. Le docteur Caul estime que son patient est sur la bonne voie.

Comme le Professeur s'impatiente de n'être pas libre d'aller et venir à sa guise, le docteur Caul lève très progressivement les interdits auxquels se heurte Billy. Ce dernier obtient d'abord l'autorisation de sortir de l'immeuble accompagné d'un membre du personnel, puis, contre une simple signature, il peut, à l'instar des autres patients, effectuer seul de courtes promenades — mais seulement dans le parc de l'hôpital. Il profite de ces brèves escapades pour mesurer le taux de pollution de la rivière Hocking en différents points de son parcours. Il envisage de s'inscrire à l'université de l'Etat d'Ohio au printemps 1979 pour suivre des cours de physique, de biologie et d'art.

A la mi-janvier, Billy presse le médecin de lui accorder une faveur dont jouissent nombre d'autres patients du service : aller en ville. Ses cheveux ont besoin d'un bon coup de ciseaux, il faut qu'il passe à la banque, qu'il voie son avocat et qu'il achète des bouquins et du matériel de peinture.

Une première fois, le jeune homme quitte l'hôpital, escorté par deux employés. Tout se passe bien et Caul décide bientôt de l'autoriser à sortir accompagné par un seul infirmier. Apparemment, aucune anicroche. Quelques étudiants, qui l'ont reconnu d'après les photos publiées dans la presse et à la télévision, lui adressent de grands signes amicaux. Ces manifestations de sympathie lui vont droit au cœur. Ainsi donc, il n'est pas l'objet d'une haine générale, après ce qu'il a fait ? En fin de compte, la société n'est peut-être pas unanimement dressée contre lui.

Enfin, Billy demande que l'on franchisse l'étape suivante du processus thérapeutique. N'a-t-il pas donné toute satisfaction ? Il a appris à faire confiance à ceux qui l'entourent. A son médecin de lui prouver maintenant qu'il lui accorde la même confiance. D'autres patients, dont beaucoup sont plus gravement malades que lui, peuvent se promener sans mentor. Pourquoi ne bénéficierait-il pas du même droit ?

Caul en convient : Billy est prêt.

Pour prévenir tout malentendu, Caul prend contact avec le chef de la police et les différentes administrations concernées. Il obtient leur aval, sous certaines conditions : l'hôpital devra prévenir la police et la commission des libérations conditionnelles de Lancaster chaque fois que Milligan quittera seul l'établissement et signalera ensuite qu'il est bien rentré. Billy accepte d'en passer par là.

— Il faut qu'on s'entende à l'avance, lui dit Caul. Il faut examiner ce qui pourrait vous arriver quand vous serez seul dans la rue.

— A quoi pensez-vous ?

— Imaginons les incidents possibles et quelle attitude vous adopteriez. Supposons que vous vous promeniez tranquillement dans la rue. Une femme vous aperçoit, vous reconnaît. Elle se jette sur vous sans crier gare et vous flanque une paire de baffes. Vous comprenez bien que c'est une éventualité qu'on doit envisager ? Les gens savent qui vous êtes. Dans un cas pareil, comment réagiriez-vous ?

— Je m'écarterais et je m'en irais.

— Bon. Supposons maintenant que ce soit un homme qui vous

insulte. Il vous traite de sale violeur et vous étend sur le trottoir d'un coup de poing dans la figure. Qu'est-ce que vous feriez ?

— Je préfère être sur le trottoir qu'en prison. Je resterai là sans bouger et j'espère qu'il laissera tomber.

Caul sourit.

— Vous avez peut-être appris quelque chose, après tout. Je crois bien qu'il ne nous reste plus qu'à vous donner l'occasion de nous le démontrer.

En se promenant seul en ville pour la première fois depuis son arrestation, Billy éprouve un mélange d'exaltation et de crainte. Il prend bien soin de traverser dans les clous pour éviter toute friction avec la police. Du coin de l'œil, il surveille les passants qui le croisent, en priant pour que personne ne l'agresse. Si on l'attaquait, il ne répliquerait pas... Il ferait exactement ce qu'il a dit au docteur Caul.

Après quelques emplettes, il se dirige vers un salon de coiffure, à l'enseigne de *La Moustache de ton Père.* Un coup de fil de Norma Dishong a prévenu le directeur et le personnel de l'arrivée du célèbre malade. On l'accueille cordialement :

— Tiens ! Salut, Billy !

— Alors Billy, ça boume ?

— Dis donc, tu as l'air en pleine forme.

Il bavarde agréablement avec Bobbie, sa coiffeuse. La jeune femme refuse d'être payée.

— Viens quand tu veux. Pas besoin de prendre rendez-vous. Pour toi, ce sera toujours gratuit.

Dans la rue, plusieurs étudiants le reconnaissent, lui sourient, lui adressent de grands signes amicaux.

Il retourne à l'hôpital enchanté de sa journée. Elle n'a été troublée par aucun des incidents calamiteux auxquels le docteur Caul l'avait préparé. Tout s'est passé à merveille.

Le 19 février, Dorothy a une entrevue en tête à tête avec son fils. Billy enregistre leur conversation. Il veut en savoir davantage sur son enfance, il veut comprendre pourquoi son père, Johnny Morrison, s'est suicidé.

— Tu t'es construit une image très personnelle de ton père, lui dit Dorothy. De temps en temps, tu me posais des questions sur lui et je te répondais de mon mieux. Mais je ne l'ai jamais critiqué devant toi.

Je n'ai jamais parlé des choses tristes. Pourquoi faire de la peine à des gosses ? Vous vous étiez construit votre image, et c'était votre papa.

— Parle-moi encore du jour où tu as dû racler les fonds de tiroir pour lui donner de quoi partir en tournée. Il ne restait plus qu'une boîte de thon et un paquet de pâtes, à la maison. Mais quand il est revenu, il en avait, de l'argent ?

— Non. Il a fait le circuit du borsch. Je ne sais pas ce qui lui est arrivé. Il est revenu...

— Le circuit du borsch ? C'était quoi, ça ? Un spectacle ?

— Mais non, c'est le circuit des hôtels juifs des Catskills, les montagnes à l'est de New York. Il présentait son numéro dans les boîtes de nuit de ces hôtels. A cette époque, j'ai reçu la lettre de son agent qui disait : « J'aurais jamais cru que tu puisses me jouer un tour pareil, Johnny. » Je ne sais pas ce qui lui est arrivé pendant cette tournée. Quand il est revenu, il était plus découragé que jamais. A partir de là, les choses n'ont fait qu'empirer.

— Tu as lu sa lettre d'adieu ? D'après Gary Schweickart, il y avait des noms...

— C'était ceux de gens à qui il devait de l'argent mais il ne parlait pas des usuriers. Je sais bien qu'ils existaient, pourtant, parce que je l'accompagnais quand il allait les rembourser — je restais assise dans la voiture — et chaque fois c'était dans un endroit différent. Il avait des dettes de jeu à régler. D'abord, je me suis dit que j'en étais responsable moi aussi et puis finalement, je n'ai pas voulu les payer. Ce n'est pas moi qui les avais faites, après tout. Je l'ai aidé autant que je le pouvais mais je n'allais quand même pas vous retirer le pain de la bouche, à vous, mes enfants !

— Oh ! ricana Billy, il nous restait une boîte de thon et un paquet de pâtes !

— J'ai recommencé à travailler, poursuivit Dorothy. Et on a pu joindre les deux bouts. J'ai acheté de quoi manger, j'ai continué à travailler pour faire tourner la maison. Mais je ne lui ai plus remis mon salaire. Je lui ai seulement donné de quoi payer le loyer. Et il n'en a payé que la moitié.

— Il a joué l'autre moitié ?

— Ou bien il l'a donnée aux usuriers. Je ne sais pas ce qu'il en a fait. Je l'ai sommé de s'expliquer, mais il n'y a pas eu moyen de tirer de lui la vérité toute nue. Un jour on a voulu nous saisir nos meubles, à cause de ses dettes. Je leur ai dit : « Allez-y, emportez-les. » Mais les déménageurs n'ont pas voulu, parce que je pleurais et que j'étais enceinte de Kathy.

— C'est pas très bien, ce qu'il a fait, Johnny.

— Eh oui, mais c'est comme ça.

Voilà deux mois et demi que Billy séjourne au Centre de santé mentale d'Athens. Il perd de moins en moins souvent le temps. Le moment est venu, déclare-t-il au docteur Caul, de franchir l'étape suivante. On lui a promis que si la thérapie se déroulait de manière satisfaisante, on lui accorderait une permission. N'autorise-t-on pas certains patients à rentrer dans leur famille en fin de semaine ? Et parmi eux, ne figure-t-il pas beaucoup de malades qui ont fait des progrès moins importants que ceux de Billy ? Caul reconnaît que le comportement de ce dernier et sa capacité d'introspection se sont améliorés. Ces changements, et la longue période de stabilité que le jeune homme vient de traverser, indiquent qu'il est capable de passer au stade suivant. Caul permet donc à Billy de se rendre en fin de semaine chez Kathy, à Logan, une localité située à une quarantaine de kilomètres au nord-est d'Athens. Billy en est enchanté.

Au cours d'une de ses visites chez sa sœur, Billy la presse de lui montrer la lettre d'adieu de Johnny Morrison. Il sait que Gary Schweickart en a communiqué une photocopie à la jeune femme. Pendant longtemps, elle a refusé de la donner à lire à son frère parce qu'elle ne voulait pas lui causer de chagrin. Mais en entendant Billy raconter la version de Dorothy sur le comportement de son père, cette histoire d'un Johnny Morrison odieux, Kathy se sent trop mal à l'aise. Depuis toujours, elle chérit la mémoire de Johnny. Il est temps que Billy apprenne la vérité.

— Voilà.

Elle jette sur la table du salon une épaisse enveloppe et laisse Billy seul.

L'enveloppe contient une lettre adressée à Gary Schweickart par le médecin légiste du comté de Dade, en Californie, et divers écrits de la main de Morrison : quatre pages d'instructions données à différentes personnes, une lettre de huit pages à M. Herb Rau, journaliste au *Miami News* et un mot de deux pages, déchiré, mais que la police a réussi à reconstituer. Ce dernier document constitue apparemment le début d'une deuxième lettre à Rau.

Les instructions concernent le règlement de dettes et d'emprunts

portant sur des sommes qui vont de 27 à 180 dollars. Un mot adressé à une certaine « Louise » se termine par : « une dernière bonne blague. Le petit garçon : « Maman, c'est quoi un loup-garou ? » La mère : « Tais-toi et brosse ton pelage ! »

Morrison a commencé la lettre adressée à « Miss Dorothy Vincent » en lui demandant de régler certaines dettes avec l'argent de l'assurance. La missive s'achève sur ces phrases : « Mon dernier souhait est que mon corps soit incinéré. Je ne pourrais pas supporter que tu danses sur ma tombe. »

Certains passages de la photocopie de la lettre à M. Herb Rau, du *Miami News,* sont illisibles. Ils sont ici indiqués par des points de suspension entre parenthèses :

> Cher monsieur,
>
> Cette lettre n'est pas facile à écrire. On pourra m'accuser de me défiler lâchement, mais comme mon monde tout entier s'est effondré autour de moi, ce que je laisse derrière moi, ce n'est plus rien. Mon seul espoir est d'offrir, grâce à une petite assurance, une sécurité temporaire à mes trois enfants : James, William et Kathy Jo. Si ce n'est pas demander l'impossible, pouvez-vous veiller à ce que leur mère, Dorothy Vincent, ne mette pas la main sur cet argent ? Elle fraye avec une bande de types qui traînent dans la boîte où elle travaille, le *Place Pigalle,* à Miami Beach, et qui partageraient volontiers cet argent avec elle ! Des proxénètes, des usuriers, etc. C'est pour ces gens-là qu'elle a détruit notre foyer et, croyez-moi, j'ai fait de mon mieux pour essayer de le sauver.
>
> L'histoire est assez sordide... Les enfants que j'aime de tout mon cœur, et le fait qu'ils sont nés hors des liens du mariage, elle veut s'en servir comme d'un truc publicitaire qu'elle imagine utile à sa carrière ! Et le reste : après la naissance de notre premier enfant, j'ai essayé à maintes reprises de la convaincre de m'épouser, (c'était après qu'elle m'eut accusé de l'avoir engrossée lors de notre première rencontre), mais elle trouvait toujours une excuse pour l'éviter (et ceci, comme ce qui suit, pourra être prouvé par le témoignage de mon avocat M. H. Rosenhaus, de Miami). Je l'ai présentée comme ma femme à ma famille, et ensuite, quand le bébé est arrivé, j'ai formé le projet de l'emmener dans une petite ville pour l'épouser et reconnaître le bébé. Mais cette fois, j'aimais tant le petit (...)
>
> Elle trouvait toujours de nouvelles excuses : « Et si quelqu'un qui nous connaît lisait les avis de mariage ? » Bon, en fait, le deuxième

gosse est arrivé et pendant une ou deux semaines il a été entre la vie et la mort, mais Dieu était avec nous et il se porte maintenant à merveille... Comme si j'avais un pressentiment, je lui ai suggéré de nouveau qu'on se marie. Cette fois, elle avait une autre excuse et elle est tombée très bas... Elle buvait sans arrêt, elle ne venait plus à la boîte et quand elle était dans cet état, les enfants n'étaient pas en sécurité avec elle. Plus d'une fois, quand elle a frappé les enfants c'était avec le bras au lieu du plat de la main... J'ai dû la menacer d'une raclée pour qu'elle arrête. Croyez-moi, ma vie était devenue un enfer. Mon travail a commencé à en pâtir... Je dormais peu... Je savais que si ça continuait, j'allais la tuer... Je voulais (...) mais elle m'a supplié de prendre patience. Nous avons mis nos gosses dans un établissement tout à fait bien et nous sommes partis en tournée et avec moi elle a recommencé à travailler correctement dans des cabarets et des théâtres. Puis la petite a été mise en route.

On est retournés à Miami, et après la naissance du troisième enfant, elle a embauché une femme pour garder les gosses et comme elle m'a promis de ne pas fréquenter les clients, je l'ai laissée retourner chanter au *Place Pigalle...* Il ne lui a pas fallu longtemps pour retomber dans le même travers, elle s'est remise à boire, à se bagarrer sans arrêt, malade jusqu'à s'effondrer et à ce qu'on l'envoie à l'hôpital au premier stade de l'hépatite. Elle a failli y passer... elle a été sous surveillance médicale constante pendant plusieurs semaines après sa sortie de l'hôpital quand elle est revenue et a dit que le médecin (le docteur Saphire) lui a dit que ça lui ferait du bien de retourner au travail pour ne plus avoir de souci pendant que l'argent filait et alors un petit cocktail pourquoi pas ça ne pouvait pas lui faire de mal ! J'étais contre le projet mais sans me demander mon avis, elle a signé un contrat et elle est retournée au *Place Pigalle*. Bon, on n'avait plus de travail pour moi dans les hôtels alors on a discuté et j'ai décidé d'aller dans les Montagnes (près de New York) pour travailler quelques semaines ! Nous ne nous étions jamais quittés jusque-là et bien sûr à l'époque je savais quel genre de gens elle fréquentait — des maquereaux, des lesbiennes, des usuriers, etc. Pour elle, c'était devenu le symbole d'une vie « intense ». Quand je suis revenu et que j'ai vu le genre de vêtements qu'elle s'achetait — des chemises masculines, des costumes stricts, certaines sortes de pantalons de toréador qui semblent être un signe de reconnaissance entre ce genre de femmes... Bon, j'ai piqué ma crise. Alors, ça a vraiment été l'enfer...

Comme elle continuait à boire, on a dû la ramener à l'hôpital pour une opération des hémorroïdes mais elle avait le foie trop atteint pour qu'on puisse l'opérer — elle était là pour des semaines... Je faisais deux cents kilomètres le soir pour être avec elle aux heures de visite, peindre la maison, etc., elle projetait toujours de détruire notre foyer pour pouvoir vivre selon son nouveau genre de vie. Le jour de l'opération, quand elle a commencé à émerger, encore sous anesthésique, elle me prenait pour quelqu'un d'autre. Ses aveux étaient écœurants, c'était comme une dégénérescence d'un type inconnu... J'ai essayé de l'arrêter en lui disant que c'était moi (elle était dans une salle commune) mais ça ne lui pénétrait pas dans la tête et elle s'est mise à se vanter de m'avoir « pigeonné » toutes ces années... Je ne lui en ai jamais parlé à cause des enfants et j'ai prié le (...)

Bon, quand elle s'est remise, je lui ai de nouveau parlé du mariage, elle m'a répondu qu'elle avait discuté avec un prêtre et elle a prétendu qu'il lui avait dit : « Ce n'est pas la peine de vous inquiéter pour ça. » Ce sont des « enfants du bon Dieu »... Ça j'ai du mal à y croire mais comme je vous l'ai signalé ci-dessus elle veut l'utiliser comme « truc » publicitaire. Elle est allée jusqu'à m'assigner en divorce pour qu'on parle d'elle dans les journaux et sans prévenir, elle s'est fait donner la garde des enfants et m'a interdit de les voir le soir de Noël et le 31 décembre, ma petite avait deux ans elle a refusé de me laisser la voir et ensuite elle m'a appelé au téléphone pour me dire qu'ils s'étaient bien amusés...

M. Rau, vous pouvez demander aux gens du spectacle de Miami Beach, ils vous diront tous à quel point j'étais sincère et loyal avec cette femme mais c'est plus que je ne peux en supporter... Vous savez par ici, dans les cabarets les femmes font la loi et à cause de ses intrigues j'ai perdu deux engagements... Imaginez ça, elle se vantait partout de pouvoir me chasser de Miami si j'essayais de récupérer la garde des enfants... Elle a disparu à cette époque pendant deux ou trois jours... Et j'en suis au point où je ne peux supporter de vivre et de voir ce que les enfants auront à supporter... J'ai essayé déjà une fois et j'ai raté mon coup mais cette fois-ci j'espère réussir. Pour protéger mes enfants je devrais la supporter mais je préfère répondre de mon péché devant le Tout-Puissant plutôt que de devoir en passer par là. Ma dernière volonté : je vous prie de donner ceci à lire aux différentes administrations qui peuvent protéger les enfants.

Et que Dieu ait pitié de mon âme.

Johnny Morrison

La lettre d'adieu de son père plonge Billy dans la stupéfaction. Bien qu'il désire de tout son cœur ne pas y croire, il ne peut s'empêcher de la lire et de la relire. Son scepticisme est ébranlé. Il a besoin d'en savoir davantage. Il va accomplir une série de démarches qu'il racontera plus tard à l'auteur.

De chez sa sœur, Billy téléphone au syndicat des limonadiers de Floride pour tenter de retrouver la trace de l'avocat de son père. On lui apprend que l'homme de loi est mort. A l'hôtel de ville qu'il appelle ensuite, on lui répond que le registre des mariages ignore le nom de Johnny Morrison comme celui de Johnny Sohraner.

Après de multiples coups de fil, il obtient de parler au propriétaire d'un cabaret où Johnny avait travaillé. L'homme a pris sa retraite mais il a un bateau à Key Biscayne et continue à vendre du poisson à son ancienne boîte de nuit. Il a toujours su, dit-il, qu'un des gosses de Johnny viendrait un jour lui demander des explications.

— J'ai viré votre mère à cause des drôles de cocos qu'elle amenait au cabaret. Johnny a essayé de la convaincre de rompre avec ses fréquentations douteuses, mais c'était sans espoir. Des bonnes femmes qui faisaient tourner leur mari en bourrique, j'en ai vu beaucoup, mais à ce point-là, jamais.

Si on l'en croit, Billy réussit ensuite à contacter un ancien employé du Midget Hotel qui a bien connu son père. L'homme se souvient de ce jour de Noël où Johnny Morrison a reçu un coup de téléphone qui l'a plongé dans le désespoir. Ce témoignage semble concorder avec le passage de la lettre où le père de Billy prétend que Dorothy l'a appelé pour le narguer.

De retour à l'hôpital, il recommence à perdre le temps. Le lundi matin, il téléphone à l'auteur pour lui demander de remettre leur rendez-vous.

En retrouvant le jeune homme le mercredi, l'auteur comprend aussitôt que le Professeur a disparu. C'est le Billy non fusionné qu'il a en face de lui. Après avoir bavardé un moment, l'auteur, dans l'espoir d'éveiller l'intérêt du Professeur, demande des détails sur le radio-téléphone que Billy s'est bricolé. Ce dernier balbutie des explications puis peu à peu, presque imperceptiblement, la voix s'affermit. Le jeune Milligan s'exprime d'une manière plus cohérente, plus technique. Le Professeur est revenu.

— Vous n'avez pas l'air dans votre assiette. Pourquoi ? demande l'auteur.

— Je suis fatigué. Pas assez dormi.

L'auteur montre du doigt le manuel de radio.

— Qui travaille là-dessus ?

— Tommy. C'est lui qui a bricolé l'appareil, il était là presque tout le temps aujourd'hui. Le docteur Caul a eu un entretien avec lui.

— Et en ce moment précis, qui êtes-vous ?

— Le Professeur, mais un Professeur extrêmement déprimé.

— Pourquoi aviez-vous disparu ? Et pourquoi est-ce Tommy qui avait pris votre place ?

— A cause de ma mère et de son mari. Et de son passé. Au point où j'en suis, plus grand-chose ne compte pour moi. Je me sens tellement mal. J'ai pris un valium hier et j'ai dormi toute la journée. Cette nuit, j'ai veillé jusqu'à six heures du matin. J'avais envie de fuir... J'étais inquiet, à cause de la libération conditionnelle. On veut me faire retourner à Lebanon. Parfois je me dis que je ferais mieux de les laisser me remettre en prison et d'attendre que ça passe. Il faut que je me débrouille pour qu'ils me fichent la paix.

— Mais la dissociation de votre personnalité n'arrangera rien.

— Je sais. Jour après jour, il faut que je lutte pour tenter d'aller plus loin, toujours plus loin dans la fusion. J'essaie de faire tout ce que les autres personnalités font et c'est vraiment fatigant. Je suis là, en train de peindre et il faut que je me dépêche de terminer, que je m'essuie les mains, que je ramasse un livre. Je me mets à lire pendant quelques heures en prenant des notes. Puis je m'arrête, je me relève et me lance dans le bricolage de ce radio-téléphone.

— Vous vous surmenez. Vous n'avez pas besoin de tout faire en même temps.

— Le chemin a été long, pour en arriver là. J'ai tant d'années à rattraper, et je dispose de si peu de temps. Il me semble qu'il faut que je me dépêche.

Il se lève et regarde par la fenêtre.

— Autre chose : je vais me retrouver en face de ma mère et je ne sais pas ce que je vais lui dire. Je ne peux plus me conduire comme auparavant. Désormais, tout est différent. La commission des libérations conditionnelles qui me cherche des poux, le juge qui doit décider bientôt si on prolonge mon internement... et la lettre de mon père... c'est très difficile, de faire tenir tout cela ensemble. Ça me met en morceaux.

Le 28 février, Billy annonce à son avocat qu'il ne veut pas que sa mère assiste à l'audience du lendemain, au cours de laquelle le juge devra décider si le placement d'office de Billy Milligan au Centre d'Athens est maintenu.

21.

Le 1er mars 1979, le juge décide de reconduire pour six mois l'internement de Billy Milligan au Centre de santé mentale d'Athens. Dans l'entourage du jeune homme, tous ceux qui participent à sa thérapie sont au courant : dès qu'il sera guéri et rendu à la vie active, il devra, pour avoir contrevenu aux conditions de sa mise en liberté, purger sous les verrous les trois dernières années de sa peine de cinq ans. Il risque même d'être rejugé et de se voir infliger jusqu'à vingt-six ans de prison ferme.

En se fondant sur l'apparition d'éléments nouveaux, ses avocats, Mes Goldsberry et Thompson, demandent la révision du jugement de 1975. Ils avancent qu'à cette époque l'inculpé souffrait déjà du syndrome de personnalité multiple mais que la Cour l'ignorait. Il serait donc logique et équitable de le déclarer rétroactivement irresponsable.

Si le juge se rend à leurs arguments, les défenseurs de Milligan espèrent que leur client quittera l'hôpital en homme libre.

Billy s'accroche à cet espoir.

Vers la même époque, il apprend que Kathy et son amoureux de longue date, Rob Baumgardt, ont décidé de se marier à l'automne. Il aime bien son futur beau-frère et commence déjà à échafauder des projets pour le jour des noces.

Avec le retour du printemps, il commence à se dire que les mauvais jours tirent peut-être à leur fin. Il va de mieux en mieux. Lors d'une permission de fin de semaine, chez Kathy, il esquisse sur un mur une vaste fresque.

Dorothy Moore nie les allégations de Johnny Morrison à son

encontre et en accepte la publication. Son ex-époux souffrait de troubles mentaux avant son suicide, explique-t-elle. Il avait une relation avec une autre femme — une strip-teaseuse — qu'il confondait probablement avec elle dans la lettre qu'il écrivit avant de se donner la mort.

Billy se réconcilie avec sa mère.

En arrivant dans son service au cours de l'après-midi du 30 mars, Billy éprouve un étrange malaise. On le regarde bizarrement, on chuchote, même, dans son dos. Il jurerait qu'on parle de lui.

— T'as pas vu les journaux ? lui demande enfin une patiente en lui tendant un exemplaire du *Colombus Dispatch.* On parle encore de toi !

Sur la première page, en caractères gras, s'étale un titre :

LE MÉDECIN DU SADIQUE L'AUTORISE A CIRCULER LIBREMENT
par John Switzer

> William Milligan, le violeur à personnalité multiple interné au CSM d'Athens depuis le mois de décembre a obtenu l'autorisation de circuler quotidiennement, librement et sans surveillance. Le médecin de Milligan, le docteur Caul, a révélé au *Dispatch* que l'on autorise Milligan à circuler dans les rues d'Athens et qu'on lui accorde même des permissions de fin de semaine pour aller dans sa famille...

L'article cite le chef de la police d'Athens, qui a déjà reçu de nombreuses lettres de citoyens inquiets : il affirme que l'émotion est grande au sein de la population et que la gravité de l'événement ne lui échappe pas. Le journaliste cite aussi le juge Flowers, qui a prononcé la non-culpabilité de Milligan : « Je ne suis pas partisan, déclare le magistrat, de laisser Milligan circuler à sa guise. » A la fin de l'article, ce dernier devient « l'homme qui sema la terreur parmi la population féminine de l'université d'Ohio en 1977 ».

L'article constitue le coup d'envoi d'une violente campagne dirigée contre les permissions de sortie accordées à Milligan. Le 5 avril, un éditorial paraît sous le titre :

LA SOCIÉTÉ A BESOIN DE LOIS POUR ASSURER SA PROTECTION.

Des lecteurs alarmés et des parents inquiets téléphonent au président de l'Université, Charles Ping, qui va demander des éclaircissements auprès de l'établissement hospitalier.

Deux représentants de l'assemblée de l'Etat, Claire Ball,

d'Athens, et Mike Stinziano, de Colombus, critiquent la situation légale qui a été faite à Milligan au Centre de santé mentale d'Athens. Ils souhaitent aussi la révision des articles du code permettant de juger un individu « non coupable pour irresponsabilité mentale ».

Certains membres du personnel, résolument hostiles à Milligan, sont scandalisés de le voir gagner de l'argent en vendant ses œuvres. Sautant sur l'occasion que leur offre la presse, ils signalent au *Colombus Dispatch,* au *Colombus Citizen-Journal* et au *Dayton Daily News* que Milligan a de grosses sommes d'argent à sa disposition. Le jour où il s'achète une petite voiture pour transporter ses tableaux, grâce à la vente du portrait intitulé *La grâce de Cathleen,* la nouvelle fait immédiatement la une des journaux locaux.

Les deux députés, Claire Ball et Mike Stinziano, réclament une enquête. Les attaques répétées dont leur établissement est devenu la cible contraignent finalement le docteur Caul et la directrice, Sue Foster, à demander à Milligan de renoncer à ses permissions et à ses sorties en ville jusqu'à ce que l'hystérie populaire soit retombée.

Billy est totalement pris au dépourvu. Depuis que l'on a diagnostiqué sa maladie et commencé à le traiter, il a tenu ses promesses et n'a jamais enfreint la loi ni le règlement de l'hôpital. Et voilà qu'on lui supprime d'un seul coup tous ses privilèges !

Le Professeur, consterné, quitte le projecteur. Il abandonne la partie.

En prenant son service à onze heures du soir, Mike Rupe découvre Milligan recroquevillé au fond d'un fauteuil, l'air affolé. Mike hésite à s'approcher. On l'a averti que le patient éprouve une aversion à l'encontre du sexe masculin. Il connaît d'autre part l'existence de Ragen et a assisté aux séances de projection organisées par le docteur Caul pour présenter au personnel le syndrome de personnalité multiple. Jusque-là, il n'a pas eu à intervenir dans le comportement du patient, se contentant de l'observer. Contrairement à une grande partie du personnel qui prend Milligan pour un simulateur, Mike n'a jamais mis en doute le diagnostic. Il lui paraît tout simplement impensable qu'un jeune homme comme Milligan, qui n'est même pas allé jusqu'au bout de ses études secondaires, puisse damer le pion à des sommités de la psychiatrie et de la médecine.

Dans l'ensemble, le patient lui semblait avoir retrouvé l'équilibre et cela seul comptait à ses yeux. Mais depuis une semaine, et plus précisément depuis la parution du premier article du *Colombus Dispatch,* il le voit s'enfoncer dans la dépression. Rupe juge déplorable la campagne de presse dont Milligan est la victime et l'intervention de personnalités politiques dans cette affaire.

S'approchant du jeune homme terrifié, il s'assied à ses côtés. Incapable de prévoir la réaction de Milligan, il doit se montrer prudent et surtout l'aborder le plus naturellement possible.

— Comment vous sentez-vous ? demande-t-il. Je peux faire quelque chose pour vous ?

Milligan lui lance un regard craintif.

— Je vois que quelque chose ne va pas. Je veux seulement vous dire que, si vous avez besoin de parler, je suis là.

— J'ai peur.

— Cela se voit. Vous voulez vous confier à moi ?

— C'est à cause des petits. Ils ne comprennent pas ce qui se passe. Ils ont très peur.

— Comment vous appelez-vous ?

— Danny.

— Vous me connaissez ?

Danny secoue la tête.

— Je suis Mike Rupe, de l'équipe de nuit du service psychiatrique. Je suis là pour vous aider si vous en avez besoin.

Danny se contente de jeter des regards affolés autour de lui. Mais, s'immobilisant soudain, il semble prêter l'oreille à une voix intérieure et annonce :

— Arthur dit que nous pouvons vous faire confiance.

— J'ai entendu parler d'Arthur, dit Rupe. Dites-lui que je lui en suis reconnaissant. Je ne vous veux vraiment que du bien.

Danny lui confie alors que Ragen, furieux de ce qui s'est passé dernièrement, avec les journaux et tout ça, veut en finir et se donner la mort. Les petits sont complètement affolés.

Puis Rupe voit Milligan cligner des yeux. Son regard devient vitreux, l'iris oscille de droite et de gauche. C'est un tout petit garçon en pleurs qui revient à la réalité.

A plusieurs reprises, l'enfant vient ainsi remplacer Danny au cours de la conversation. A deux heures du matin, Rupe raccompagne enfin ce dernier jusqu'à sa chambre.

De ce jour, Rupe découvre que plusieurs personnalités de Milligan sont prêtes à se confier à lui. Le règlement est plutôt strict en ce qui concerne l'heure du coucher (onze heures trente pendant la semaine et deux heures du matin le samedi et le dimanche). Mais Rupe s'est aperçu que Milligan dort très peu et il passe de longues heures à bavarder avec lui pendant la nuit. C'est en parlant avec Billy dissocié qu'il comprend ce qui le plonge dans le désarroi : une fois de plus, ce dernier a le sentiment d'une terrible injustice, puisqu'on le punit pour des fautes qu'il n'a pas commises.

Le jeudi 5 avril, à trois heures de l'après-midi, Danny prend le projecteur et regarde autour de lui : il se trouve dans le parc de l'hôpital. Dans son dos, se dresse la vieille demeure victorienne aux murs de brique rouge, à l'entrée flanquée de blanches colonnes. Devant lui, coule la rivière au-delà de laquelle commence la ville. Foulant l'herbe du pied, il se souvient soudain de la terreur que lui auraient inspirée ces grands espaces verts autrefois, avant que Rosalie Drake ne l'en guérisse, à l'hôpital Harding.

Il se baisse pour cueillir des petites fleurs blanches et, relevant la tête, en aperçoit de plus belles là-bas, sur les hauteurs. Absorbé par sa cueillette, il se retrouve aux abords d'un petit cimetière dans lequel il pénètre. Il se demande pourquoi l'on n'a gravé que des numéros sur les pierres tombales, au lieu du nom des défunts, mais le souvenir d'avoir été enterré vivant quand il avait neuf ans s'impose à sa mémoire. Il s'écarte en tremblant. Sur sa tombe, on n'aurait pas même gravé de numéro !

Attiré par le sommet fleuri, il grimpe de plus en plus haut, pour découvrir que, de l'autre côté, la colline tombe à pic. Il s'approche prudemment du bord et, se retenant d'une main au tronc d'un arbre, il regarde à ses pieds la route, la rivière, et, plus loin, les maisons. Soudain, une voiture surgit du virage dans un grand crissement de pneus. Un instant ébloui par son feu giratoire, il prend brusquement conscience du vide qui s'ouvre devant lui. Il a le vertige. Il va tomber.

— Descends, Billy, dit une voix dans son dos.

Il se retourne. Pourquoi cet attroupement autour de lui ? Pourquoi Arthur ou Ragen ne viennent-ils pas à son secours ? Son pied dérape et des pierres roulent le long de la pente. Un homme lui tend une main secourable. Danny la saisit et se laisse conduire en sûreté, à l'écart du précipice. Puis, le cœur plein de reconnaissance, Danny suit son sauveteur jusqu'à la grande demeure à colonnes.

— Tu allais sauter, Billy ? demande quelqu'un.

Levant les yeux, il ne reconnaît pas le visage de la jeune femme qui a posé la question. Arthur lui a bien recommandé de ne jamais répondre à des inconnus. Il tourne la tête sans mot dire.

Le service est en effervescence. Les yeux sont braqués sur lui et, de toute évidence, il est au centre de toutes les conversations. Mieux vaut qu'il s'en aille et abandonne le projecteur à quelqu'un d'autre...

En arpentant le vestibule du service des ATI, ce soir-là, Allen se demande ce qui a pu se passer. Sa montre à quartz marque dix heures quarante-cinq. Il n'est pas sorti dans la lumière depuis fort longtemps : à l'instar des autres « habitants », il a écouté avec intérêt le Professeur raconter l'histoire de leur vie. Avant, chacun d'eux possédait seulement quelques pièces du puzzle géant de la conscience. Mais en s'efforçant de donner une image cohérente de leur histoire à l'écrivain, le Professeur les a réunies et les habitants ont pu se faire une idée du déroulement de leurs vies. Les manques subsistent nécessairement puisqu'il n'a raconté que les souvenirs suscités par les questions de l'écrivain.

Mais voilà que le Professeur a disparu et que, désormais, toute communication entre l'auteur et le Professeur, et entre Allen et les autres, se trouve rompue. Allen se sent seul et perdu.

— Qu'est-ce qui ne va pas, Billy ? demande une patiente.

— Je me sens un peu dans les vaps. J'ai dû prendre trop de cachets. Je crois que je vais aller me coucher tôt.

Quelques instants plus tard, Danny se réveille en sursaut. Plusieurs personnes viennent de faire irruption dans sa chambre. On le tire de son lit.

— Qu'est-ce que j'ai fait ?

On brandit devant lui un flacon de pilules, dont quelques-unes ont roulé à terre.

— Je n'en ai pas pris, proteste Danny.

— Il faut vous emmener à l'hôpital, dit quelqu'un.

Quelqu'un d'autre donne l'ordre d'aller chercher une civière pour emporter Milligan. Danny s'en va, remplacé par David...

Mike Rupe s'approche de lui et Ragen, croyant qu'il va faire du mal à David, s'empare du projecteur. A l'instant où Rupe lui saisit le bras pour l'aider à se lever, Ragen l'empoigne. Ils s'affalent tous deux en arrière sur le lit.

— Je casser cou !

— Bien sûr que non !

Se tenant l'un l'autre fermement par les bras, ils roulent au plancher.

— Lâcher moi ou je casser bras !

— Pas sous la menace !

— Je pouvoirr fairre trrès mal si ne lâcher pas !

— Si t'arrêtes tes menaces à la con, je te lâche !

Ils luttent encore un moment sans que l'un ou l'autre ne parvienne à conclure le combat. Pour finir, Rupe tente un compromis :

— Je lâche prise si t'en fais autant et que tu promets de ne pas me casser les os.

Ragen accepte :

— Je lâcher si lâcher et t'écarrter !

— On lâche ensemble, dit Rupe. Et tout va bien.

Ils se regardent droit dans les yeux. D'un seul coup, ils lâchent prise et s'écartent l'un de l'autre.

Le docteur Caul vient d'apparaître sur le seuil de la chambre. Il donne des instructions aux infirmiers qui roulent la civière à l'intérieur de la pièce.

— Pas besoin de ça ! lance Ragen. Personne avaler dose trrop forrte !

— On va vous emmener à l'hôpital pour vérifier, explique Caul. On n'a pas d'autre moyen de savoir combien de médicaments a pris Billy. L'un d'entre vous a annoncé tout à l'heure qu'il avait pris trop de cachets. Il faut absolument qu'on sache si c'est vrai.

Caul continue à parler jusqu'au moment où Ragen s'éclipse, laissant le projecteur à Danny. Dès que ce dernier apparaît, les genoux tremblants, Rupe lui prend le bras pour l'aider à s'installer sur la civière.

Dans l'ambulance, Rupe prend place aux côtés de Milligan. Aux urgences du O'Bleness Memorial Hospital, il a l'impression que le médecin n'apprécie guère d'avoir à soigner Billy Milligan. Du mieux qu'il peut, Rupe tente de lui expliquer qu'il faut traiter ce dernier avec ménagement :

— S'il commence à parler avec un accent slave, mieux vaut s'éloigner de lui et lui envoyer une infirmière.

Sans prendre la peine de l'écouter, le médecin regarde avec une expression incrédule les yeux de Danny qui reprennent un aspect normal. Rupe comprend qu'il vient prendre la place de David.

— Il simule, laisse tomber le médecin.

— Il vient de changer de personnalité et...

— Ecoutez-moi, Milligan. On va vous faire un lavage d'estomac. On va vous introduire des tubes dans le nez et aspirer.

— Non, gémit Danny. Pas de tubes... pas de tuyau.

Rupe croit lire les pensées de Danny qui lui a raconté un jour qu'on lui avait introduit de force un tuyau d'arrosage dans l'anus.

— Il va bien falloir, pourtant, dit le médecin. Que vous le vouliez ou non !

Rupe voit les yeux de Danny bouger.

Ragen se dresse brusquement, sur le qui-vive.

— Ecoutez ! lance-t-il. Je ne perrmettrre à médecin de seconde zone comme vous, prratiquer expérriences sur moi !

Blême, le médecin recule d'un pas. Puis il tourne les talons et quitte la pièce.

— Qu'il aille se faire foutre ! grommelle-t-il en franchissant le seuil. Il peut crever !

Quelques instants plus tard, Rupe l'entend qui téléphone au docteur Caul, en expliquant ce qui vient de se passer. Quand il revient, il a perdu un peu de sa morgue. Il envoie une infirmière chercher deux cachets d'ipeca pour faire vomir le patient. Ragen se retire, remplacé par Danny.

L'examen des matières régurgitées ne révèle aucune trace de médicaments.

Rupe raccompagne Milligan dans l'ambulance. Il est deux heures du matin. Danny est tranquille mais il a l'air perdu. Il n'a plus qu'un désir : dormir.

Le lendemain, l'équipe chargée de sa thérapie annonce à Billy qu'il va être transféré au service 5 — le service de sécurité renforcée. Il n'y comprend rien. Cette histoire de surdose ne lui évoque aucun souvenir et il ignore tout de son transport à l'hôpital. En voyant des inconnus franchir le seuil de sa chambre, Ragen bondit sur le lit. Il brise un verre contre le mur et brandit la partie coupante.

— N'approchez pas ! menace-t-il.

Norma Dishong se précipite sur le téléphone pour appeler des secours. Quelques secondes plus tard, les mots « Alerte verte » résonnent dans le haut-parleur.

En arrivant, le docteur Caul reconnaît aussitôt l'expression crispée, la voix aux accents furieux de Ragen.

— Je n'avoir pas brrisé os depuis longtemps, docteur. Venir. Vous êtrre premier !

— Pourquoi faites-vous cela, Ragen ?

— Vous avoir trrahi Billy. Tout le monde ici avoir trrahi Billy.

— Ce n'est pas vrai. Vous savez bien que tout est venu de la campagne de presse.

— Je n'aller pas service 5.

— Il le faut, Ragen. Cela ne dépend plus de moi. C'est une question de sécurité.

Hochant la tête avec tristesse, il quitte la pièce.

Trois infirmiers se ruent sur Milligan en se protégeant d'un matelas qu'ils poussent contre lui pour le plaquer au mur. Trois autres lui saisissent les bras et les jambes et le maintiennent à plat ventre sur le lit. Arthur calme Ragen. Une infirmière, Pat Berry, entend Danny s'écrier :

— Ne me violez pas !

Arthur voit une autre infirmière s'approcher, une seringue hypodermique à la main.

— Une injection de thioridazine devrait le calmer, l'entend-il annoncer.

— Non, pas de thioridazine ! prévient Arthur mais il est déjà trop tard.

Il a entendu le docteur Wilbur expliquer un jour que les neuroleptiques sont particulièrement contre-indiqués dans les cas de personnalité multiple car ils aggravent le processus de fragmentation. Il tente, par le seul pouvoir de sa volonté, de ralentir sa circulation sanguine pour empêcher la thioridazine d'atteindre le cerveau. Puis il se sent soulevé par six paires de bras.

En sortant de l'ascenseur au deuxième étage, on le transporte à travers le service 5. Des visages aux expressions étranges le regardent passer. Un homme tire la langue. Un autre semble en grande conversation avec le mur. Un autre encore est en train d'uriner sur le plancher. Des remugles de vomi et de selles lui donnent la nausée.

On le jette dans une cellule, nue en dehors d'un matelas recouvert d'une alèse de matière plastique, et l'on referme la porte sur lui. En l'entendant claquer, Ragen bondit. Il va l'enfoncer ! Mais Arthur arrête son geste. Samuel s'empare du projecteur et tombe en prière : « *Oy veh !* Mon Dieu, pourquoi m'avez-vous abandonné ? » Philip se rue contre la porte en jurant et c'est David qui prend sur lui la douleur. Christine sanglote, à plat ventre sur la paillasse et Adalana sent les larmes qui ruissellent sur ses joues. Christopher s'assied sur son séant et tripote le bout de ses souliers. Tommy entreprend d'examiner la serrure de la porte mais Arthur le tire à l'écart du projecteur. Allen demande à parler à son avocat. April, qu'anime un désir de vengeance, rêve qu'elle met le feu à l'hôpital. Kevin pousse des jurons. Steve l'imite. Lee rit aux éclats. Bobby imagine qu'il s'envole par la fenêtre. Jason pique une violente colère. Mark, Walter, Martin et Timothy arpentent la pièce en divaguant. Shawn émet un bourdonnement. Arthur ne dirige plus les indésirables.

Par le judas, les infirmiers du service 5 voient Milligan se jeter contre les murs, tournoyer sur lui-même, changer de voix et d'accent, rire, pleurer, se laisser tomber et se relever d'un bond. Ils sont tous persuadés d'avoir affaire à un aliéné en pleine crise de folie furieuse.

Lors de sa visite du lendemain, le docteur Caul lui administre de l'amytal, la seule spécialité qui ait sur lui un effet apaisant tout en lui permettant de se reprendre. De fait, une fusion partielle se produit. Mais, comme ils l'avaient déjà fait avant le procès, Arthur et Ragen restent sur la touche et sans eux, Billy est toujours le Billy dissocié, vide, terrifié, perdu.

— Remmenez-moi là-haut, docteur, supplie Milligan.

— Le personnel du service ouvert a peur de vous, maintenant, Billy.

— Je n'ai jamais fait de mal à personne.

— Ragen a bien failli. Il a menacé les infirmiers avec du verre cassé. Il s'en serait servi. Et il voulait me briser les os. Le personnel a annoncé qu'il se mettrait en grève si on vous remet en service ouvert. Certains veulent qu'on vous envoie ailleurs.

— Où cela ?

— A Lima.

Le sang de Billy se glace. Lima ! l'enfer dont parlaient ses codétenus de Lebanon. L'asile que ses avocats, Mes Schweickart et Stevenson avaient eu tant de mal à lui épargner !

— Ne me renvoyez pas, docteur. Je me tiendrai bien. Je ferai tout ce qu'on me demandera.

Le docteur Caul hoche pensivement la tête.

— Je vais voir ce que je peux faire.

Du centre de santé mentale d'Athens, des renseignements continuent de filtrer pour alimenter la campagne de presse. Le 7 avril, le *Colombus Dispatch* titre : « Milligan en cellule capitonnée après une fausse tentative de suicide. »

Le *Dispatch* ne se contente plus d'accabler Milligan. L'établissement du docteur Caul est directement visé et ce dernier reçoit des lettres et des coups de téléphone orduriers, souvent assortis de menaces. « Comment avez-vous pu défendre un mec qui viole les bonnes femmes ? lui hurle-t-on une fois dans l'écouteur. Espèce de salopard de toubib drogué de mes fesses ! On va vous faire la peau ! »

Depuis, il ne fait plus un pas dans la rue sans s'assurer qu'il n'est pas suivi. Le soir, avant de se mettre au lit, il place un revolver chargé sur sa table de nuit.

Un article du *Dispatch* de la semaine suivante rapporte un entretien avec Mike Stinziano, le député démocrate. Ce dernier s'y élève contre la volonté du directeur du Centre de santé mentale d'Athens de transférer Milligan dans un autre établissement hospitalier.

UN DÉPUTÉ MET EN CAUSE LES INTENTIONS DU CSM CONCERNANT LE TRANSFERT DE MILLIGAN,lit-on en gros tire.

> Le représentant Mike Stinziano s'est déclaré peu convaincu par les affirmations des responsables du Centre de santé mentale d'Athens, selon lesquelles le transfert de Milligan dans un autre établissement hospitalier n'était pas envisagé.
>
> Le député démocrate est convaincu que la campagne de presse entamée la semaine dernière a empêché le transfert discret du jeune malade mental et délinquant de vingt-quatre ans.
>
> « Je suis sincèrement persuadé que, sans la publicité dont la presse a entouré toute l'affaire, on aurait transféré Milligan en dehors de l'Etat ou à Lima », déclare Stinziano.
>
> Au cours de la conférence de presse qui s'est tenue mercredi dernier à Athens, la directrice du CMS a affirmé que « la campagne de presse, à laquelle Billy Milligan a très mal réagi, a gravement compromis le traitement. »
>
> La directrice du CMS fait allusion aux nombreux articles, reportages et déclarations qu'a suscités la révélation du *Dispatch*.
>
> Aux allégations de Mme Foster, Stinziano répond qu' « il faut être inconscient pour reprocher aux journalistes d'avoir divulgué les faits ».

Stinziano et Ball, les deux députés, demandent à la direction de la santé mentale de l'Etat d'envoyer un expert chargé de juger le traitement appliqué à Milligan. Le docteur Wilbur accepte de se rendre à Athens.

Son rapport fait l'éloge du traitement prescrit par le docteur Caul et explique que des régressions de ce type sont fréquentes dans les cas de personnalité multiple.

Le *Colombus Dispatch* du 28 avril 1979 annonce en gros titre :

UNE SPÉCIALISTE DES PERSONNALITÉS MULTIPLES
APPROUVE LES PERMISSIONS ACCORDÉES A MILLIGAN
DANS LE CADRE DE SON TRAITEMENT,
par Melissa Widner

La psychiatre nommée par la direction de la santé mentale pour donner son appréciation sur le cas de William Milligan a conseillé qu'aucun changement important n'intervienne dans son traitement.

Dans le rapport qu'elle a soumis à la direction de la santé mentale, rendu public vendredi, le docteur Cornelia Wilbur s'est prononcée en faveur de la thérapie appliquée à Milligan, dans le cadre de laquelle, jusqu'à une période récente, ce dernier se voyait accorder de fréquentes permissions de sortie à l'extérieur du Centre de santé mentale d'Athens, où il est placé. Elle affirme par ailleurs qu'au bout de treize mois d'observation et de traitement dans divers établissements hospitaliers, le patient ne peut plus être considéré comme dangereux et qu'il serait indiqué de poursuivre la thérapie commencée à Athens.

Dans le numéro du *Colombus Citizen Journal* du 3 mai 1979, paraît l'article suivant :

L'OBJECTIVITÉ DU MÉDECIN DE MILLIGAN
EST MISE EN CAUSE

Le député Mike Stinziano, de Colombus, met en cause l'objectivité de la psychiatre nommée pour donner son avis sur le traitement appliqué à Milligan... Dans une lettre adressée à la direction de la santé mentale de l'Etat d'Ohio, le député déclare que l'avis du docteur Cornelia Wilbur ne saurait avoir de poids réel dans la mesure où cette dernière est elle-même « à l'origine du placement de Milligan à Athens ».

Stinziano affirme qu'il s'est agi là d'un choix parfaitement indéfendable puisque le docteur Wilbur sera juge et partie.

Le 11 mai, la section de Colombus d'une organisation féministe (*The National Organisation for Women*) adresse une lettre de trois pages au docteur Caul et une copie à chacune des personnes concernées par l'affaire et à la rédaction du *Colombus Dispatch*.

La lettre débute en ces termes :

Docteur Caul,

> Le traitement que vous avez prescrit à William Milligan qui, à en croire les articles parus dans la presse, comporte des sorties sans surveillance, l'autorisation non-restrictive de conduire une voiture et celle, assortie des restrictions légales, d'acheter des livres ou d'aller au cinéma, révèle un mépris inadmissible pour la situation des femmes qui, dans la région, sont menacées dans leur sécurité. Cela ne saurait être toléré en aucune circonstance...

La lettre reproche ensuite au traitement de ne pas rééduquer Milligan en lui apprenant que la violence et le viol sont inexcusables mais de l'encourager au contraire positivement à persévérer dans cette voie pernicieuse. Grâce à la complicité du docteur Caul, déplorent les militantes, Milligan a intégré « un message qui, bien que ressortissant à la culture inconsciente, n'en a pas moins un contenu très concret, à savoir que la violence contre les femmes est un fait admis, une marchandise érotisée... »

« Le manque de perspicacité professionnelle du docteur Caul, poursuivent-elles, renvoie, comme on pouvait s'y attendre, à sa misogynie. L'attribution des viols à la personnalité d'une lesbienne est une ruse grossière destinée à occulter la responsabilité de la civilisation patriarcale... Le personnage mythique de la lesbienne est un stéréotype commode mais bien fallacieux dans son rôle de bouc émissaire auquel on impute le caractère violent/agressif [*sic*] propre à la sexualité répressive de Milligan. Une fois de plus, l'homme est déchargé de la responsabilité de ses actes et la femme est culpabilisée. »

L'avis du docteur Wilbur s'avère déterminant : Billy va rester à Athens.

Le personnel du service des admissions et des traitements intensifs, contrarié par la campagne de presse et la façon dont Milligan y a réagi, menace de se mettre en grève si l'on n'introduit pas des aménagements dans le traitement. Certains estiment que le docteur Caul consacre trop de temps à Billy. Ils exigent donc que ce dernier délègue à l'équipe soignante l'observation et les soins quotidiens du patient, pour se limiter personnellement aux aspects purement médicaux du cas Milligan et à la psychothérapie de ce dernier. Pour éviter Lima à Billy, Caul accepte à contrecœur.

Donna Hudnell, assistante sociale attachée à l'hôpital, présente à Billy un « contrat » à signer, par lequel il s'engage à respecter une série d'interdits, à commencer par celui de « ne pas se fâcher contre les membres du personnel et de ne se livrer à aucune attaque contre leur personnalité ou leur fonction dans l'établissement ». La première incartade vis-à-vis de cette clause sera punie d'une restriction des visites de l'auteur.

Milligan s'engage aussi à ne pas garder dans sa chambre d'objets coupants ou de verre. Aucune faveur particulière ne lui sera accordée sans consultation préalable de l'équipe soignante. Il ne recevra aucun coup de téléphone et pourra en donner une fois par semaine à son avocat et deux fois par semaine à sa mère et à sa sœur. Il n'aura le droit de recevoir que sa sœur et le fiancé de cette dernière, sa mère, son avocat et l'écrivain. Il ne devra « donner aucun avis de quelque nature que ce soit, d'ordre médical, social, légal, économique ou psychologique, à un autre patient de son service ». Il n'aura pas le droit de retirer plus de 8 dollars 75 par semaine à la comptabilité et ne devra jamais porter sur lui de somme plus importante. On lui remettra son matériel de peintre pendant des périodes limitées dans le temps mais il devra rester sous surveillance quand il s'adonnera à la peinture. On lui enlèvera chaque semaine les tableaux terminés. On ne lui rétablira ses privilèges, par étapes, que s'il est capable de se plier à ces règles pendant deux semaines.

Billy appose sa signature.

Le Billy dissocié observe le règlement à la lettre, avec le sentiment que le personnel a transformé l'hôpital en prison. Une fois encore, il a l'impression d'être victime d'une terrible injustice, d'être puni pour des fautes qu'il n'a pas commises. Arthur et Ragen sont toujours sur la touche et, en leur absence, le Billy dissocié passe la plupart de son temps à regarder la télévision en compagnie des autres patients.

Au bout de deux semaines de bonne conduite, on lui rétablit les visites de l'auteur.

Le Professeur n'a pas réapparu depuis le début de la campagne de presse lancée par le *Dispatch*. Incapable de se souvenir de certains épisodes de sa vie, Billy est en proie au plus profond désarroi. Pour éviter les confusions, l'auteur prend avec lui un accord : le Billy dissocié, celui auquel l'auteur va avoir affaire jusqu'à nouvel ordre, sera Billy-D.

— Ça ira, dit Billy-D. Je suis désolé de ne pas être plus efficace mais ça ira mieux quand Arthur et Ragen seront de retour.

Le vendredi 22 mai, c'est encore Billy-D qui se tient devant l'auteur, un Billy à la parole heurtée, au regard vide, dont le désarroi manifeste lui navre le cœur.

— Vous savez que je dois noter l'identité de mon interlocuteur d'aujourd'hui, dit-il.

— C'est moi, Billy-D, toujours dissocié. Je suis vraiment désolé, mais Arthur et Ragen ne sont pas revenus.

— Ce n'est pas la peine de vous excusez, Billy.

— Je ne vous serai pas très utile.

— Ça ira. On peut bavarder.

Billy acquiesce mais semble perdu, accablé.

Au bout d'un moment, l'auteur suggère une promenade dans le parc. Ils demandent la permission à Norma Dishong, qui donne son accord à condition qu'ils ne franchissent pas les limites de la propriété.

L'après-midi est clair et ensoleillé. Ils devisent en marchant au hasard, puis l'auteur presse Billy d'emprunter le chemin qui a conduit Danny jusqu'à l'à-pic surplombant la route.

Billy hésite. Il a un vague souvenir de la direction mais il a beau tenter de se remémorer les événements de cette journée, c'est peine perdue. Tout est trop flou.

— Il y a un endroit où j'aime bien aller quand je suis tout seul, dit-il. On y va ?

— Qu'arrive-t-il aux autres habitants quand vous n'êtes que partiellement fusionné ? demande l'auteur en suivant Billy. Ça se passe comment ?

— J'ai l'impression qu'il y a du changement, de ce côté-là. C'est ce qu'ils appellent la “ co-conscience ”. J'arrive à communiquer avec certains peu à peu. Je ne crois pas que chaque habitant puisse communiquer avec tous les autres mais cela évolue progressivement. Quelquefois, l'un d'eux sait ce qui arrive à un autre mais je serais bien incapable de dire comment et pourquoi.

Tenez, la semaine dernière, pendant une réunion, il y avait une discussion animée entre le docteur Caul, un autre psychiatre et un avocat. Allen était là aussi. Il participait à la discussion. Mais il s'est levé brusquement en lançant qu'ils pouvaient tous aller se faire voir et qu'il leur donnait rendez-vous à Lima.

J'étais assis dans le hall quand je l'ai entendu prononcer cette phrase et je me suis mis à hurler : « Eh là, attention, qu'est-ce que vous racontez : " rendez-vous à Lima ? " »

J'étais là sur ma chaise et j'avais une frousse terrible parce que j'entendais la conversation qui venait d'avoir lieu l'instant d'avant, comme à la télé, quand on repasse un moment fort pendant un match, seulement ce n'était pas moi qui parlais mais quelqu'un d'autre. Le psychiatre de la réunion est sorti de la pièce et je l'ai appelé à l'aide. Il m'a demandé ce qui m'arrivait et je lui ai répété en tremblant ce que je venais d'entendre dans ma tête. Puis je lui ai demandé si c'était vrai, que j'avais dit qu'il fallait m'envoyer à Lima. Il l'a confirmé naturellement, et j'ai éclaté en sanglots et je l'ai supplié : " Il ne faut pas m'écouter... il ne faut pas écouter ce que je raconte ! "

— C'est un nouveau stade ?

Billy regarde pensivement l'auteur.

— La première manifestation de co-conscience en l'absence de fusion totale, j'imagine.

— C'est très important.

— Mais très effrayant. Je pleurais et je tempêtais. Tout le monde me regardait. Et comme je ne savais pas ce que j'avais dit, je me demandais pourquoi on me regardait comme ça. Et puis j'ai tout réentendu dans ma tête.

— Vous êtes toujours le Billy dissocié ?

— Oui, Billy-D.

— Vous êtes le seul à connaître ce genre d'expériences ?

Il acquiesce d'un signe de tête.

— Parce que je suis la personnalité originale, c'est moi qui stimule la co-conscience.

— Quel effet cela fait-il ?

— C'est le signe que mon état s'arrange mais c'est terriblement effrayant. Quelquefois, je me demande à quoi ça sert de passer par tout ça, si je ne ferais pas mieux de retourner m'enterrer dans un coin de ma tête et de tout oublier.

— Et quelle est la réponse ?

— Je ne sais pas.

Billy se tait en arrivant aux abords du petit cimetière.

— Je viens souvent là pour réfléchir. C'est l'endroit le plus triste que je connaisse.

L'auteur se laisse guider entre les pierres tombales. Certaines sont de guingois. D'autres disparaissent sous les mauvaises herbes.

— Je me demande pourquoi elles n'ont que des numéros, remarque-t-il.

— Ce sont des gens qui n'avaient ni famille ni amis, dit Billy. Ils sont morts sans que personne s'en soucie. Leurs dossiers ont été détruits mais il existe une liste des noms de ceux qui sont enterrés là. La plupart sont morts au moment de l'épidémie de... 1950, je crois. Mais j'ai découvert des tombes qui datent de 1909 et même d'avant. Je vais m'asseoir là-bas, à l'ombre des pins. C'est désespérant, quand j'y pense, d'être ici, dans ce cimetière et pourtant, il émane de ce lieu une certaine paix. Regardez les arbres morts, qui semblent planer au-dessus des tombes, c'est étrangement beau. Oui, ce lieu est empreint d'une grande noblesse.

L'auteur hoche la tête sans l'interrompre.

— Au début, quand on a construit le cimetière, on disposait les pierres en rond, pour former une spirale, vous remarquez ? Mais quand l'épidémie a fait des ravages, la place n'a pas tardé à manquer et on a enseveli les morts en rangées.

— Il est toujours utilisé ?

— Quand on ne retrouve pas la famille. C'est affreux. Vous vous rendez compte ? Venir chercher un parent dont on avait perdu la trace pour découvrir qu'il est devenu le numéro 41 ? Là-bas, sous les pins, il y a des pierres qu'on a jetées pêle-mêle, en tas. C'est désespérant, ce manque de respect pour les morts. Les tombes en bon état ont été mises par des familles qui ont retrouvé un parent disparu. Celles-là portent un nom gravé. Les gens aiment bien rechercher leurs origines, savoir d'où ils viennent. Quand ils découvrent qu'un membre de leur famille est enterré ici sous un numéro anonyme, ils sont horrifiés. « Ma famille mérite un peu plus de respect » : voilà ce qu'ils pensent, même si, de son vivant, on le considérait comme une brebis galeuse. C'est devenu sans importance. Dommage qu'il n'y ait pas plus de jolies tombes. Je passais beaucoup de temps ici quand j'avais le droit de circuler librement dans...

Il s'interrompt et reprend avec un petit rire :

— Quand je pouvais « circuler librement » !

L'auteur comprend qu'il fait allusion au titre du *Dispatch.*

— Je suis content que vous puissiez en rire. J'espère que vous ne vous laissez plus abattre par tout ça ?

— Non. J'ai réussi à ne plus y attacher d'importance. Je me rends compte que j'en verrai d'autres mais on ne me prendra plus au dépourvu et ce sera plus facile à surmonter.

L'auteur a remarqué depuis un moment des changements presque imperceptibles dans la façon d'être de Billy. Il avance d'un pas plus vif, s'exprime plus aisément. Et voilà qu'il plaisante sur le titre qui s'en prenait à lui.

— Je voudrais vous demander quelque chose ? Si vous ne m'aviez pas dit que vous étiez Billy-D, je vous prendrais sans hésiter pour le Professeur.

Il sourit, les yeux brillants.

— Et si vous me posiez la question ?

— Qui êtes-vous ?

— Je suis le Professeur.

— Vous aimez bien me prendre en traître, hein ?

— C'est comme ça, dit-il en souriant. Cela se produit à l'improviste, quand je suis détendu. Il faut une tranquillité intérieure et je l'ai trouvée ici, en bavardant avec vous, en revoyant le cimetière, en me souvenant des moments que j'ai passés ici et en les revivant.

— Pourquoi avez-vous attendu que je vous interroge au lieu de me l'annoncer ?

Il hausse les épaules.

— Ce n'est pas comme si je vous rencontrais de nouveau ! Le Billy dissocié était en train de vous parler et brusquement, Ragen est venu se joindre à la conversation, puis Arthur est intervenu à son tour car ils tenaient à apporter leur contribution. D'autre part, c'était relativement gênant de vous dire tout à coup : « Tiens, bonjour, comment allez-vous ? » comme si j'ignorais que nous étions ensemble depuis un bon moment.

Ils poursuivent leur promenade et le Professeur annonce :

— Arthur et Ragen veulent aider Billy à vous raconter ce qui s'est passé lors de la dernière période d'embrouilles.

— Très bien, acquiesce l'auteur. Allez-y.

— L'idée de se jeter du haut de l'à-pic n'avait même pas effleuré

Danny. Il cueillait des fleurs et en avait aperçu de plus belles là-haut, voilà tout.

Ouvrant la marche, le Professeur s'engage dans le sentier emprunté par Danny et désigne à l'auteur l'arbre au tronc duquel il s'est agrippé. L'auteur regarde en bas. Si Danny avait sauté, il se serait certainement rompu le cou.

— Quant à Ragen, ajoute le Professeur, il n'aurait pas fait de mal aux infirmiers. C'était lui qu'il voulait tuer à l'aide du verre brisé. On avait trahi Billy et il souhaitait mourir.

Portant la main à son cou, le Professeur montre que le geste que l'on avait pris pour une menace était en réalité dirigé contre lui-même :

— Ragen allait se trancher la gorge et en finir.

— Mais pourquoi avez-vous dit au docteur Caul que vous alliez lui briser les os ?

— Ce n'est pas ce que Ragen a voulu dire, mais : « Venez, docteur. C'est la première fois que vous allez me voir briser des os. »

— Restez fusionné, Billy, prie l'auteur. On a besoin du Professeur pour avancer notre travail. Il faut faire connaître votre histoire. C'est important.

Billy acquiesce d'un signe de tête.

— C'est ce qui compte pour moi désormais, que le monde l'apprenne.

La thérapie de Billy suit son cours mais, de l'extérieur, on continue de faire pression sur la direction de l'hôpital pour changer le statut du patient. Le contrat de quinze jours que le personnel avait fait signer à Milligan est renouvelé et, graduellement, on lui rétablit ses privilèges. Le *Colombus Dispatch* continue de publier des articles hostiles.

Les allégations des journalistes incitent les députés de l'Etat à intervenir. En apprenant qu'un ouvrage sur Milligan est en cours, Stinziano et Ball présentent un projet de loi interdisant aux criminels — eussent-ils été jugés non coupables pour irresponsabilité mentale — de toucher de l'argent en écrivant leurs mémoires ou en publiant des révélations à propos de leurs crimes. Le projet doit être examiné deux mois plus tard.

Vers le mois de juin, en dépit des attaques incessantes des journaux et des bouleversements qu'elles ont provoqués dans ses conditions d'internement et dans son traitement, Billy demeure fusionné. On l'autorise de nouveau à se promener librement — à condition de le signaler — dans la propriété de l'hôpital — mais plus jamais à sortir en ville non accompagné. Les séances de thérapie avec le docteur Caul se poursuivent. Il se remet à peindre. Mais le docteur Caul et l'auteur constatent tous deux que le Professeur est en train de changer. Des lacunes apparaissent dans sa mémoire. Il utilise parfois le langage à la manière d'Allen pour parvenir à ses fins, et devient aussi asocial que Tommy, Kevin et Philip.

Un jour qu'il bricolait l'émetteur radio de Tommy, a-t-il raconté à l'auteur, il s'est entendu brusquement s'exclamer : « Eh là ! Qu'est-ce que je fabrique ? Je n'ai pas le droit d'émettre sans permis ! » Mais aussitôt et sans faire apparaître Tommy, il a répondu de lui-même : « Qu'est-ce que j'en ai à foutre ? »

Sa propre attitude le scandalise et l'inquiète. Depuis un bon moment, il a acquis la certitude que les diverses personnalités — devenu le Professeur, il préfère « personnalité » à « habitant » — faisaient effectivement partie de lui-même. Mais voilà que soudain, tout en restant le Professeur et sans passer de l'une à l'autre, il a pour la première fois l'impression d'être toutes les personnalités à la fois. Et c'est précisément ce qu'il doit éprouver pour que la fusion soit complète : il est en train de devenir le dénominateur commun des vingt-quatre personnalités. Cessant d'être Robin des bois ou Superman, voilà qu'il redevient un jeune homme intelligent, brillant, habile, impatient, asocial, autrement dit, normal.

Conformément aux prévisions du docteur George Harding, Billy Milligan, après la fusion de ses personnalités éclatées, serait probablement moins que la somme de ses parties.

C'est vers la même époque que Norma Dishong, sa monitrice, annonce qu'elle ne se sent plus capable de s'occuper du cas Milligan. Les pressions extérieures ont triomphé. Plus personne ne veut le prendre en charge. Pour finir, Wanda Pancake, nouvelle au service des ATI bien qu'exerçant depuis dix ans à l'hôpital, accepte de prendre sa place.

Wanda est une jeune femme robuste au visage carré.

— Quand on m'a appris qu'il allait venir ici, convient-elle, je me suis dit que je n'avais vraiment pas besoin de ça ! Après tout ce que j'avais lu dans les journaux, j'avais très peur de Milligan. Je veux dire qu'il avait violé des femmes et qu'il pouvait être dangereux.

La première fois qu'elle l'a rencontré, quelques jours après son admission, au mois de décembre, il était en train de peindre dans la salle de loisirs. Elle s'est approchée pour lui parler mais elle tremblait si fort qu'elle voyait tressauter une mèche de cheveux qui lui tombait sur les yeux.

Au début, elle faisait partie des sceptiques, que le diagnostic de personnalité multiple laissait incrédules. Mais au bout de quelques mois, elle a cessé d'avoir peur de lui. Il avait d'ailleurs tenu à lui dire — comme à toutes les femmes du service — d'être sans inquiétude si elle voyait apparaître Ragen car jamais Ragen n'aurait touché une femme ou un enfant.

Depuis, elle s'entend bien avec lui. Quand elle passe le voir dans sa chambre, ils ont souvent de longues conversations amicales. Elle s'est rendu compte peu à peu qu'elle l'aimait bien et elle a fini par changer d'avis sur son compte. Elle prend désormais sa défense, avec Pat Perry, contre les membres du personnel qui lui demeurent hostiles.

Quand Wanda rencontre Danny pour la première fois, il est allongé sur son lit, tout occupé à tirer sur les boutons du capiton de moleskine et, comme Wanda s'en étonne :

— J'essaie de les enlever, c'est tout, répond-il d'une voix de petit garçon.

— Alors arrête ! Et dis-moi comment tu t'appelles.

— Danny.

Il rit et se met à tirailler de plus belle.

— Si tu n'arrêtes pas immédiatement, je vais te taper sur les doigts.

Il la regarde et, pour ne pas avoir l'air de céder du premier coup, tripote encore un peu le bouton. Mais quand elle fait mine de s'approcher, il obéit.

La deuxième fois qu'elle a affaire à lui, elle l'a surpris à jeter divers effets personnels à la poubelle.

— Qu'est-ce que vous faites ?

— Je me débarrasse de tout ça.

— Mais pourquoi ?

— Ce n'est pas à moi. Je n'en veux pas.

— Tu vas me faire le plaisir de les ramasser et de les remporter dans ta chambre !

Danny lui tourne le dos et s'en va en abandonnant les effets dans la poubelle. Wanda doit les récupérer et les lui rapporter elle-même. Elle le surprend ainsi à plusieurs reprises à jeter des vêtements et des cigarettes. Parfois, quelqu'un rapporte un objet trouvé au bas de sa fenêtre. Puis vient toujours le moment où il demande qui lui a fauché ses affaires.

Un jour, Wanda amène sa nièce, un bébé de dix-huit mois, dans la salle de loisirs où Billy a dressé son chevalet. Il se penche vers la fillette, un sourire aux lèvres, mais Misty se dérobe en hurlant.

— Tu ne te trouves pas un peu jeune pour lire les journaux ? fait remarquer Billy en roulant de gros yeux.

Wanda regarde la toile sur laquelle il peint un paysage.

— C'est drôlement bien ! dit-elle. J'aimerais bien avoir un tableau de vous. Je ne suis pas très riche mais si vous voulez bien me peindre une biche, rien qu'un petit tableau, ça me ferait très plaisir de vous l'acheter.

— C'est entendu. Mais avant, j'ai bien envie de faire le portrait de Misty.

Et le voilà qui se met au travail sur-le-champ, heureux que ses tableaux plaisent à Wanda. Cette dernière est à ses yeux une jeune femme pleine de bon sens, à l'abord plus facile que les autres. Il sait qu'elle est divorcée sans enfants et qu'elle habite une caravane, non loin de chez ses parents, dans sa petite ville natale des Appalaches. C'est une personne solide et directe aux joues creusées de fossettes et au regard pénétrant.

Un après-midi, Billy fait le tour du bâtiment en petites foulées quand il la voit arriver au volant d'une voiture flambant neuve.

— Vous me la prêterez, une fois ? presse-t-il en sautillant sur place.

— Pas question.

— Je ne savais pas que vous étiez cibiste, remarque-t-il en apercevant l'antenne.

— Eh, si !

Wanda ferme la portière à clé et se dirige vers l'entrée de l'hôpital. Billy lui emboîte le pas et entre avec elle.

— Quel est votre nom de code ? s'enquiert-il.

— Tueur de daims.

— C'est un drôle de choix pour une femme ? Pourquoi avez-vous pris ce nom-là ?

— Parce que j'aime beaucoup chasser le daim.

Il s'arrête, cloué sur place.

— Qu'y a-t-il ?

— Vous chassez le daim ? Vous tuez des animaux ?

— J'ai tué mon premier daim quand j'avais douze ans, dit-elle en le regardant droit dans les yeux. Et depuis, je vais à la chasse chaque année. Je n'ai pas eu de chance la saison dernière, mais je peux vous dire que j'attends l'automne prochain avec impatience. Je tue pour la viande et je ne vois rien à y redire. Inutile de chercher à en discuter avec moi.

Ils prennent l'ascenseur ensemble et, en arrivant à son étage, Billy s'élance dans sa chambre et déchire les ébauches du tableau qu'il voulait peindre pour elle.

Le 7 juillet 1979, à la une du *Colombus Dispatch,* paraît un titre à l'encre rouge :

BILLY MILLIGAN LE VIOLEUR
POURRAIT ÊTRE LIBÉRÉ DANS QUELQUES MOIS.

L'article, écrit par Robert Ruth, envisage l'éventualité de la guérison de Milligan dans un avenir très proche et celle de sa libération au cas où la Cour interpréterait la loi en sa faveur. Il conclut par une déclaration du député Mike Stinziano selon lequel on ne pourrait plus répondre de la vie de Milligan si certains citoyens de Colombus le rencontraient se promenant librement en ville.

Après avoir lu l'article, le docteur Caul remarque :

— Je crains que cela ne mette des idées dans la tête des gens !

A la fin de la semaine suivante, le fiancé de Kathy, Rob Baumgardt, et son frère Boyce, viennent le chercher à l'hôpital pour l'emmener en permission. Comme ils jouent le rôle de figurants dans *Bruebaker,* de Robert Redford, ils sont vêtus de treillis de l'armée. En descendant les marches, encadré par les deux hommes en uniforme, Billy voit les surveillants qui le regardent passer et ne peut réprimer un sourire en songeant à la scène qu'ils ont sous les yeux : Billy Milligan escorté par l'armée !

Billy fait part à l'écrivain des mutations troublantes qu'il sent se produire en lui. Il n'a plus besoin de faire appel à Tommy pour ouvrir les portes verrouillées. Il conduit sa nouvelle moto sans l'intervention de Ragen et pourtant, il bondit à l'assaut des pentes les plus raides comme il l'aurait fait à sa place. Comme Ragen, il sent monter le flux d'adrénaline qui le stimule et sait exactement quels muscles il doit utiliser, dans tel but précis, pour accomplir les exploits dont il est désormais capable. Lui qui n'avait jamais touché une moto de sa vie !

Il s'aperçoit aussi qu'il devient peu à peu asocial. La présence des autres patients l'importune et le personnel soignant l'exaspère. Il éprouve le désir étrange de se munir d'une barre de fer crochetée et d'aller démolir le transformateur électrique. En créant un court-circuit, il pourrait couper le courant dans un vaste périmètre.

Il tente de s'en dissuader lui-même : en éteignant la lumière dans la rue, il risque de provoquer des accidents ! Il ne comprend pas comment il peut avoir envie de faire une chose pareille. Et soudain, un souvenir lui revient en mémoire : un soir, à Spring Street, Chalmer et sa mère se querellaient violemment. Incapable de le supporter, Tommy avait enfourché son vélo et roulé jusqu'au transformateur du quartier. Il s'était faufilé à l'intérieur et il avait coupé le courant : Tommy avait entendu dire que les pannes d'électricité adoucissent les mœurs. Dorothy et Chalmer seraient bien obligés de s'interrompre ! Il regagna la maison dans l'obscurité — trois rues étaient privées d'électricité. En arrivant, il trouva Dorothy et Chalmer tranquillement attablés devant une tasse de café qu'ils buvaient à la lueur des bougies.

C'était donc ça ? Kathy lui a appris récemment que de violentes querelles opposent Dorothy à Del depuis quelque temps. Billy sourit : le rapprochement entre son incompréhensible désir et cette nouvelle est évident. Une simple impression de déjà vu.

Mais une autre chose l'inquiète : le peu d'intérêt qu'il éprouve pour la sexualité. Il a eu l'occasion de le vérifier ; à deux reprises, accompagné d'une jeune femme consentante, il a pris une chambre d'hôtel alors qu'on le croyait en permission chez sa sœur. Mais chaque fois, en apercevant par la fenêtre une voiture de police, il a renoncé à aller plus loin. De toutes manières, il se sentait coupable comme un gamin pris en faute.

En approfondissant son investigation intérieure, il se rend compte que l'influence des autres personnalités diminue. Au cours de sa dernière permission, il est entré dans un magasin d'instruments de musique et, en essayant une batterie, il s'est étonné lui-même de son habileté. Du coup, il l'a achetée. Le joueur de batterie, c'était Allen mais, manifestement, le Professeur a hérité ses talents. Même Billy dissocié sait en jouer, à présent. Le Professeur joue aussi du saxophone ténor et du piano mais la batterie est un meilleur exutoire.

Quand le bruit se répand à Colombus que l'on accorde de nouveau des permissions à Milligan dans le cadre de son traitement, la presse recommence à se déchaîner contre le docteur Caul. Le comité de surveillance de la déontologie médicale est chargé d'enquêter afin de poursuivre le docteur Caul pour manquement à ses devoirs professionnels. On va jusqu'à prétendre que le médecin de Milligan accorde à son patient des privilèges exceptionnels parce qu'il écrit un ouvrage sur son cas.

Et, la loi exigeant l'existence d'une plainte pour qu'il soit procédé à une enquête de ce type, le comité en fait déposer une par l'un de ses propres avocats.

Attaqué de toute part, menacé dans sa réputation et dans sa carrière, le docteur Caul, qui voit de jour en jour le traitement de Milligan compromis, adresse au comité de déontologie une déclaration sous serment rédigée en ces termes :

> « Les événements des mois précédents concernant le cas de Billy Milligan ont suscité des réactions qui me paraissent hors de proportion, au regard de la logique, de la raison et même de la loi...
>
> Le traitement que j'ai jugé bon de mettre en œuvre sur la personne du patient constitue l'un des sujets principaux, sinon l'unique sujet de la controverse. Or, le traitement a reçu le soutien de tous les membres de la profession compétents en la matière...
>
> Je crois, personnellement, que les calomnies dont je suis l'objet répondent à des motifs équivoques dont les moins déplaisants sont encore de soigner la publicité d'un député et de fournir de la matière à un journalisme de mauvais aloi... »

Plus tard, après des mois et des mois de procédures légales aussi complexes que coûteuses, d'assignations, d'expertises et de contre-expertises, de chicanes et d'arguties, le docteur Caul est blanchi à l'unanimité de toute faute professionnelle. Mais, pendant toute cette période, le médecin se rend compte qu'il consacre de plus en plus de temps et d'énergie à assurer sa protection personnelle, à défendre sa réputation et celle de sa famille. Il sait parfaitement ce qu'on attend de lui, et qu'il pourrait faire cesser les menaces en faisant interner

Billy dans un établissement fermé, mais il refuse de se laisser influencer par l'hystérie collective. S'il veut mener à bien la psychothérapie de Billy, il doit le traiter comme les autres patients.

Le vendredi 3 juillet, Billy est autorisé à emporter quelques tableaux à la Banque Nationale d'Athens qui a accepté d'exposer ses œuvres au mois d'août. Billy prépare son exposition avec une fébrilité joyeuse. Il passe ses journées à peindre ou à clouer, ébauchant de nouvelles toiles, retouchant et encadrant les anciennes. Billy prépare aussi le mariage de Kathy, fixé au 28 septembre. Grâce à la vente de ses tableaux il a loué une salle de banquet et s'est offert un smoking. Il attend l'événement avec impatience.

En apprenant qu'il va exposer ses œuvres, les reporters accourent. Avec l'accord de son avocat, Billy passe au journal télévisé du soir sur deux chaînes locales. A la présentatrice de l'une d'elles, Jan Ryan, il parle de son art mais il confie aussi le bien qu'il pense de la psychothérapie qu'il suit au Centre de santé mentale d'Athens. A la question : « Vos tableaux sont-ils l'œuvre de diverses personnalités ? » Billy répond :

— Dans l'ensemble, chaque personnalité apporte quelque chose. Elles font partie de moi, comme j'ai appris à l'accepter, et leurs aptitudes respectives sont devenues les miennes. Mais je suis seul responsable de mes actes désormais, et j'ai l'intention de faire ce qu'il faudra pour que cela continue.

Il annonce aussi que le produit de la vente des tableaux servira à payer l'hôpital et son avocat, et que le reste sera versé à des organisations d'aide à l'enfance malheureuse.

A présent que ses personnalités fusionnent en un tout, il peut commencer à songer à l'avenir et à ce qu'il veut faire de sa vie. Il envisage de se consacrer à la protection de l'enfance et, plus précisément, il aimerait créer une fondation pour venir en aide aux enfants martyrs :

— Il faudrait organiser un meilleur encadrement des orphelinats, ne rien négliger pour en faire des établissements confortables et accueillants, où les enfants trouveraient l'affection dont ils ont besoin.

Le plus grand changement que la présentatrice constate chez Billy par rapport au mois de décembre précédent, quand elle l'avait rencontré pour tourner un film documentaire sur lui, est son attitude à l'égard de la société. Malgré les sévices qu'il a subis dans son enfance, il semble capable d'envisager l'avenir avec espoir.

— Je fais plus confiance qu'avant à la justice. Je n'ai plus autant l'impression que tout le monde est contre moi.

Au journal de six heures, Kevyn Burger rappelle la controverse provoquée par la psychothérapie de Milligan au CSM d'Athens et ajoute que Billy a aujourd'hui le sentiment d'appartenir à la communauté.

— J'ai l'impression que la population d'Athens ne m'est plus aussi hostile depuis qu'elle me connaît mieux. Ils n'ont plus peur de moi comme au début, quand je suis arrivé. Mais ça, c'était le résultat de... enfin, d'autre chose...

Billy explique alors qu'il a choisi avec soin les tableaux qu'il compte présenter au public. Il en a mis certains de côté, avoue-t-il, car il craint que les gens ne s'en servent pour le psychanalyser. Il exprime aussi son inquiétude sur les raisons qui vont inciter le public à venir à son exposition et sur le jugement que l'on va porter sur son travail :

— J'espère qu'on ne va pas venir par voyeurisme mais par intérêt pour l'art.

Il aurait aimé suivre des cours pour améliorer sa technique, dit-il, mais avec sa réputation, cela paraît très compromis. Peut-être cela changera-t-il un jour ? Il saura attendre.

— J'ai appris à regarder la réalité en face, conclut-il, et c'est cela qui compte.

Billy a l'impression que le personnel de l'hôpital a été favorablement impressionné par les deux émissions télévisées où on l'a vu bavarder à bâtons rompus avec les journalistes tout en accrochant ses tableaux aux murs de la banque. Depuis quelque temps, d'ailleurs, la plupart des membres du personnel sont plus chaleureux avec lui et rares sont ceux qui manifestent ouvertement leur désapprobation. On lui a même rapporté que certains, qui ne cachaient pas au début leur hostilité, inscrivent à présent des appréciations positives dans le cahier où l'on note ses progrès. Il est même très étonné qu'on vienne lui raconter ce que l'on a dit dans les réunions ou qu'on lui révèle les appréciations notées dans le cahier du personnel.

Il sait qu'il a fait d'énormes progrès depuis son passage dans le service 5.

Le samedi 4 août, alors qu'il franchit la porte du service, le signal d'alarme de l'ascenseur se déclenche brusquement. La cabine est bloquée entre le troisième et le quatrième étage. Une jeune malade mentale est enfermée à l'intérieur. Billy voit des étincelles jaillir du disjoncteur, à l'extérieur. Il s'agit manifestement d'un court-circuit. Plusieurs patients se rassemblent dans le vestibule. La jeune fille pousse des cris stridents et tambourine du poing sur les parois de la cabine. Billy appelle au secours. Avec l'aide d'un employé, il parvient à forcer la porte métallique.

Katherine Gillott et Pat Perry, accourues voir ce qui se passe, observent Billy qui se laisse glisser dans le puits jusqu'au plafond de la cabine. Là, il ouvre la trappe et saute aux côtés de la jeune patiente. Il lui parle pour la calmer en attendant l'arrivée du réparateur.

— Tu connais des poèmes ? lui demande-t-il.

— Je connais la Bible.

— Tu veux bien me réciter des psaumes ?

Pendant près d'une demi-heure, ils parlent de la Bible.

Et quand le réparateur fait enfin repartir la cabine et qu'ils en sortent au troisième étage, la jeune fille regarde Billy :

— Je peux avoir ma limonade, maintenant ?

Le samedi suivant, Billy se lève tôt. Il est plutôt content de la façon dont se déroule son exposition. En revanche, la critique qui paraît dans le *Dispatch* reparle de ses « dix » personnalités et l'appelle « le violeur à personnalité multiple ». Pour un peu, cela lui gâcherait son plaisir. Il faut pourtant qu'il s'habitue à la nouvelle complexité de ses sentiments. Une complexité troublante, mais il doit en passer par là s'il veut conserver un équilibre durable.

Ce matin-là, il décide d'aller prendre un peu d'exercice dans les environs de l'hôpital et d'en profiter pour aller acheter un paquet de cigarettes. Il sait qu'il ferait mieux de s'abstenir de fumer. Mais il en éprouve le besoin et, bah, il aura tout le temps d'en perdre l'habitude quand il sera guéri.

En descendant les marches de l'entrée, il aperçoit une voiture garée de l'autre côté de la rue. Deux hommes sont assis à l'avant. Des visiteurs, sans doute ! Au moment où il traverse la chaussée, la voiture démarre et le dépasse. Il contourne les bâtiments de l'hôpital et s'engage dans une petite route. De nouveau, la voiture est là.

Il coupe à travers un champ fraîchement moissonné et atteint un petit pont de bois qui enjambe un ruisseau. Pour la quatrième fois, la voiture est devant lui, sur la route qu'il va traverser, de l'autre côté du pont, pour gagner le bureau de tabac.

Il fait un pas sur le pont.

Dans la voiture, une vitre s'abaisse. Une main braque un pistolet. Quelqu'un hurle :

— Milligan !

Il se fige, cloué sur place.

Il se dissocie.

La balle manque Ragen qui a sauté dans le ruisseau. La deuxième balle n'atteint pas non plus son but. Ni la troisième. Ragen saisit une branche morte, grimpe sur la rive et la lance en direction de la voiture. Une vitre vole en éclats.

Il reste là un long moment sans bouger, tremblant de rage. Le Professeur s'est figé sur place, faible et hésitant. Si lui, Ragen, n'avait pas eu la présence d'esprit de s'emparer du projecteur, ils seraient tous morts à l'heure qu'il est.

En regagnant à pas lents l'hôpital, Ragen discute avec Allen et Arthur pour savoir ce qu'ils vont faire. Avant tout, raconter l'incident au docteur Caul. A l'hôpital, « ils » constituent une cible facile. Ce genre d'agression risque de se reproduire et de leur être fatale.

En rapportant au médecin ce qui leur est arrivé, Allen fait remarquer que les permissions de sortie sont plus importantes que jamais au moment où il a commencé à chercher un appartement sûr où il pourra attendre en toute tranquillité l'audience de Lancaster. Par la suite, il quittera l'Ohio pour aller suivre une psychothérapie avec le docteur Wilbur, dans le Kentucky.

— Il est indispensable, déclare Arthur à Allen, de ne pas ébruiter l'affaire. Si nos agresseurs ne lisent rien à leur sujet dans les journaux, ils seront persuadés que Billy est occupé à préparer une vengeance et se tiendront tranquille.

— On en parle à l'écrivain ? demande Allen.

— Non. Seul, docteur Caul devoir êtrre au courant, réplique Ragen.

— Le Professeur a rendez-vous à une heure comme d'habitude avec lui. Ce sera le Professeur qui le verra ?

— Je l'ignore, dit Arthur. Le Professeur est parti. A mon avis, il a honte d'être resté pétrifié sur le pont.

— Mais qu'est-ce que je vais dire à l'écrivain, alors ?

— Vous parrler bien. Fairre semblant êtrre Prrofesseur !

— Il s'en apercevra.

— Pas si vous vous présentez sous le titre du Professeur, intervient de nouveau Arthur. Il vous croira.

— Vous me conseillez de mentir ?

— Notre écrivain va être très ennuyé s'il apprend que le Professeur a disparu. Les deux hommes s'étaient liés d'amitié. Et nous ne pouvons pas nous permettre de compromettre l'ouvrage en cours. Tout doit continuer comme avant.

Allen secoue la tête.

— Jamais je n'aurais cru que vous me conseilleriez un jour de mentir.

— Quand le but est louable et, en l'occurrence, il s'agit d'éviter de faire de la peine à quelqu'un, on ne peut plus vraiment appeler cela un mensonge.

Mais quand l'auteur retrouve Billy, sa façon d'être l'étonne et provoque chez lui un sentiment de malaise. Il est trop arrogant, trop volubile et quémandeur. On lui a toujours appris à s'attendre au pire, dit-il. Puisque tous ses espoirs ont été déçus, il est certain à présent qu'il va retourner en prison.

L'auteur a l'impression qu'il n'a pas affaire au Professeur mais il n'a aucun moyen d'en être sûr. Quand Alan Goldsberry, l'avocat de Billy, vient se joindre à eux, l'auteur a le sentiment d'entendre Allen expliquer pourquoi il a décidé de léguer à sa sœur tout ce qui lui appartient, dans son testament :

— A l'école, il y avait une petite brute qui s'en prenait tout le temps à moi. Un jour qu'il allait me balancer un coup de poing, il s'est arrêté tout d'un coup. J'ai découvert bien plus tard que Kathy lui avait filé 25 cents pour qu'il ne me casse plus la figure. Je ne pourrai jamais oublier ça.

22.

Le lundi 17 septembre, jour de l'audience, Billy accueille l'auteur dans le hall central du service des Admissions et des Traitements Intensifs. L'auteur reconnaît le fin sourire, le regard pénétrant et la ferme poignée de main du Professeur.

— Content de vous voir, dit-il au jeune homme. Cela faisait longtemps.

— Et il s'est passé beaucoup de choses.

— Vous pourriez me raconter cela en tête à tête avant l'arrivée de Goldsberry et de Thompson ?

Ils s'installent dans une petite salle de conférence. Le Professeur parle des coups de feu qu'il a essuyés, de la fragmentation de sa personnalité et de ce qui s'en est suivi. Il annonce aussi qu'Allen a pris en location-vente une nouvelle voiture, un engin rapide qui lui permettra de foncer à Lexington pour se confier aux soins du docteur Wilbur. Pour cela, il faudra bien sûr que le juge prononce l'acquittement de William Milligan pour irresponsabilité mentale.

— Depuis un mois, à qui ai-je eu affaire ? Qui donc s'est fait passer pour vous ?

— Allen. Excusez-moi. Arthur pensait que vous seriez blessé de découvrir que je m'étais fragmenté. D'ordinaire, les sentiments des personnes extérieures ne l'inquiètent pas outre mesure. Je présume qu'il a perdu un peu de son objectivité coutumière à la suite de l'attentat.

L'entretien ne s'interrompt qu'avec l'arrivée de Goldsberry et de Thompson. Les quatre hommes partent ensemble pour le tribunal de Lancaster.

Les deux avocats ont remis à la Cour les dépositions écrites des docteurs George Harding, Cornelia Wilbur, Stella Karolin et David Caul, ainsi que de la psychologue Dorothy Turner. Ces spécialistes unanimes croient pouvoir affirmer « avec une certitude raisonnable, au regard de la science médicale », que Billy Milligan souffrait de troubles mentaux, et plus particulièrement de syndrome de personnalité multiple, en décembre 1974 et janvier 1975, c'est-à-dire à l'époque où furent commises les agressions sur les aires de stationnement et l'attaque du drugstore Gray. Avec la même unanimité, les psychiatres et la psychologue concluent qu'à cette époque Billy Milligan était sans doute incapable de collaborer à sa propre défense.

M. Luse, le procureur, leur oppose le témoignage du docteur Brown qui a soigné Billy à l'âge de quinze ans et l'a envoyé à l'hôpital d'Etat de Colombus pour un séjour qui a duré trois mois. Brown déclare qu'à la lumière des faits connus aujourd'hui il avait envisagé de changer son diagnostic initial. Délaissant l'idée d'une névrose hystérique avec de nombreux traits passifs-agressifs, il penchait plutôt pour une dissociation et jugeait possible l'existence d'un syndrome de personnalité multiple. Mais, lors d'une contre-expertise du patient opérée à Athens sur la demande du procureur, le docteur Brown a constaté que Billy Milligan conservait la mémoire des actes qu'il a commis. C'est pourquoi le docteur Brown incline à penser que le jeune homme ne présente pas vraiment le syndrome précité puisque les malades manifestant une personnalité multiple ne sont pas censés connaître les actes de leurs différentes composantes.

Au sortir de la salle d'audience, Goldsberry et Thompson sont optimistes, Billy est radieux. Il est persuadé que le tribunal tranchera contre l'opinion du docteur Brown, en faveur de celle de quatre éminents psychiatres et d'une psychologue.

M. Jackson, le juge, déclare aux journalistes qu'il rendra son jugement sous quinzaine.

Le docteur Caul a constaté que Billy était revenu de Lancaster dans un état de grande agitation et il sait que son patient craint encore d'essuyer des coups de feu : deux bonnes raisons, lui semble-t-il, pour lui accorder une permission. Comme Billy s'est aperçu que chez sa sœur, il ne serait pas plus en sécurité qu'à l'hôpital, on décide qu'il s'installera dans un motel aux environs de Nelsonville. Il y emportera son chevalet, ses toiles et ses couleurs et pourra travailler en paix.

Le mardi, il s'inscrit sous un faux nom et essaie de se détendre. Mais la tension est trop forte. Pendant qu'il peint, il entend des voix. Il fouille la chambre puis le couloir, avant de conclure que ces voix lui appartiennent : elles résonnent à l'intérieur de sa tête. Il essaie de ne pas leur prêter attention, de se concentrer sur le mouvement de ses pinceaux, mais le bavardage continue. Ce n'est ni Ragen ni Arthur, car il les aurait reconnus immédiatement à leur accent. Ce sont sans doute les indésirables. Mais qu'est-ce qui lui arrive maintenant ? Il ne peut pas travailler, il ne peut pas dormir, il a peur de retourner à Athens ou d'aller chez Kathy.

Le mercredi, il téléphone à Mike Rupe pour le supplier de venir. Dès qu'il voit Billy, Rupe comprend qu'il va mal et appelle le docteur Caul.

— Vous êtes de garde, de toute façon, lui dit le médecin. Restez avec lui cette nuit et ramenez-le demain.

La présence de Mike Rupe dissipe l'angoisse de Billy. Ils prennent un verre au bar et Billy raconte à l'infirmier qu'il place beaucoup d'espoir dans un traitement dirigé par le docteur Wilbur.

— Je m'inscrirai dans un hôpital pendant une quinzaine de jours, jusqu'à ce que le docteur Wilbur décide que je suis capable de prendre un appartement. Je crois que je peux parce que, même quand je vais mal, j'arrive encore à me débrouiller. Alors, je commencerai mon traitement, suivant ses conseils.

Rupe l'écoute échafauder des projets d'avenir pour la nouvelle vie qui s'ouvrira devant lui si le juge Jackson décide de passer l'éponge sur ses méfaits passés.

Ils bavardent toute la nuit. Au petit matin, Billy finit par s'endormir. Ensuite, après un petit déjeuner tardif, ils reprennent le chemin de l'hôpital.

De retour dans le service, Billy s'installe au salon pour remâcher sa tristesse. Il a le sentiment de ne plus savoir rien faire, de devenir idiot. Il perd les talents de ses autres personnalités : l'intelligence d'Arthur, la force de Ragen, le bagout d'Allen, les connaissances en électronique de Tommy. Il se sent de plus en plus bête, l'anxiété l'étreint à l'étouffer. La peur le submerge. Les bruits deviennent assourdissants, les couleurs d'une intensité insupportable. Il veut courir se réfugier dans sa chambre, claquer la porte derrière lui et pleurer tout son soûl.

Le lendemain, à la cafétéria, Wanda Pancake finit de déjeuner en compagnie d'un ami quand celui-ci se lève brusquement et se précipite à la fenêtre. Wanda s'approche et scrute la pluie pour tenter de comprendre ce qu'il fixe ainsi des yeux :

— J'ai vu quelqu'un, explique-t-il, un type avec un manteau beige, qui a traversé en courant le pont de l'avenue Richland et qui est descendu en dessous.

— Où ça ?

Haussée sur la pointe des pieds, elle se redresse de toute sa petite taille mais, à travers le rideau de pluie, elle ne distingue d'abord qu'une voiture garée sur le pont. Puis elle voit le conducteur descendre et se livrer à un étrange manège : il se penche au-dessus du parapet, revient à son automobile et, comme pris d'un scrupule, retourne se pencher de nouveau par-dessus le parapet. Il semble intrigué par quelque chose ou quelqu'un qu'il aperçoit en bas.

Wanda a un sinistre pressentiment.

— Je crois qu'il vaut mieux que j'aille voir ce que fait Billy.

Dans le service, elle interroge le personnel et les patients, mais personne ne sait où est le jeune homme. Elle va jeter un coup d'œil dans sa chambre. Son pardessus beige a disparu.

Charlotte Johnson, l'infirmière en chef, fait irruption dans la salle de garde. On vient de lui téléphoner pour la prévenir qu'un employé de l'hôpital qui circulait en ville a vu Billy sur l'avenue Richland. Le docteur Caul sort en courant de son bureau. On vient de l'appeler pour le prévenir que Billy est sur le pont.

C'est l'affolement. Tout le monde crie en même temps. Il ne faut pas lancer à ses trousses les gens de la Sécurité. A la vue des uniformes, il risque de perdre la tête.

Wanda enfile son manteau.

— J'y vais.

Clyde Barnhart, du service de sécurité, la conduit jusqu'au pont en voiture. Elle descend sur les berges, fouille du regard les environs. Nulle trace de Billy. En revenant sur ses pas, elle tombe nez à nez avec quelqu'un qu'elle reconnaît avec une certaine surprise : c'est l'homme dont elle avait observé le manège tout à l'heure.

— Vous n'auriez pas vu un jeune homme avec un imperméable beige ? demande-t-elle.

Il lui montre du doigt le bâtiment du Centre universitaire des examens, tout proche.

La voiture de l'hôpital s'arrête à la hauteur de Wanda. Barnhart l'invite à monter dare-dare et fonce jusqu'au pied de l'immeuble de brique et de verre, monstrueux gâteau d'anniversaire surmonté d'un dôme. L'homme de la Sécurité montre à l'infirmière la galerie de béton, au troisième étage.

— Il est là-haut.

— Restez là. Il vaut mieux que je m'en charge.

En se précipitant dans l'escalier, elle l'aperçoit enfin.

Il essaie toutes les portes de l'étage pour entrer dans l'immeuble.

— Billy, crie-t-elle en arrivant sur la galerie. Attends-moi !

Il ne répond pas.

Elle essaie d'autres noms :

— Danny ! Allen ! Tommy !

Sans un regard pour elle, il court le long de la galerie en essayant les portes au passage. L'une d'entre elles cède sous sa poussée. Il s'engouffre à l'intérieur du bâtiment. Wanda n'est jamais entrée dans le Centre des examens. Elle a peur, elle ne sait pas très bien où le jeune homme veut en venir et s'il ne va pas réagir brutalement. Elle se précipite pourtant à sa suite. Il est en train de gravir un escalier abrupt. Wanda s'immobilise sur la première marche.

— Descendez, Billy.

— Allez vous faire foutre. Chuis pas Billy.

C'est la première fois qu'elle l'entend s'exprimer ainsi et qu'elle le voit mâcher de la gomme

— Qui êtes-vous ?

— Steve.

— Où allez-vous comme ça ?

— Oh merde ! Vous voyez pas, non ? Là-haut !

— Pourquoi ?

— Pour sauter.

— Allons, venez, Steve, on va discuter de ça.

Mais elle a beau le raisonner, il refuse de descendre. Wanda se heurte à un refus entêté. Elle ne doute pas de sa détermination à mourir. Elle est frappée par le changement qui s'est opéré en lui :

il parle plus fort, plus vite, avec insolence, en mâle agressif et imbu de sa virilité.

— Faut que j'aille aux cabinets, dit-il en poussant la porte des toilettes.

Elle se précipite sur la galerie pour voir si Clyde est encore là. L'homme de la sécurité est parti. L'infirmière retourne à l'intérieur, juste à temps pour surprendre Steve qui se glisse hors des toilettes et disparaît derrière une autre porte. Wanda veut le suivre mais la porte résiste. Il a tiré le verrou.

Elle se jette sur un téléphone mural et appelle le docteur Caul.

— Je ne sais pas quoi faire. Il est devenu Steve et il parle de se tuer.

— Calmez-le. Dites-lui que tout va s'arranger. Dites-lui que ça ne va pas aller aussi mal qu'il croit. Il sera bientôt assez fort pour aller dans le Kentucky et le docteur Wilbur le prendra en charge. Dites-lui de revenir.

Elle raccroche, revient tambouriner à la porte.

— Steve ! Ouvrez-moi ! Le docteur Caul dit que vous serez bientôt assez fort pour aller dans le Kentucky.

Au bout de quelques secondes, on déverrouille la porte. Wanda la pousse et découvre, derrière l'étudiant qui lui a ouvert, un étroit corridor circulaire sur lequel donnent une série de bureaux. Wanda court de l'un à l'autre, comme emportée sur un manège de cauchemar. Il n'est pas là. Elle continue de chercher, elle continue de courir.

En arrivant à la hauteur de deux étudiants qui bavardent, elle s'arrête un bref instant :

— Vous n'auriez pas vu un jeune homme, grand, avec un pardessus beige trempé ?

— Il est passé par là, lui répond l'un des étudiants en montrant la direction.

Elle continue sa course en poussant de temps à autre les portes donnant sur la galerie extérieure. C'est là qu'elle l'aperçoit enfin.

— Steve ! crie-t-elle. Attendez-moi ! Il faut que je vous parle !

— Foutez-moi la paix ! J'ai rien à vous dire !

Elle le rattrape, l'agrippe en se plaçant entre la balustrade et lui.

— Le docteur Caul vous demande de revenir.

— Qu'il aille se faire enculer, ce gros lard ! Je l'emmerde !

— Il dit que les choses ne vont pas aussi mal que vous avez l'air de le croire.

— Elle est bien bonne, celle-là !

Il va et vient pour échapper à l'infirmière et mâche sa gomme avec fureur.

— Le docteur Caul dit que vous serez bientôt assez fort pour aller dans le Kentucky et que le docteur Wilbur pourra vous aider.

— J'ai pas confiance dans tous ces psy. Ils essaient de me faire avaler leur connerie de baratin sur la personnalité multiple. Leur truc, c'est de la merde à boire. Les cinglés, c'est eux.

Il retire son pardessus, le plaque contre une vaste baie vitrée et lève le poing pour frapper. Wanda se jette sur lui, lui retient le bras. Elle sait qu'il veut briser la vitre pour s'ouvrir les veines. Le verre très épais résisterait sûrement et Milligan se briserait sans doute le poignet. Elle s'accroche à lui et il se débat.

Agrippée à son bras, elle continue de parler, de lui expliquer qu'il faut rentrer. Mais il n'y a aucun moyen de le raisonner. Trempée par la pluie, grelottant de froid, Wanda n'en peut plus :

— J'en ai marre. A toi de choisir : ou bien tu redescends avec moi immédiatement, ou bien je te balance un coup de pied dans les couilles !

— Ouah, eh, t'oserais pas !

— On parie ? dit-elle, toujours suspendue à ses bras. Je compte jusqu'à trois. Si tu laisses pas tomber, si tu reviens pas avec moi à l'hôpital, je te balance mon pied dedans.

— Oh ! écoute, je cogne pas les nanas.

— Un... deux...

Elle plie la jambe.

Il croise les siennes pour se protéger.

— Non mais c'est que tu le ferais vraiment ?

— Ouais.

— Ecoute, faut que je le fasse. Je vais sur le toit.

— Certainement pas. Je te laisserai pas faire.

Il se débat furieusement, lui échappe et se précipite sur la balustrade. S'il saute, c'est une chute de trois étages. A l'instant où il touche le parapet, elle bondit, lui passe un bras autour du cou et un autre à la ceinture, et le tire en arrière. Ils tombent sur le béton, luttent un moment à terre, la chemise du jeune homme se déchire.

Soudain, il y a comme un déclic en lui. Il se recroqueville sur le sol, son regard se trouble. Elle comprend qu'il est devenu quelqu'un d'autre. Tremblant et frissonnant, il éclate en sanglots. « Il a peur », se dit Wanda qui l'a reconnu.

Elle le serre contre elle, lui dit de ne pas s'inquiéter :

— Tout va bien, Danny, pas de problème.

— On va me donner la fessée, gémit-il. Mes lacets sont défaits, mes chaussures sont pleines de boue. Mon pantalon et mes cheveux sont tout mouillés. Mes habits sont sales et tout froissés.

— Tu veux bien venir avec moi ?

— Voui.

Elle ramasse le pardessus qui traîne à terre, le lui met et l'emmène au bas de l'immeuble en passant par les galeries. A travers un rideau d'arbres, elle aperçoit l'hôpital en haut de la colline. De là-bas, Billy a dû souvent contempler l'immeuble du Centre des examens. La voiture du service de sécurité est là, garée sur le parc de stationnement, les quatre portières ouvertes. Il n'y a personne à l'intérieur.

— Tu viens dans la voiture avec moi ? Il faut qu'on s'abrite, ajoute-t-elle en montrant la pluie qui continue de tomber.

Il a un mouvement de recul.

— N'aie pas peur. C'est la voiture de sécurité, celle de Clyde Barnhart. Tu le connais, c'est un copain à toi, tu sais bien ?

Danny hoche la tête et s'assied sur le siège arrière, mais son regard tombe sur le grillage de protection qui le sépare de la place du conducteur et il ressort en tremblant.

Wanda comprend. Danny a eu l'impression d'être mis en cage.

— Bon, installons-nous tous les deux à l'avant en attendant que Clyde revienne.

Il obéit sans mot dire et examine, stupéfait, son pantalon trempé et ses chaussures boueuses.

Wanda laisse les portes ouvertes mais allume les phares pour signaler leur présence. Quelques instants plus tard, Clyde descend les escaliers du Centre des examens en compagnie de Norma Dishong.

— Je suis retourné la prendre à l'hôpital, explique Barnhart. On vous a cherchée à l'intérieur du Centre. On se demandait où vous étiez passés, Billy et vous.

— Je vous présente Danny, répond Wanda. Il va très bien maintenant.

Au foyer, le mardi 25 septembre, sous l'œil attentif de Pat Perry, Billy bavarde avec Gus Holston, nouveau venu dans le service. Il a connu Billy à la prison de Lebanon.

Lori et Marsha viennent se joindre aux deux hommes et leur font du charme. Lori, qui n'a jamais caché son penchant pour Billy, s'est mis en tête de le rendre jaloux, en feignant d'être attirée par Holston. Plus particulièrement chargée du cas de cette jeune femme, Pat Perry n'ignore pas qu'elle est pendue aux basques de Milligan depuis son arrivée. Jolie, moyennement intelligente, elle le suit partout, lui glisse des billets doux et raconte à qui veut l'entendre ses projets d'avenir avec Billy. Elle a même répandu le bruit que Billy et elle envisagent sérieusement de se marier.

Billy, pour sa part, n'a jamais prêté beaucoup d'attention à ces manœuvres. Sa plus grande manifestation d'intérêt a consisté, il y a quelques jours, à charger les deux jeunes femmes d'une mission. Apprenant qu'elles n'avaient plus un sou, il leur a donné cinquante dollars à condition qu'elles prennent chez l'imprimeur ses affichettes : « Embrassez votre enfant aujourd'hui » et les répandent en ville.

Comme la monitrice habituelle de Billy, Eileen McClellan, est en congé aujourd'hui, c'est sa collègue, Katherine Gillott, qui est responsable du jeune homme. La vieille dame vient de prendre son service, quand il vient lui demander l'autorisation de sortir se promener.

— Je dois en référer au docteur Caul, dit Katherine Gillott. Ce n'est pas à moi à en décider.

Billy patiente dans la salle de télévision pendant qu'elle prend l'avis du médecin. Ce dernier demande à voir Billy. Il l'interroge sur ses dispositions d'esprit. Cette brève investigation permet aux deux hommes de conclure qu'il peut sortir se promener avec Holston.

De retour une demi-heure plus tard, Billy et Gus ressortent pour une deuxième promenade. Quand Billy rentre pour la seconde fois, vers six heures, Gillott, occupée par les formalités d'une admission, l'entend cependant dire :

— Cette fille, elle pleurait.

Elle savait que ce n'est pas Billy qui parle. Elle a reconnu David.

— Pourquoi as-tu dit cela ?

— On lui a fait du mal.

Elle le suit dans le hall.

— De quoi parles-tu ?

— Il y avait une fille. Quand j'étais dehors, j'ai entendu une fille qui pleurait.

— Quelle fille ?

— Je sais pas. Il y en avait deux. Et une des filles a dit à Gus de me ramener parce que j'étais dans le chemin.

Gillott renifle son haleine mais il ne semble pas avoir bu.

Quelques minutes plus tard, le standard du rez-de-chaussée appelle Mme Gillott. Un membre du service de sécurité vient d'amener Marsha. L'infirmière descend chercher la patiente et, en l'approchant, sent l'odeur d'alcool. Elle la conduit dans sa chambre.

— Où est Lori ?

— Je ne sais pas.

— Où êtes-vous allées ?

— Je ne sais pas.

— Vous avez bu, hein, c'est bien ça ?

Marsha baisse la tête.

Elle est transférée au service n° 1, la haute sécurité pour les femmes.

Pendant ce temps, David et Danny alternent sans arrêt dans l'esprit de Billy. Il a paru troublé en voyant arriver Marsha seule. Sans crier gare, il se rue hors du service, dévale les escaliers, sort du bâtiment. Il veut retrouver Lori. L'infirmière se lance à ses trousses. Hors d'haleine, elle parvient à le rattraper derrière une école voisine. En rentrant, ils retrouvent Lori qu'un vigile vient de ramener. L'homme l'a découverte couchée dans l'herbe, le visage dans ses vomissures.

— Elle aurait pu s'étouffer, assure-t-il.

Gillott constate que ce qui est arrivé aux deux femmes inquiète beaucoup Danny. Dans les couloirs, elle entend murmurer le mot « viol » mais il lui paraît impossible que les deux hommes aient eu le temps d'abuser de Lori ou de Marsha. Elle n'y croit pas une seconde. Quand elle s'en va, à la fin de son service, à vingt-trois heures, tout paraît calme. En haute sécurité, les deux femmes dorment et dans leurs chambres, Milligan et Holston en font autant.

Quand Pat Perry arrive à sept heures le lendemain, la rumeur s'est enflée et répandue dans tout l'hôpital. On a découvert les deux jeunes femmes ivres mortes dans les bois. Les vêtements de Lori étaient déchirés. Certains prétendent qu'elle s'est plainte d'avoir été violée, d'autres affirment qu'à aucun moment il n'a été question de viol. Les soupçons se sont portés sur Billy et Holston qui sont sortis se promener en même temps que les deux femmes. Mais, dans le service des Admissions et des Traitements Intensifs, on considère à la quasi-unanimité qu'il ne peut pas y avoir eu viol.

La police a été prévenue et, sur sa demande, il est provisoirement interdit de quitter le service ATI. Les enquêteurs veulent avoir à leur disposition tous les individus de sexe masculin présents dans le service.

Le docteur Caul tient une réunion avec une partie du personnel. Billy et Holston ne sont pas réveillés. Qui va prévenir Billy ? Telle est la question dont débattent le médecin et son équipe. Qui va avertir le jeune homme des accusations portées contre lui ? Pat Perry a le sentiment que le docteur Caul ne tient pas du tout à s'en charger. Tout le monde se dérobe. Perry n'était pas là le jour où Ragen a menacé les infirmiers avec un tesson, mais les autres membres du personnel craignent une explosion semblable.

Avant d'aller parler aux deux hommes, le docteur Caul fait fermer les portes du service. Holston se réveille le premier et le médecin le met au courant. Puis il entre dans la chambre de Billy pour lui annoncer à son tour la nouvelle.

La première réaction des deux jeunes gens devant les accusations qui pèsent sur eux est la stupeur. Mais au fur et à mesure que la matinée s'avance, l'agitation et l'inquiétude les gagnent. Ils parlent de gens qui vont venir les chercher pour les emmener à Lima, du FBI qu'on a lancé à leurs trousses, de Lebanon où on veut les renvoyer.

Toute la journée, on essaie de les calmer. Le personnel lui aussi est furieux. Personne ne les croit coupables. Wanda Pancake et Pat Perry passent leur temps à rassurer Holston et Billy, à essayer de les convaincre que personne ne va venir les chercher. Les deux infirmières sont conscientes de ne pas avoir affaire à Billy, mais à une autre de ses personnalités. Wanda a la certitude qu'il s'agit de Steve.

Pat Perry donne à Billy beaucoup d'amytal pour essayer de le faire tenir tranquille. Après un petit somme, il semble aller mieux. Mais vers quatorze heures, les deux hommes sont de nouveau agités. Pleurant et gémissant, Billy oscille sans arrêt de Steve à David. Puis il se reprend et se met à marcher de long en large en discutant avec Holston. Les deux hommes s'affolent dès que quelqu'un s'approche d'eux. Chaque fois que la sonnerie du téléphone retentit, Billy sursaute.

— Ils viennent me chercher.

Billy et Holston se replient au fond du couloir, près d'une porte de secours verrouillée. Ils forment autour d'eux une barricade de tables et de chaises, retirent leurs ceintures et les enroulent autour de leurs poings.

— Je ne veux pas que les hommes s'approchent de nous, lance Steve. Si on en voit approcher, on défonce la porte de secours.

De la main gauche, il tient une chaise devant lui, comme un dompteur face à ses lions. L'équipe soignante comprend que la situation lui échappe. L'" alerte verte " est déclenchée.

Pat Perry écoute les mots fatidiques résonner dans les haut-parleurs de l'hôpital. Elle s'attend à voir surgir dans quelques instants huit ou dix hommes, vigiles ou infirmiers des autres services.

— Mon Dieu !

La porte du service s'ouvre à la volée devant une trentaine d'hommes — pêle-mêle, des vigiles, des infirmiers, des aides-infirmiers, des surveillants et aussi des gens qui n'interviennent pas normalement en cas d'alerte verte : employés des services de médecine générale, de psychologie, de gériatrie. « Ça sent l'hallali, songe Pat Perry, on dirait qu'ils n'attendaient que ça. »

Wanda et elle se rapprochent de Billy et d'Holston qui ne leur manifestent aucune agressivité. Mais comme la troupe d'hommes marche sur eux, les deux malades brandissent leurs chaises et leurs poings armés de cuir.

— J'irai pas à Lima ! hurle Steve. Juste au moment où ça s'arrangeait, on veut me faire payer pour une faute que je n'ai pas commise ! Tout est fini pour moi, il n'y a plus d'espoir.

— Billy, écoutez-moi, dit Caul. Vous êtes sur la mauvaise pente. Calmez-vous, cela vaudra mieux pour vous.

— Si vous approchez, on défonce la porte, on prend une voiture et on se tire.

— Vous avez tort, Billy. Ce comportement ne va pas arranger vos affaires. Vous êtes accusé d'avoir commis ce viol et vous allez peut-être avoir des ennuis. Mais ce n'est pas ainsi qu'il faut y faire face. Nous ne pouvons accepter qu'on se conduise de cette façon.

Billy refuse de l'écouter.

Dave Malawista, un psychologue, tente à son tour de le raisonner :

— Allons, réfléchissez. Vous savez bien que nous vous avons toujours protégé. On vous a consacré énormément de temps. Vous croyez qu'on va les laisser vous emmener après tous les efforts que vous nous avez coûtés ? Nous voulons vous aider, pas vous rendre la vie impossible. L'équipe ne croit pas un mot de cette histoire de viol. On a remis un rapport sur vous et les filles, on a précisé les emplois du temps. L'enquête devrait vous blanchir.

Billy repose sa chaise et sort de son fortin improvisé. Sa fureur retombe. Les hommes quittent le service.

Mais bientôt Billy recommence à pleurer et à gémir. Holston continue d'exprimer son agressivité à haute voix. Ses vociférations, ses vaticinations sur le transfert redouté aggravent la détresse de Milligan.

— On nous laissera aucune chance, lui assure Holston. J'ai déjà été victime d'une erreur judiciaire, je sais comment ça se passe. Tu vas voir ce que je te dis : ils vont revenir en douce, ils nous embarqueront et on nous reverra plus jamais.

Pat est inquiète. Le personnel n'a jamais manifesté autant de nervosité. Tout le monde sent l'imminence de la catastrophe.

A quinze heures, changement d'équipe soignante : les jeunes infirmières sont remplacées par Eileen McClellan et Katherine Gillott, plus âgées et plus expérimentées. L'intervention de la police dans l'affaire surprend Mme Gillott. Prévenue par l'équipe du matin, elle s'efforce de calmer les inquiétudes des deux jeunes gens. Mais tandis que l'après-midi s'avance, l'anxiété transparaît de plus en plus dans leurs gestes et leurs regards. Ils ressassent leurs craintes d'être interrogés et jetés en prison et se répandent en menaces : si quelqu'un essaie de prévenir la sécurité, ils arracheront les fils du téléphone ; si on s'approche d'eux, ils défonceront la porte de secours.

— Ça ne se passera pas comme ça, lance Billy. Plutôt crever !

Assise à côté de Billy, Gillott tente de le raisonner. Il lui demande de l'amytal. Elle se lève pour aller en prendre dans la salle de garde et, en chemin, un autre malade attire son attention.

Un grand craquement l'avertit que la porte de secours a été défoncée. Elle se précipite. Holston et Milligan dévalent l'escalier d'incendie. Pour la deuxième fois de la journée, l'alerte verte est déclenchée.

Peu après, le téléphone sonne. « Katherine Gillott peut-elle descendre au deuxième étage ? On a coincé Billy et il la réclame. » En arrivant sur les lieux, elle découvre Billy plaqué au sol par quatre hommes devant l'ascenseur.

— Katherine, aidez-moi, supplie-t-il. Ils veulent me faire du mal. Empêchez-les. S'ils m'attachent, Chalmer va venir.

— Non, Danny. Chalmer n'a rien à faire ici. Il faut qu'on vous mette seul dans une chambre. Vous vous êtes enfui. Vous avez défoncé une porte et vous vous êtes enfui. Maintenant, on est obligé de vous mettre à l'isolement.

— S'il vous plaît, dites-leur de me lâcher, sanglote-t-il.

— Vous pouvez le lâcher, dit-elle aux hommes.

Les vigiles hésitent.

— Il sera sage, les rassure Gillott. Il va venir avec moi sans faire d'histoires. Pas vrai, Danny ?

— Voui.

Elle le conduit au service 5 et entre avec lui dans une cellule d'isolement pour qu'il lui remette ses effets personnels.

— Vide tes poches. J'emporte aussi ton portefeuille.

Elle remarque qu'il est bourré de billets.

— Allez, sors de là, Katherine, ou je t'enferme avec lui, crie un infirmier du service.

« Ils ont peur », se dit Gillott.

Peu après son retour aux ATI, une infirmière lui téléphone que Milligan trame quelque chose. Il a placé son matelas devant l'œilleton pour échapper à la surveillance du personnel et personne n'ose ouvrir pour aller voir ce qu'il fait.

Gillott revient, accompagnée d'un infirmier que Billy connaît bien :

— C'est moi, Katherine, crie-t-elle à travers la porte de la cellule. Je viens te voir. N'aie pas peur.

Ils entrent. Billy émet des sons étranglés. L'extrémité de ses lacets, en forme de pointe de flèche, a disparu.

Le docteur Sammi Michaels ordonne de transférer Billy dans une pièce munie d'un lit. Quand les infirmiers viennent le chercher, il résiste et ils ont beaucoup de mal à le maîtriser.

Gillott s'installe à son chevet dans sa nouvelle chambre. Elle lui fait boire plusieurs gobelets d'eau et il vomit les pointes de flèche. On lui administre des calmants. L'infirmière lui tient encore un moment compagnie. Puis elle prend congé en l'incitant à se reposer et en lui promettant de revenir. De retour dans son service, elle reste obsédée par la frayeur qu'elle a sentie en lui.

En arrivant à leur travail le lendemain, Wanda, Pat Perry et Mike Rupe apprennent ce qui s'est passé. Dans la matinée, Rupe veut rendre visite à Billy. Mais le personnel du service 5 a reçu la consigne d'en refuser l'accès aux gens de l'ATI. Désormais, Billy appartient à la haute sécurité.

Kathy appelle l'hôpital pour parler à son frère. On lui répond qu'il a eu une crise et qu'il est à l'isolement. Il n'est pas question de le laisser assister au mariage de sa sœur le lendemain.

Les journaux s'emparent de l'histoire. Le 3 octobre 1979, dans le *Colombus Citizen Journal,* paraît l'article suivant :

MILLIGAN PAIE À BOIRE

par Eric Rosenman

> La semaine dernière, William Stanley Milligan, le violeur qui souffrirait du syndrome de personnalité multiple, a participé avec trois autres patients à une séance de beuverie qui a eu pour cadre le parc du Centre de santé mentale d'Athens. C'est ce qu'un député a affirmé mercredi.
>
> Selon Mike Stinziano, il ressort d'une enquête secrète de la police que Milligan a fourni à deux patientes de l'argent pour acheter du rhum. Milligan et un deuxième patient se seraient ensuite joints aux deux femmes pour boire de grandes quantités de rhum et de Coca-Cola.
>
> Le député déclare que cette affaire montre « qu'apparemment le Centre exerce ses activités hors de tout contrôle sérieux ».
>
> « Pour autant que je le comprenne, le rapport de la police ne fournit pas la preuve que les femmes ont été violées », a précisé Stinziano. « Mais il en ressort que les deux femmes ont reçu de l'argent de Milligan pour acheter de l'alcool, qu'elles sont sorties de l'hôpital pour effectuer l'achat et qu'elles sont ensuite revenues avec le rhum... »
>
> Vendredi dernier, un porte-parole de la police a déclaré que les deux femmes avaient subi des examens pour savoir si elles avaient été violées et si elles étaient ivres. Ces examens ne sont pas terminés et leur résultat ne sera rendu public qu'à la fin de l'enquête.
>
> Stinziano garantit le sérieux de ses sources.

Le jour où paraît cet article, l'écrivain est autorisé à rendre visite à Billy en haute sécurité. Milligan ne le reconnaît pas. Comme l'auteur insiste, il marmonne enfin, ahuri :

— Ah oui ! vous êtes le type qui discutait avec Billy.

— Et vous, qui êtes-vous ?

— Je ne sais pas.

— Comment vous appelez-vous ?

— Je crois pas avoir de nom.

L'entrevue se poursuit, bien que Milligan ignore ce qui lui est arrivé. Il y a de longs silences durant lesquels l'auteur espère voir apparaître l'une ou l'autre des personnalités qui les renseignera. Au bout d'un moment, celui-qui-n'a-pas-de-nom dit :

— Ils ne le laisseront plus peindre. Y a deux tableaux, on va les détruire s'ils restent là. Vous feriez mieux de les prendre. Ça peut servir pour le livre.

Milligan quitte la pièce et revient avec deux toiles. Sur la première, figure une lugubre scène nocturne, avec des arbres noirs se découpant sur un ciel bleu sombre, un chemin creux et une grange noire. L'œuvre n'est pas terminée et ne porte pas de signature. L'autre tableau est un paysage aux couleurs somptueuses signé Tommy.

— C'est vous, Tommy ? demande l'auteur.

— Je ne sais pas qui je suis.

Le lendemain, Alan Goldsberry est convoqué par le juge Roger Jones, d'Athens. Le substitut David Belinky demande, au nom du parquet, que Milligan soit transféré à la prison-hôpital de Lima. Gus Holston doit être renvoyé à Lebanon.

Goldsberry demande au juge un délai pour pouvoir conférer avec son client.

— Il me semble que M. Milligan a le droit d'être mis au courant de cette requête du parquet et qu'il a également le droit de demander un procès public. Tant qu'il n'aura pas reçu notification de ces droits, je réclamerai en son nom une audience publique dans laquelle il puisse comparaître en personne. La présente procédure ne le permet pas.

Le juge rejette la demande de Goldsberry.

Le substitut interroge le seul témoin de l'accusation, Russel Cremeans, chef du service de sécurité du Centre de santé mentale d'Athens.

— Avez-vous entendu parler d'une rixe qui aurait opposé récemment Milligan et le personnel de l'hôpital ?

— Oui. J'ai eu le rapport d'un aide-infirmier, M. Wilson, et celui du responsable de la sécurité cette nuit-là, Clyde Barnhart. L'incident s'est produit le 26 septembre 1979... Je ne suis pas sûr d'être en mesure de retenir Milligan dans le service fermé où il se trouve actuellement.

— En tant que chef du service de sécurité, émettez-vous de graves réserves sur la possibilité de garder M. Milligan dans l'établissement s'il lui prenait fantaisie de s'en aller ?

— En effet, je suis très réservé sur la capacité de l'établissement à l'en empêcher.

— Disposez-vous d'informations précises sur ce qui est arrivé la nuit de la tentative de fuite ?

— Oui. Milligan et un autre patient, Gus Holston, ont défoncé la porte du service où ils étaient hospitalisés. Par l'escalier de secours ils ont gagné le parc de stationnement avec l'intention de s'enfuir... Milligan avait garé là une voiture qu'il était allé chercher au cours d'une absence non autorisée.

Selon Cremeans, des vigiles s'étaient interposés entre la voiture et Milligan. Son complice et lui s'étaient alors réfugiés dans les bois d'où on les avait délogés. Il n'avait pas fallu moins de trois hommes pour maîtriser Milligan et le conduire en haute sécurité.

Après avoir recueilli le témoignage du chef de la sécurité, le juge Jones donne un avis favorable à la requête du parquet.

Le 4 octobre 1979, à quatorze heures, on passe les menottes et la camisole de force à Billy. On ne lui laisse que le temps de dire au revoir au docteur Caul et à personne d'autre. Puis on l'emmène, à 270 kilomètres de là, à l'hôpital-prison de Lima.

23.

On lit dans le *Colombus Dispatch* du 5 octobre 1979 :

L'ADMINISTRATION EST INTERVENUE
POUR ACCÉLÉRER LE TRANSFERT DE MILLIGAN

par Robert Ruth

Selon une source digne de confiance, les plus hautes instances de la direction de la santé mentale sont intervenues pour que le violeur aux multiples personnalités, William S. Milligan, soit transféré à l'hôpital de Lima, un établissement de haute sécurité.

La décision de transfert a été prise après une série de coups de téléphone de la direction de la santé mentale de l'Ohio au Centre de santé mentale d'Athens, où Milligan était interné depuis dix mois.

Toujours selon cette même source, le directeur a téléphoné personnellement au moins une fois... Deux députés, le démocrate Mike Stinziano, de Colombus, et la républicaine Claire Ball, d'Athens, n'avaient cessé de protester contre une attitude qu'ils jugeaient trop clémente à l'égard d'un violeur.

Stinziano et Ball ont approuvé la décision de transfert et Ball a ajouté : « Je me demande seulement pourquoi il a fallu attendre si longtemps ? »

Stinziano assure qu'il continuera à suivre de très près l'évolution de l'affaire et qu'il veillera à ce que Milligan demeure dans un établissement de haute sécurité aussi longtemps qu'il sera une menace pour la société.

Le lendemain du transfert de Milligan, le juge Farrel Jackson de Lancaster rend son verdict sur la demande d'annulation du jugement condamnant Milligan à la prison pour l'attaque du drugstore Gray :

« La Cour estime que la charge de la preuve de l'état de démence de William S. Milligan au moment des faits, le 27 mars 1975, incombe à la défense... Après avoir pris connaissance des expertises, la Cour n'a pas acquis la conviction que le 27 mars 1975 William Stanley Milligan était fou, ni qu'il était incapable de collaborer à sa défense. En conséquence, la demande en révision du jugement condamnant William S. Milligan pour les faits précités, est rejetée. »

Goldsberry fait appel de ce jugement devant la quatrième chambre de la Cour d'appel d'Ohio en avançant que le juge Jackson n'a pas correctement évalué les expertises puisqu'il a tranché en faveur de l'option unique du docteur Brown contre celle de quatre éminents psychiatres et d'une psychologue.

Il présente également une requête devant le tribunal de Lima pour obtenir le retour de son client à Athens, en arguant des conditions dans lesquelles a été effectué le transfert de Milligan dans un environnement plus coercitif, sans avoir la possibilité de s'entretenir avec son avocat et sans procès public.

Une semaine plus tard, au palais de justice de Lima, l'auteur est venu assister à l'audience de la Cour qui va décider, à la requête de Goldsberry, si Milligan devra retourner à Athens. C'est la première fois que l'auteur voit Billy avec les menottes au poignet. Il reconnaît néanmoins tout de suite le Professeur qui lui adresse un sourire penaud.

Dans la salle d'attente, l'avocat et l'écrivain écoutent le Professeur leur décrire le traitement qu'on lui administre depuis une semaine à Lima. Le directeur médical, le docteur Lindner, a diagnostiqué une shizophrénie pseudo-psychopathique. Il a prescrit de la stelazine, un médicament psychotrope de la même famille que la thioridazine. Ces spécialités aggravent la dissociation.

L'huissier vient prévenir les trois hommes que l'audience va commencer. Goldsberry et Billy demandent que l'auteur soit autorisé à s'asseoir à leur côté, sur le banc de la défense. En face d'eux : le procureur David Belinky et le docteur Lewis Lindner. Le directeur médical de l'hôpital-prison de Lima est un homme maigre, aux traits émaciés. Il porte des lunettes cerclées de fer et son menton s'orne d'une barbiche. Il considère Milligan en souriant avec un mépris non dissimulé.

Après un échange de quelques minutes entre le procureur et le juge, ce dernier rappelle que, selon la loi, l'internement de Milligan doit être reconsidéré tous les quatre-vingt-dix jours, c'est-à-dire qu'à la fin novembre la Cour décidera s'il est toujours mentalement malade et s'il convient de le garder à Lima. En attendant, décide le juge, il n'y a pas lieu de discuter le transfert de Billy puisqu'il a été ordonné par un magistrat.

Le Professeur prend la parole :

— Je vois que je vais devoir attendre avant d'être de nouveau soigné. Depuis deux ans, mes médecins m'ont répété : « Il faut que vous désiriez vraiment être aidé par ceux qui sont en mesure de le faire. Il faut que vous puissiez accorder pleinement votre confiance à vos médecins, à vos psychiatres, à votre équipe soignante. C'est une condition indispensable. » Je désire ardemment l'aide de la Cour : il faut qu'elle m'autorise le plus vite possible à reprendre mon traitement.

— M. Milligan, dit le juge, vous me permettrez de vous faire observer que, si vous suggérez que vous ne pouvez pas recevoir un traitement approprié à Lima, vous présentez la réalité de manière incorrecte.

Billy répond en regardant le docteur Lindner droit dans les yeux :

— Il faudrait que j'aie confiance en la personne chargée de mon traitement. Je ne connais pas les médecins de Lima mais, d'après ce qu'ils m'ont déjà dit, je ne peux pas leur accorder ma confiance. Ils m'ont expliqué qu'ils ne croient pas à ma maladie. J'ai peur de retourner chez eux parce que je n'y serai pas soigné. Ou plutôt, si, je serai soigné mais pour une maladie que je n'ai pas. Ils m'ont bien expliqué qu'ils ne croyaient pas aux personnalités multiples.

— C'est là une discussion médicale, rétorque le juge, pour laquelle nous ne disposons pas encore d'éléments suffisants. Votre conseil pourra exposer vos arguments fin novembre, quand nous réexaminerons votre cas. A ce moment-là, nous déciderons si Lima est l'endroit qui vous convient.

Le même jour, l'auteur et Goldsberry vont à l'hôpital-prison pour rendre visite à Billy. On fouille leur serviette et on les soumet au détecteur de métal avant de leur ouvrir successivement deux portails de sécurité. Un employé les conduit au parloir.

Quelques instants plus tard, un gardien leur amène Billy. Le

Professeur est encore en lui. Pendant deux heures — durée maximum des visites — le jeune homme raconte les événements qui ont abouti à l'enquête de police et à son transfert à Lima.

— Un soir, les deux filles traînaient dans le hall en se lamentant parce qu'elles n'avaient pas de boulot et pas un sou en poche. Ça m'a fait de la peine. Bon, j'ai bien peur d'être le pigeon idéal. Je leur ai dit que si elles voulaient distribuer mes autocollants, je leur verserai un salaire. Elles en ont distribué la moitié et je les ai payées.

Quatre jours plus tard, au milieu de l'après-midi, elles ont disparu. Elles avaient envie de se soûler. Elles se sont acheté une bouteille de rhum.

Moi, j'étais consigné dans le service. Je ne pouvais sortir qu'escorté par un membre du personnel ou en compagnie d'un autre patient qui le signalait avant de sortir. Alors, bon, Gus Holston et moi, on est allés faire un tour. Katherine a noté l'heure. Elle l'a bien dit : on est restés dehors neuf à dix minutes. On est sortis une deuxième fois pour faire le tour du bâtiment. En fait, je n'étais pas à l'aise dehors, j'étais dissocié.

— Qui était celui qui se promenait dehors ? demande l'auteur.

— Danny. Holston était plutôt inquiet à cause de ça. Je l'embarrassais. Il ne comprenait rien à ce qui m'arrivait. Pendant qu'on marchait autour du bâtiment, on a entendu derrière nous les filles qui appelaient Gus. Et... bon, moi aussi, elles m'appelaient. Elles criaient : « Billy, Billy ! » Et quand elles se sont approchées de nous, elles étaient très, très, très soûles. Il y en a une qui avait une bouteille, de Pepsi, je crois. La boisson était plus claire que du Pepsi. Elles l'avaient coupée avec de l'alcool. Les filles puaient la gnôle à plein nez.

Selon le Professeur, l'une des filles comprit qu'elle avait affaire à Danny et non à Billy. Elle se rapprocha de Gus et lui dit : « Ramène ce casse-pied là-haut et reviens t'amuser avec nous. »

Gus leur répondit qu'il ne pouvait pas faire ça. Avant que les deux jeunes hommes aient eu le temps de s'écarter, une des filles vomit sur la chemise de Gus et le pantalon de Danny en fut éclaboussé.

Le cœur au bord des lèvres, Danny battit en retraite en se bouchant le nez. Gus agonit les filles d'injures et entraîna son ami. Les filles les poursuivirent de leurs quolibets pendant quelques minutes, puis elles firent demi-tour pour prendre le chemin du cimetière.

— Voilà tout ce que je sais de cette affaire, dit le Professeur. Je ne peux rien jurer en ce qui concerne Holston mais moi, je n'ai pas touché ces filles. Ni l'une ni l'autre.

Il explique encore que les huit jours qu'il vient de passer à Lima ont été atroces.

— Je raconterai par écrit certaines de mes mésaventures. Je vous enverrai ça.

La visite est terminée. On passe le Professeur au détecteur pour vérifier que ses visiteurs ne lui ont rien donné. Il adresse un geste d'adieu à l'auteur.

— On se reverra fin novembre, pour le réexamen de mon internement. Mais je vous écrirai avant.

L'auteur téléphone au docteur Lindner pour lui demander un entretien. Mais, à l'autre bout du fil, la voix est hostile :

— Du point de vue thérapeutique, toute cette publicité ne me paraît pas souhaitable.

— Ce n'est pas nous qui cherchons la publicité.

— La discussion est close, dit Lindner avant de raccrocher.

L'auteur s'inscrit pour une visite en groupe de l'hôpital de Lima, programmée pour la veille de l'audience de novembre. Dans un premier temps, le service des relations publiques de l'hôpital lui a répondu favorablement. Mais la veille de la visite, on le prévient qu'elle a été annulée à la demande du docteur Lindner et du chef de la police. On lui apprend en outre que la police l'a interdit de séjour sur le territoire de l'hôpital.

L'auteur exige des explications. Le procureur David Belinky lui répond que l'administration de l'hôpital le soupçonne d'avoir passé en fraude de la drogue à Milligan. Un peu plus tard, le prétexte invoqué changera : « Ces visites, d'un point de vue thérapeutique, sont inopportunes. »

Il fait froid, en ce dernier jour de novembre. La première neige de l'année recouvre le sol. Dans le vieux palais de justice de Lima, les cinquante places de la troisième chambre sont loin d'être toutes occupées. L'internement de Milligan va être réexaminé à huis-clos. Mais au-dehors les caméras de télévision attendent.

Le Professeur est assis entre ses avocats, menottes aux poignets. La cour n'a admis comme observateurs que Dorothy, Del Moore, l'auteur et un avocat représentant le Centre de santé mentale du Sud-Ouest. Du côté de l'accusation, outre le procureur, sont présents un représentant du parquet du comté de Franklin et un représentant de la commission des libérations conditionnelles.

Le juge David Kinworthy, beau garçon rasé de près, fait l'historique du cas de Billy depuis ce jour du 4 décembre 1978 où il a été déclaré non coupable pour irresponsabilité mentale. De trois mois en trois mois, son internement a été reconduit pendant près d'un an. Aujourd'hui, il doit être de nouveau reconsidéré.

Thompson, l'un des avocats de Billy, dépose des conclusions sur l'illégalité du transfert de Billy à Lima et demande que la Cour le renvoie à Athens. La cour rejette cette requête préalable et passe à l'examen de l'affaire.

Le témoin du parquet est le docteur Milkie, psychiatre de soixante-cinq ans. C'est un petit homme corpulent qui s'approche en se dandinant de la barre des témoins.

Le docteur Milkie déclare avoir examiné Milligan à deux reprises. Une première fois, brièvement, le 24 octobre 1979, quand le patient lui a été confié et une nouvelle fois le 30 pour mettre au point son programme de soins. Il a également été autorisé à s'entretenir avec Milligan une demi-heure ce matin avant l'audience, pour voir si son état était resté le même depuis un mois.

En s'appuyant sur les dossiers de l'hôpital de Lima, le docteur Milkie a diagnostiqué chez Milligan un trouble de la personnalité. Il a constaté que le jeune homme était asocial et souffrait d'une anxiété psychonévrotique avec tendances à la dissociation et à la dépression.

David Belinky, procureur au visage angélique, interroge le psychiatre :

— Aujourd'hui, Milligan est-il exactement le même que lorsque ce diagnostic a été formulé ?

— Oui. C'est un malade mental.

— Quels sont les symptômes de sa maladie ?

— Son comportement est inacceptable, scande le docteur Milkie en regardant Milligan droit dans les yeux. C'est un criminel accusé de viol et d'attaque à main armée. Il est inadapté à son environnement, c'est le type même de l'individu inaccessible à une sanction pénale.

Milkie déclare avoir eu connaissance du diagnostic de personnalité multiple mais n'avoir détecté aucun symptôme qui le vérifie. En réponse à une question de Belinky, il assure que Milligan est suicidaire et qu'il constitue un danger pour les autres.

— Aucun progrès n'est perceptible chez lui. Il est arrogant et refuse de collaborer à son traitement. Son ego est envahissant. Il n'accepte pas son milieu.

Lorsque Belinky lui demande comment il convient de traiter Billy, le psychiatre laisse tomber :

— Avec une négligence très étudiée.

Milkie reconnaît avoir prescrit 5 milligrammes de stelazine. Il n'a noté aucun effet négatif mais, comme il n'a pas non plus remarqué d'effet positif, il a interrompu l'administration de neuroleptiques. Son opinion est que Milligan doit être maintenu dans un établissement de haute sécurité et que Lima est le seul de ce type dans l'Ohio.

Steve Thompson interroge à son tour le témoin du parquet. Milkie répète qu'il a rejeté le diagnostic de personnalité multiple parce qu'il n'en a pas décelé les symptômes. Il est vrai qu'il n'accepte pas la définition de la personnalité multiple que donne le très officiel *Diagnostic and Statistical Manual* dans sa deuxième édition.

— J'ai écarté le diagnostic de personnalité multiple exactement comme j'ai écarté celui de la syphilis en voyant les résultats de ses examens sanguins. Cette personnalité multiple, je ne l'ai pas vue.

— Quels symptômes avez-vous observés ?

— De la colère, de la frayeur. Les choses ne se passaient pas comme Milligan aurait voulu. La colère l'a pris et il a cédé à ses impulsions.

— Voulez-vous dire que quiconque manifeste de la colère ou se montre déprimé est un malade mental ?

— Exactement.

— Mais nous avons tous des moments de fureur et de colère ?

Avec un haussement d'épaules, Milkie jette un regard circulaire sur l'assemblée :

— Nous sommes tous des malades mentaux.

Thompson considère un moment le témoin sans mot dire puis griffonne quelques notes.

— Billy a-t-il confiance en vous ?

— Non.

— Ferait-il davantage de progrès avec quelqu'un en qui il a confiance ?

— Oui.

— Monsieur le Président, je n'ai pas d'autre question à poser au témoin.

Avant la pause du déjeuner, Alan Goldsberry verse au dossier le témoignage écrit du docteur Caul, recueilli trois jours plus tôt. Il tient à ce qu'il soit lu avant les dépositions des docteurs George Harding et Stella Karolin et de la psychologue Dorothy Turner.

Il a été demandé au docteur Caul de préciser les points essentiels du traitement d'un malade présentant le syndrome de personnalité multiple. Voici sa réponse :

> Le traitement du patient chez lequel a été diagnostiqué le syndrome de personnalité multiple ne peut être entrepris que par un spécialiste des maladies mentales, de préférence un psychiatre qui répond aux critères suivants :
>
> Premièrement : il (ou elle) reconnaît l'existence effective de ce trouble de la personnalité. Quelqu'un qui « n'y croit pas » ne peut se charger de le traiter.
>
> Deuxièmement : si le psychiatre reconnaît l'existence du trouble mais qu'il est dépourvu d'expérience dans ce domaine, il devra accepter que son travail soit supervisé par un confrère plus expérimenté que lui ou devra du moins le consulter régulièrement.
>
> Troisièmement : il devrait pouvoir, au besoin, avoir recours à l'hypnose. La maîtrise de cette technique, si elle n'est pas indispensable, est du moins très souhaitable.
>
> Quatrièmement : il possède une bonne connaissance théorique du sujet et se maintient constamment au courant de l'évolution du savoir dans ce domaine.
>
> Cinquièmement : il doit posséder une patience presque infinie et se montrer tolérant. Le traitement de tels cas réclame un engagement total dans ce qui sera, à coup sûr, une thérapie longue et difficile.
>
> Les psychiatres qui ont traité des personnalités multiples ont établi un certain nombre de modalités thérapeutiques :
>
> Premièrement : toutes les personnalités doivent être identifiées et reconnues.
>
> Deuxièmement : le thérapeute doit établir à quelle nécessité particulière répond l'apparition de chaque personnalité.
>
> Troisièmement : le thérapeute doit avoir pour objectif de soigner la totalité des personnalités.
>
> Quatrièmement : le médecin s'emploiera à repérer en chaque personnalité les qualités positives identifiables et à établir une sorte de

compromis entre toutes les personnalités, en particulier avec celles qui représentent un danger pour l'individu ou pour son entourage.

Cinquièmement : il faut que le patient soit rendu pleinement conscient de la nature et de l'étendue de ses difficultés. La thérapie doit l'inciter à participer à son traitement. En d'autres termes, le patient doit prendre conscience du processus thérapeutique et non pas en être l'objet passif.

Sixièmement : il faut éviter le recours aux neuroleptiques dont l'action stimulante sur la dissociation et les effets secondaires négatifs sont bien connus.

Tels sont quelques-uns des points essentiels d'un programme de traitement. On ne saurait cependant prétendre qu'ils le résument tout entier.

Comme on lui demandait s'il s'agissait là des critères du meilleur traitement possible, le docteur Caul a tenu à préciser : « Ce ne sont nullement les critères du meilleur traitement, mais bien les critères minimum sans lesquels il vaudrait mieux qu'il n'y ait pas de traitement du tout. Je suis convaincu que s'ils ne sont pas réunis, il vaut mieux laisser le patient tranquille et renoncer à le soigner. »

Après la pause du déjeuner, on ramène Milligan de l'hôpital-prison. Il a changé de chemise et l'auteur a l'impression que le Professeur est parti.

Le docteur George Harding vient témoigner à la demande de la défense. Il raconte comment il a été amené à s'occuper du cas de Milligan et comment il l'a soigné. Il demeure convaincu que c'est à Athens seulement que le jeune homme recevra un traitement approprié.

— Le syndrome de personnalité multiple est-il si rare que cela ? lui demande le procureur.

— Oui.

— N'avons-nous pas tous plusieurs personnalités en nous ?

— C'est l'amnésie qui fait la différence.

— Comment être sûr de l'amnésie ? On peut bien la simuler ?

— Nous avons été très méfiants. Nous avons répété plusieurs fois nos investigations. Notre approche était toujours sceptique. L'amnésie de M. Milligan a été vérifiée. Il ne simule pas.

Goldsberry intervient :

— Avez-vous utilisé des histoires de cas et d'autres comptes rendus cliniques pour former votre propre diagnostic ?

— Certes. Nous avons consulté tous les documents disponibles.

— Estimez-vous que les psychiatres doivent s'appuyer sur les travaux antérieurs, l'expérience clinique passée et s'enquérir de l'opinion d'autres praticiens avant de formuler un diagnostic ?

— Je pense que c'est tout à fait indispensable.

On lui présente le témoignage du docteur Caul et il déclare que les critères de son confrère lui paraissent parfaitement pertinents. Il considère lui aussi que ce sont là des critères minimum.

La psychologue Dorothy Turner prend la suite de Harding à la barre des témoins. Elle raconte avoir vu Billy presque tous les jours pendant la période qui a précédé son procès. Elle a fait passer aux différentes personnalités des tests d'intelligence.

— Quels en furent les résultats ? demande Goldsberry.

— Deux des personnalités avaient des Q.I. faibles : 68 et 70. Une autre était d'intelligence moyenne et une autre encore avait une intelligence brillante : un Q.I. de 130.

— Est-il possible, demande le procureur, que les différences de Q.I. soient l'œuvre d'un mystificateur ?

— Certainement pas, rétorque Turner, la voix tremblante de colère. Il ne fait aucun doute pour moi que ces différences ne pouvaient être simulées.

Le docteur Stella Karolin vient ensuite certifier qu'elle est parvenue indépendamment d'eux aux mêmes conclusions que Dorothy Turner et que les docteurs Cornelia Wilbur et George Harding. Elle a examiné Milligan en avril, juin et juillet de cette année et elle pense qu'il est toujours dissocié.

— Et s'il souffre d'autres troubles mentaux ? demande Belinky.

— Le syndrome de personnalité multiple doit être traité en priorité. Il n'est pas impossible qu'il souffre d'autres troubles. Chaque personnalité peut avoir d'autres maladies. Mais l'affection principale doit être soignée d'abord.

— Pensez-vous qu'il recevrait un traitement correct à Athens ?

— Oui.

Goldsberry lui soumet la lettre du docteur Caul. Elle en approuve les termes.

Après avoir témoigné, Harding, Karolin et Turner sont autorisés à rester dans la salle à titre d'observateurs.

Pour la première fois de sa vie, cet après-midi-là, Billy Milligan va être interrogé dans un procès.

Les menottes aux poignets, il lui est difficile de poser la main gauche sur la Bible et de lever la droite. Il se contorsionne un peu en souriant, puis parvient à prendre la pose pour jurer de dire la vérité, toute la vérité et rien que la vérité. Il se rassied et lève un visage attentif vers le juge.

— Je dois vous avertir, lui dit ce dernier, que vous n'êtes pas obligé de répondre aux questions.

Billy hoche la tête.

— Vous souvenez-vous, lui demande Goldsberry, de la déclaration que vous avez faite dans cette salle le 12 octobre ?

— Oui.

— J'aimerais que vous nous parliez du traitement que vous recevez à l'hôpital-prison de Lima. Utilise-t-on l'hypnothérapie ?

— Non.

— La thérapie de groupe ?

— Non.

— La thérapie musicale ?

Billy garde les yeux fixés sur le juge.

— On nous entasse dans une pièce où il y a un piano et on nous fait asseoir. Il n'y a pas de thérapeute. On reste là assis pendant des heures, c'est tout.

— Avez-vous confiance dans le docteur Milkie ? lui demande Goldsberry.

— Non. Il m'a prescrit de la stelazine. Ça me met l'esprit en bouillie.

— Pouvez-vous nous décrire votre traitement ?

— Quand je suis arrivé, j'étais au pavillon 22. Un psychologue a été très brutal avec moi et je me suis endormi.

— Quand avez-vous appris pour la première fois que vous possédiez une personnalité multiple ?

— A l'hôpital Harding. J'y croyais plus ou moins mais, quand j'ai vu les enregistrements vidéo au Centre de santé mentale d'Athens, je l'ai su.

— A quoi est due votre maladie, selon vous ?

— C'est à cause de ce que mon beau-père m'a fait. Je ne voulais plus être moi. Je ne voulais plus être Billy Milligan.

— Pouvez-vous nous donner un exemple de ce qui arrive à une personnalité multiple ?

— Bon, voilà. Un jour, j'étais dans mon appartement, devant mon miroir, en train de me raser. Ça n'allait pas. Je venais juste d'arriver à Colombus et je me sentais mal parce que j'étais parti de chez ma mère en claquant la porte. J'étais là, en train de me raser et puis tout d'un coup, pof ! c'est comme si les lumières s'étaient éteintes. Une grande paix. Quand j'ai ouvert les yeux, j'étais dans un avion. J'ai eu une peur terrible. Je ne savais pas où j'allais jusqu'au moment où l'on a atterri et où je me suis retrouvé à San Diego.

On entendrait voler une mouche. Le juge scrute le visage du jeune homme. La greffière regarde fixement Billy, bouche bée, les yeux écarquillés.

David Belinky se lève pour l'interroger à son tour.

— Pourquoi ne pas faire confiance aux médecins de Lima ? Vous avez bien fait confiance au docteur Caul ?

— Le premier jour où je l'ai rencontré, j'ai tout de suite eu confiance en lui. Le policier qui m'avait conduit de Colombus à Athens m'avait trop serré les menottes.

Il lève les mains pour montrer qu'aujourd'hui ce n'est pas le cas.

— Le docteur a engueulé le policier et il l'a fait partir. Il ne m'a pas fallu longtemps pour comprendre qu'il allait m'aider.

— Maintenant que vous voilà à Lima, ne vaudrait-il pas mieux que vous participiez activement à votre traitement ?

— Je ne peux pas me soigner tout seul. A Athens, il m'est arrivé de régresser. Mais on m'a appris à me reprendre. Ils savaient comment me faire remonter la pente : en me soignant, pas en me punissant.

Dans ses réquisitions, le procureur Belinky avance que l'Etat n'a pas à se prononcer sur le diagnostic et qu'il doit seulement décider si Billy Milligan souffre ou non de troubles mentaux assez graves pour justifier son placement d'office. En l'occurrence, les seuls témoignages d'actualité, prétend le procureur, sont ceux du docteur Caul et du docteur Milkie. Le docteur Caul a suffisamment insisté sur la gravité de la maladie de Milligan. Et le docteur Milkie assure que ce patient ne peut être traité dans un environnement moins coercitif que celui de l'hôpital de Lima.

— En conséquence, conclut Belinky, je demande à la Cour de maintenir son internement à Lima.

Steve Thompson commence sa plaidoirie en appelant l'attention du tribunal sur l'impressionnante unanimité avec laquelle des psychiatres, nombreux et éminents, ont formulé le diagnostic de personnalité multiple.

— Une fois ce fait reconnu, la question à laquelle nous devons répondre maintenant est la suivante : comment le soigner ? Considérant l'état mental de Billy Milligan, ces experts tombent tous d'accord sur la nécessité d'un traitement à long terme et insistent tous pour qu'il soit renvoyé à Athens. Transféré à Lima le 4 octobre, il a été examiné par un médecin qui ne veut tenir aucun compte de son histoire médicale et du traitement antérieur. Il a conclu que Billy Milligan représentait un danger pour lui-même et pour autrui. Et comment est-il parvenu à cette conclusion ? En s'appuyant sur des opinions préconçues. Le docteur Milkie a manifesté sa répugnance envers les comportements asociaux. Il a affirmé que Billy ne s'améliorait pas. Il est clair que le docteur Milkie n'est pas un spécialiste des personnalités multiples. A l'évidence, les experts soutiennent le point de vue de Milligan.

Le juge Kinworthy met le jugement en délibéré. Le verdict sera rendu dans dix jours au plus tard. Jusque-là, Milligan restera à Lima.

Le 10 décembre 1979, le tribunal arrête ce qui suit :

1. Billy Milligan souffre de graves troubles, dans toutes les composantes de sa personnalité : la pensée, les perceptions, l'affectivité et la mémoire. Ces troubles altèrent gravement son jugement, son comportement et sa capacité de distinguer la réalité. Billy Milligan est donc un malade mental.
2. Le diagnostic de ces troubles est le syndrome de personnalité multiple.
3. Billy Milligan est un malade mental dont l'état nécessite un placement d'office, parce qu'il représente un danger pour lui-même, comme le prouvent ses tentatives de suicide, et un danger physique pour autrui, comme le prouve son comportement violent récent...
4. En raison des risques précités, Billy Milligan doit être placé dans un établissement de haute sécurité.
5. En raison du diagnostic précité, il doit être traité pour le syndrome de personnalité multiple.

En conséquence, j'ordonne que Billy Milligan soit confié à l'hôpital d'Etat de Lima pour y être traité comme personnalité multiple et que copie de ce jugement soit adressé à l'hôpital d'Etat de Lima.

Le 18 décembre, Billy appelle l'auteur depuis l'infirmerie de l'hôpital-prison. Il a été passé à tabac par un employé de l'hôpital. L'homme l'a fouetté avec un fil de téléphone. Le dos de Billy est marqué de zébrures, ses yeux et son visage sont bleus de coups, il a deux côtes cassées. Un avocat de Lima prend des photos de ses hématomes au polaroïd.

Dans un communiqué à la presse, l'administration de l'hôpital prétend qu' « à la suite d'une altercation avec un employé », Milligan a présenté des marques de coups qu'il s'était apparemment infligés à lui-même.

Le lendemain, Steve Thompson se rend à Lima et l'administration abandonne sa première version pour publier un deuxième communiqué dans lequel elle reconnaît que Milligan a été « gravement blessé ». Le FBI et la police de l'Ohio ouvrent une enquête.

Thompson est révolté par les récits de Billy et de l'avocat de Lima. Son communiqué n'est pas publié par les journaux mais seulement lu à la radio. Il rappelle simplement que même les malades internés d'office ont droit à la protection des lois et au respect de leurs droits civiques. Il est trop tôt, dit l'avocat, pour annoncer quelles suites seront données à cette affaire.

Le 2 janvier 1980, le programme de traitement de Billy est réexaminé. Les conclusions de l'équipe responsable des soins sont consignées dans le registre de l'hôpital :

> Le traitement appliqué jusqu'à ce jour demeure valide.
>
> Le diagnostic est : 1. Schizophrénie pseudo-psychopathique avec épisodes de dissociation. 2. Personnalité asociale de type agressif. 3. Alcoolisme chronique. 4. Toxicomanie.
>
> Le patient a été transféré à l'isolement depuis quinze jours en raison de son comportement violent... Le patient, selon nous, a été négativement affecté par la célébrité que lui ont apportée des articles de presse, ce qui explique la revendication d'un statut de " vedette "... M. Milligan présente, de façon accentuée, des traits caractéristiques de la psychopathie vraie et comme tel, les rapports sont aussi difficiles avec lui qu'avec n'importe quel psychopathe... En outre, la personnalité du patient présente de nombreux traits hystériques. Quoique l'hystérie soit observable d'ordinaire chez les femmes, il existe de nombreux cas

de personnalités hystériques masculines. Cet aspect de ses troubles ne doit pas être négligé.

Signé : Lewis A. Lindner, psychiatre
J. William McIntosch, psychologue
John Doran, assistant-psychologue

Les thérapeutes de Lima refusent donc d'obtempérer aux ordres du tribunal et de traiter Billy pour le syndrome de personnalité multiple. Indignés, Alan Goldsberry et Steve Thompson présentent une requête devant la direction de la santé mentale de l'Ohio. Ils pressent le cabinet du directeur d'intervenir pour que Milligan soit transféré dans un hôpital moins coercitif.

Enfermé dans le pavillon le plus dur de l'hôpital-prison de Lima, le Billy non fusionné emprunte un stylo à un employé pour écrire la première d'une série de lettres à l'auteur :

Soudain, un infirmier apparaît dans l'entrée et aboie des ordres hargneux à l'adresse des patients du pavillon 22 :

— Allez, bande d'enculés, tirez-vous de ce hall. Magnez-vous le cul, abrutis. Vous m'entendez ? En vitesse !

Il reprend sa respiration, récupère au bord de ses lèvres un mégot de cigare gluant et marmonne :

— Quand on aura balayé ce verre, tas de glands, on vous rappellera mais en attendant, caltez dans vos turnes, les cinglés !

Avec des regards morts, le pauvre troupeau se défait. Ils s'arrachent à leurs chaises et se traînent à travers le hall qui résonne du fracas des portes d'acier qu'on referme. Le visage vide, les hommes qui portent des bavoirs se traînent encore plus lentement que les autres, mais les brutes en blouse blanche les aiguillonnent du claquement de leurs larges ceintures de cuir, au mépris de toute dignité. La thioridazine, le prolixion, le haldol et les autres psychotropes assurent l'obéissance la plus stricte ; alors on les distribue comme des bonbons. Pas d'humanité, mais j'ai presque oublié. Nous ne sommes pas humains. *Clang !*

A l'instant où je tire la porte sur ce claustrophobique cagibi de deux mètres cinquante sur trois, mon corps se glace et se raidit jusqu'à la moindre articulation. *Clang !* M'avancer jusqu'à mon lit et m'y asseoir devient la pire des corvées, mais je m'installe sur le matelas recouvert d'une alèse de plastique. Le néant m'investit, il faut que mon imagination s'empare des motifs que forme la peinture qui s'écaille au mur en face de moi. Pour m'amuser, je pourrais faire surgir des silhouettes imaginaires et tenter de les identifier. Aujourd'hui, les visages, seulement les visages, vieux, laids, les visages ravagés et démoniaques d'un asile de vieillard grouillent sur mon mur. C'est effrayant mais je laisse faire. Je hais ce mur. Merde à ce mur ! Il veut se rapprocher de moi, plus près, toujours plus près. La sueur de mon front me brûle les yeux mais j'essaie à tout prix de les garder ouverts. Il faut que je surveille ce mur ou bien ce mur qui rit aux éclats va me foncer dessus, m'envahir, m'écraser. Je veux rester immobile et surveiller cette saloperie de mur qui rit aux éclats. 410 hommes décrétés fous criminels hantent les couloirs sans fin de cette géhenne oubliée de Dieu. La fureur me prend quand je songe que l'Etat a le culot d'appeler cet endroit un hôpital. L'hôpital d'Etat de Lima. *Clang !*

Le silence règne dans le pavillon 22, troublé seulement par le frottement des balais et le léger tintement du verre. Quelqu'un a cassé la vitre d'une lucarne dans le hall où nous restons assis toute la journée sur de lourdes chaises de bois. On s'assied, on peut fumer. On ne parle pas, on garde les deux pieds sur le plancher, ou alors ça va barder pour votre matricule ! Qui a cassé la vitre ? Maintenant les infirmiers vont être de très méchante humeur. On a interrompu leur partie de cartes et ils vont être obligés de rester dans le hall s'ils nous laissent sortir de nos boîtes.

... Je n'entends plus rien, je suis plongé dans une sorte de transe stupéfaite. Mon corps est engourdi et creux. Cette saloperie de mur qui riait aux éclats a cessé de rire. Le mur est un mur et la peinture écaillée n'est plus que cela. Mes mains sont moites et glacées et les coups sourds de mon cœur résonnent dans mon corps creux. L'anxiété qui attend m'étreint. J'attends. J'attends de sortir de ma boîte. Pétrifié sur mon lit, je fixe du regard le mur silencieux et immobile. Je ne suis rien, un zombie enfermé dans une boîte vide au cœur d'un néant infernal. La salive qui menace de déborder pour s'écouler le long de mes lèvres parcheminées m'indique que les neuroleptiques sont en train de s'emparer de mon esprit, de mon corps et de mon âme. Faudrait-il lutter ? Ou, au contraire, s'abandonner ? Plongé dans cet autre monde des faux-semblants pour échapper à la réalité tragique qui m'attend derrière ma porte d'acier ? La vie vaut-elle d'être vécue quand on est entre les griffes de la société, enfermé dans la poubelle qu'elle réserve aux esprits inadaptés ? Que pourrais-je accomplir, que pourrais-je apporter à l'humanité dans cette boîte de fer et de béton avec cette saleté de mur mobile qui me rit au nez ? Alors, renoncer ? Bien d'autres questions me traversent l'esprit à la manière d'un trente-trois tours mis en soixante-dix-huit, la cacophonie de plus en plus forte. Brusquement, un choc épouvantable me contraint à rejeter les épaules en arrière et à me tenir parfaitement droit. La réalité vient de s'imposer à moi comme une terrible gifle en plein visage ; elle m'a arraché à la transe dans un craquement de tous mes membres. Quelque chose rampe sur mon dos le long de mon épine dorsale. Un effet de mon imagination ? Rassemblant le peu de sens qu'il me reste, je sais qu'il n'en est rien. Quelque chose grouille bel et bien le long de ma colonne vertébrale. Je réagis en faisant passer ma chemise par-dessus ma tête sans penser aux boutons. La terreur aveugle n'a pas le temps de s'embarrasser de considérations matérielles. Résultat : trois boutons arrachés. Quand je jette ma chemise à terre, l'affreuse sensation s'interrompt. Examinant ma chemise, j'aperçois le responsable. C'est un gros cafard de trois centimètres de long qui faisait des claquettes sur mes vertèbres lombaires. Un gros insecte inoffensif mais répugnant. C'est lui qui a emporté la décision. Je suis de retour dans la réalité, mais je songe encore au débat intérieur qui m'agitait. J'ai laissé s'enfuir la hideuse créature. A vrai dire, je suis heureux qu'il m'ait rendu la conscience de moi-même, je suis fier de cette victoire physique et morale. Je ne suis pas encore bon pour la poubelle. Il me reste la capacité de lutter. Je ne suis pas vaincu mais je ne suis pas vainqueur non plus. J'ai cassé une fenêtre et je ne sais même pas pourquoi.

L'auteur reçut une lettre datée du 30 janvier d'un autre patient de Lima :

Cher monsieur,

J'en viens tout de suite au principal. Moins de vingt-quatre heures après la visite de son avocat, Bill a été transféré dans un autre service, le numéro 9, dont le régime est beaucoup plus dur.

Ce transfert a été décidé par le personnel au cours de la réunion quotidienne des équipes soignantes. Pour Bill, c'était une surprise, une mauvaise surprise, mais il a très bien réagi...

Nous ne pouvons plus nous voir que pendant les récréations. C'est à cette occasion que j'ai appris qu'il était soumis à un traitement particulièrement sévère. Il dit qu'on lui a supprimé les visites, le courrier et les coups de téléphone pour le contraindre à renvoyer ses avocats. On lui a dit d'arrêter le bouquin et les aides-soignants sont tout le temps après lui. (On m'a accusé moi aussi d'aider Bill à rédiger son livre et j'ai compris que ces gens ne veulent pas que cet ouvrage voie le jour.)

On m'a dit que Bill resterait à l'isolement en régime sévère jusqu'à la fin de son internement ici...

Je ne révèle pas le nom du signataire.

Le 12 mars enfin, l'auteur a reçu une lettre rédigée en serbo-croate et dont l'écriture ne lui était pas familière :

Subata Mart Osmi 1980

Kako ste? Kazma nadamo. Zaluta Vreme. Ne lecenje Billy je spavanje. On je je U redu ne brinite. I dem na pega. Ucinicu sve sta mogu za gan mozete ra cunati na mene. « Nuzda ne poznaje zacona. »

Nemojete se

Ragen

C'est-à-dire :

Samedi 8 mars 1980

Comment allez-vous? Merveilleusement bien j'espère. J'ai perdu le temps. Billy dort et ne reçoit donc pas de traitement. Il va très bien. Ne vous en faites pas. C'est moi qui vais prendre la direction. Je ferai tout ce que je peux pour lui. Vous pouvez compter sur moi. « Nécessité n'a pas de loi. »

Ragen

ÉPILOGUE

Au cours des mois qui suivirent, je suis demeuré en contact avec Billy par lettre et par téléphone. Il continuait d'espérer que la cour d'appel casserait la décision qui l'avait fait placer à Lima et qu'il serait en mesure de retourner à Athens pour poursuivre son traitement avec le docteur Caul.

Le 14 avril 1980, lors de la deuxième audience d'appel, le juge Kinworthy rejeta les plaintes de l'avocat de Billy contre le chef de la police Ronald Hubbard et contre le directeur médical Lewis Lindner qui avaient l'un et l'autre, au mépris de la décision de justice, refusé de traiter Billy comme un malade mental présentant une personnalité multiple. Le juge décida que Billy devait rester à Lima.

Le 1er juillet 1980, je reçus une lettre postée à Lima. Au dos de l'enveloppe, on avait écrit *urgent* en caractères d'imprimerie. Quand je l'ouvris, j'y découvris une lettre de trois pages en arabe littéraire. Selon le traducteur auquel je fis appel elle était rédigée dans une langue impeccable. En voici quelques passages :

> Par moments je ne sais pas qui je suis ou ce que je suis. Et il m'arrive même de ne pas reconnaître ceux qui m'entourent. L'écho de leurs voix résonne encore dans mon esprit, mais elles sont dépourvues de toute signification. Plusieurs visages m'apparaissent, comme s'ils surgissaient de l'obscurité, mais je suis terrifié parce que mon esprit demeure totalement divisé.
>
> Ma famille [c'est-à-dire les diverses personnalités de Billy] n'est absolument pas en contact permanent avec moi et a cessé de l'être depuis longtemps... Ici, depuis quelques semaines, les événements

n'ont pas été très heureux. Je n'en suis nullement responsable. Je déteste cordialement tout ce qui transpire autour de moi, mais je ne puis rien faire pour y mettre un terme, ni le modifier...

La lettre était signée Billy Milligan. Quelques jours plus tard, j'en reçus une autre, expliquant qui avait rédigé la première :

Je vous répète que je suis désolé pour toutes ces lettres qui ne sont pas écrites en anglais. Cela me plonge vraiment dans l'embarras de tout faire de travers. Arthur sait bien que vous ne parlez pas arabe et il faut qu'il vous envoie cette lettre stupide.

Cela n'a jamais ressemblé à Arthur de chercher à étaler ses connaissances et il faut qu'il ait été dans un état de bien grande confusion pour avoir oublié votre ignorance de l'arabe. Samuel a bien appris l'arabe avec Arthur, mais il n'écrit jamais de lettres. Arthur dit que la vantardise est un vilain défaut. J'aimerais beaucoup qu'il me parle. Il se passe beaucoup de choses regrettables et je ne sais pas pourquoi.

Arthur parle aussi swahili. Il a lu beaucoup de livres à Lebanon sur les principes de l'arabe littéraire. Il voulait étudier les pyramides et la culture égyptienne. Il lui fallait apprendre leur langage pour déchiffrer ce qu'ils écrivaient sur les murs. Un jour, je lui ai demandé pourquoi il s'intéressait tant à ces gros entassements de pierre. Il m'a répondu qu'il ne cherchait pas à savoir ce qu'il y avait dans ces tombeaux mais plutôt comment on avait pu les ériger. Je me souviens qu'il m'a dit que les pyramides défient je ne sais plus quelle loi de la physique et que c'était ce qu'il cherchait à comprendre. Il avait même fabriqué de petites pyramides de carton, mais David les avait écrasées.

Billy D.

Selon les récits de Billy, un grand nombre de patients furent brutalisés et persécutés par le personnel de l'hôpital au cours de cette période mais, en dehors de Ragen, seul Kevin tenait tête aux infirmiers. En reconnaissance de ce fait, Arthur fit sauter son nom de la liste des indésirables.

Kevin m'écrivit le 28 mars 1980 :

Il s'est passé quelque chose de très moche, mais je ne sais pas quoi. Je savais bien en tout cas que la dissociation complète n'allait pas tarder à se produire à un moment ou à un autre et que Billy s'endormirait pour de bon. Arthur dit que Billy n'a guère eu le temps de goûter à la vie consciente mais que, malheureusement, il n'en a connu qu'un aspect déplaisant. Ici, il s'affaiblissait de jour en jour. Il était incapable de comprendre la haine et la jalousie que lui manifestaient les responsables de cette institution. Ils montaient même les autres malades contre lui pour obliger Ragen à se battre, mais Billy était capable de retenir Ragen... aujourd'hui, il ne le peut plus. Les médecins disent du mal de nous et ce qui fait le plus mal, c'est qu'ils ont raison. Nous sommes, je suis, un monstre, un inadapté, une erreur biologique. Nous haïssons cet endroit mais nous y sommes à notre place. On ne nous a jamais acceptés ailleurs, pas vrai ?

Ragen a mis le holà pour de bon. Il le faut. Bien obligé. Il dit que, quand on ne parle pas, on ne risque pas de faire le moindre mal à quiconque, à l'extérieur comme à l'intérieur. Ragen nous a également rendus sourds. Notre attention sera tout entière tournée vers l'intérieur et assurera un blocage total.

En nous fermant complètement au monde réel, nous pourrons vivre en paix à l'intérieur du nôtre.

Nous savons bien qu'un monde sans douleur est un monde sans sensations... mais un monde sans sensations est un monde sans douleur.

Kevin

En octobre 1980, la direction de la santé annonça que Lima cesserait d'être un établissement psychiatrique destiné à accueillir les fous criminels pour devenir une prison comme les autres.

Une fois encore, la question du transfert de Milligan fit la première page des journaux. Le risque de le voir retourner à Athens ou dans un établissement du même genre conduisit le procureur Jim O'Grady à demander une nouvelle audience devant le juge Flowers à Colombus.

Afin d'éviter que la presse et les hommes politiques ne s'emparent une nouvelle fois de l'affaire, l'audience, initialement prévue pour le 31 octobre 1980, fut repoussée avec l'accord de toutes les parties au 7 novembre, c'est-à-dire au lendemain des élections.

Mais les fonctionnaires de la direction de la santé mirent ce délai à profit pour agir de leur propre chef. Ils annoncèrent au procureur O'Grady qu'on avait pris la décision de transférer Milligan au nouveau centre de médecine légale de Dayton qui avait ouvert en avril. C'est un établissement de haute sécurité entouré d'une double enceinte surmontée de rubans d'acier coupants comme des rasoirs enroulés en accordéon autour de fils de fer barbelés. Le système de sécurité y est plus sévère que dans la plupart des prisons. Au vu de ce fait nouveau, le procureur renonça à sa demande d'audience.

Le 19 novembre 1980, Billy Milligan était transféré au centre de médecine légale de Dayton. Pressentant le désespoir de Billy-D et craignant qu'il ne tentât de mettre fin à ses jours, Arthur et Ragen le rendormirent.

En dehors des visites, il passait son temps à lire, à écrire et à dessiner. La peinture lui était interdite. Il recevait la visite de Mary, la jeune patiente qu'il avait rencontrée à Athens, où elle était soignée pendant les premiers mois qu'il était interné. Elle alla s'installer à Dayton pour pouvoir le visiter tous les jours. Billy se conduisait bien et me dit qu'il attendait avec impatience le prochain réexamen trimestriel de son cas, espérant que le juge Flowers, convaincu qu'il n'avait pas besoin d'être interné dans un établissement de haute sécurité, le renverrait à Athens. Il savait que le docteur Caul pourrait le soigner, le faire fusionner de nouveau et rappeler à la conscience le Professeur. Billy-D désormais endormi, les choses étaient redevenues, disait-il, ce qu'elles étaient avant que le docteur Cornelia Wilbur ne l'ait éveillé pour la première fois.

Je voyais bien que son état se détériorait. A plusieurs reprises, au cours de mes visites, il me déclara qu'il ne savait pas qui il était. Quand une fusion partielle se produisait, il devenait une personne dépourvue de nom. Ragen, m'apprit-il, ne pouvait plus parler anglais. Les “ habitants ” avaient cessé de communiquer entre eux. Je lui ai suggéré d'ouvrir un registre dans lequel les personnalités, quelles qu'elles fussent, qui sortaient sous le projecteur, pourraient inscrire des messages. Cela fonctionna un certain temps, mais l'intérêt se relâcha rapidement et les messages se firent de moins en moins nombreux.

Le réexamen trimestriel eut lieu le 3 avril 1981. Des quatre experts psychiatres et des deux spécialistes de la santé mentale qui vinrent témoigner, seul le docteur Lewis Lindner, qui ne l'avait pas vu depuis cinq mois, déclara qu'il convenait de le maintenir en détention dans un établissement de haute sécurité.

Le procureur fit état d'une lettre apparemment adressée par Milligan à un autre malade de Lima qui projetait de tuer le docteur Lindner. « Ta tactique est complètement absurde… t'es-tu avisé du fait que tu ne trouveras plus beaucoup de médecins pour te soigner s'ils savent qu'une erreur peut leur coûter la vie ? Mais s'il est vrai que Lindner t'a fait tant de mal que c'est sans espoir et que ton affaire te paraît jugée d'avance, si tu as le sentiment que ta vie est finie parce que tu es condamné à rester pour l'éternité derrière les barreaux, alors vas-y, tu as ma bénédiction. »

Quand Milligan fut appelé à la barre, il déclara sous serment s'appeler Tommy. Ce dernier expliqua que c'était Allen qui avait écrit la lettre pour tenter de dissuader l'autre malade de tuer le docteur Lindner : « On ne tue pas les gens simplement parce qu'ils ont témoigné contre vous devant un tribunal. Le docteur Lindner a témoigné contre moi aujourd'hui, mais je n'irai certainement pas lui tirer dessus pour ça. »

Le juge Flowers s'accorda un délai de réflexion. Les journaux se lancèrent de nouveau dans une campagne dirigée contre l'éventualité d'un transfert de Billy Milligan à Athens.

Le 21 avril 1981, la quatrième Cour d'appel de l'Ohio se prononça sur le jugement qui avait permis de placer Billy à Lima. Tout en considérant que cette décision, prise « en l'absence de toute notification à l'intéressé ou à sa famille, sans consultation de ses avocats et sans entendre les arguments qu'il aurait pu présenter pour sa défense », constituait une violation flagrante de ses droits, les juges d'appel estimèrent que l'erreur incontestablement commise par le juge Jones n'avait pas été préjudiciable à Billy puisque, lors d'une audience devant le juge du Comté, des preuves suffisantes et adéquates avaient permis d'estimer qu'en raison de sa maladie mentale, le défendeur représentait un danger pour lui-même et pour autrui... »

Ainsi, tout en désapprouvant la procédure suivie à son encontre, les juges d'appel refusèrent de faire transférer Billy à Athens. Les avocats Goldsberry et Thompson ont depuis lors porté l'affaire devant la Cour suprême de l'Ohio.

Le 20 mai 1981, s'étant accordé plus de six semaines de réflexion, le juge Flowers fit connaître sa décision. En se fondant sur la lettre écrite par Allen et sur l'interprétation qu'en avait donnée le docteur Lindner lors de son témoignage, il se déclara convaincu que William S. Milligan était dépourvu de sens moral, qu'il connaissait bien une certaine sous-culture criminelle et qu'il manifestait un mépris dangereux de la vie humaine. D'autre part, le docteur Caul ayant témoigné qu'au cas où Billy lui serait de nouveau confié, sa conscience de médecin lui interdirait de tenir compte des limitations que la Cour jugerait bon d'imposer à son traitement, le juge estimait que le transfert de William S. Milligan au Centre de santé mentale d'Athens n'était « même pas envisageable ».

Sans tenir compte des dépositions de quatre autres psychologues et psychiatres qui avaient témoigné en leur âme et conscience que Billy *n'était pas* dangereux, le juge Flowers ordonna donc son maintien au centre de médecine légale de Dayton. Cette décision intervenait trois ans et demi après l'arrestation de Billy Milligan et sa première comparution devant le juge Flowers ; deux ans et cinq mois après que ce même juge Flowers l'avait déclaré non coupable pour cause d'irresponsabilité mentale.

Les avocats de Billy ont évidemment fait appel de cette décision ; mais ce dernier n'a manifesté aucune amertume contre les juges d'appel ni contre le juge Flowers. Il m'a donné l'impression que tout cela l'épuisait.

Nous avons encore de fréquentes conversations téléphoniques et je lui rends visite à Dayton de temps à autre. Je vois tantôt Tommy, tantôt Allen, tantôt Kevin. Et parfois, c'est celui qui n'a pas de nom.

Lors d'une visite, comme je lui demandai qui il était, il m'a répondu :

— Je ne sais pas qui je suis. Je me sens creux.

Je lui ai demandé de m'en parler.

— Quand je ne dors pas et que je ne suis pas sous le projecteur, m'a-t-il répondu, c'est comme si j'étais allongé à plat ventre sur une grosse vitre qui s'étend tout autour de moi à l'infini. Je peux voir au travers. De l'autre côté, loin, très loin sur le sol, aussi loin que les étoiles dans l'espace, il y a comme un cercle, un rayon lumineux. C'est presque comme si ce rayon sortait de mes yeux parce qu'il est toujours droit en face de moi. Tout autour, il y a mes habitants dans des cercueils. Les couvercles ne sont pas fermés parce qu'ils ne sont pas encore morts. Ils dorment. Ils attendent quelque chose. Il y a quelques cercueils vides parce que tout le monde n'est pas encore là. David et les autres petits veulent encore tenter leur chance dans la vie. Les autres ont abandonné tout espoir.

— Qu'est-ce que c'est que cet endroit ? lui ai-je demandé.

— C'est David qui l'a baptisé, dit-il, parce que c'est lui qui l'a inventé. David l'appelle “ le Mouroir ”.

LES « HABITANTS »

Les dix

Ce sont les dix personnalités connues des psychiatres, des avocats, de la police et des médias à la date du procès.

1. *William Stanley Milligan* (Billy), 26 ans. C'est la personnalité originale, la personnalité de base, dont on a parlé sous la désignation de « Billy non-fusionné, Billy dissocié » ou encore « Billy D. » A laissé tomber ses études vers la fin du secondaire. Un mètre quatre-vingts, quatre-vingts kilos. Yeux bleus, cheveux bruns.

2. *Arthur,* 22 ans. L'Anglais. Rationnel, dépourvu d'émotions, s'exprime avec un fort accent britannique. Autodidacte dans le domaine de la physique et de la chimie, étudie des traités de médecine. Lit et écrit couramment l'arabe. Très conservateur et partisan déclaré du capitalisme il n'en est pas moins un athée militant. A été le premier à découvrir l'existence de tous les « autres ». Dans les situations qui ne présentent pas de danger, il est la personnalité dominante et décide de confier la conscience à tel ou tel membre de la « famille ». Porte lunettes.

3. *Ragen Vadascovinich,* 23 ans. Le gardien de la haine. Son nom vient d'ailleurs de l'anglais « rage-again » (rage de nouveau). Yougoslave, il s'exprime avec un accent slave prononcé, lit, écrit et parle le serbo-croate. Spécialiste des armes à feu, des munitions, mais aussi du karaté. Fait montre d'une force prodigieuse, qu'il doit à la maîtrise de sa propre sécrétion d'adrénaline. Communiste et athée. Il est le protecteur de la famille, comme des femmes et des enfants en

général. C'est lui qui prend la conscience en charge dans les situations périlleuses. A connu des criminels et des drogués, reconnaît s'être rendu coupable de divers crimes et violences. Il pèse quatre-vingt-cinq kilos, ses bras sont énormes. Noir de poil, il porte une longue moustache tombante. Il ne distingue pas les couleurs et dessine donc en noir et blanc.

4. *Allen,* 18 ans. C'est le combinard, l'escroc. Débrouillard et habile manipulateur, il est le plus souvent chargé des relations avec les étrangers. Agnostique, il est partisan de « profiter au maximum de son passage sur la terre ». Joue de la batterie et peint des portraits. Il est le seul fumeur de toute la « famille ». Très intime de la mère de Billy. Même taille que Billy mais poids moindre. Porte une raie à droite, seul droitier de la famille.

5. *Tommy,* 16 ans. As de l'évasion. Généralement confondu avec Allen, mais agressif et antisocial. Joue du saxophone, spécialiste de l'électronique, peintre paysagiste. Cheveux châtain clair, yeux ambrés.

6. *Danny,* 14 ans. Le craintif. A peur des autres en général et des hommes en particulier. A été un jour contraint de creuser sa propre tombe avant d'y être enterré vivant. En conséquence, ne peint que des natures mortes. Cheveux blonds retombant jusqu'aux épaules, petit et mince.

7. *David,* 8 ans. Le gardien de la douleur, celui qui sent pour les autres. Prend sur lui les blessures et la douleur de toutes les autres personnalités. Hypersensible, très fin, mais incapable de fixer longtemps son attention. Confus et perturbé la plupart du temps. Cheveux brun-roux, yeux bleus, menu et frêle.

8. *Christine,* 3 ans. La petite du coin, ainsi surnommée parce qu'à l'école elle était constamment envoyée au piquet — au coin comme disent les enfants. C'est une intelligente petite Anglaise qui sait lire et écrire mais est atteinte de dyslexie. Elle aime dessiner et colorier des fleurs et des papillons. Cheveux blonds tombant jusqu'aux épaules, yeux bleus.

9. *Christopher,* 13 ans. Frère de Christine. Accent britannique très marqué. Obéissant mais perturbé. Joue de l'harmonica. Chevelure brun-blond semblable à celle de Christine mais plus courte.

10. *Adalana,* 19 ans. La lesbienne. Timide, solitaire et introvertie.

Ecrit des poèmes. Fait la cuisine et le ménage pour les autres. Longs cheveux noirs et raides, atteinte de nystagmus, on dit qu'elle a « les yeux qui dansent ».

Les Indésirables

Refoulés par Arthur en raison de leurs traits de caractère jugés indésirables. Leur existence fut révélée pour la première fois au docteur David Caul du Centre de santé mentale d'Athens.

11. *Philip,* 20 ans. Le petit gangster. New-yorkais, s'exprime avec un fort accent de Brooklyn, langage grossier. Ce furent des allusions à « Phil » qui mirent la puce à l'oreille de la police et des médias quant à l'existence probable d'autres personnalités en dehors des dix déjà connues. Petit délinquant. Cheveux bruns bouclés, yeux noisette, nez busqué.

12. *Kevin,* 20 ans. Le cerveau. Petit délinquant, c'est lui qui a manigancé l'attaque du drugstore Gray. Aime écrire. Cheveux blonds, yeux verts.

13. *Walter,* 22 ans. L'Australien. Se prend pour un chasseur de gros gibier. Excellent sens de l'orientation, c'est souvent à lui qu'on demande de se repérer. Maîtrise et refoule ses émotions. Excentrique. Porte moustache.

14. *April,* 19 ans. La garce. Accent de Boston. Déborde de projets de vengeance machiavéliques contre le beau-père de Billy. Les autres la disent folle. S'occupe de la couture et participe aux soins du ménage. Cheveux et yeux bruns.

15. *Samuel,* 18 ans. Le juif errant. Intégriste, il est le seul à croire en Dieu. Sculpteur et graveur. Barbe et cheveux noirs et frisés. Yeux marron.

16. *Mark,* 16 ans. Vraie bête de somme. Aucune initiative. N'agit que sur l'injonction des autres. S'acquitte des tâches monotones. Quand il n'y a rien à faire, s'absorbe dans la contemplation hébétée du mur. Parfois appelé « le zombie ».

17. *Steve,* 27 ans. Imposteur impénitent. Se moque des gens et les imite. Préoccupé seulement de lui-même, il est la seule personnalité à avoir toujours refusé de croire au diagnostic des psychiatres. Ses

imitations narquoises ont souvent placé les autres dans des situations embarrassantes.

18. *Lee,* 20 ans. Le bouffon. Farceur, véritable clown, humoriste. Ses farces ont souvent occasionné des bagarres. En prison, il est responsable de pas mal d'ennuis avec les autorités. A fait placer les autres à l'isolement. Se moque de tout et, en particulier, des conséquences de ses actes. Cheveux brun froncé, yeux noisette.

19. *Jason,* 13 ans. La soupape de sûreté. Ses réactions hystériques et ses crises de nerfs, souvent sources de punitions, permettent d'atténuer les tensions. Se charge des mauvais souvenirs, permettant aux autres de les oublier, d'où l'amnésie. Cheveux et yeux marron.

20. *Robert* (Bobby), 17 ans. Le rêveur. Imagine sans relâche voyages et aventures. S'il rêve d'améliorer le monde, il est toutefois dépourvu d'ambition et ne s'intéresse à rien.

21. *Shawn,* 4 ans. Sourd. Incapable de fixer longtemps son attention, passe souvent pour un arriéré mental. Emet des bourdonnements pour sentir les vibrations dans sa tête.

22. *Martin,* 19 ans. Le snob. New-yorkais prétentieux et vantard. Ne cesse de prendre de grands airs. Veut tout sans rien mériter. Cheveux blonds, yeux gris.

23. *Timothy* (Timmy), 15 ans. A travaillé chez un fleuriste où les avances d'un homosexuel l'ont effrayé. S'est réfugié dans un monde personnel.

Le Professeur

24. *Le Professeur,* 26 ans. C'est la somme des vingt-trois autres personnalités fondues en une seule. C'est lui qui a enseigné aux autres tout ce qu'ils savent. Intelligent, sensible, doué d'un sens aigu de l'humour. Il déclare : « Je suis Billy d'un seul tenant » et appelle les autres : « les androïdes que j'ai fabriqués ». Le Professeur possède pratiquement la mémoire absolue, c'est son apparition — et son aide — qui ont permis la rédaction du livre.

REMERCIEMENTS

Outre les centaines de rencontres et d'entretiens que j'ai eus avec William Stanley Milligan lui-même, j'ai, pour écrire le livre qu'on vient de lire, interrogé soixante et une personnes dont les vies ont croisé la sienne. Bien que la plupart de ces gens soient nommés par ordre d'entrée en scène, j'aimerais leur exprimer ici toute ma gratitude pour l'aide qu'ils ont bien voulu m'apporter.

Mais j'aimerais aussi remercier individuellement les personnes dont les noms suivent et qui toutes ont joué un rôle dans la préparation, la rédaction ou la publication de mon livre.

Le docteur David Caul, directeur médical du Centre de santé mentale d'Athens, dans l'Ohio. Le docteur George Harding Jr, directeur de l'hôpital Harding. Le docteur Cornelia Wilbur. Maître Gary Schweickart, Maître Judy Stevenson, Maître Alan Goldsberry et Maître Steve Thompson, avocats. Dorothy Moore, la mère de Billy, et Del Moore son beau-père actuel. Kathy Morrison sa sœur et Mary, son amie intime.

Le personnel de diverses institutions — Centre de santé mentale d'Athens (Ohio), police de l'université d'Etat de l'Ohio, bureau des procureurs de l'Ohio, police de Columbus et police de Lancaster — m'a apporté une aide dont je lui reste redevable.

Outre mes remerciements, j'aimerais témoigner du profond respect que m'inspirent les deux victimes d'un viol (dont je brosse le portrait sous le pseudonyme de Carrie Dryer et de Donna West) qui n'ont pas hésité à m'exposer, en détail, le point de vue de la partie civile.

Il me faut remercier aussi mon avocat et agent Donald Engel, pour la confiance qu'il m'a témoignée et le soutien qu'il m'a apporté à l'occasion de cette entreprise, ainsi que mon éditeur Peter Gethers dont l'enthousiasme sans faille et le coup d'œil critique m'ont aidé à organiser les matériaux que j'avais amassés.

Si la plupart des gens que j'ai rencontrés m'ont apporté généreusement une aide enthousiaste, il s'en est trouvé quelques-uns pour refuser de me parler et je me dois d'indiquer mes sources en ce qui les concerne.

C'est ainsi que, pour présenter l'opinion du docteur Harold Brown, qui traita Billy Milligan à la clinique psychiatrique de Fairfield quand ce dernier avait quinze ans, je me suis servi de ses notes personnelles. Dorothy Turner et le docteur Stella Karolin, furent les premières à diagnostiquer l'affection de Billy Milligan au Centre de santé mentale du Sud-Ouest. Pour les décrire et présenter leur point de vue, je me suis fondé sur le souvenir que Milligan a conservé de ses nombreuses rencontres avec elles, corroboré par les rapports qu'elles ont elles-mêmes rédigés et par leurs dépositions sous serment devant les tribunaux, ainsi que sur les récits des psychiatres et des avocats qui les ont connues et rencontrées à l'époque des faits.

Chalmer Milligan (présenté lors du procès comme le « beau-père » de Billy alors qu'il est, en fait, son père adoptif) n'a jamais voulu discuter ou réfuter les allégations avancées contre lui et a décliné mon offre de présenter sa propre version des faits. Les actes que je lui prête sont donc tirés des minutes du procès au cours duquel vinrent déposer des voisins et des parents, corroborés par l'enregistrement des entretiens que j'ai eu avec sa fille Challa, sa fille adoptive Kathy, son fils adoptif Jim, son ex-épouse Dorothy et, évidemment, William Milligan lui-même.

J'ai réservé une place spéciale à mes deux filles, Hillary et Leslie, qui m'ont aidé et ont su se montrer compréhensives tout au long des jours difficiles de la collecte des matériaux, et enfin à mon épouse, Auréa, qui, non contente de m'apporter, comme à l'accoutumée, toutes sortes de suggestions utiles, a écouté des centaines d'heures d'entretiens enregistrés et a su les classer selon un système qui m'a beaucoup simplifié leur utilisation. Sans son aide et ses encouragements, il m'aurait fallu quelques années de plus pour terminer la rédaction de mon livre.

Achevé d'imprimer le 3 mai 1982
sur presse CAMERON
dans les ateliers de la S.E.P.C.
à Saint-Amand-Montrond (Cher)

N° d'impression : 224.
Dépôt légal : mai 1982.

Imprimé en France

HSC 82-5-67-0821-8
ISBN 2-7158-0370-2